BOURBON
No. 47

O GRANDE LIVRO DOS VILÕES E VIGARISTAS

O GRANDE LIVRO DOS VILÕES E VIGARISTAS

64 DAS MELHORES HISTÓRIAS DOS PIORES PERSONAGENS DA LITERATURA

ORGANIZAÇÃO: OTTO PENZLER

TRADUÇÃO: ELTON MESQUITA · MARCELO SCHILD · REGINA LYRA

VOLUME 1

EDITORA NOVA FRONTEIRA

Título original: *The Big Book of Rogues and Villains*

Editora Nova Fronteira Participações S.A.
Rua Candelária, 60 – 7º andar – Centro – 20091-020
Rio de Janeiro – RJ – Brasil
Tel.: (21) 3882-8200 – Fax: (21) 3882-8212/8313

CIP-Brasil. Catalogação na publicação
Sindicato Nacional dos Editores de Livros, RJ

G779
v. 1 O grande livro dos vilões e vigaristas : 64 das melhores histórias dos piores personagens da literatura, volume 1/organização Otto Penzler; tradução Regina Lyra, Marcelo Schild , Elton Mesquita. – 1. ed. - Rio de Janeiro: Nova Fronteira, 2018.

ISBN 9788520943038
1. Super-vilões - História. 2. Ficção americana - Super-vilões - História. I. Penzler, Otto. II. Lyra, Regina. III. Schild, Marcelo. IV. Mesquita, Elton.

18-50190 CDD: 813
CDU: 82-3(73)

Para Andrew Klavan,
meu amigo sábio, hilário e de toda confiança, além de um confidente —
às vezes vigarista, porém jamais vilão.

SUMÁRIO

OS EDUARDIANOS

NORTE-AMERICANOS DO INÍCIO DO SÉCULO XX

INTRODUÇÃO

A ficção de mistério engloba um amplo espectro de subgêneros, embora seja comum que os aficionados diletantes se concentrem na história de detetive como o único mistério "verdadeiro". Como costumo definir (e, como é natural, encaro tal definição como boa e justa), um mistério é qualquer obra de ficção em prosa na qual um crime ou a ameaça de um crime seja o centro do tema ou da trama.

Em um campo de futebol, a história de detetive pura pode cobrir da linha de fundo até a entrada da grande área. A história de crimes, em que a figura central é um criminoso de qualquer espécie, seja ele um vigarista ou um vilão, pode mover a bola até a intermediária. O romance de suspense, que inclui mulheres ou crianças em risco, o cotidiano que deu errado, bem como relatos de desconforto psicológico e comportamento irracional, seja oriundo de sociopatia ou de medo, há de gerar uma grande vantagem bem depois do meio de campo, e histórias de espionagem/intriga internacional cruzarão a linha da grande área oposta. O homicídio de um grande número de pessoas, é claro, faz parte do mesmo jogo pavoroso no qual se inclui o homicídio de um único indivíduo.

Existem vários subgêneros (mistérios históricos, operações policiais, comédias etc.), mas eles se enquadram dentro dos subgêneros principais, muitos dos quais também coincidem: todas as formas são capazes de (ou *deveriam*) criar suspense, espiões podem trabalhar como detetives para pegar informantes, psicopatas tendem a ser criminosos. Suas ações podem muito bem gerar suspense, e um detetive provavelmente estará em seu encalço, portanto as linhas se confundem.

A primeira antologia de mistério genuína, a obra anônima *The Long Arm and Other Detective Tales*, foi lançada em 1895. Nos quase 125 anos desde então, a maioria das antologias publicadas apresenta detetives como personagens centrais. Esta coletânea, por sua vez, reverteu tal prática comum para concentrar-se em criminosos. O título *O grande livro dos vilões e vigaristas* divide muito especificamente os protagonistas em dois grupos, basicamente bem distintos um do outro, embora essas linhas também se confundam certas vezes.

A vigarice deve ser diferenciada da vilania. O vilão é a criatura do mal e da maldade, se não de ostensiva patologia. A vilania é o mau comportamento levado a um extremo desagradável — em geral homicídio. A vigarice em geral não é cruel, evita ferir gravemente terceiros e se define como patifaria encharcada de humor ou se explica como resultado de um meio social desafortunado. Mais uma vez, as linhas podem se confundir vez por outra, pois um vigarista pode causar sérios problemas ou despertar medo, enquanto o vilão talvez demonstre um coração mole quando se trata de cães e crianças, mesmo tendo assassinado alguém.

Embora normalmente sejamos capazes de perceber com facilidade a distinção entre pilantragem e vilania, o contraste pode estar menos na venalidade ou atrocidade do ato perpetrado do que no ponto de vista do personagem e do autor.

O crime típico do vigarista é o roubo, seja através de assalto, burla, estelionato, chantagem ou outras transgressões sem violência física. Se suas escapadas levam à violência física grave, essa ação em geral encerra sua carreira na pilantragem e o inclui na categoria de vilão. A maioria dos vigaristas prefere alcançar pela astúcia ou habilidade aquilo que outros obtiveram com trabalho ou por herança. São capazes de criar um negócio falso com capital sem valor, falsificar um testamento ou um cheque, trapacear nas cartas, planejar um casamento com uma herdeira, arrombar um cofre na calada da noite ou substituir a obra de um autêntico mestre da pintura por uma falsificação. A história e a literatura já mostraram que são infinitos os esquemas nefastos que a mente amoral consegue elaborar.

O crime típico do vilão é o homicídio, para o qual raramente existe uma desculpa aceitável. Embora um dos protagonistas neste livro justifique sua ação dizendo "ele precisava ser morto", nem todos hão de concordar. Ainda assim, existem vários motivos para não só justificar o homicídio, mas também para aplaudi-lo. Nem todo homicídio, pode-se dizer, é assassinato. Legítima defesa é o mais fácil de justificar; com outros exemplos que envolvem ceifar uma vida humana, costumamos ver dois lados que se opõem com veemência. O desafio mais frequente apresentado em tais discórdias é: "Se lhe dessem a oportunidade de voltar no tempo, você mataria [escolha seu vilão *real* — Hitler, Stalin, Mao, Idi Amin — a lista é longa] se tivesse a chance?" E se o fizesse, isso o transformaria em vilão?

Corro o risco de discutir a seguir o sexo dos anjos, embora esta vasta reunião de vigaristas e vilões fictícios se destine meramente a entreter. É um grande volume do que já foi conhecido como ficção escapista, antes que o termo caísse em desagrado. Existirá alguma ficção que não seja escapista?

Este livrão está cuidadosa mas imprecisamente dividido em partes, embora enquanto montava o sumário eu tenha me dado conta de que existem muitos contos que facilmente se encaixariam em mais de uma categoria. Por esse motivo, não levem muito a sério as divisões.

O auge do ladrão cavalheiro foi o final da era vitoriana e a era eduardiana, e muitos dos contos têm uma semelhança difícil de evitar quando se trata de um livro desse tipo. Os canalhas quase sempre gozam de bom status na comunidade e se vestem bem. Para eles, tudo não passa de um jogo, ainda que um jogo perigoso, por isso desempenham seus papéis com tranquilidade e charme. Muitos são brilhantes e têm nervos de aço. Aparentemente infalíveis, é raro serem pegos, mas quando acontece sempre descobrem um jeito de se safar por meio de sagacidade, de um álibi falso ou de uma testemunha atordoada.

Um adendo gramatical: venho usando o pronome "ele", porque "eles" é simplesmente errado e "ele ou ela" soa estranho. Que ninguém se ofenda, por favor. Mas as mulheres também têm seus papéis aqui e sem dúvida seduzirão o leitor tão bem quanto seduzem sua "gangue". Você descobrirá grande semelhança entre Fidelity Dove e Jane dos Quatro Quadrados, mas jamais se pensou em omitir uma ou outra. Quase todas as vigaristas (e vilãs) são jovens e bonitas — melhor assim para enganar tanto suas vítimas quanto a polícia.

Outras semelhanças de estilo e desempenho ocorrem nos contos sobre Randolph Mason e Ehrengraf, os advogados que enfrentam dilemas morais, nas aventuras dos pistoleiros de aluguel Quarry e Keller, no *modus operandi* dos vigaristas Wallingford e coronel Clay, nas ações inescrupulosas dos monstros de "Perigo amarelo" Quong Lung e Fu Manchu e nos pilantras de Erle Stanley Gardner. Por outro lado, não existem muitas diferenças entre os métodos de detetives tão icônicos quanto Philip Marlowe, Sam Spade e Lew Archer. O que importa é a forma bela e criativa que os autores contam suas histórias.

O gênero tem suas regras e restrições, tal como acontece com sinfonias e sonetos. Uma framboesa guarda semelhanças com outra, mas a ideia não é buscar uma variação significativa, mas meramente apreciá-la. Espero que vocês gostem desses contos e suas variações.

E lembrem-se: o crime compensa na ficção, mas não é uma boa escolha na vida real. Sherlock Holmes continua vivo e há de pegar você!

Otto Penzler

OS VITORIANOS

VILÃ: MADAME KATHERINE KOLUCHY

À BEIRA DA CRATERA

L.T. MEADE E ROBERT EUSTACE

Elizabeth Thomasina Meade Smith (1844-1914), *nom de plume* Lillie Thomas Meade, escreveu várias obras de ficção detetivesca, historicamente muito importantes. *Stories from the Diary of a Doctor* (1894; segunda série 1896), escrito em colaboração com o dr. Edgar Beaumont (pseudônimo dr. Clifford Halifax), foi a primeira série de mistérios médicos publicada na Inglaterra. Outros livros memoráveis de Meade são *A Master of Mysteries* (1898), *The Gold Star Line* (1899) e *The Sanctuary Club* (1900), o último apresentando uma incomum academia de ginástica em que uma série de homicídios é cometido por meios aparentemente sobrenaturais; os três foram escritos em conjunto com o dr. Eustace Robert Barton (1854-1943), assinando como Robert Eustace. Outra obra notável é *The Sorceress of the Strand* (1903), no qual Madame Sara, uma vilã absolutamente sinistra, se especializa em homicídios.

The Brotherhood of the Seven Kings (1899), também um trabalho conjunto com Eustace, é a primeira série de contos sobre uma pilantra do sexo feminino. Líder totalmente maligna de uma organização criminosa italiana, a deslumbrante e brilhante Madame Koluchy mede forças com Norman Head, um filósofo recluso que já fez parte da sua gangue. O livro foi escolhido por Ellery Queen para a *Queen's Quorum* como uma das 106 coletâneas mais importantes de contos de mistério. Curiosamente, apenas o nome de Meade aparece na capa e na lombada da obra, embora Eustace receba crédito como coautor na folha de rosto.

Robert Eustace é mais conhecido por suas colaborações com outros escritores. Além de trabalhar com Meade, coescreveu vários contos com Edgar Jepson; *The Stolen Pearl: A Romance of London* (1903), um romance com a outrora popular escritora de mistério Gertrude Warden:, e sua obra mais famosa de coautoria, um romance com Dorothy L. Sayers: *The Documents in the Case* (1930).

"À beira da cratera" foi publicado pela primeira vez em *The Brotherhood of the Seven Kings* (Londres: Ward, Lock, 1899).

À BEIRA DA CRATERA

L.T. MEADE E ROBERT EUSTACE

Foi no ano de 1894 que o primeiro dos acontecimentos notáveis que estou prestes a revelar ao mundo aconteceu. Eu me via como uma espécie de filósofo e recluso tendo vivido, ou assim me parecia, minha vida e encerrado a parte ativa da minha existência A verdade é que eu era jovem, não tinha mais que 35 anos, mas no passado sinistro cometera um erro supremo, e devido a essa experiência paralisante abandonei o mundo agitado e encontrei meu alívio no laboratório do cientista e no estúdio do filósofo.

Dez anos antes do começo dessas histórias, quando estava em Nápoles estudando biologia, fui vítima das artimanhas e do fascínio de uma bela italiana. Cientista com realizações consideráveis e uma beleza superior à da maioria dos mortais, seduziu não só a minha mente, mas também meu coração. Estando eu fascinado por sua beleza e intelecto, ela me levava aonde quer que fosse o seu desejo. Seus objetivos e ambições, que, sob o falso glamour com que ela os revestia, eu acreditava serem os mais nobres do mundo, passaram a ser os meus também. Ela me apresentou aos homens do seu grupo — meu aprendizado foi rápido —, e numa noite que jamais seria esquecida, participei de uma cerimônia grotesca e horrenda e me tornei membro da Irmandade.

Seu nome era Irmandade dos Sete Reis, e sua origem remonta a uma das sociedades secretas da Idade Média. Em meu entusiasmo inicial, a confraria me pareceu abarcar todos os princípios da verdadeira liberdade. Katherine era sua chefe e rainha. Quase imediatamente após a minha iniciação, porém, fiz uma descoberta chocante. As suspeitas apontavam para a bela italiana como instigadora, senão mesmo a autora, de um crime dos mais terríveis. Nenhum dos detalhes podia lhe ser atribuído diretamente, mas pouca dúvida havia de que ela era sua mola mestra. Amando-a com paixão como eu a amava, tentei bloquear minha inteligência contra todas as provas por demais conclusivas da sua culpa. Durante algum tempo consegui, mas quando recebi a ordem para participar de uma transação ao mesmo tempo desonrosa e desleal, meus olhos se abriram. O horror se apossou de mim e fugi para a Inglaterra para me pôr sob a proteção das suas leis.

Dez anos depois, o passado começava a desbotar. Quis o destino que me fosse recordado com incrível vividez.

Na minha juventude, em Cambridge, eu estudara filosofia, mas jamais obtive o grau de doutor, gozando de recursos suficientes para me sustentar. No meu laboratório, porém, nas vizinhanças do Regent's Park, eu trabalhava com biologia e fisiologia por puro amor a essas ciências cativantes.

Estava bastante ocupado na tarde do dia 3 de agosto de 1894, quando a sra. Kenyon, uma velha amiga, apareceu para me visitar. Foi levada ao meu estúdio, e lá me juntei a ela. Era viúva, mas o filho, um garoto de 12 anos, havia, graças à morte inesperada de um parente, acabado de herdar uma grande fortuna e um título. Pedi à sra. Kenyon que se sentasse, e ela o fez.

— Você anda agindo muito mal, Norman. Faz meses que esteve comigo da última vez. Por acaso pretende esquecer seus velhos amigos?

— Espero que a senhora me desculpe — respondi. — Sabe como vivo sempre ocupado.

— Você trabalha demais. Não consigo imaginar por que um homem com o seu cérebro e as suas oportunidades de aproveitar a vida prefere se trancar em casa.

— Estou feliz desse jeito, sra. Kenyon. Por que então deveria mudar? Aliás, como vai Cecil?

— Vim aqui falar sobre ele. Você soube, é claro, da feliz mudança em sua vida, não?

— Sim — respondi.

— Ele herdou a propriedade Kairn, e agora é lorde Kairn. Há uma vultosa renda de aluguéis e um patrimônio considerável. Você sabe, Norman, que Cecil sempre foi um rapaz de saúde frágil.

— Eu esperava ouvir da senhora que ele estivesse mais forte — falei.

— Está, e logo vou explicar como. A vida dele é das mais importantes. Como lorde Kairn, muito se espera dele. Não apenas que viva, sob a providência de Deus, mas que, mantenha ao largo de uma grande propriedade um homem de extremo mau caráter. Estou falando de Hugh Doncaster. Se Cecil morresse, Hugh se tornaria lorde Kairn. Sem dúvida você já ouviu falar do seu caráter, não?

— Conheço bem a reputação desse homem — assenti.

— Imaginei. Seu desapontamento e sua fúria com a herança de Cecil do título são quase insuperáveis. Boatos sobre seus sentimentos nefastos quanto ao garoto já chegaram aos meus ouvidos. Eu soube que ele está em Londres, mas a vida dele, como a sua, é meio misteriosa. Achei que você, Norman, como um amigo de longa data, pudesse obter para mim certos detalhes quanto ao paradeiro de Hugh.

— Por que a senhora deseja essas informações?

— Sinto um estranho mal-estar em relação a ele, algo que não sei explicar. Claro que numa época esclarecida como a nossa ninguém atentaria contra a vida de uma criança, mas eu ficaria mais confortável se me garantissem que ele não se encontra próximo de Cecil.

— Mas o homem não pode fazer nada ao seu filho! Claro que vou descobrir o que puder, mas...

— Obrigada — interrompeu a sra. Kenyon. — É um alívio saber que você vai me ajudar. Naturalmente, não existe nenhum perigo real, mas sou viúva, e Cecil não passa de uma criança. Agora preciso lhe contar sobre a saúde do menino. Ele está quase curado. Uma ressurreição incrível aconteceu. Nos últimos dois meses, ele está aos cuidados de uma mulher extraordinária, Madame Koluchy, que tem feito milagres no caso de Cecil e agora, para completar a cura, vai mandá-lo para o Mediterrâneo. Ele viaja amanhã, de navio, sob os cuidados do dr. Fietta. Não suporto me separar do meu filho, mas é para seu próprio bem, e Madame Koluchy insiste que uma viagem marítima é indispensável.

— Mas a senhora não vai com ele? — questionei.

— Infelizmente é impossível. Minha filha mais velha, Ethel, está prestes a casar-se, e não posso deixá-la sozinha nesse momento. Cecil, porém, estará em boas mãos. O dr. Fietta é um sujeito formidável, confio plenamente nele.

— Para onde vão?

— Para o Cairo. Zarpam amanhã à noite no *Hydaspes*.

— O Cairo é um lugar horrivelmente quente nesta época do ano. A senhora tem certeza de que é prudente mandar um rapaz de saúde frágil como Cecil para lá em agosto?

— Ah, ele não vai ficar lá. O objetivo é a viagem marítima, e ele voltará no vapor seguinte. A viagem, segundo Madame Koluchy, há de completar a cura. Essa mulher incrível teve sucesso na missão em que a profissão médica forneceu pouca esperança. Você já ouviu falar dela, certo?

— Estou cansado de ouvir seu nome. Falam dela por todo lado. Ela enfeitiçou Londres com suas imposturas e charlatanice.

— Não há nada de charlatanice ali, Norman. Acredito que seja a mulher mais inteligente da Inglaterra. Existem relatos autênticos de suas curas maravilhosas que não podem ser questionados. Existem até boatos de que ela seja capaz de restaurar a juventude e a beleza com seus poderes. Toda a sociedade está a seus pés. Dizem à boca pequena que até mesmo membros da realeza se encontram entre seus pacientes. Claro que ela cobra caríssimo, mas veja os resultados! Você a conhece?

— Não. De onde ela vem? Quem é ela?

— É italiana, mas fala inglês perfeitamente. Mora numa casa que é um verdadeiro palácio na Welbeck Street.

— E quem é o dr. Fietta?

— Um médico que a auxilia em seus tratamentos. Acabei de vê-lo. É encantador e dedicado a Cecil. Cinco horas! Nem me dei conta de que já era tão tarde. Preciso ir embora. Você me manda notícias quando tiver alguma novidade sobre o sr. Doncaster? Venha me visitar em breve.

Acompanhei a visita até a porta e então, voltando ao meu estúdio, me sentei para retomar o trabalho que me ocupava quando fui interrompido.

Mas a visita da sra. Kenyon me deixou inquieto. Eu conhecia bem o caráter de Hugh Doncaster. Relatos de suas maldades vez por outra agitavam a sociedade, mas o homem até então havia escapado do braço severo da justiça. Naturalmente, não poderia haver fundamento real para os temores da sra. Kenyon, mas me senti solidário a ela. O menino era jovem e delicado; se Doncaster pudesse lhe fazer mal sem ser descoberto, sem dúvida não hesitaria em agir. Enquanto eu matutava sobre esses assuntos, fui tomado por um vago temor de problemas que estariam por vir. Rapidamente me vesti de maneira apropriada para uma saída noturna e, depois de jantar no meu clube, me vi, às 22h30, em uma sala de estar em Grosvenor Square. Quando adentrei o salão, após trocar algumas palavras com a anfitriã, esbarrei em Dufrayer, um advogado e amigo especial. Entabulamos uma conversa. Enquanto falávamos e meus olhos examinavam sutilmente os grupos de pessoas bem-vestidas, percebi um círculo de homens à volta de uma mulher imponente a quem prestavam homenagens no extremo do salão. Uma estrela de diamante brilhava em seu cabelo escuro. No pescoço e nos braços também cintilavam diamantes. Sua postura era ereta, e sua aparência, régia. Os lábios rosados sorriam. A inteligência e o poder marcantes do rosto não podiam deixar de despertar a atenção mesmo do observador mais distraído. À primeira vista, senti que já a vira antes, mas fui incapaz de dizer quando ou onde.

— Quem é aquela mulher? — perguntei ao meu companheiro.

— Meu caro amigo — respondeu ele, com um sorriso divertido. — Você não sabe? Aquela é a grande Madame Koluchy, a febre do momento, a grande especialista, a grande consultora. Chegou há meros dez minutos e veja: já está indo embora. Dizem que comparece a uma dezena de eventos toda noite.

Madame Koluchy começou a se dirigir para a porta e, ansioso para vê-la mais de perto, também me esgueirei rapidamente em meio à multidão. Alcancei o patamar da escada antes dela, e, quando ela passou, olhei-a em cheio no rosto. Seu olhar encontrou o meu — e a intensidade sombria dos olhos dela parecia me ler. Com um meio sorriso, ela parou por um instante como se fosse falar, mudou de ideia, inclinou a cabeça de rainha com um gesto majestoso e desceu lentamente a escada. Por um momento fiquei ali parado, com um zumbido nos ouvidos, enquanto meu coração batia freneticamente. Quando cheguei à calçada, a carruagem de Madame Koluchy estava parada. Ela não reparou em mim, mas eu consegui observá-la. Inclinada para fora, falava atentamente com alguém. As seguintes palavras chegaram aos meus ouvidos:

— Está tudo bem. Eles zarpam amanhã à noite.

Não consegui ouvir a resposta do homem com quem ela falou, mas eu vira seu rosto. Era Hugh Doncaster.

A carruagem de Madame Koluchy partiu, e eu chamei um cabriolé. Em momentos supremos, pensamos rapidamente. E foi o que aconteceu naquela hora.

— Para onde? — indagou o condutor.

— Para o nº 140 da Earl's Terrace, em Kensington — instruí.

Eu me recostei no banco enquanto falava. O horror de lembranças passadas quase me paralisou, mas logo me recompus. Sabia que precisava agir. E depressa. Eu acabara de ver a Chefe da Irmandade dos Sete Reis. Madame Koluchy, muito mudada desde a última vez, era a mulher que arruinara meu coração e a minha vida dez anos antes em Nápoles.

Por experiência própria, eu estava ciente de que, onde surgia, essa mulher fazia vítimas. Seu alvo atual era uma criança, que eu precisava salvar, mesmo que minha vida fosse o preço. Ela ordenara a viagem do menino para o exterior. Ele zarparia no dia seguinte com um emissário dela. Ela estava em conluio com Doncaster. Se conseguisse se livrar do menino, Doncaster decerto lhe pagaria uma quantia fabulosa. Pois acima de tudo o que ela mais desejava era dinheiro. Sim, sem dúvida a vida do rapaz corria o maior dos perigos, e eu não tinha um minuto a perder. A primeira providência era me comunicar com a mãe e, se possível, pôr fim à viagem.

Cheguei à casa, escancarei a porta do cabriolé e subi correndo a escada. Ali, notícias inesperadas me aguardavam. O criado que me recebeu à porta me informou que a sra. Kenyon partira para a Escócia no trem noturno — recebera um telegrama avisando que a filha mais velha estava gravemente doente. Ao ouvir a notícia, seguira para o norte, mas não chegaria ao destino antes da noite seguinte.

— Lorde Kairn está em casa? — perguntei.

— Não, senhor. Minha patroa não gosta de deixá-lo sozinho aqui e mandou-o para a casa de Madame Koluchy, no nº 100 da Welbeck Street. Talvez o senhor não esteja a par de que o lorde embarca amanhã à noite para o Cairo, está?

— Sim, estou ciente disso tudo. E, se fizer o favor de me dar o endereço de sua patroa, ficarei grato.

O homem me forneceu o endereço. Tornei a entrar no meu cabriolé. Por um instante, me ocorreu enviar um telegrama a fim de interceptar a sra. Kenyon em sua rápida viagem, mas, afinal, decidi não fazê-lo. O menino já se encontrava nas mãos do inimigo, e eu tinha certeza de que só me restava agora resgatá-lo usando de astúcia. Voltei para casa, já decidido sobre como agir. Eu acompanharia Cecil e o dr. Fietta ao Cairo.

Às onze horas da manhã seguinte, eu já havia comprado uma cabine no *Hydaspes*, e às nove daquela noite subi a bordo. Vislumbrei de longe, momentaneamente, o jovem lorde Kairn e seu acompanhante, mas, a fim de evitar explicações, me mantive afastado. Não foi senão na manhã seguinte, quando o vapor já se encontrava a boa distância no Canal, que fiz minha aparição no convés, onde imediatamente vi o garoto sentado numa cadeira na proa. A seu lado estava um homem esbelto de meia-idade usando um *pince-nez*. Tinha toda a aparência de um estrangeiro, com sua barba pontuda, bigode encerado e olhos pequenos, arredondados e profundos. Quando atravessei o convés e me dirigi até onde os dois se sentavam, lorde Kairn ergueu o rosto e me reconheceu no mesmo instante.

— Sr. Head! — exclamou, pulando da cadeira. — O senhor aqui? Fico muito feliz de vê-lo!

— Estou a caminho do Cairo, a negócios — disse, apertando calorosamente a mão do garoto.

— Do Cairo? Ora, é para lá que estamos indo, mas o senhor não disse à minha mãe que viria, e ela esteve em sua casa anteontem. Foi uma pena ela precisar correr para a Escócia tão de repente, mas ontem à noite, pouco antes de zarparmos, chegou um telegrama dizendo que Ethel melhorou. Como mamãe teve de viajar, fui passar a noite na casa de Madame Koluchy. Adoro ir lá. Além de ter uma casa linda, ela por si só é encantadora. Este é o dr. Fietta, que veio comigo.

Quando o menino acrescentou essas palavras, o dr. Fietta se adiantou e me olhou através de seu *pince-nez*. Assenti num cumprimento, e ele retribuiu a saudação.

— Que coincidência extraordinária, dr. Fietta! — exclamei. — Cecil Kenyon por acaso é filho de uma das minhas melhores amigas. Fico satisfeito de vê-lo com tão boa aparência. Qualquer que tenha sido o tratamento de Madame Koluchy, o efeito foi maravilhoso. Eu soube que o senhor tem a sorte de participar dos segredos e curas maravilhosas dela.

— Tenho a honra de atuar como assistente de Madame Koluchy — respondeu o sujeito, com um forte sotaque estrangeiro —, mas posso tomar a liberdade de indagar quem lhe deu essa informação a meu respeito?

— A sra. Kenyon — respondi. — Ela me contou tudo a seu respeito anteontem.

— Então ela sabia que o senhor seria companheiro de viagem do filho?

— Não, já que nem eu mesmo sabia. Um telegrama urgente me chamando ao Egito chegou naquela mesma noite, e por esse motivo só comprei minha passagem ontem. Sorte a minha ter a honra de conhecer um estudioso renomado como o senhor. Ouvi muito falar dos maravilhosos poderes ocultos de Madame Koluchy, mas suponho que os segredos do seu sucesso estejam guardados com muito cuidado. A profissão, é claro, não a faz ser levada a sério, sei disso, mas para dar crédito ao que se ouve, ela tem recursos jamais sonhados pela filosofia.

— Isso é verdade, sr. Head. Como médico, posso avalizar a capacidade dela e, sem os escrúpulos profissionais ingleses, eu a aprecio. Madame Koluchy e eu temos orgulho do nosso jovem amigo aqui, e esperamos que a viagem complete sua cura e o deixe apto para o alto cargo que ele está destinado a ocupar.

A viagem prosseguiu. Fietta era um homem inteligente, e suas conquistas científicas, consideráveis. Não fosse o meu conhecimento do passado terrível, meus temores talvez tivessem cessado, mas, com efeito, eles estavam sempre presentes, e chegou bem depressa o momento em que a suspeita se tornou certeza.

Na véspera do dia em que chegaríamos a Malta, o vento aumentou e o mar se encapelou. Quando terminei de tomar o café da manhã, fui até a cabine de Cecil para ver como o garoto estava. Tinha acabado de se levantar, pálido e com aparência ruim.

— O mar está muito agitado, mas o comandante diz que daqui a cerca de uma hora, as condições hão de melhorar — falei.

— Assim espero — respondeu Cecil — porque estou enjoado, mas suponho que ficarei bem quando estiver no convés. O dr. Fietta me deu alguma coisa para fazer passar o enjoo, mas não adiantou muito.

— Não conheço nada que faça realmente passar o enjoo da mareagem, mas o que ele indicou?

— Ah, uma coisa engraçada, sr. Head. Espetou meu braço com uma agulha numa seringa e injetou algo. Disse que é uma cura certa para o enjoo da mareagem. Olhe — disse o menino, descobrindo o braço —, foi aqui que ele espetou.

Examinei a marca com atenção. Evidentemente havia sido feita com uma seringa hipodérmica.

— O dr. Fietta disse o que estava injetando em seu braço? — indaguei.

— Sim, disse que era morfina.

— Onde ele guarda a agulha?

— No seu baú, debaixo do beliche. Vou me vestir agora para irmos ao convés.

Saí da cabine e subi ao convés. O médico andava para lá e para cá no deque coberto. Aproximei-me.

— Seu assistido não está passando bem — falei. — Estive com ele há pouco. Soube que o senhor lhe deu uma injeção de morfina.

O homem se virou e me lançou um rápido olhar de medo constrangido.

— Lorde Kairn lhe disse isso?

— Sim.

— Ora, sr. Head, essa é a melhor cura para enjoo da mareagem. Considero o tratamento extremamente eficaz.

— O senhor acha prudente dar morfina a uma criança? — questionei.

— Não discuto meus tratamentos com um indivíduo sem qualificações — retorquiu ele bruscamente, tornando a se virar enquanto falava.

Eu o acompanhei com o olhar e quando ele deixou o convés, meus temores se transformaram em certezas. Decidi, a todo custo, descobrir o que ele dera ao menino. Eu tinha plena consciência das infinitas possibilidades do perigoso e pequeno instrumento que era uma seringa hipodérmica.

Com o passar do dia, o mar foi se acalmando, a às cinco da tarde já estava sereno de novo, uma mudança bem-vinda para os passageiros, que, com a permissão do comandante, haviam programado um baile naquela noite no convés. A ocasião era uma daquelas em que os escrúpulos cotidianos devem ser deixados de lado. A honra numa missão como a que eu tomara a meu cargo precisava ser substituída pelo zelo vigilante de um detetive. Eu resolvera me aproveitar do baile para explorar a cabine do dr. Fietta. O médico gostava de dançar, e, assim que ele e lorde Kairn estavam entretidos, deixei o convés e fui até a cabine dos dois. Acendi a luz e, tirando o baú de sob o beliche, rapidamente o abri. Estava destrancado, preso apenas por correias. Passei depressa a mão pelo conteúdo, basicamente roupas, mas encontrei um estojo enfiado num canto. Puxei-o para fora e depois o abri. Dentro estava a pequena e delicada seringa hipodérmica que eu buscava.

Botei-a sob a luz e a examinei. Manchando o interior do vidro e grudada ao fundo do pequeno êmbolo, vi uma substância branca de aparência gelatinosa. Não se tratava de uma solução hipodérmica comum, mas de uma gelatina meio liquefeita que eu sabia muito bem ser o meio para a cultura de micro-organismos. Fiquei espantado por um momento: que cultura infernal poderia estar contida ali?

O tempo voava, e a qualquer momento eu podia ser descoberto. Apressado, coloquei a seringa no bolso, fechei o baú, recolocando-o no lugar, e voltei ao convés após apagar a luz. Minhas têmporas latejavam e mantive o autocontrole com dificuldade. Tomei rapidamente uma decisão. Fietta com certeza daria por falta da seringa, mas provavelmente não na mesma noite. Até então, aparentemente nada havia de errado com o garoto, mas será que não estaria circulando em suas veias algum germe venenoso com uma doença que exigiria um período de incubação para se desenvolver?

Ao alvorecer, o vapor chegaria a Malta. Eu desceria imediatamente, chamaria um médico e lhe exporia o caso em segredo, na esperança de que ele dispusesse dos elementos necessários para examinar o conteúdo da seringa. Se encontrasse quaisquer organismos, eu faria justiça com minhas próprias mãos e levaria o menino de volta à Inglaterra no navio seguinte.

Não consegui pregar o olho naquela noite e fiquei me revirando no beliche esperando pela luz do dia. Às seis da manhã, ouvi a sirene da casa de máquinas, e a tripulação de repente reduziu pela metade a velocidade. Pulei da cama e fui para o convés. Pude ver a silhueta da fortaleza de pedra e o farol de St. Elmo mais nítidos a cada instante. Assim que o navio ancorou e desceram a passarela, aluguei um dos barquinhos verdes e mandei que os homens me levassem à orla. Na mesma hora me dirigi ao Grand Hotel na Strada Reale e pedi ao guia italiano o endereço de um médico. Ele me indicou um médico inglês que morava por perto e na mesma hora fui procurá-lo. Eram sete da manhã e ele estava acordado. Pedi desculpas pelo horário da visita, expus-lhe toda a questão e lhe mostrei a seringa. Por um instante, sua reação foi de incredulidade ante a minha história, mas aos poucos foi ficando interessado e terminou me convidando para tomar café da manhã com ele. Após a refeição voltamos a seu consultório para proceder às investigações. Ele pegou seu microscópio, que, conforme constatei com satisfação, era de última geração, e me pus a trabalhar de uma vez, enquanto ele me observava com interesse evidente. No fim, veio o momento crucial, e me debrucei sobre o instrumento, ajustando o foco sobre a amostra. Minhas suspeitas foram efetivamente confirmadas pelo que vi. A substância da seringa era uma massa de micro-organismos, mas cuja natureza me era desconhecida. Eu jamais vira nada semelhante àquilo. Recuei.

— Eu gostaria que o senhor examinasse isto — falei. — O senhor mencionou que tem dedicado considerável atenção à bacteriologia. Por favor, me diga o que vê.

O dr. Benson ajustou o olho ao instrumento, regulando o foco em silêncio. Depois ergueu a cabeça e me olhou com uma expressão curiosa.

— De onde veio essa cultura? — indagou.

— De Londres, suponho — respondi.

— É extraordinário — disse ele, com ênfase —, mas não há dúvida de que esses organismos são os germes específicos da precisa doença que tenho estudado aqui tão assiduamente. São os *micrococci* da febre mediterrânea, as bactérias minúsculas redondas ou ovais. São absolutamente característicos da doença.

Dei um pulo e gritei.

— É mesmo?

A natureza diabólica da trama era claríssima. Os germes injetados num paciente produziriam uma febre que ocorre apenas no Mediterrâneo. O fato de o garoto ter estado no Mediterrâneo, ainda que por um curto período, não levantaria suspeitas quanto à contaminação.

— Qual é o período de incubação? — perguntei.

— Cerca de dez dias — respondeu o dr. Benson.

Estendi-lhe a mão, dizendo:

— O senhor me prestou um serviço incalculável.

— Talvez eu possa lhe prestar mais outro — foi sua resposta. — Transformei o estudo da febre mediterrânea na minha missão de vida e, acredito, descobri uma antitoxina para ela. Testei minhas descobertas nos pacientes do hospital naval e obtive resultados excelentes. O incômodo local é pequeno, e jamais vi sintomas ruins resultarem do tratamento. Se o senhor me trouxer o garoto, eu lhe administrarei o antídoto sem demora.

Refleti um instante e então falei:

— Minha posição é terrível e estou inclinado a aceitar a sua proposta. Nas atuais circunstâncias é a única alternativa.

— Sim — repetiu o dr. Benson. — Estarei à sua disposição sempre que o senhor precisar de mim.

Despedi-me e rapidamente fui embora.

Eram dez da manhã. Meu primeiro objetivo era encontrar o dr. Fietta, falar com ele sem rodeios e desembarcar o menino, à força, se necessário.

Corri de volta ao Grand Hotel, onde descobri que um rapaz e um homem, correspondendo à descrição do dr. Fietta e Cecil, haviam tomado café da manhã ali, mas partido logo em seguida. Eu sabia que o *Hydaspes* iria ser reabastecido de carvão e não partiria de Malta antes de uma da tarde. Minha única chance, portanto, era alcançar os dois quando embarcassem. Até lá eu nada podia fazer. Ao meio-dia, desci ao cais e peguei um bote em direção ao *Hydaspes*. Não vendo sinal de Fietta e do menino no convés, mais uma vez me dirigi à cabine de lorde Kairn. A porta estava aberta, e o lugar, revirado — todos os vestígios de bagagem haviam sumido. Totalmente perdido diante dessa descoberta inesperada, apertei a campainha elétrica. Imediatamente um camareiro apareceu.

— Por acaso lorde Kairn deixou o navio? — perguntei, com o coração disparado.

— Creio que sim, senhor — respondeu o homem. — Recebi ordens para preparar a bagagem e mandá-la para fora do navio. Foi há cerca de uma hora.

Não esperei nem mais um instante. Correndo para a minha cabine, comecei atirar minhas coisas de maneira atabalhoada na mala. Estava apreensivo quanto a essa repentina manobra do dr. Fietta. Pedindo ajuda a um camareiro que passava, levei minhas coisas para o convés e em poucos minutos embarquei-as num bote e parti prontamente para terra. Tornei a me dirigir ao Grand Hotel na Strada Reale.

— O cavalheiro que esteve aqui hoje do *Hydaspes*, acompanhado de um garotinho, reservou quartos para a noite? — perguntei ao proprietário no balcão no alto da escadaria.

— Não, senhor — respondeu o homem. — Eles tomaram café da manhã aqui, mas não retornaram. Acho que disseram que iriam visitar os jardins de San Antonio.

Durante um ou dois minutos andei de um lado para outro no saguão, numa excitação incontrolável. Me vi totalmente perdido sobre o que fazer a seguir. Então, uma ideia me ocorreu. Desci correndo a escadaria e fui até a agência Cook.

— Um cavalheiro com essa descrição comprou dois bilhetes para Nápoles no *Spartivento*, um barco rupertino, há duas horas — me disse o funcionário em resposta às minhas perguntas. — O barco acabou de zarpar — prosseguiu, olhando o relógio.

— Para Nápoles? — gritei. Um medo nauseante me dominou. O nome daquele lugar maldito me acertou como uma flecha envenenada. — É tarde demais para embarcar?

— Sim, senhor, o barco já partiu.

— Então, qual é o caminho mais rápido para chegar a Nápoles?

— O senhor pode pegar o *Gingra*, um barco de cruzeiro, esta noite para Brindisi e depois ir por terra. Esse é o caminho mais rápido agora.

Comprei imediatamente a passagem e saí da agência. Não havia a menor dúvida do que se passara. O dr. Fietta percebera o sumiço da seringa e em consequência mudara de imediato seus planos. Levaria o rapaz à própria sede da Irmandade, onde outros meios, se necessários, seriam empregados para pôr fim à vida do garoto.

Eram nove horas da noite, três dias depois, quando, da janela do vagão de trem, tive meu primeiro vislumbre da incandescência no topo do Vesúvio. Durante a viagem, eu determinara minha linha de ação. Deixando a bagagem guardada, entrei numa carruagem e comecei a visitar hotel após hotel. Durante um bom tempo, foi em vão. Já passava das onze da noite quando, exausto e de coração pesado, aportei no Hotel Londres. Fui até a recepção com a minha pergunta habitual, esperando a resposta de sempre, mas uma onda de alívio me acalmou quando o recepcionista disse:

— O dr. Fietta saiu, mas o jovem está no quarto. Dormindo. O senhor pode voltar amanhã? Que nome devo lhes dar?

— Eu vou ficar — respondi. — Me providencie um quarto agora mesmo e mande subir minha bagagem. Qual o número do quarto de lorde Kairn?

— Número 46. Mas ele está dormindo, meu senhor. Não poderá vê-lo agora.

Nada respondi, mas, subindo rapidamente, encontrei o quarto do rapaz. Bati. Não houve resposta, então girei a maçaneta e entrei. Estava escuro. Riscando um fósforo, olhei à volta. Numa cama branca, no extremo do aposento, estava o menino deitado. Fui até ele sem fazer ruído. Dormia com uma das mãos sob a bochecha. Parecia exausto e vez por outra gemia, como se estivesse perturbado. Quando toquei de leve seu ombro, assustado ele abriu os olhos. Uma expressão zonza e surpresa surgiu em seu rosto. Então, com um grito ansioso, ele estendeu as mãos e agarrou a minha.

— Estou tão feliz de ver o senhor! O dr. Fietta me disse que o senhor estava zangado, que eu o ofendera. Quase chorei quando nos desencontramos naquela manhã em Malta, e o dr. Fietta disse que eu não o veria nunca mais. Não gosto dele. Tenho medo dele. O senhor veio me levar para casa?

Enquanto falava, Cecil olhava insistentemente para a porta, apertando mais ainda a minha mão.

— Sim, vou levá-lo para casa, Cecil. Vim com essa finalidade, mas você está bem de saúde?

— Pois é. Não estou. Tenho pesadelos horríveis à noite. Ah, estou tão feliz porque o senhor voltou e não está zangado. Vai mesmo realmente me levar para casa?

— Amanhã, se você quiser.

— Por favor, me leve, sim. Eu estou... Chegue mais perto, quero falar baixinho. Estou morrendo de medo do dr. Fietta.

— Por quê? — indaguei.

— Não há motivo — respondeu a criança —, só sei que morro de medo. Desde que o senhor nos deixou em Malta. Uma vez acordei no meio da noite e ele estava debruçado sobre mim... Tinha um olhar tão esquisito e usou novamente aquela seringa. Estava botando alguma coisa no meu braço... Disse que era morfina. Eu não queria, pois achei que o senhor não tinha aprovado aquilo. Queria que a mamãe tivesse me mandado com o senhor. Tenho medo dele. Muito medo.

— Agora que estou aqui, vai dar tudo certo — garanti.

— E o senhor vai me levar para casa amanhã?

— Com certeza.

— Mas eu queria ver o Vesúvio primeiro. Já que estamos aqui, seria uma pena não vê-lo. O senhor pode me levar ao Vesúvio amanhã de manhã e depois para casa à noite e explicar tudo ao dr. Fietta?

— Explicarei tudo. Agora durma. Estou por aqui e você não tem nada a temer.

— Estou feliz que o senhor tenha vindo — disse ele debilmente, afundando a cabeça de novo no travesseiro.

A expressão exausta era clara no rostinho infantil. Saí do quarto, fechando devagar a porta.

Dizer que o meu sangue fervia não é suficiente para expressar as emoções que eu sentia: a criança estava nas mãos de um monstro. Nas garras da Irmandade, cuja intenção era lhe destruir a vida. Refleti um instante. Não havia nada a fazer, senão encontrar Fietta, dizer-lhe que eu descobrira suas maquinações, reivindicar o garoto e levá-lo embora. Eu sabia que o terreno era perigoso. Estava colocando em risco minha própria vida com aquela suposta traição à causa cujos votos eu fizera de forma tão ensandecida. Ainda assim, se conseguisse salvar o garoto, nada mais realmente teria importância.

Desci para o imenso saguão central, fiz perguntas ao *concierge*, e ele me disse que Fietta retornara; pedi o número da sala de estar privada do doutor e, lá, abri a porta sem bater. Sentado à escrivaninha, no canto, estava o médico. Ele se virou quando entrei e, ao me reconhecer, se pôs de pé de supetão. Percebi que seu rosto mudou de cor e que os olhinhos arredondados emitiram um brilho malévolo. Então, recompondo-se, ele se aproximou calmamente de mim.

— Esta é outra de suas inesperadas surpresas, sr. Head? — indagou com polidez. — Afinal, não foi para o Cairo? O senhor altera seus planos depressa.

— Não mais que o senhor, dr. Fietta — respondi, observando-o.

— Fui forçado a mudar de ideia. Ouvi dizer em Malta que a cólera se instalou no Cairo. Não podia, portanto, levar meu paciente para lá. Posso indagar a que devo a honra da sua visita? Vai me desculpar, mas devo dizer que esse ato me obriga a suspeitar de que esteja me seguindo. O senhor tem motivos para isso?

Ele estava de pé, com as mãos às costas e um olhar de vigilância furtiva.

— Este é o meu motivo — respondi, tirando sem rodeios a seringa hipodérmica do bolso.

Com um movimento incrivelmente rápido, ele passou depressa por mim, trancou a porta e pôs a chave no bolso. Ao se virar de novo para me encarar, vi o brilho de um comprido estilete em sua mão, que continuava às costas.

— Vejo que está armado — falei em tom baixo —, mas não se precipite. Tenho umas palavrinhas a lhe dizer. — Olhando no fundo de seus olhos, falei, baixando o tom de voz: — *Sou membro da Irmandade dos Sete Reis.*

Quando pronunciei as palavras mágicas, ele recuou e me encarou de olhos arregalados.

— Prove imediatamente ou será um homem morto — vociferou ele.

Gotas de suor brilhavam em sua testa.

— Ponha essa arma na mesa, me dê sua mão direita e terá as provas de que precisa — respondi.

Ele hesitou, mas depois passou o estilete para a mão esquerda, estendendo para mim a direita. Agarrei-a da forma peculiar que jamais esquecera e inclinei a cabeça na direção da dele. No momento seguinte proferi a senha da Irmandade:

— La Regina — sussurrei.

— *E la regina* — retrucou ele, atirando o estilete no tapete. — Ah! — prosseguiu, então, com uma expressão de grande alívio, enquanto enxugava o suor da testa: — Isso é maravilhoso. E agora me diga, amigo, qual é a sua missão? Sei que roubou a minha seringa, mas por quê? Por que não se revelou a mim antes? Por certo está sob as ordens da rainha.

— Estou. E as suas ordens são para que eu leve lorde Kairn de volta à Inglaterra por terra amanhã pela manhã.

— Muito bem. Está tudo acabado. Ele morrerá em um mês.

— De febre mediterrânea? Mas a doença não é necessariamente fatal.

— É verdade. Nem sempre é fatal quando adquirida pelos meios naturais, mas pelos nossos métodos é.

— Então, você injetou mais micro-organismos depois de Malta?

— Sim, eu tinha outra seringa no estojo e agora nada poderá salvá-lo. A febre vai começar daqui a seis dias.

O dr. Fietta ficou em silêncio por alguns instantes.

— É bastante estranho — prosseguiu — que eu não tenha sido comunicado. Não consigo entender.

Um breve olhar de suspeita se fez notar em seu rosto moreno. Meu coração se apertou ao percebê-lo. Logo, porém, tudo voltou ao normal, e as palavras do homem foram corteses e calmas.

— Claro que eu concordo com sua proposta — disse ele. — Tudo está seguro. Não existe possibilidade de que o que fiz seja descoberto. A Madame é invencível. O senhor já esteve com lorde Kairn?

— Sim, e disse a ele que se preparasse para me acompanhar de volta ao lar amanhã.

— Muito bem.

O dr. Fietta atravessou o cômodo, destrancou a porta e abriu-a.

— Seus planos me caem como uma luva — continuou. — Ficarei aqui mais alguns dias, já que tenho negócios particulares a tratar. Esta noite dormirei em paz. Seu vulto vem me assombrando há três dias.

Dos aposentos de Fietta fui direto para o quarto do garoto, que estava totalmente desperto e levou um susto ao me ver.

— Organizei tudo, Cecil — falei. — Você está agora sob meus cuidados. Vou levá-lo para dormir no meu quarto.

— Ah, que bom. Hei de dormir melhor no seu quarto. Não tenho medo do senhor; tenho afeto.

Seus olhos, brilhantes de afeição, me encararam. Eu o coloquei no colo, envolvi seus ombros com o camisolão e o levei para o quarto que eu tinha alugado para mim. Havia nele duas camas, e coloquei o menino numa delas.

— Estou tão feliz — disse ele. — Gosto muito do senhor. Vai me levar ao Vesúvio de manhã e depois para casa à noite?

— Vou tomar as providências para isso. Agora, durma — respondi.

Cecil fechou os olhos com um suspiro de felicidade. Em dez minutos dormia profundamente. Eu estava de pé a seu lado quando ouvi uma batida à porta e fui abri-la. Era um garçom trazendo uma salva que continha uma carta, um pedaço de papel e um envelope com o nome do hotel impresso.

— Do doutor, para ser entregue ao senhor sem demora — foram suas palavras lacônicas.

Ainda de pé à porta, peguei a carta da bandeja, abri e li o seguinte:

"O senhor levou o menino e essa ação despertou minha desconfiança. Duvido que tenha recebido alguma instrução da Madame. Se deseja que eu acredite que o senhor é um membro de boa-fé da Irmandade, devolva imediatamente o garoto a seu quarto."

Tirei um lápis do bolso e rapidamente escrevi um punhado de palavras na folha de papel que havia sido mandada com tal finalidade.

"Ficarei com o menino. Sinta-se à vontade para tirar suas próprias conclusões."

Guardei o papel no envelope, lacrei-o umedecendo a cola com a língua, e o entreguei ao garçom, que se foi. Tornei a entrar no quarto e tranquei a porta. Manter o garoto era necessário, mas restava pouca dúvida de que

Fietta ia telegrafar para Madame Koluchy (a agência do telégrafo funcionava dia e noite) e descobrir o esquema que eu estava tramando para enganá-lo. Cogitei levar o garoto na mesma hora para outro hotel, mas concluí que um movimento desses seria inútil. Uma vez que os emissários da Irmandade fossem encarregados de seguir meus rastros, o destino da criança, assim como o meu, estaria traçado.

Era improvável que eu conseguisse dormir naquela noite. Andei de um lado para outro no quarto. Minha mente funcionava de forma intensa e disposta. Passado um tempo, contudo, fui tomado por uma estranha dúvida. Num momento eu pensava na criança, no seguinte, em Madame Koluchy, e então me via refletindo sobre algum ponto científico de difícil compreensão e relativamente irrelevante com o qual andava me ocupando em casa. Me esquivei de tais pensamentos e voltei a andar pelo cômodo, parando de vez em quando junto à cama da criança para escutar sua respiração serena.

Reinava uma paz absoluta em seu semblante. Cecil se entregara a mim, seus medos haviam ficado no passado e ele estava feliz. Então, mais uma vez, aquela estranha confusão mental voltou. Pensei sobre o que eu estava fazendo e por que estava tão ansioso quanto ao rapaz. Finalmente, desabei na cama no outro extremo do quarto, pois minhas pernas estavam cansadas e carregando um forte peso. Descansaria um instante, mas nada me levaria a fechar os olhos. Foi o que pensei quando afundei a cabeça no travesseiro. No instante seguinte, porém, todas as coisas presentes foram esquecidas num sono pesado e sem sonhos.

Acordei muitas horas depois e percebi que o sol enchia o quarto. A janela que levava à sacada se encontrava escancarada e a cama de Cecil, vazia. Dei um pulo da cama; a memória voltou como um flash. O que teria acontecido? Será que Fietta conseguira entrar pela janela? Eu notara a sacada na noite anterior. A sacada do quarto vizinho ficava a poucos centímetros do meu. Seria fácil para qualquer um entrar ali, pular de uma para a outra e ter acesso ao meu quarto. Sem dúvida foi isso que tinha acontecido. Por que eu dormira? Havia decidido firmemente ficar acordado a noite toda. De imediato encontrei a explicação. A carta de Fietta fora uma armadilha. O envelope continha veneno na cola. Eu a lambera e assim ingerira o sonífero nefasto. Meu coração batia desenfreadamente. Eu sabia que não tinha um momento sequer a perder. Com passos apressados fui até a sala privada de Fietta: não havia ninguém ali; seu quarto, cuja porta estava aberta, encontrava-se igualmente vazio. Saí correndo.

— O cavalheiro e o menininho foram embora meia hora atrás — informou-me o concierge, em resposta às minhas perguntas. — Foram ao Vesúvio. Está um lindo dia para esse passeio — concluiu o homem com um sorriso.

Meu coração quase parou.

— Como eles foram? — indaguei.

— Numa carruagem com dois cavalos: o melhor meio para ir até lá.

Em um segundo eu estava na Piazza del Municipio. Escolhendo uma carruagem de dois cavalos dentre outras com condutores inoportunos, pulei para o assento.

— Para o Vesúvio — gritei —, o mais rápido que conseguir.

O homem começou a pechinchar. Enfiei um maço de notas em sua mão. Ao recebê-lo, ele não esperou mais e logo estávamos correndo a uma velocidade enlouquecida pelas ruas cheias de gente e mal pavimentada, espantando os pedestres ao passar. Descemos a via Roma e entramos no cais Santa Lucia, seguindo por infindos labirintos de ruas barulhentas e estreitas até, afinal, alcançarmos um espaço mais aberto na base da montanha incandescente. Chegaria eu a tempo de impedir a catástrofe que me apavorava? Pois eu já subira aquela montanha antes e conhecia muito bem o perigo à beira da boca da cratera: um mero escorregão ou um empurrão bastava para alguém nunca mais ser visto.

A subida começou, e os cavalos exaustos titubeavam. Saltei da charrete, dei ao condutor uma quantia sem esperar que ele a contasse e subi correndo a trilha sinuosa de cinzas e pedras-pomes que circunda o mirante. Minha respiração me traiu e meu coração batia tão forte que mal consegui falar quando cheguei ao local onde se aluga pôneis para passar sobre a lava havia pouco endurecida. Quando perguntado, o funcionário da Cook me disse que Fietta e Cecil tinham passado por ali havia menos de 15 minutos.

Disparei ordens, distribuí dinheiro e logo obtive um pônei sobre o qual comecei a galopar velozmente na lava dura. Jogando as rédeas por cima da cabeça do pônei, saltei e subi correndo a trilha pequena e estreita até o funicular que conduz os passageiros pelo íngreme cone até a cratera.

— Acabaram de entrar, meu senhor — informou um funcionário da Cook.

— Mas preciso seguir imediatamente — insisti, agitado, correndo em direção à pequena cabine.

O homem me interrompeu.

— Não levamos passageiros sozinhos — retrucou.

— Eu vou, e preciso ir sozinho. Compro o vagão, a estrada de ferro e você. Compro a montanha, se necessário, mas eu vou. Quanto quer para me levar sozinho?

— Cem francos — respondeu ele de forma rude sem esperar que eu concordasse.

— Feito! — gritei.

Atônito, ele contou as notas que lhe entreguei e entrou imediatamente na cabine. Ali, fez soar um sino elétrico para instruir o carro no topo a voltar, e ao entrar no carro vazio, começou a subir, subir, subir. Logo passei pelo carro vazio que retornava. Como íamos devagar! Minha boca estava seca, e eu, febril de agitação. A fumaça da cratera estava próxima, acima, em grandes espirais. Finalmente atingimos o topo. Saltei apressado e, sem esperar por um guia, tomei meu rumo pelo cone ativo, escorregando no solo irregular, solto e pedregoso. Quando cheguei ao topo, ventava muito, e o cenário abaixo, com a baía, Nápoles e Sorrento, surgiu diante dos meus olhos, o panorama mais magnífico do mundo. Não tive tempo para apreciá-lo, pois segui em frente, passando por despenhadeiros de rocha quente, das quais escapavam vapor e enxofre. O vento soprava muita fumaça para o lado extremo da cratera, e só pude vislumbrar duas figuras quando a fumaça se dissipou por um instante. Eram Fietta e o menino. Evidentemente estavam fazendo um *détour* da cratera e acabavam de entrar na fumaça. Ouvi um guia às minhas costas gritar algo em italiano para mim, mas não lhe dei atenção, mergulhando de novo na fumaça que me cegava e me sufocava.

Vi-me, então, logo atrás de Fietta e do menino. Ambos seguravam lenços contra o rosto a fim de evitar a inspiração do vapor sufocante de enxofre e evidentemente não tinham me visto. O guia deles seguia à frente. Fietta andava devagar; estava mais longe da boca da cratera. Segurava a mão o menino, que se achava mais próximo do despenhadeiro. Uma rajada quente e sufocante me cegou por um segundo, escondendo da minha vista a dupla. No segundo seguinte, se dissipou. Vi quando Fietta de repente se virou, agarrou o menino e o empurrou para a beira da cratera. Em meio ao trovejar que vinha de baixo, ouvi um grito agudo de pavor e, me atirando para a frente, peguei o garoto no momento certo, afastando-o subitamente do precipício.

Com um uivo de fúria desnorteada, Fietta atravessou a fumaça e se atirou em cima de mim. Cheguei para o lado com agilidade, e o médico, impelido pelo ímpeto da pressa, perdeu o equilíbrio sobre as cinzas esfareladas, caindo de cabeça em meio à fumaça dentro do caldeirão insondável e ardente abaixo, cheio de vapor.

O que se seguiu pode ser contado em poucas palavras. Naquela noite, fui de navio para Malta com o menino. O dr. Benson administrou-lhe o antídoto a tempo, e a vida da criança foi salva. Em 15 dias, entreguei-o de volta à mãe.

Dizem que o dr. Fietta enlouqueceu à beira da cratera e, num excesso de fúria insana, primeiro tentou destruir o menino e depois se atirou no precipício. Quanto a mim, guardei meu segredo.

O EPISÓDIO DO VIDENTE MEXICANO
GRANT ALLEN

Charles Grant Blairfindie Allen (1848-1899) foi responsável por dois avanços literários. O primeiro foi seu romance *The Woman Who Did* (1895), sensação na Inglaterra vitoriana devido à sua franca discussão sobre sexo, sobretudo no que tange à personagem do título: que fez exatamente o que vocês estão pensando.

O segundo livro garantiu a Allen um lugar duradouro nos anais da ficção criminal. Em *An African Millionaire: Episodes in the Life of the Illustrious Colonel Clay* (1897), o autor criou sua primeira série importante de contos sobre um pilantra, tendo as aventuras do coronel Clay antecedido em dois anos o imortal Raffles. O milionário africano do título se refere a Sir Charles Vandrift, a vítima pessoal e recorrente do coronel, que talvez sentisse consolo por ser o único personagem na história da ficção de mistério que emprestou seu nome a uma série de contos na condição de vítima. Vandrift é um homem incrivelmente abastado que fez sua fortuna na África, mas é ludibriado, roubado, charlataneado e enganado repetidamente por Clay. Embora Vandrift se previna contra Clay, o coronel é de tal maneira um mestre em disfarces que consegue quase instantaneamente se transformar de vidente mexicano em vigário escocês, sendo que nem um nem outro sequer remotamente se parece com Clay, cujo rosto puro e limpo é a personificação da inocência e da honestidade.

Allen escreveu vários livros em diversas áreas, incluindo ciência, filosofia, viagens e natureza, chegando à ficção, na qual criou histórias de fantasmas, ficção científica, romances de mistérios e contos — mais de cinquenta livros ao todo, embora tenha morrido com apenas 51 anos. Em seu leito de morte, quis ter certeza de que seu último livro, um romance de folhetim intitulado *Hilda Wade*, fosse publicado, motivo pelo qual pediu a seu amigo Arthur Conan Doyle para escrever o capítulo final; o livro foi publicado postumamente em junho de 1900.

"O episódio do Vidente Mexicano" foi originalmente publicado na edição de junho de 1896 da *The Strand Magazine* e incluído pela primeira vez numa coletânea em *The African Millionaire: Episodes in the Life of the Illustrious Colonel Clay* (Londres, Grant Richards, 1897).

O EPISÓDIO DO VIDENTE MEXICANO

GRANT ALLEN

Meu nome é Seymour Wilbraham Wentworth. Sou cunhado e secretário de Sir Charles Vandrift, o milionário sul-africano e famoso especialista em finanças. Muitos anos atrás, quando Charlie Vandrift era um modesto advogado em Cape Town, tive a sorte (considerável) de me casar com sua irmã. Muito depois, quando a propriedade e fazenda Vandrift próximas a Kimberley cresceram aos poucos até se tornar a Cloetedorp Golcondas, Ltd., meu cunhado me ofereceu o cargo não remunerado de secretário; por conta disso, sou desde então seu companheiro constante e inseparável.

Charles Vandrift não é um homem passível de ser enganado por qualquer trapaceiro. De altura mediana, espadaúdo, boca firme, olhar arguto, ele é a própria imagem de um gênio dos negócios sagaz e bem-sucedido. Sei apenas de um pilantra que se impôs sobre Sir Charles, e esse pilantra, como observou o Comissário de Polícia em Nice, sem dúvida haveria de se impor sobre um grupo liderado por Vidocq, Robert Houdin e Cagliostro

Havíamos ido à Riviera passar algumas semanas na temporada. Como nosso objetivo era estritamente nos divertir e descansar dos deveres árduos do mundo das finanças, não achamos necessário levar nossas esposas. Com efeito, Lady Vandrift é totalmente refém das alegrias de Londres e não lhe agradam os deleites rurais do litoral mediterrâneo. Sir Charles e eu, no entanto, embora imersos em negócios quando estamos em casa, apreciamos a completa mudança da City londrina para a vegetação encantadora e o ar cristalino que reinam em Monte Carlo. *Adoramos* paisagem. Aquela vista deliciosa das rochas de Mônaco, com os Alpes Marítimos ao fundo e o mar azul em frente, sem falar no imponente Cassino em primeiro plano; é para mim um dos mais belos locais em toda a Europa. Sir Charles tem apego sentimental pelo lugar. Acha restaurador e refrescante, após o turbilhão de

Londres, ganhar umas centenas de francos na roleta ao longo de uma tarde entre as palmeiras e os cactos e a brisa pura de Monte Carlo. O campo, digo eu, para um intelecto exausto! No entanto, jamais, por motivo algum, hospedamo-nos no Principado em si. Sir Charles acha que Monte Carlo não é um endereço conveniente para as cartas enviadas por um especialista em finanças. Ele prefere um hotel confortável na Promenade des Anglais em Nice, onde recupera a saúde e renova o sistema nervoso fazendo excursões diárias pela costa até o Cassino.

Nessa temporada específica, estávamos agradavelmente abrigados no Hôtel des Anglais. Tínhamos suítes no primeiro andar — salão, escritório e quartos —, e encontramos ali a mais amena sociedade cosmopolita. Nice inteira, justo então, fervilhava de boatos sobre um impostor curioso, conhecido por seus seguidores como o Grande Vidente Mexicano e supostamente dotado de uma segunda visão, bem como de infindáveis outros poderes sobrenaturais. Ora, é uma peculiaridade do meu talentoso cunhado que, ao encontrar um charlatão, sinta uma comichão para expô-lo; ele é um homem de negócios tão perspicaz que lhe dá um prazer, digamos, desinteressado desmascarar e detectar a impostura em terceiros. Muitas senhoras no hotel, algumas das quais haviam conhecido o Vidente Mexicano e conversado com ele, viviam nos contando histórias estranhas sobre seus feitos. O homem tinha desvendado para uma delas o paradeiro de um marido fugitivo; à outra ele apontara os números vencedores na roleta na noite seguinte; para uma terceira, mostrara uma tela com imagem do homem que ela amara durante anos sem que o sujeito soubesse. Naturalmente, Sir Charles não acreditou numa única palavra disso, mas sua curiosidade foi despertada. Ele queria ver e julgar por conta própria o maravilhoso leitor de mentes.

— Para a senhora, quais seriam os termos dele para uma sessão privada? — indagou Sir Charles a Madame Picardet, a senhora para a qual o Vidente antecipara com sucesso os números vencedores na roleta.

— Ele não trabalha por dinheiro — respondeu Madame Picardet —, mas pelo bem da humanidade. Tenho certeza de que viria satisfeito exibir gratuitamente suas habilidades miraculosas.

— Tolice — retrucou Sir Charles. — O homem precisa viver. Pagarei a ele cinco guinéus, porém, para vê-lo sozinho. Em que hotel ele está?

— No Cosmopolitan, acho — respondeu a senhora. — Ah, não. Me lembrei agora: no Westminster.

Sir Charles se virou para mim, calmamente e sussurrou:

— Olhe só, Seymour, vá até onde está esse sujeito assim que acabar o jantar e lhe ofereça cinco libras para fazer uma sessão privada imediatamente nos meus aposentos. Não mencione quem eu sou, mantenha meu nome em segredo. Traga-o com você e suba direto com ele, para que não haja conluio. Veremos o quanto ele é capaz de nos contar.

Fiz o que Sir Charles mandou. Achei o Vidente uma pessoa muito singular e interessante. Tinha mais ou menos a altura de Sir Charles, porém era mais magro, com mais postura, um nariz aquilino, olhos estranhamente penetrantes, de grandes pupilas negras, e um rosto de traços bonitos e bem barbeado, semelhante ao busto de Antínoo no nosso hall em Mayfair. O que lhe dava o toque mais característico, no entanto, era a sua ímpar cabeleira, cacheada e volumosa como a de Paderewscki, erguendo-se num halo em torno da vasta testa alva, e seu perfil delicado. Pude entender de imediato por que ele impressionava tanto as mulheres; sua aparência era a de um poeta, um cantor, um profeta.

— Vim vê-lo para saber se o senhor aceitaria fazer uma sessão agora mesmo nos aposentos de um amigo meu. Meu emissário deseja que eu acrescente que ele está disposto a pagar cinco libras como remuneração pelo entretenimento.

O Señor Antonio Herrera — como ele chamava a si mesmo — inclinou a cabeça numa demonstração impressionante de polidez espanhola. Suas bochechas morenas se enrugaram com um sorriso de desdém educado quando ele respondeu solenemente:

— Não vendo meus dons, eu os distribuo gratuitamente. Se ele, seu amigo anônimo, deseja contemplar as maravilhas cósmicas que fluem pelas minhas mãos, de bom grado eu as mostrarei a ele. Felizmente, como quase sempre acontece quando é necessário convencer e confundir um cético, porque seu amigo é um cético, meu instinto me diz, por acaso não tenho compromisso algum esta noite. — Então, passou a mão pelos longos cabelos bem cuidados, refletindo. — Sim, eu irei — prosseguiu como se seu interlocutor fosse alguma presença desconhecida pairando sobre nossas cabeças. — Eu vou. Venha comigo!

Pôs o amplo sombreiro arrematado por uma fita escarlate na cabeça, jogou uma capa sobre os ombros, acendeu um cigarro e saiu caminhando a meu lado em direção ao Hôtel des Anglais.

Pouco falou, aliás, e esse pouco foi dito em frases curtas. Parecia mergulhado em reflexão profunda; com efeito, quando chegamos à porta e me virei para entrar, ele deu mais um ou dois passos, como se não percebesse a que lugar eu o levara. Então, parou bruscamente e olhou à volta por um instante:

— Ah, o Hôtel des Anglais — exclamou. E devo dizer, de passagem, que seu inglês, a despeito de um sotaque sulista, era excelente. — Então é aqui. É aqui! — Mais uma vez se dirigia à presença invisível.

Sorri ao pensar que esses artifícios infantis tinham como finalidade enganar Sir Charles Vandrift, não exatamente o tipo de homem (como a City londrina sabe muito bem) que pode ser iludido por truques. E tudo isso, vi logo, era a lenga-lenga mais barata e trivial de um enganador.

Subimos para nossa suíte. Charles reunira alguns amigos para assistir à performance. O Vidente entrou, perdido em pensamentos. Usava um traje noturno, mas uma faixa vermelha em torno da cintura garantia um toque pitoresco e colorido. Parou por um instante no meio do salão, sem se permitir focar em coisas ou pessoas. Então se dirigiu a Charles, estendendo-lhe a mão morena.

— Boa noite — saudou. — O senhor é o anfitrião. A visão da minha alma me diz.

— Na mosca — respondeu Sir Charles. — Esses indivíduos precisam agir rápido, sabia, sra. Mackenzie? Do contrário, jamais convencem.

O Vidente olhou à volta e sorriu indiferente para uma ou duas pessoas cujo rosto pareceu reconhecer de uma existência pregressa. Então, Charles começou a lhe fazer perguntas simples, não a seu próprio respeito, mas sobre mim, apenas para testá-lo. O Vidente respondeu a maioria com precisão surpreendente.

— Seu nome? Começa com um S, acho: O senhor o chama de Seymour. — Fazia uma pausa entre cada oração, como se os fatos lhe fossem revelados lentamente. — Seymour... Wilbraham, conde de Strafford. Não! Não conde de Strafford! Seymour Wilbraham Wentworth. Parece haver uma relação na mente de alguém aqui presente entre Wentworth e Strafford. Não sou inglês. Não sei o que isso significa, mas de alguma forma se trata do mesmo nome, Wentworth e Strafford.

Olhou à volta, aparentemente em busca de confirmação. Uma senhora o socorreu.

— Wentworth era o sobrenome do grande conde de Strafford — murmurou ela, educadamente. — E eu fiquei me perguntando, enquanto o senhor falava, se o sr. Wentworth poderia ser um descendente dele.

— Ele é — respondeu imediatamente o Vidente, com um brilho nos olhos escuros.

Achei aquilo curioso, pois embora meu pai sempre comentasse sobre o parentesco, faltava um elo para completar o pedigree. Nunca conseguiu comprovar que o Honorável Thomas Wilbraham Wentworth fosse o pai de Jonathan Wentworth, o negociante de cavalos de Bristol, do qual todos descendemos.

— Onde eu nasci? — interrompeu Sir Charles, trazendo a atenção, de repente, para si.

O Vidente levou ambas as mãos à testa e assim ficou, como se sua intenção fosse impedir que ela explodisse.

— Na África — disse, devagar, como se as respostas se revelassem, por assim dizer. — África do Sul, Cabo da Boa Esperança; Janseville; De Witt Street. 1840.

— Arre, está correto — murmurou Sir Charles. — Ele parece mesmo capaz. Se bem que talvez tenha pesquisado a meu respeito. Podia saber que viria aqui.

— Não lhe dei nenhuma pista — retorqui. — Até chegarmos à porta, ele sequer sabia a que hotel eu o levaria.

O Vidente acariciou o próprio queixo. O olho me pareceu conter um brilho furtivo.

— O senhor gostaria que eu lhe desse o número de uma cédula bancária fechada num envelope? — perguntou, casualmente.

— Saia da sala — comandou Sir Charles —, enquanto eu a mostro aos presentes.

Señor Herrera desapareceu. Sir Charles mostrou a nota com cuidado, mantendo-a todo o tempo em sua mão, mas permitindo que os convidados vissem o número. Em seguida, colocou-a em um envelope, lacrando-o com cola.

O Vidente voltou. Os olhos argutos varreram a plateia com uma expressão observadora. Balançou a vasta cabeleira. Então, pegou o envelope e fixou nele o olhar:

— AF, 73549 — declarou, em tom ritmado. — Uma nota do Banco da Inglaterra de cinquenta libras, trocada no Cassino por ouro recebido ontem em Monte Carlo.

— Sei como ele fez isso — afirmou Sir Charles, triunfante. — Ele próprio deve tê-la trocado e depois destrocado. Na verdade, me lembro de ter visto um sujeito de cabelo comprido vagando no local. Até agora é tudo ilusionismo.

— Ele pode ver através da matéria — interveio Madame Picardet, uma das senhoras. — Pode ver através da caixa.

Ela sacou um pequeno porta-condimentos dourado, como os que nossas avós usavam, do bolso de seu vestido.

— O que há aqui? — perguntou, erguendo-o para o Vidente.

Señor Herrera fitou o recipiente.

— Três moedas de ouro — respondeu, franzindo as sobrancelhas com o esforço para visualizar o interior do recipiente. — Uma de cinco dólares, outra de dez francos e ainda outra de vinte marcos alemão, do velho imperador William.

Madame Picardet abriu o recipiente e o passou de mão em mão. Sir Charles sorriu.

— Conspiração! — resmungou, em parte para si mesmo.

O Vidente se virou para o anfitrião com uma expressão amuada.

— O senhor deseja um sinal melhor? — perguntou num tom imponente. — Um sinal que o convencerá! Muito bem: o senhor tem uma carta no bolso esquerdo do colete, uma carta amassada. Quer que eu a leia em voz alta? Farei isso, se assim desejar.

Pode parecer incrível para quem conhece Sir Charles, mas, sou forçado a admitir, meu cunhado corou. Não sei dizer qual era o conteúdo da carta; ele apenas respondeu, com enorme mau humor e de forma evasiva:

— Não, obrigado. Não lhe darei esse trabalho. A demonstração que o senhor nos deu de suas habilidades nesse terreno já foi mais que suficiente.

Seus dedos deslizaram de maneira agitada até o bolso do colete, como se temesse, mesmo assim, que o Señor Herrera lesse a carta.

Imaginei, também, ter visto um olhar meio ansioso lançado por ele a Madame Picardet.

O Vidente assentiu, de forma cortês.

— Sua vontade, señor, é lei. Faço disso um princípio, embora possa ver através de qualquer coisa, invariavelmente respeito segredos e inviolabilidades. Se não agisse dessa forma, eu poderia desintegrar a sociedade, pois quem de nós suportaria ter todos os segredos revelados?

O Vidente olhou à volta do aposento, que foi tomado por um frisson desagradável. A maioria dos presentes sentiu que o misterioso hispano-americano realmente sabia demais. E alguns que ali estavam envolvidos em operações financeiras.

— Por exemplo — continuou o Vidente tranquilamente —, por acaso vim de Paris para cá de trem há algumas semanas com um homem muito inteligente, um representante comercial. Ele tinha na mala alguns documentos: alguns documentos confidenciais.

Encarando Sir Charles, prosseguiu:

— O senhor conhece esse tipo de coisa, meu caro: relatórios de peritos, engenheiros de minas. Já deve ter visto alguns deles. Trazem o rótulo *estritamente privados*.

— Eles são elementos das altas finanças — admitiu Sir Charles com frieza.

— Precisamente — murmurou o Vidente, o sotaque repentinamente menos espanhol do que antes. — E, como vinham rotulados *estritamente privados*, respeitei, é claro, o selo de confidencialidade. Isso é tudo que desejo dizer. Considero um dever, tendo sido dotado de tais poderes, não usá-los de forma que possa aborrecer ou incomodar o próximo.

— Sua postura é honrosa — respondeu Sir Charles, com alguma acidez, antes de cochichar no meu ouvido: — Esse maldito é um safado metido a esperto, Sey. Lamento que o tenhamos trazido aqui.

Señor Herrera deu a impressão de adivinhar o desejo do anfitrião, já que interveio, em tom mais leve e divertido:

— Agora vou lhes mostrar uma materialização de poder oculto diferente e mais interessante, e para isso é necessária uma redução na iluminação do aposento. O señor anfitrião, cujo nome aliás me abstive de ler na mente de qualquer um dos presentes, se importaria de reduzir o brilho dessa lamparina só um pouquinho? Isso! Já é suficiente. Agora, desta. E desta. Perfeito! Está ótimo. — Ele derramou uns grãozinhos de pó de um envelope num pires e pediu: — Agora um fósforo, por gentileza. Obrigado! — O pó reluziu num estranho tom de verde. Tirando do bolso um cartão, mostrou também um tinteiro. — Alguém tem uma caneta? — indagou.

Imediatamente providenciei e entreguei a Sir Charles.

— Por gentileza, escreva seu nome aí — pediu, indicando um lugar no centro do cartão que tinha uma barra gravada, com um pequeno quadrado no meio de uma cor diferente.

Sir Charles tinha um desapreço natural por assinar o próprio nome sem saber o porquê.

— O que o senhor quer com isso? — perguntou.

(A assinatura de um milionário tem tantas utilidades...)

— Quero que o senhor ponha o cartão em um envelope — respondeu o Vidente — e depois o queime. Em seguida, vou lhe mostrar seu próprio nome escrito a sangue no meu braço, com a sua caligrafia.

Sir Charles pegou a caneta. Se a assinatura seria queimada tão logo feita, não se importaria em colocá-la no cartão. Escreveu o nome em seu estilo habitual, claro e firme, a caligrafia de um homem que conhece o próprio valor e não teme fazer um cheque de cinco mil libras.

— Olhe bem para ela — instruiu o Vidente, do outro lado do cômodo. Ele não vira Sir Charles assinar.

Sir Charles olhou atentamente a assinatura. O Vidente, com efeito, começava a causar uma impressão.

— Agora, coloque naquele envelope — insistiu o Vidente.

Sir Charles, como um cordeirinho, obedeceu.

O Vidente se aproximou:

— Me dê o envelope — ordenou, pegando-o e se dirigindo até a lareira, onde o queimou solenemente. — Vejam! Só há cinzas — exclamou.

Voltando, então, ao centro da sala, próximo à luz verde, arregaçou a manga e estendeu o braço diante de Sir Charles. Nele, em letras vermelho--sangue, meu cunhado leu o nome "Charles Vandrift" escrito com sua própria caligrafia!

— Vi como isso é feito — murmurou Sir Charles, recuando. — É um truque engenhoso, mas mesmo assim percebi. É como aquele livro de fantasmas. Sua tinta é verde forte; sua luz é verde; você me fez olhar para assinatura bastante tempo e depois vi a mesma coisa escrita na pele do seu braço em cores complementares.

— O senhor acha isso? — retrucou o Vidente, com um muxoxo curioso.

— Tenho certeza — respondeu Sir Charles.

Rápido como um raio, o Vidente novamente arregaçou a manga:

— Esse é o seu nome — exclamou, em alto e bom som —, mas não seu nome completo. O que tem a dizer, então, quanto ao meu braço direito? Essa também é uma cor complementar? — perguntou, estendendo o outro braço.

Ali, em letras verde-azuladas, li o nome "Charles O'Sullivan Vandrift". O nome de batismo completo do meu cunhado, que abandonara o O'Sullivan muitos anos antes e, para ser franco, não gostava do sobrenome, pois nutria certa vergonha da família materna.

Charles olhou brevemente para o braço do Vidente.

— Muito bem. Muito bem!

Mas sua voz soou fraca. Percebi que ele não tinha interesse na continuação da performance. Podia ver através do sujeito, é claro, mas ficou claro que ele sabia demasiado a nosso respeito e por isso estava plenamente confortável.

— Aumentem as luzes — falei, e um criado obedeceu. — Devo oferecer café e licor? — sussurrei para Vandrift.

— É claro — respondeu ele. — Qualquer coisa que impeça esse sujeito de seguir com suas impertinências! E não seria melhor sugerir ao mesmo tempo que os homens fumem? Mesmo as senhoras aqui não dispensariam um cigarro, ao menos algumas delas.

Houve um suspiro de alívio. As luzes voltaram a brilhar com toda a potência. O Vidente, digamos, se aposentou do seu cargo momentaneamente. Aceitou um charuto Partagas de muito bom grado, tomou seu café em um canto e, demonstrando uma cortesia notável, conversou com a senhora que sugerira Strafford. Era um cavalheiro educado.

Na manhã seguinte, no lobby do hotel, tornei a ver Madame Picardet, em um bem cortado tailleur de viagem, evidentemente a caminho da estação ferroviária.

— Vai partir, Madame Picardet? — exclamei.

Ela sorriu e estendeu a mão encantadoramente enluvada.

— Sim, vou partir — respondeu, com um tom provocativo. — Florença, ou Roma ou outro lugar qualquer. Para mim Nice secou. Como uma laranja chupada. Me diverti o máximo possível. Agora, volto para a minha amada Itália.

Mas me pareceu estranho, se a Itália era o seu destino, que ela fosse pegar o ônibus que leva ao trem de luxo para Paris. No entanto, um homem de sociedade aceita o que uma senhora lhe diz, por mais improvável que seja; e confesso que, durante dez dias mais ou menos, não pensei mais nela nem no Vidente.

No final desse tempo, nosso extrato bancário quinzenal chegou do banco em Londres. Faz parte dos meus deveres, como secretário do milionário, verificar os cheques que acompanham o extrato a cada quinze dias e comparar os cancelados com os canhotos dos talões de Sir Charles. Nessa ocasião específica, por acaso observei o que posso apenas descrever como uma grave discrepância — na verdade, uma discrepância de cinco mil libras. No lado errado também. Sir Charles fora debitado cinco libras a mais do que o montante total que constava dos canhotos.

Examinei o extrato com cuidado. A fonte do erro era óbvia. Residia num cheque ao portador, de cinco mil libras, assinado por Sir Charles e evidentemente pago no guichê em Londres, já que não trazia qualquer carimbo ou indicação de outra agência.

Chamei meu cunhado, que estava no salão, para o estúdio.

— Veja, Charles, há um cheque no extrato que você não registrou — expliquei, entregando-o a ele sem mais comentários, pois achei que podia ter sido emitido para sanar algum pequeno prejuízo no hipódromo ou no cassino ou qualquer outra questão que não lhe aprouvera mencionar a mim. Essas coisas acontecem.

Ele encarou o cheque durante um bom tempo. Então, franziu a boca e emitiu um sonoro "Uau!". Finalmente, me entregou de volta o documento e observou:

— Meu caro Sy, garanto que acabamos de ser muito bem enganados, certo?

Olhei para o cheque:

— Como assim?

— Ora, o Vidente — respondeu ele, ainda olhando o extrato com pesar. — Não me importam os cinco mil, mas pensar que o sujeito nos enrolou assim... Uma ignomínia!

— Como você sabe que foi o Vidente?

— Veja a tinta verde. Ademais, me lembro do formato exato do meu último floreio. Floreei um pouco na excitação do momento, algo que nem sempre faço com a minha assinatura habitual.

— Ele nos trapaceou — concordei, reconhecendo o fato. — Mas como ele conseguiu transferir a assinatura para o cheque? A caligrafia parece ser a sua, Charles, não uma falsificação bem-feita.

— E é. Admito. Não posso negar. Ele me enganou quando eu estava mais prevenido! Eu não iria me deixar cair em nenhum dos seus truques de ocultismo nem no seu palavrório ensaiado, mas jamais imaginei que ele fosse me prejudicar financeiramente assim. Esperava tentativas de empréstimo ou extorsão, mas transferir minha assinatura para um cheque em branco... Atroz!

— Como ele conseguiu essa façanha? — perguntei.

— Não faço a menor ideia. Só sei que essas são as letras que escrevi. Posso jurar que são.

— Então não pode sustar o cheque?

— Infelizmente, não. A assinatura é minha, autêntica.

Fomos naquela mesma tarde, sem demora, procurar o Chefe da Polícia. Era um francês cavalheiresco, muito menos formal e burocrata que de costume, e falava um inglês excelente com sotaque americano, tendo atuado, na verdade, como detetive em Nova York durante cerca de dez anos na juventude.

— Acredito — disse ele, devagar, depois de ouvir nossa história — que vocês foram vítimas do coronel Clay, cavalheiros.

— Quem é o coronel Clay? — perguntou Sir Charles.

— Isso é precisamente o que eu quero saber — respondeu o comissário, em seu estranho inglês franco-americano. — Ele é um coronel, porque vez por outra dá a si mesmo uma missão; é chamado de coronel Clay por dar a impressão de usar um rosto de borracha passível de ser moldado como argila, "clay", nas mãos do ceramista. Nome verdadeiro desconhecido. Nacionalidade igualmente francesa e inglesa. Endereço, geralmente a Europa. Profissão: ex-fabricante de figuras de cera para o Museu Grévin. Idade: a que ele escolher. Emprega seu conhecimento para moldar o próprio nariz e as bochechas com acréscimo de cera, para se tornar o personagem que deseja. Nariz aquilino dessa vez, o senhor disse. Algo a ver com essas fotos.

Remexendo em sua gaveta, ele nos entregou duas.

— Nem de longe — respondeu Sir Charles. — Salvo, talvez, quanto ao pescoço, tudo aqui é diferente dele.

— Então é o coronel! — exclamou o comissário, convencido, esfregando as mãos, animado. — Olhem isto — disse, pegando um lápis e rapidamente esboçando o perfil de um dos dois rostos, o de um jovem comum, sem qualquer expressão definida. — Este é o coronel no seu disfarce simples. Muito bem. Agora me observem: imaginem que ele adicione aqui um pedacinho de cera ao nariz para dar um formato aquilino; bem, aqui está ele. Quanto ao queixo... Bem, um toque. Agora, o cabelo é uma peruca; para a expressão facial, nada mais fácil: este é o retrato do seu pilantra, certo?

— Exatamente — murmuramos os dois.

Com dois movimentos do lápis e uma cabeleira falsa, o rosto se transformara.

— Ele tem olhos muito grandes, pupilas enormes, porém — objetei, olhando mais atentamente. — O homem desta foto tem olhos pequenos e de peixe morto.

— Verdade — concordou o comissário. — Uma gota de belladona as dilata e produz o Vidente; seis grãos de ópio as contraem e lhe dão uma aparência de morto-vivo, tolamente inocente. Bem, deixem esse caso comigo, cavalheiros. Vou estragar a brincadeira. Não digo que vou pegá-lo. Ninguém jamais conseguiu pegá-lo, mas vou lhes explicar como ele fez o truque. E esse consolo será suficiente para um homem de suas posses pela perda de míseras cinco mil libras.

— O senhor não é o policial francês convencional, sr. Le Commissaire — me atrevi a comentar.

— Com certeza! — respondeu o comissário e se empertigou como um capitão de infantaria. — Senhores — prosseguiu em francês com a maior dignidade —, destinarei os recursos desse comissariado a rastrear o crime e, se possível, efetuar a prisão do culpado.

Telegrafamos a Londres, é claro, e escrevemos ao banco com uma descrição completa do suspeito. Mas é desnecessário acrescentar que de nada adiantou.

Três dias depois, o comissário foi ao nosso hotel.

— Cavalheiros! Fico feliz de dizer que descobri tudo!

— Como assim? O senhor prendeu o Vidente? — exclamou Sir Charles.

O comissário recuou, quase horrorizado ante tal sugestão.

— Prender o coronel Clay? Meu senhor, somos apenas humanos! Prendê-lo? Não, não exatamente, mas descobrimos como ele agiu. Isso é já muito. Desvendar os truques do coronel Clay, cavalheiros!

— Bem, o que o senhor concluiu? — indagou Sir Charles, cabisbaixo.

O comissário se sentou, encantado com a própria descoberta. Ficou claro que um crime bem planejado o divertia imensamente.

— Em primeiro lugar, meu senhor, abandone a ideia de que, quando seu secretário saiu para buscá-lo naquela noite, o Señor Herrera não sabia aonde iria. Muito pelo contrário, para ser franco. Duvido, pessoalmente, que esse Señor Herrera, ou coronel Clay, chame-o como quiser, tenha vindo a Nice este inverno com outro motivo senão roubá-lo.

— Mas eu mandei buscá-lo — interveio meu cunhado.

— Sim, ele *planejou* que o senhor mandasse buscá-lo. Forçou a mão, por assim dizer. Se não conseguisse isso, creio que seria um péssimo trapaceiro. Tinha uma mulher a seu lado, sabe-se lá se esposa ou irmã, hospedada neste hotel: uma certa Madame Picardet. Por meio dela, induziu várias senhoras do seu círculo a assistir suas sessões. Ela e as outras lhe falaram dele e despertaram a sua curiosidade. Pode apostar seu último dólar que quando ele chegou à sua suíte estava totalmente a par e ciente de inúmeros fatos a respeito de vocês dois.

— Como fomos tolos, Sey — exclamou meu cunhado. — Entendi tudo agora. Aquela mulher ardilosa mandou dizer a ele antes do jantar que eu desejava conhecê-lo e quando você chegou lá o sujeito já estava pronto para me engambelar.

— Isso mesmo — concordou o comissário. — Já tinha seu nome pintado em ambos os braços e tomara outras providências de maior importância ainda.

— O senhor fala do cheque. Bem, como ele o conseguiu?

O comissário abriu a porta.

— Entre — comandou.

Um jovem entrou e nele reconhecemos de imediato o gerente do Departamento Estrangeiro do Crédit Marseillais, o principal banco em toda a Riviera.

— Declare o que você sabe sobre este cheque — disse o comissário, mostrando o documento ao rapaz, pois o havíamos entregado à polícia como prova.

— Há cerca de quatro semanas... — começou o funcionário.

— Digamos dez dias antes da sua sessão — interrompeu o comissário.

— Um cavalheiro de cabelo muito comprido e nariz aquilino, moreno, estranho e bem-apessoado foi ao meu departamento e perguntou se eu podia lhe dar o nome do banqueiro de Sir Charles Vandrift em Londres. Disse que tinha uma quantia a creditar em seu nome e perguntou se a encaminharíamos para ele. Argumentei que era um procedimento irregular recebermos o dinheiro, já que o senhor não tem conta conosco, mas que seus banqueiros londrinos eram Darby, Drummond e Rothenberg, Ltd.

— Perfeitamente — murmurou Sir Charles.

— Dois dias depois, uma senhora, Madame Picardet, nossa cliente, nos levou um cheque legítimo de trezentas libras, assinado por um nome de peso, e nos pediu que o pagássemos em seu nome a Darby, Drummond e Rothenberg's e abríssemos para ela uma conta com eles em Londres. Assim fizemos e recebemos em troca um talão de cheques.

— Do qual este cheque foi tirado, conforme descobri pelo número, através de um telegrama de Londres — acrescentou o comissário. — Igualmente, no mesmo dia em que seu cheque foi descontado, Madame Picardet, em Londres, fechou a conta dela.

— Mas como foi que o sujeito conseguiu que eu assinasse o cheque? — gritou Sir Charles. — Como ele fez o truque do cartão?

O comissário tirou do bolso um cartão similar.

— Era um cartão como este? — perguntou.

— Precisamente! Um fac-símile.

— Foi o que pensei. Bom, o nosso coronel, creio, comprou um pacote desses cartões, destinados à admissão em uma função religiosa, numa loja no cais Massena. Cortou o centro e vejam só...

O comissário virou o cartão e mostrou um pedaço de papel colado no verso, o qual ele arrancou em seguida. Ali, escondido no verso, estava um cheque dobrado com apenas o local onde deveria constar a assinatura à mostra na parte que o Vidente nos apresentara.

— Chamo isto de truque perfeito — observou o comissário, com apreço profissional por uma trapaça realmente eficaz.

— Mas ele queimou o envelope debaixo dos meus olhos — exclamou Sir Charles.

— Arre! — retrucou o comissário. — Que valor teria um ilusionista, afinal, se não fosse capaz de substituir um envelope por outro entre a mesa e a lareira sem que os senhores notassem? E o coronel Clay, não se esqueçam, é um príncipe entre os ilusionistas.

— Bem, é um consolo saber que identificamos o nosso homem e a mulher que agiu com ele — disse Sir Charles, com um discreto suspiro de alívio. — O próximo passo será, é claro, segui-los, usando essas pistas na Inglaterra, e prendê-los, não?

O comissário deu de ombros.

— Prendê-los! — exclamou, achando graça. — Ah, cavalheiro, como o senhor é otimista! Nenhum agente da justiça jamais conseguiu prender o coronel Coutchouc, como o chamamos em francês. É escorregadio como uma enguia, esse homem. Escapa por entre os nossos dedos. Supondo que o pegássemos, eu lhe pergunto: o que poderíamos provar? Ninguém que o tenha visto uma vez pode jurar tê-lo visto de novo como seu personagem seguinte. Ele é inacreditável, esse coronel. No dia em que o prender, garanto-lhe, cavalheiro, hei de me considerar o policial mais esperto da Europa.

— Bem, eu ainda hei de pegá-lo — respondeu Sir Charles, voltando depois a ficar em silêncio.

VILÃO: WOLFE MACFARLANE

O TÚMULO VAZIO
ROBERT LOUIS STEVENSON

Pode-se muito bem imaginar o enorme volume de literatura de peso fadado a jamais ter sido escrito devido à morte prematura de Robert Louis Stevenson (1850-1894). Além de ser um dos maiores autores de aventuras de todos os tempos, com clássicos como *A ilha do tesouro* (1881), *O príncipe Otto* (1885), *Raptado* (1886) e *A flecha negra* (1888) em seu currículo, ele também escreveu o encantador volume de poemas para jovens leitores *Um jardim de poemas infantis* (1885).

Stevenson escrevia com frequência sobre mistério e crime, e sua obra mais famosa nesse gênero é *O estranho caso do doutor Jekyll e do senhor Hyde* (também conhecida como *O médico e o monstro*) (1886), uma alegoria macabra, certa vez descrita como a única história de crime em que a solução é mais aterradora do que o problema. Escreveu contos criminais clássicos como "O clube dos suicidas", "The Pavilion on the Links", "Markheim" e "The Dynamiter" (com a colaboração de sua esposa, Fanny Van de Frift Osbourne), bem como o romance *The Wrong Box* (1889, com a colaboração do enteado Lloyd Osbourne), que inspirou a comédia de humor negro de 1966 *A loteria da vida* com John Mills, Ralph Richardson, Michael Caine, Peter Cook, Dudley Moore e Peter Sellers.

Nascido em Edimburgo, Stevenson parou de estudar engenharia devido à falta de interesse e mais tarde passou no exame da Ordem dos Advogados, mas jamais praticou a advocacia. Mudou-se diversas vezes por conta de uma doença pulmonar crônica, acabando em Samoa, onde residiu com a esposa pelo resto da vida.

O túmulo vazio foi um filme de sucesso da RKO ao ser lançado em 1945, estrelado por Boris Karloff, Henry Daniell e Bela Lugosi. Foi publicado pela primeira vez no "Extra" de Natal do *Pall Mall* de 1884 e novamente no *Pall Mall Gazette* em 31 de janeiro e 1º de fevereiro de 1895. Sua primeira publicação como livro foi *The Body Snatcher* (Nova York, The Merriam Company, 1895).

O TÚMULO VAZIO

ROBERT LOUIS STEVENSON

Todas as noites do ano, quatro de nós nos sentávamos na salinha do George em Debenham — o agente funerário, o senhorio, Fettes e eu. Às vezes havia mais gente, mas com vento, brisa, chuva, neve ou gelo, nós quatro estávamos lá, cada qual plantado em sua poltrona privativa. Fettes era um velho escocês bêbado, obviamente um homem instruído e com algum patrimônio, já que vivia ocioso. Viera para Debenham anos antes, ainda jovem, e por uma mera continuidade acabara se tornando um cidadão adotado pela cidade. Seu casaco impermeável azul era uma antiguidade local, como a torre da igreja. Seu lugar na sala de visita do George, sua ausência na igreja, seus velhos vícios desonrosos eram do conhecimento de todos em Debenham. Tinha algumas vagas opiniões radicais e algumas raras infidelidades, que vez ou outra ele elencava e enfatizava com murros pouco firmes na mesa. Bebia rum, cinco copos todas as noites; e durante a maior parte de sua visita noturna ao George ficava sentado, segurando o copo com a mão direita, num estado de saturação alcoólica melancólica. Nós o chamávamos de Doutor, pois supostamente detinha algum conhecimento especial de medicina e diziam que, numa necessidade, era capaz de consertar uma fratura ou botar no lugar um ombro deslocado. Afora, porém, esses pequenos detalhes, desconhecíamos seu caráter e seus antecedentes.

Numa escura noite invernal — passava pouco das nove quando o senhorio se juntou a nós —, surgiu um doente no George, um grande proprietário da vizinhança repentinamente vitimado por apoplexia a caminho do Parlamento; o médico londrino, de importância ainda maior que a daquele homem importante havia sido chamado por telégrafo para atendê-lo. Era a primeira vez que isso ocorria em Debenham, pois a ferrovia acabara de ser aberta, e todos nos sentimos proporcionalmente afetados pela ocorrência.

— Ele veio — disse o senhorio, depois de encher e acender o cachimbo.

— Ele? — indaguei. — Quem? O médico?

— O próprio — respondeu nosso anfitrião.

— Como é o nome dele?

— Dr. Macfarlane — disse o senhorio.

Fettes já estava em seu terceiro copo, meio abobalhado, ora assentindo sem parar ora olhando à volta meio zonzo. A última palavra, contudo, pareceu despertá-lo do estupor, e ele repetiu o nome "Macfarlane" duas vezes, bem baixinho da primeira vez, mas com uma emoção repentina da segunda.

— Isso — confirmou o senhorio —, esse é o nome, dr. Wolfe Macfarlane.

Fettes recuperou instantaneamente a sobriedade; os olhos arregalaram, a voz tornou-se clara, alta e firme, a linguagem, vigorosa e séria. Todos nos espantamos com a transformação, como se o homem tivesse ressurgido dos mortos.

— Desculpe — disse ele. — Acho que eu não estava prestando muita atenção na conversa. Quem é esse Wolfe Macfarlane? — E depois de ouvir a explicação do senhorio, continuou: — Não pode ser, não pode ser. Mas, mesmo assim, eu gostaria muito de vê-lo cara a cara.

— Você o conhece, Doutor? — perguntou o agente funerário, em tom de espanto.

— Deus me livre! — foi a resposta. — Mas o nome é estranho. Seria muita coincidência haver dois. Me diga, senhorio, ele é velho?

— Bom — respondeu o anfitrião. — Jovem não é, com certeza, e o cabelo é branco, mas parece mais moço que você.

— Mas é mais velho, anos mais velho. No entanto — prosseguiu, dando um murro na mesa —, é rum que vocês veem no meu rosto, rum e pecado. Esse homem talvez tenha uma consciência tranquila e boa digestão. Consciência! Olhe o que estou dizendo! Vocês me tomariam por velho cristão, bom e decente, não é mesmo? Mas não, não eu. Eu não falaria hipocrisias. Voltaire talvez falasse se estivesse no meu lugar, mas o cérebro... — acrescentou com um tapinha em sua cabeça careca. — O cérebro estava claro e ativo, e eu vi e não fiz deduções.

— Se você conhece esse médico — me arrisquei a observar, depois de um silêncio meio constrangedor —, suponho que não compartilhe da boa opinião que tem dele o senhorio.

Fettes não me deu atenção.

— Sim — disse ele, subitamente decidido. — Preciso vê-lo cara a cara.

Fez-se mais um minuto de silêncio uma nova pausa e então uma porta foi fechada com bastante violência no primeiro andar, e ouvimos passos na escada.

— É o médico! — exclamou o senhorio. — Apresse-se e você vai conseguir alcançá-lo.

Não eram senão dois passos da salinha até a porta da velha Hospedaria George; a ampla escada de carvalho acabava quase na rua; havia espaço para um tapete turco e nada mais entre a soleira da porta e o último degrau, mas esse pequeno espaço toda noite era feericamente iluminado, não só pela luz acima da escada e o grande refletor abaixo do letreiro, mas pela cálida iluminação que vazava da janela da taberna. Era assim que o George se anunciava aos transeuntes na rua fria. Fettes caminhou com passos constantes até o local e nós, que aguardávamos às suas costas, testemunhamos o encontro dos dois homens, como dissera um deles, cara a cara. O dr. Macfarlane estava alerta e vigoroso. O cabelo branco acentuava seu semblante pálido e plácido, embora enérgico. Estava vestido de maneira elegante com a melhor das casimiras e o mais alvo dos linhos, com uma grande corrente de ouro da qual pendia um relógio e óculos do mesmo material precioso. Usava uma gravata larga, branca, salpicada de lilás, e levava sobre o braço um confortável sobretudo de pele. Não restava dúvida de que os anos lhe haviam sido generosos, pois transpirava abastança e respeitabilidade. Era um contraste surpreendente ver nosso amigo beberrão — careca, sujo, com a pele maltratada e envergando seu velho casaco impermeável — confrontá-lo na base da escada.

— Macfarlane! — exclamou Fettes num tom meio alto, mais como um arauto do que um amigo.

O médico imponente parou espantado no quarto degrau, como se a familiaridade da saudação surpreendesse e de alguma forma chocasse sua dignidade.

— Toddy Macfarlane! — repetiu Fettes.

O londrino quase cambaleou. Encarou por um átimo de segundo o homem à sua frente, olhou às costas com uma espécie de medo e depois, num sussurro espantado, disse:

— Fettes! Você!

— Isso! Eu! Você achou que eu estava morto também? Não é tão fácil esquecer um conhecido.

— Shhh! Mais baixo, por favor! — exclamou o médico. — Este encontro é tão inesperado... Vejo que você está abatido. Mal o reconheci, confesso, a princípio; mas estou encantado, mesmo, de ter esta oportunidade. No momento, é preciso que seja "como vai" e "até logo" apenas, pois minha condução está me esperando e não posso perder o trem, mas você... Vejamos... Sim, me dê seu endereço e espere notícias minhas muito em breve. Precisamos fazer algo por você, Fettes. Me parece que não está num momento fácil, mas precisamos resolver isso em prol dos velhos tempos, como costumávamos cantar em jantares.

— Dinheiro! — gritou Fettes. — O seu dinheiro! O dinheiro que peguei de você está lá onde o botei na chuva.

O dr. Macfarlane recuperara até certo ponto a superioridade e a autoconfiança, mas a energia incomum da recusa do interlocutor o devolveu à confusão anterior.

Um olhar feio, horrível, surgiu e sumiu em seu semblante quase venerável.

— Meu caro amigo — disse ele —, fique à vontade, a última coisa que desejo é ofendê-lo. Eu não me imporia a ninguém. Mas vou lhe dar meu endereço...

— Não quero seu endereço. Não quero saber sob que teto você se abriga — interrompeu o outro. — Ouvi seu nome. Temi que fosse você. Eu quis saber, afinal, se existia um Deus. Sei agora que não existe. Suma!

Fettes continuava parado no centro do tapete, entre a escada e a porta, e o grande médico londrino, a fim de escapar, seria forçado a dar um passo para o lado. Estava claro que ele hesitava em vista da ideia da própria humilhação. A despeito da palidez, havia um brilho perigoso em seus óculos. Enquanto, porém, ainda se mantinha hesitante, ele percebeu que o condutor de seu cabriolé observava da rua essa cena incomum e teve, ao mesmo tempo, um vislumbre do nosso pequeno grupo, reunido no canto do bar. A presença de tantas testemunhas o fez decidir de imediato pela fuga. Baixou o corpo, roçou o lambri e deu um bote, qual uma serpente, mirando a porta. Seu tormento, contudo, não estava de todo concluído, pois quando passou por Fettes, este o agarrou pelo braço e as palavras saíram num sussurro, embora de forma dolorosamente clara:

— Você o viu de novo?

O abastado e importante médico londrino emitiu um grito agudo e estrangulado, empurrando seu interrogador. Então, com as mãos sobre a cabeça, fugiu pela porta como um ladrão pego em flagrante. Antes que ocorresse a qualquer um de nós fazer um movimento, o cabriolé já saíra chacoalhando a caminho da estação. A cena se encerrou feito um sonho, mas o sonho deixou provas e rastros de sua passagem. No dia seguinte, o criado encontrou os finos óculos de ouro quebrados perto da porta e naquela mesma noite estávamos todos de pé, sem fôlego, junto à janela do bar com Fettes ao nosso lado, sóbrio, pálido e com expressão decidida.

— Deus nos proteja, sr. Fettes! — exclamou o senhorio, o primeiro a recuperar seu juízo habitual. — Em nome do universo, qual o significado de tudo isso? O senhor andou dizendo coisas estranhas.

Fettes se virou para nós, encarando um após o outro.

— Vejam se conseguem manter a boca fechada. Não é seguro ir de encontro a esse Macfarlane. Os que já o fizeram se arrependeram tarde demais.

Então, sem sequer terminar seu terceiro copo, quanto mais esperar pelos outros dois, despediu-se de nós e seguiu adiante, passando sob o letreiro do hotel e sumindo na noite escura.

Nós três voltamos a nossos lugares na sala, com a lareira incandescente e quatro velas acesas. Enquanto recapitulávamos o que acontecera, o primeiro arrepio da nossa surpresa logo se transformou numa centelha de curiosidade. Ficamos ali até bem tarde. Foi a reunião mais demorada de que eu já participara no velho George. Cada um, quando nos despedimos, tinha sua própria teoria e a certeza de que a provaria correta, e nenhum de nós via coisa mais urgente a fazer no mundo do que rastrear o passado do nosso companheiro condenado e descobrir o segredo que ele partilhava com o grande médico londrino. Não pretendo me gabar, mas acredito ser mais capaz de arrancar uma história de alguém do que qualquer companheiro meu no George. E talvez não haja outro homem vivo que possa narrar a vocês os eventos abomináveis e sobrenaturais que se seguem.

Na juventude, Fettes estudou medicina nas universidades de Edimburgo. Tinha certo talento, o talento que registra rapidamente o que ouve e logo tira proveito disso. Trabalhava pouco em casa, mas era cortês, atencioso e inteligente na presença de seus mestres. Logo estes o identificaram como um rapaz que ouvia com atenção e tinha boa memória; além disso, por mais estranho que eu tenha achado quando descobri, naquela época ele era admirado e satisfeito com sua aparência. Houve, nesse período, certo professor de anatomia não pertencente ao corpo docente da universidade, que hei de designar aqui pela letra K. Seu nome ficou posteriormente demasiado conhecido. O homem assim chamado andava furtivamente pelas ruas de Edimburgo disfarçado, enquanto a multidão que aplaudiu a execução de Burke exigia aos gritos o sangue de seu patrão. O sr. K, porém, estava então em seu apogeu; gozava de uma popularidade devida em parte a seu próprio talento e discurso e em parte à incapacidade de seu rival, o professor universitário. Os alunos, ao menos, o veneravam, e Fettes acreditava, assim como acreditavam outros, ter lançado os alicerces do sucesso ao obter o apreço desse homem meteoricamente famoso. O sr. K era um *bon vivant*, bem como um professor competente; gostava tanto de uma ilusão manhosa quanto de uma lição de casa elaborada com cuidado. Sob ambos os aspectos, Fettes gozava de apreço e merecia ser notado, e já no segundo ano de estudo ocupava a posição semirregular de segundo monitor ou subassistente nas suas aulas.

Nessa posição, o encargo do anfiteatro e do auditório lhe pesavam especificamente sobre os ombros. Ele respondia pela limpeza dos locais e pela conduta dos demais alunos, e parte do seu dever era fornecer, receber e dividir os vários objetos de estudo. Foi por conta dessa última situação — na época muito delicada — que acabou instalado pelo sr. K na mesma viela e, finalmente, no mesmo prédio em que ficavam as salas de dissecação. Ali, após uma noite de prazeres turbulentos, com a mão ainda trêmula, a visão embaçada e confusa, foi chamado a sair da cama antes do alvorecer invernal pelos sujos e desesperados intrusos que supriam a mesa do anfiteatro. Abria a porta para esses homens, nessa época objetos de rejeição. Ajudava-os com suas cargas sinistras, pagava-lhes o preço sórdido que cobravam e permanecia sozinho, quando eles partiam, com os nada amigáveis restos de humanidade. Desse cenário ele voltava para aproveitar mais uma ou duas horas de sono ou curar os abusos da noite e se preparar para os afazeres do dia.

Poucos rapazes poderiam demonstrar maior insensibilidade ante as impressões de uma vida assim passada entre os emblemas da mortalidade. Sua mente era impermeável a todas as reflexões gerais. Era incapaz de se interessar pelo destino e a sorte do próximo, escravo de seus desejos e ambições medíocres. Frio, fútil e egoísta ao extremo, tinha um resquício de prudência, equivocadamente chamada de moralidade, que mantém um homem imune à bebedeira inconveniente ou ao roubo passível de punição. Nutria, além disso, certa consideração por seus mestres e colegas estudantes e não desejava fracassar ostensivamente na parte pública da própria vida. Por isso, tornou-se para ele um prazer obter alguma distinção nos estudos, e dia após dia prestava serviços irrepreensíveis a seu empregador, o sr. K. Como recompensa pelo dia de trabalho, ele tinha evidentes noites de regozijo na devassidão; e quando essa recompensa igualava o esforço, o órgão que ele chamava de consciência se declarava satisfeito.

O suprimento dos objetos de estudo era um problema constante, tanto para ele quanto para seu mestre. Naquela aula grande e ocupada, a matéria bruta dos anatomistas vivia em falta; e os negócios por consequência necessários não eram apenas desagradáveis por si sós, mas acarretavam sérios riscos para todos os envolvidos. Era a política do sr. K não fazer perguntas quando lidava com fornecedores. "Eles trazem o corpo e nós pagamos o preço", costumava dizer, acrescentando, "*quid pro quo*". E, com certo toque profano, alertava os assistentes: "Não façam perguntas, em nome de sua própria consciência." Não se cogitava que os objetos de estudo fossem produtos do crime de homicídio. Se tal ideia tivesse sido apresentada a Fettes em palavras, ele recuaria com pavor, mas a leveza com que abordava assunto tão sério era, em si, uma ofensa às boas maneiras e uma tentação para os homens com quem lidava. Várias vezes, por exemplo, reparara como eram singularmente frescos os corpos. Várias vezes se impressionara com a aparência desprezível dos rufiões que o acordavam antes do amanhecer, e somando dois mais dois de forma clara e privada, talvez atribuísse um significado por demais imoral e categórico aos conselhos ostensivos do seu mestre. Para ele seu dever, trocando em miúdos, tinha três pilares: receber o que lhe era levado, pagar pelo produto e fechar os olhos a qualquer indício de crime.

Numa manhã de novembro essa política de silêncio foi posta à prova bruscamente. Ele passara a noite toda acordado com uma dor de dente infernal — andando de um lado ao outro do quarto como um animal enjaulado ou se atirando com fúria na cama — e mergulhara, afinal, naquele sono profundo e incômodo que com frequência se segue a uma noite de dor, quando foi acordado pela terceira ou quarta enfurecida repetição do sinal combinado. Brilhava um luar fraco, fazia um frio congelante, ventava e geava; a cidade ainda dormia, mas um alvoroço indefinível já prenunciava o barulho e o movimento do dia. Aquelas criaturas mórbidas haviam chegado mais tarde que de hábito, e pareciam mais que ansiosas para ir embora. Fettes, zonzo de sono, conduziu-as escada acima. Ouviu suas vozes irlandesas grunhirem como que num sonho, e enquanto a triste mercadoria foi tirada do saco, ele cochilou com o ombro apoiado na parede. Foi preciso se esforçar para despertar e ir buscar o dinheiro para os homens. Nesse instante, seus olhos pousaram no rosto morto, e ele levou um susto. Aproximou-se dois passos com a vela erguida.

— Meu Deus! — gritou. — Esta é Jane Galbraith!

Os homens não responderam, mas chegaram mais perto da porta.

— Eu a conheço, estou dizendo — prosseguiu. — Estava viva e com boa saúde ontem. É impossível estar morta. É impossível que vocês tenham conseguido este corpo de forma honesta.

— O senhor está totalmente enganado — disse um dos homens.

Mas o outro encarou Fettes com expressão sombria e exigiu o dinheiro imediatamente.

Era impossível ignorar a ameaça ou exagerar o perigo. O coração do rapaz o traiu. Gaguejou alguma desculpa, contou a quantia e viu seus odiosos visitantes partirem. Nem bem haviam virado as costas, ele correu para confirmar sua suspeita. Por meio de uma dúzia de marcas inquestionáveis, identificou a garota com quem se esbaldara no dia anterior. Viu, com horror, marcas em seu corpo que muito bem poderiam indicar violência. Um pânico o assaltou, e ele se refugiou no quarto. Lá, refletiu muito sobre a descoberta que fizera, pensou seriamente na importância das instruções do sr. K e no perigo para ele próprio que seria interferir em uma questão tão séria e, por fim, perplexo, decidiu esperar pelo conselho de seu superior imediato, o assistente de classe.

Esse era um jovem médico, Wolfe Macfarlane, figura favorita dos estudantes inquietos, inteligente, dissoluto e inescrupuloso em último grau. Viajara e estudara no exterior. Suas maneiras eram agradáveis e levemente impositivas. Era uma autoridade no palco do anfiteatro, habilidoso na patinação no gelo e com os tacos de golfe. Vestia-se com uma audácia atraente e, para coroar sua glória, tinha uma carruagem e um forte cavalo trotador. Com Fettes mantinha uma relação de intimidade. Com efeito, a hierarquia de suas posições exigia certo convívio, e, quando faltavam os objetos de estudo, a dupla viajava ao interior remoto na carruagem de Macfarlane, visitava e profanava alguma sepultura erma e voltava antes do sol raiar com seu butim até a porta da sala de dissecação.

Naquela manhã específica, Macfarlane chegou um pouco mais cedo que de costume. Fettes o escutou chegar e se encontrou com ele na escada. Contou sua história e lhe mostrou o motivo do pânico. Macfarlane examinou as marcas no corpo da moça.

— Sim — assentiu —, parece esquisito.

— Bom, o que devo fazer? — indagou Fettes.

— Fazer? Você quer fazer alguma coisa? A emenda pode sair pior que o soneto, devo dizer.

— Outra pessoa pode reconhecê-la — objetou Fettes. — Ela era tão conhecida quanto Castle Rock.

— Esperemos que não — disse Macfarlane —, e se isso acontecer... Bem você não viu, não vê e fim. O fato é que essa coisa já vem de longo tempo. Revire a lama e vai arrumar para o K o maior dos problemas. Você próprio vai se meter em apuros. Como eu também, caso você se enrole. Eu gostaria de saber como ficaríamos ou que diabos teríamos a dizer a nosso favor, se fôssemos chamados a testemunhar num tribunal cristão. Para mim, sabe, uma coisa é certa: falando em termos práticos, todos os nossos objetos foram assassinados.

— Macfarlane! — gritou Fettes.

— Ora bolas! Como se você mesmo não suspeitasse disso!

— Suspeitar é uma coisa...

— E provar é outra. Sim, sei disso. E lamento tanto quanto você que isto tenha vindo parar aqui — falou, cutucando o corpo com a bengala. — A melhor coisa para mim é não reconhecê-la, e — acrescentou friamente — não reconheço. Você pode reconhecê-la, se quiser. Não dou ordens, mas acho que um homem sábio faria como eu, e imagino que K esperaria isso de nós. A pergunta é: por que ele nos escolheu como assistentes? E respondo: porque não queria fofoqueiros.

Esse era o tom propício a afetar a mente de um rapaz como Fettes. Ele concordou em imitar Macfarlane. O corpo da moça desafortunada foi devidamente dissecado e ninguém fez qualquer observação ou pareceu reconhecê-la.

Certa tarde, quando o expediente já terminara, Fettes entrou numa taverna popular e encontrou Macfarlane sentado com um estranho, um homem pequeno, muito pálido e moreno, com olhos negros como carvão. Seus traços denunciavam a presença de intelecto e refinamento, características que pouco se podia detectar em suas maneiras, pois ele se revelou, quando se deu a conhecer melhor, grosso, vulgar e burro. Exercia, contudo, um notável controle sobre Macfarlane, emitindo ordens como um paxá, inflamando-se à menor discussão ou demora e comentando com rudeza o servilismo com que era obedecido. Essa pessoa extremamente ofensiva simpatizou de imediato com Fettes, ofereceu-lhe bebida e o honrou com confidências incomuns sobre sua carreira pregressa. Se uma décima parte do que confessou fosse verdade, tratava-se de um pilantra abominável, e a vaidade do rapaz foi atiçada pela atenção de um homem tão experiente.

— Eu sou um sujeito muito mau — disse o estranho —, mas Macfarlane é o garoto, eu o chamo de Toddy Macfarlane. Toddy, peça outro drinque para seu amigo.

Ou pode ter sido: "Tody, levante logo e feche a porta."

— Toddy me odeia — tornou a dizer o estranho. — Ah, sim, Toddy, você me odeia!

— Não me chame por esse apelido maldito! — rosnou Macfarlane.

— Ouça só o que ele diz! Você já viu a garotada manejando facas? Ele gostaria de usá-las no meu corpo — comentou o estranho.

— Nós, médicos, temos um jeito melhor que isso — disse Fettes. — Quando não gostamos de um amigo morto, nós o dissecamos.

Macfarlane ergueu os olhos abruptamente, como se essa brincadeira não fosse do seu agrado.

A tarde chegou ao fim. Gray — pois era esse o nome do estranho — convidou Fettes para jantar com eles, encomendou um banquete tão suntuoso que provocou comoção na taverna, e quando a refeição se encerrou, mandou que Macfarlane pagasse a conta. Já era tarde quando os três se despediram; o tal Gray estava totalmente bêbado. Macfarlane, sóbrio devido à fúria, ruminava o monte de dinheiro que fora obrigado a gastar e o desrespeito que fora forçado a engolir. Fettes, com várias doses de bebida cantando em sua cabeça, voltou para casa com passos trôpegos e a mente totalmente zonza. No dia seguinte, Macfarlane faltou à aula, e Fettes sorriu para si mesmo imaginando-o ainda a acompanhar o intolerável Gray de taberna em taberna. Assim que a hora da liberdade soou, ele perambulou de bar em bar em busca dos companheiros da noite anterior. Não conseguiu, porém, encontrá-los em lugar algum. Voltou cedo para seus aposentos, se deitou e dormiu o sono dos justos.

Às quatro da manhã, foi acordado pelo sinal tão bem conhecido. Descendo até a porta, viu, atônito, Macfarlane com sua carruagem e, na carruagem, um dos embrulhos compridos e detestáveis que estava farto de saber o que continham.

— Como assim? — exclamou. — Você saiu sozinho? Como conseguiu?

Mas Macfarlane o silenciou rudemente, fazendo sinal para que se ativesse aos negócios. Depois de levar o corpo para cima e deitá-lo na mesa, Macfarlane, a princípio, deu a impressão de que iria embora. Então, fez uma pausa e pareceu hesitar. Por fim, disse:

— É melhor olhar para o rosto — falou, num tom ligeiramente constrangido. — É melhor — repetiu, enquanto Fettes apenas o encarava espantado.

— Mas onde, e como e quando você o encontrou? — gritou Fettes.

— Olhe o rosto — foi a única resposta.

Fettes ficou chocado e foi tomado por dúvidas estranhas. Olhava do jovem médico para o corpo e de novo para o médico. Finalmente, sobressaltado, fez o que lhe mandavam. Quase esperara ver o que enxergaram seus olhos, mas, ainda assim, o choque foi cruel. Ver, hirto na rigidez da morte e nu naquele saco grosseiro, o homem que deixara bem-vestido e de barriga cheia de comida e pecado à porta de uma taverna, despertou, mesmo no irresponsável Fettes, certo peso na consciência. Mais uma vez ecoou em sua alma o pensamento de "posso ser você amanhã" já que duas pessoas que ele conhecia tinham acabado naquelas mesas gélidas. Mesmo assim, esses foram tão somente pensamentos secundários. Sua primeira preocupação tinha como alvo Wolfe. Despreparado para um desafio tão importante, ele não sabia como encarar diretamente seu companheiro. Não olhou em seus olhos e não encontrou palavras nem voz que pudesse invocar.

Foi o próprio Macfarlane que fez o primeiro movimento. Vindo por trás, em silêncio, pousou a mão com delicadeza, mas firmemente, no ombro do amigo.

— Richardson pode ficar com a cabeça.

Richardson era um estudante que havia muito andava ansioso por dissecar aquela porção do corpo humano. Não houve resposta, e o assassino prosseguiu:

— Falando em negócios, você tem de me pagar. Suas contas, sabe, precisam estar certinhas.

Fettes encontrou uma voz, um fantasma da própria voz:

— Pagar a você? — gritou. — Pagar a você pelo quê?

— Ora, claro que precisa me pagar. Sem dúvida e sob qualquer hipótese, você precisa me pagar. Não ouso dá-lo de graça, você não ousa recebê-lo de graça. Isso comprometeria nós dois. Este é um outro caso como o de Jane Galbraith. Quanto mais as coisas são erradas, mais precisamos agir como se estivessem certas. Onde o velho K guarda o dinheiro?

— Ali — respondeu Fettes com voz rouca, apontando para um armário no canto.

— Me dê a chave, então — ordenou Macfarlane, calmamente, estendendo a mão.

Houve uma hesitação momentânea, e não tinha mais volta. Macfarlane não conseguiu frear um tique nervoso, a marca minúscula de um enorme alívio, quando sentiu a chave entre os dedos. Abriu o armário, tirou dele caneta, tinta e um caderno que ficava num compartimento e retirou dos recursos numa gaveta, uma soma compatível com a ocasião.

— Ouça, aqui está o pagamento, a primeira prova da sua boa-fé, o primeiro passo para sua segurança. Agora você precisa concluir o negócio. Dê entrada no pagamento em seu livro-caixa e depois trate de prestar contas ao diabo.

Os segundos que se seguiram representaram para Fettes uma agonia mental, mas pesando seus temores, foi o mais imediato que triunfou. Qualquer futura dificuldade parecia até mesmo bem-vinda se ele pudesse evitar uma briga com Macfarlane. Pousou a vela que vinha segurando por todo esse tempo, e com caligrafia firme anotou a data, a natureza e o valor da transação.

— E agora — disse Macfarlane — nada mais justo do que você embolsar o lucro. Já recebi a minha parte. A propósito, quando um homem sábio tem um pouco de sorte, bota uns xelins extras no bolso... Tenho vergonha de falar nisso, mas existe uma regra de conduta nesse caso. Nada de excessos, nada de comprar livros de estudo caros, nada de zerar dívidas antigas. Peça emprestado, não dê empréstimo.

— Macfarlane — começou Fettes, ainda meio rouco —, botei meu pescoço em risco para atender você.

— Me atender? — gritou Wolfe. — Faça-me o favor! Você fez, na minha maneira de encarar a questão, simplesmente o que tinha de fazer em autodefesa. Suponha que eu me metesse numa enrascada, como ficaria você? Esta segunda questãozinha claramente é consequência da primeira. O sr. Gray é a continuação da srta. Galbraith. Você não pode começar e depois parar. Se começou, tem de terminar, essa é a verdade. Não há descanso para os maus.

Uma sensação horrível de escuridão e da perfídia do destino se apoderou da alma do infeliz estudante.

— Meu Deus! Mas o que foi que eu fiz? E quando foi que comecei? Ser escolhido para assistente de classe... Que mal há nisso? O prestador queria o cargo; talvez o tenha conseguido. Será que *ele* estaria onde estou agora?

— Meu caro — disse Macfarlane —, como você é infantil! Que mal *lhe* aconteceu? Que mal *pode* lhe acontecer se você ficar de bico calado? Ora, homem, você sabe que vida é esta? Existem dois tipos de gente: os leões e os cordeiros. Se você é um cordeiro, vai acabar deitado numa dessas mesas como Gray ou Jane Galbraith; se é um leão, vai viver e montar um cavalo como eu, como K, como todo mundo que tem miolos ou coragem. Você fica sobressaltado de início. Mas veja K! Meu caro amigo, você é inteligente, você tem coragem. Gosto de você e K gosta também. Você nasceu para liderar a caçada. E lhe garanto, com base na minha honra e na minha experiência de vida: daqui a três dias você vai rir de todos esses espantalhos como um adolescente ri de uma comédia.

E com isso Macfarlane partiu em sua carruagem pela viela para a segurança de seus lençóis antes do raiar do dia. Fettes foi, assim, deixado sozinho com seus remorsos. Viu o perigo terrível em que continuava envolvido. Viu, com desânimo inexprimível, que não havia limite para sua fraqueza e que, de concessão em concessão, fora rebaixado de árbitro do destino de Macfarlane para seu cúmplice remunerado e impotente. Daria tudo para ser um pouco mais corajoso na época, mas não lhe ocorreu que ainda poderia ser corajoso. O segredo de Jane Galbraith e a maldita escrituração no livro-caixa selaram seus lábios.

Horas se passaram; os estudantes começaram a chegar; as partes do corpo do coitado do Gray foram distribuídas e recebidas sem comentários. Richardson ficou feliz com a cabeça, e antes de soar a hora da liberdade,

Fettes estremeceu de exultação ao perceber quão longe já tinham ido em direção à segurança.

Durante dois dias, continuou a vigiar, com satisfação crescente, o terrível processo da dissimulação.

No terceiro dia, Macfarlane apareceu. Andara doente, explicou, mas recuperou o tempo perdido por meio da energia com que dirigia os alunos. A Richardson, em especial, ele dedicou a mais valiosa assistência e supervisão, e o aluno, estimulado pelos elogios do supervisor, vibrou com esperanças ambiciosas e viu a medalha já a seu alcance.

Antes do fim da semana, a profecia de Macfarlane já se realizara. Fettes sobrevivera a seus terrores e esquecera sua infâmia. Começou a se gabar da própria coragem e de tal maneira organizou mentalmente a história que era capaz de olhar para o ocorrido com um orgulho doentio. Pouco via seu cúmplice. Os dois se encontravam, é claro, nas atividades acadêmicas; recebiam juntos as ordens do sr. K. Às vezes trocavam uma ou duas palavras em particular, e Macfarlane foi, do início ao fim, especialmente gentil e jovial. Ficou claro, contudo, que ele evitava qualquer referência ao segredo mútuo, e mesmo quando Fettes sussurrou-lhe que adotara o lado dos leões e rejeitara o dos cordeiros, Macfarlane apenas lhe indicou, sorrindo, que mantivesse o segredo.

Afinal, surgiu uma ocasião que proporcionou à dupla outra vez uma união mais próxima. O sr. K estava de novo enfrentando uma escassez de objetos de estudo; os alunos se mostravam ansiosos, e fazia parte de suas pretensões de docente estar sempre bem provido. Ao mesmo tempo, veio a notícia de um enterro num cemitério rústico de Glencorse. O tempo pouco alterou o local, que ficava então, como ainda fica, numa encruzilhada, longe de habitações e profundamente enterrado sob as folhagens de seis cedros. Os balidos das ovelhas nos morros vizinhos, os regatos que corriam de um lado e do outro, um deles fluindo cantante em meio ao cascalho, o outro mergulhando furtivamente de lago em lago, o barulho do vento nas velhas castanheiras em flor e uma vez por semana o som do sino e os antigos cânticos do precentor eram os únicos sons a perturbar o silêncio em torno da igrejinha rural. O Homem Ressurreição — para usar um termo da época — não se detinha diante de qualquer demonstração de santidade da piedade tradicional. Fazia parte de sua atividade desdenhar e profanar símbolos e oferendas de velhas tumbas, as trilhas desgastadas pelos pés dos adoradores e enlutados e as inscrições de afeto fúnebres. Para as vizinhanças rústicas, onde o amor é mais tenaz e onde alguns laços de sangue ou camaradagem unem toda a sociedade de uma paróquia, o ladrão de cadáveres, longe de se sentir repelido pelo respeito natural, era atraído pela facilidade e segurança da tarefa. Para corpos que haviam sido entregues à terra numa expectativa feliz de um despertar bem diferente, vinha aquela ressurreição apressada, à luz de um lampião, assombrada pelo terror da pá e da picareta. O caixão era arrombado, o pano mortuário, rasgado, e os restos melancólicos, envoltos em aniagem, depois de chacoalhar durante horas em trilhas escuras, eram afinal expostos às maiores indignidades perante um grupo de garotos boquiabertos.

Assim como dois abutres podem sobrevoar a carcaça de um cordeiro moribundo, a Fettes e Macfarlane caberia labutar acima de um túmulo naquele verdejante e tranquilo local de descanso. A esposa de um fazendeiro, uma mulher que vivera sessenta anos e era conhecida por fazer boa manteiga e entabular conversas devotas, seria desenterrada da sua cova à meia-noite e levada, morta e nua, para aquela distante cidade que sempre honrara com sua melhor roupa de domingo; o lugar ao lado da família ficaria vazio até o ressoar do fim dos tempos e seus membros inocentes e quase venerandos seriam expostos àquela derradeira curiosidade do anatomista.

No final de uma tarde, a dupla se pôs a caminho, bem enrolada em capas e munida de uma enorme garrafa. Chovia sem piedade — uma chuva fria, densa e torrencial. Vez por outra, lá vinha uma lufada de vento, mas as camadas de água que caíam a afogavam. Com ou sem garrafa, foi uma viagem triste e silenciosa até a remota Penicuik, onde os dois passariam a noite. Pararam uma vez, para esconder suas ferramentas em um arbusto denso não muito distante do terreno da igreja, e outra mais no Fisher's Tryst, para comer uma torrada diante do fogareiro da cozinha e arrematar os goles de uísque com um copo de cerveja. Quando chegaram ao final da viagem, depois que a carruagem foi guardada e o cavalo, alimentado e acomodado, os dois jovens médicos, instalados em um quarto particular, se sentaram para degustar o melhor jantar e o melhor vinho de que a casa dispunha. A luz, o fogo, a chuva batendo na janela, o frio e a tarefa incongruente que os aguardava apimentaram o prazer da refeição. A cordialidade entre os dois crescia a cada copo. Pouco depois Macfarlane entregou ao companheiro uma pequena pilha de ouro.

— Uma gentileza. Entre amigos essas pequenas delicadezas deviam se dar normalmente.

Fettes embolsou o dinheiro e aplaudiu o sentimento com entusiasmo.

— Você é um filósofo! — exclamou. — Eu era um idiota até conhecê-lo. Você e K, os dois, caramba! Vocês vão fazer de mim um homem!

— Claro que somos — aplaudiu Macfarlane. — Um homem? Vou lhe dizer uma coisa: era preciso ser muito homem para me dar apoio naquela manhã. Existem uns covardões quarentões e valentões que vomitariam só de olhar para a coisa, mas você não. Você manteve a postura. Eu observei você.

— Bem, e por que não? — vangloriou-se Fettes. — Não era problema meu. Nada havia a ganhar, por um lado, senão perturbação e, por outro, eu poderia contar com sua gratidão, certo? — E deu uma palmada no bolso até fazer tilintar as moedas de ouro.

Macfarlane, por algum motivo, sentiu uma leve preocupação ao ouvir essas palavras desagradáveis. Podia sentir remorso por ter ensinado tudo tão bem a seu jovem comparsa, mas não teve tempo para retrucar, pois o outro, ruidosamente continuou se gabando:

— O segredo é não ter medo. Agora, cá entre nós, não gosto de enrolar, sou pragmático; mas, Macfarlane, nasci com um desprezo. Inferno, Deus, Demônio, certo, errado, pecado, crime e toda essa velha galeria de curiosidades podem amedrontar os garotos, mas homens sábios, como você e eu, as desprezamos. Um brinde à memória de Gray!

A essa altura já ia ficando tarde. A carruagem, conforme combinado, foi trazida até a porta com ambos os lampiões ardendo cintilantes, e os jovens tiveram de pagar a conta e pegar a estrada. Anunciaram que se dirigiam a Peebles e foram nessa direção até saírem do raio de visão das últimas casas da cidade. Então, apagando os lampiões, voltaram pelo mesmo caminho e seguiram uma estrada secundária até Glencorse. O silêncio era total, salvo o da passagem de ambos e o insistente e estridente cair da chuva. Estava escuro como breu; aqui e ali um portão branco ou uma pedra branca num muro os guiava alguns instantes pela noite. Quase sempre, porém, o avanço era lento e quase tateante, em meio àquela escuridão completa até o destino solene e isolado. Na mata fechada das cercanias do cemitério, o último resquício de luz os abandonou e foi necessário riscar um fósforo e reacender um dos lampiões da carruagem. Assim, sob as árvores que pingavam e cercados por enormes sombras moventes, a dupla alcançou o local do trabalho profano.

Ambos eram experientes nessas questões e potentes com a pá. Mal haviam se passado vinte minutos, quando foram recompensados por um barulho grave na tampa do caixão. No mesmo instante, Macfarlane, tendo ferido a mão numa pedra, atirou-a descuidadamente para cima. A cova, dentro da qual os dois se encontravam enfiados até quase o pescoço, era na beira do cemitério, e o lampião da carruagem tinha ficado, para iluminar melhor o trabalho, encostado numa árvore à margem do riacho. O destino traçara um alvo definido para a pedra. Então ouviu-se o som de vidro quebrado. A noite se fechou sobre os dois; sons, ora surdos, ora estridentes, anunciaram a queda do lampião ribanceira abaixo e sua colisão final com as árvores. Uma pedra ou duas, deslocadas na descida, desceram chacoalhando e foram parar nas profundezas do vale. Então o silêncio, assim como a noite, voltou a reinar. E por mais que aguçassem a audição, nada havia para ouvir senão a chuva, ora indo ao encontro do vento ora caindo com constância sobre milhas de campo aberto.

Estavam tão perto de concluir a tarefa abominável que acharam melhor completá-la no escuro. O caixão foi exumado e arrombado; o corpo, enfiado no saco ensopado e levado pelos dois até a carruagem, em que um deles subiu para mantê-lo no lugar e o outro, segurando o cavalo pela boca, seguiu em frente tateando até atingirem a estrada mais larga junto ao Fisher's Tryst. Havia ali um brilho leve e difuso, que saudaram como se fosse a luz do dia. Com a ajuda da luz, levaram o cavalo em um ritmo razoável e começaram a jornada, satisfeitos, em direção à cidade.

Os dois haviam se encharcado até os ossos durante a operação e, quando a carruagem sacolejava entre as fendas profundas da trilha, a coisa que se interpunha entre ambos ora caía em cima de um, ora em cima do outro. A cada repetição do contato medonho, cada qual instintivamente o repelia com rapidez maior, e o processo, por mais natural que fosse, começou a dar nos nervos dos amigos. Macfarlane fez uma piada de mau gosto sobre a esposa do fazendeiro, mas ela lhe saiu oca dos lábios, e foi recebida pelo silêncio. A carga sobrenatural continuava a balançar de um lado para o outro, a cabeça repousando, como a de um confidente, num dos ombros dos dois, e a aniagem do saco batendo gelidamente em seus rostos. Um frio arrepiante começou a se apossar da alma de Fettes, que olhou para a trouxa e achou que ela parecia maior que de início. Por todo o campo, e independentemente da distância, os cães das fazendas acompanhavam a passagem de ambos com uivos trágicos. Na mente de Fettes crescia a ideia de que algum milagre sobrenatural acontecera, que alguma mudança inominável ocorrera com o cadáver e que era por medo daquela carga sinistra que os cães uivavam.

— Pelo amor de Deus — exclamou Fettes, se esforçando para encontrar a própria voz —, pelo amor de Deus, precisamos de uma luz!

Aparentemente, Macfarlane fora afetado da mesma maneira, pois, embora não oferecesse resposta, parou o cavalo, passou as rédeas para o companheiro, desceu e foi acender o lampião remanescente. A essa altura, os dois não haviam ido mais longe que o cruzamento que levava a Auchenclinny. A chuva ainda caía como se fosse um dilúvio e não foi tarefa fácil produzir luz num mundo molhado e escuro. Quando, finalmente a chama azul vacilante foi transferida para o pavio e começou a se expandir e iluminar, criando um amplo círculo de claridade brumosa em torno da carruagem, foi possível para os dois homens enxergar um ao outro, bem como a coisa que estava com eles. A chuva moldara o saco rústico ao corpo dentro dele; a cabeça se diferenciava do tronco, os ombros nitidamente modelados. Algo ao mesmo tempo espectral e humano atraiu os olhares de ambos para o tenebroso companheiro de jornada.

Durante algum tempo, Macfarlane ficou imóvel, segurando o lampião. Um pavor inominável se estendeu, como um lençol molhado sobre o corpo e esticou a pele branca que cobria o rosto de Fettes; um medo sem sentido, um horror do que não podia ser, crescia em seu cérebro. Mais um segundo, e ele teria falado, mas seu camarada se adiantou.

— Isso não é uma mulher — afirmou Macfarlane, numa voz rouca.

— Era uma mulher quando a botamos aí dentro — sussurrou Fettes.

— Segure o lampião — falou o outro. — Preciso ver a cara dela.

E enquanto Fettes pegava o lampião, Macfarlane desatou as amarras do saco e descobriu a cabeça. A claridade caiu nitidamente sobre os traços morenos, bem modelados e as bochechas barbeadas de um semblante demasiado familiar, frequentemente presente nos sonhos dos dois jovens. Um grito selvagem cortou a noite e cada qual pulou para um lado da estrada:

o lampião caiu, se quebrou e se apagou, e o cavalo, aterrorizado por essa comoção incomum, se soltou e saiu a galope em direção a Edimburgo, levando com ele, como único ocupante da carruagem, o corpo do morto e havia muito dissecado Gray.

O CONVIDADO DE DRÁCULA
BRAM STOKER

Drácula (1897) é o mais famoso romance de terror do século XIX, sucesso tanto de crítica quanto de público, republicado inúmeras vezes. No entanto, Abraham (Bram) Stoker (1847-1912) jamais escreveu outro livro ou conto sobre o personagem do título; "O convidado de Drácula" é uma história completa originalmente escrita como um capítulo do romance, porém jamais usada, finalmente vindo a ser publicada numa coletânea póstuma de contos.

Stoker nasceu num subúrbio à beira mar de Dublin. Extremamente doente na infância, seus longos períodos na cama foram suportáveis devido às histórias de terror contadas por sua mãe: ficção, folclore e vida real, inclusive relatos horripilantes da epidemia de cólera em Sligo em 1832. Sua saúde melhorou quando ele passou a frequentar a escola aos sete anos; mais tarde tornou-se um atleta de sucesso na Trinity College em Dublin. Começou a escrever contos de ficção, bem como críticas de teatro para o *Dublin Evening Mail*, em parte de propriedade do famoso escritor de ficção de horror e sobrenatural Sheridan Le Fanu, e depois assumiu o cargo de agente de Henry Irving, o ator mais popular e aclamado da sua geração, cargo que Stoker ocupou durante 27 anos e no qual, dizem, dava um expediente de 18 horas diárias.

A despeito desse horário exaustivo, Stoker foi capaz de escrever mais de uma dúzia de romances e outras obras durante seus anos com Irving, em especial *Drácula*, o único de seus livros ainda amplamente lido hoje em dia. Elementos freudianos podem ter exercido seu papel no subconsciente de Stoker, já que ele deu ao incansável caçador do vampiro o nome de Abraham Van Helsing, usando o próprio prenome, enquanto Irving tinha os atributos de um vampiro "psíquico", sugando a vida do autor com um volume incessante de trabalho.

"O convidado de Drácula" foi originalmente publicado em *Dracula's Guest and Other Weird Stories* (Londres: Routledge, 1914).

O CONVIDADO DE DRÁCULA

BRAM STOKER

Quando partimos em nossa viagem, o sol brilhava forte em Munique, e o ar estava cheio da alegria do início do verão. Logo quando estávamos prestes a partir, Herr Delbrück (o *maître d'hôtel* do Quatre Saisons, onde eu me hospedava) desceu, sem chapéu, até a carruagem e, após me desejar boa viagem, disse ao cocheiro, ainda com a mão na maçaneta da porta da carruagem:

— Não se esqueça de estar de volta ao cair da noite. O céu parece claro, mas há um arrepio no vento norte que diz que pode cair uma tempestade repentina. Mas tenho certeza de que você não há de se atrasar. — Ele sorriu e acrescentou: — Porque você sabe que noite é esta.

Johann respondeu com um enfático "Ja, mein Herr", e, tocando a aba do chapéu, partiu rapidamente. Quando já estávamos longe da cidade, perguntei, depois de lhe fazer sinal para parar:

— Diga, Johann, o que há esta noite?

Ele se benzeu e respondeu de maneira lacônica:

— *Walpurgisnacht.*

Então tirou o relógio, um troço grande e antiquado de prata alemã, do tamanho de um nabo, e olhou para ele, com as sobrancelhas franzidas e um meneio de ombros meio impaciente. Me dei conta de que aquele era seu jeito de protestar respeitosamente contra a demora desnecessária e voltei a me recostar no banco da carruagem, meramente acenando-lhe para prosseguir. Ele tornou a partir rapidamente, como se para compensar o tempo perdido. De vez em quando os cavalos pareciam jogar a cabeça para trás e farejar o ar com desconfiança. Nessas ocasiões eu quase sempre olhava à volta, alarmado. A estrada era bastante erma, pois atravessávamos uma espécie de planalto, varrido pelo vento. Enquanto isso, seguíamos por uma estrada aparentemente pouco usada e que dava a impressão de mergulhar num pequeno e sinuoso vale. Parecia tão convidativa que, mesmo correndo o risco de ofendê-lo, pedi a Johann parasse — e quando já havíamos encostado, eu lhe disse que gostaria de ir por aquela estrada. Johann forneceu todo tipo de desculpas e várias vezes se benzeu enquanto falava. Isso, de certa forma, atiçou a minha curiosidade, motivo pelo qual lhe fiz diversas perguntas. Ele respondia evasivamente e repetidas vezes consultou o relógio em protesto. Afinal, eu disse:

— Bem, Johann, quero ir por esta estrada. Não vou lhe pedir que venha comigo a menos que você queira, mas me diga por que não quer, é só o que peço.

Em resposta ele pareceu se atirar do veículo, de tão rápido que chegou ao chão. Então, estendeu as mãos para mim, implorando que eu não fosse. Pelos trechos em inglês, em meio ao alemão, entendi a ideia geral de sua fala. Tive a impressão de que ele desejava me dizer algo, cuja ideia em si já bastava para deixá-lo amedrontado. Ele se aprumava e dizia, enquanto se benzia:

— *Walpurgisnacht!*

Tentei argumentar, mas essa é uma tarefa difícil quando não se fala a língua do interlocutor. A vantagem decerto era dele, pois, embora começasse a falar em inglês, um inglês muito cru e rudimentar, sempre acabava se agitando e voltando à sua língua nativa. E toda vez que o fazia, consultava o relógio. Então, os cavalos ficaram inquietos e farejaram o ar, o que deixou Johann muito pálido e, olhando à volta de um jeito assustado, de repente deu um pulo para a frente, pegou os animais pelos freios e os conduziu por uns seis metros. Eu os segui e me perguntei por que Johann teria feito aquilo. Como resposta, ele se benzeu, apontou para o ponto de onde havíamos saído e levou a carruagem em direção à outra estrada, indicando uma cruz e dizendo, primeiro em alemão e depois em inglês:

— Enterrou ele. Ele o que matou eles.

Lembrei-me do velho costume de enterrar os suicidas em cruzamentos:

— Ah, um suicida. Que interessante!

Mas não consegui atinar com o motivo que levara os cavalos a ficarem amedrontados.

Enquanto falávamos, ouvimos uma espécie de som, algo entre um ganido e um latido. Vinha de longe, mas os cavalos se agitaram muito e Johann perdeu um tempão para acalmá-los. Estava pálido e disse:

— Parece um lobo, mas não existem mais lobos aqui.

— Não? — indaguei. — Já faz tempo que os lobos não se aproximam da cidade?

— Muito tempo — respondeu ele —, na primavera e no verão. Mas com a neve, os lobos de vez em quando apareciam.

Enquanto ele afagava os cavalos e tentava acalmá-los, nuvens escuras encobriram rapidamente o céu. O sol se foi e um bafo de vento frio passou por nós. Não passou de um bafo, porém, e mais à guisa de aviso que de fato, pois o sol tornou a brilhar forte. Johann olhou para o horizonte com a mão protegendo os olhos e disse:

— A tempestade de neve, ele vem em pouco tempo.

Então olhou de novo o relógio e imediatamente segurou com firmeza as rédeas, pois os cavalos continuavam inquietos e balançando as cabeças, então tornou a subir e a se sentar como se tivesse chegado a hora de prosseguirmos viagem.

Me senti meio teimoso e não voltei de imediato para a carruagem.

— Me fale sobre este lugar aonde a estrada leva — pedi, apontando.

De novo, ele se benzeu e murmurou uma prece, antes de responder:

— É profano.

— O que é profano? — insisti.

— A aldeia.

— Então existe uma aldeia?

— Não, não. Ninguém mora lá faz centenas de anos.

Minha curiosidade se aguçou.

— Mas você disse que havia uma aldeia.

— Havia.

— E o que aconteceu com essa aldeia?

Ele então desembuchou uma longa história em alemão e inglês, e de tão mescladas as duas línguas eu mal pude entender direito o que ele dizia, mas consegui concluir que muito tempo antes, centenas de anos antes, homens haviam morrido ali e foram enterrados em seus túmulos; sons eram ouvidos sob a argila e, quando os túmulos foram abertos, homens e mulheres estavam rosados como se vivos, e suas bocas, vermelhas de sangue. Assim, com pressa para salvar suas vidas (sim, e suas almas! — e aqui Johann se benzeu de novo), os que sobraram fugiram para outros lugares, lugares onde os vivos morriam e os mortos ficavam mortos e não... não outra coisa.

Evidentemente Johann teve medo de pronunciar as últimas palavras. Quando continuou o relato, foi ficando mais e mais agitado. Era como se a sua imaginação o tivesse dominado, e ao fim da narrativa estava transfigurado de medo — com o rosto pálido, suando, tremendo e olhando ao redor, como se esperasse que alguma presença pavorosa se manifestasse ali mesmo sob o sol forte e ao ar livre. Finalmente, numa agonia desesperada, ele gritou:

— *Walpurgisnacht!*

E apontou a carruagem fazendo sinal para que eu entrasse. Meu sangue inglês se inflamou diante disso e, recuando, falei:

— Você está com medo, Johann, está com medo. Vá para casa. Eu volto sozinho. A caminhada me fará bem. — A porta da carruagem estava aberta. Peguei no assento minha bengala de carvalho, que sempre levava comigo nas excursões de férias, e fechei a porta, apontando Munique, às minhas costas, e dizendo: — Vá para casa, Johann, *Walpurgisnacht* não diz respeito aos ingleses.

Os cavalos estavam mais inquietos que nunca, e Johann tentava contê-los enquanto, com veemência, me implorava para não fazer algo tão tolo. Senti pena do pobre rapaz, que se mostrava tão profundamente sincero, mas, ao mesmo tempo, não consegui segurar o riso. O inglês dele sumira quase por completo. Em sua ansiedade, Johann se esquecera de que o único jeito de fazer com eu entendesse era falar a minha língua e continuou tagarelando em seu alemão nativo. A coisa toda começou a ficar tediosa. Depois de gritar o comando "para casa!", virei-me para seguir pela encruzilhada em direção ao vale.

Com um gesto de desespero, Johann direcionou os cavalos para Munique. Apoiei-me na bengala e caminhei durante algum tempo pela estrada. Então, surgiu do topo do morro um homem alto e magro. Deu para ver isso da distância em que eu me encontrava. Quando ele se aproximou dos cavalos, os animais começaram a pular e chutar terra, antes de relincharem apavorados. Johann não foi capaz de contê-los, e eles saíram em disparada enlouquecida pela estrada. Observei até perdê-los de vista e então procurei o estrangeiro, mas descobri que ele também sumira.

De coração leve, peguei a estrada vicinal que passava pelo vale, a estrada a qual Johann objetara. Pelo que eu podia ver, não havia motivo algum para tal objeção, e ouso dizer que vaguei durante uma ou duas horas sem pensar em tempo ou distância e também sem ver pessoas ou casas. No que tangia ao local, ali só havia desolação, mas não me dei conta dessa peculiaridade até que, ao fazer uma curva na estrada, me deparei com as fímbrias de uma mata esparsa; reparei então que, inconscientemente, eu havia ficado impressionado pela desolação da região que atravessara.

Sentei-me para descansar e comecei a examinar os arredores. Me ocorreu que esfriara consideravelmente em relação ao começo da minha caminhada; um som que lembrava o de um suspiro parecia me cercar, acompanhado, vez por outra, bem acima da minha cabeça, por algo semelhante a um troar abafado. Olhando para cima, notei que nuvens grandes e densas se deslocavam do norte para o sul a grande altitude e rapidamente. Havia sinais de uma tempestade iminente em alguma camada elevada do ar. Senti um pouco de frio e, supondo que fosse a imobilidade após o exercício, voltei a caminhar.

O terreno então estava bem mais pitoresco. Não vi qualquer objeto digno de chamar a atenção por si só, mas no todo lá estava o encanto da beleza. Prestei pouca atenção no decurso do tempo e foi só quando o lusco-fusco ficou mais evidente que me botei a pensar em como encontraria o caminho de volta. A luminosidade do dia se fora. O ar estava frio e o acúmulo de nuvens lá em cima ficara mais marcante. Isso tudo vinha acompanhado por uma espécie de som bem distante de agitação, em meio ao qual, em intervalos, ouvia-se aquele misterioso uivo que, segundo, Johann, era de um lobo. Hesitei. Eu dissera que veria a aldeia deserta, motivo pelo qual segui em frente, e acabei indo parar em um trecho de campo aberto, cercado de morros por todos os lados. As encostas estavam cobertas por árvores que desciam para a planície, salpicando, em forma de arvoredos, as inclinações mais leves e as cavidades, que se podia ver aqui e acolá. Segui com o olhar a sinuosidade da estrada e vi que ela fazia uma curva perto de um dos arvoredos mais densos e se perdia por trás dele.

Enquanto eu observava, senti uma lufada fria no ar e a neve começou a cair. Pensei nas milhas e milhas de campo desolado por onde passara e corri para buscar o abrigo da floresta adiante. O céu ficava cada vez mais escuro e a neve caía mais pesada e mais rapidamente, até que a terra à minha frente e ao meu redor adquiriu a aparência de um tapete branco brilhante, cuja extremidade se perdia na bruma. E a estrada aqui não passava de uma trilha tosca, e nos trechos em que ficava plana, seus limites não eram tão marcados quanto no restante do caminho. Em pouco tempo, descobri que deveria ter me desviado dela, pois sob os pés já não sentia a superfície dura e afundava cada vez mais na grama e no musgo. Então, o vento aumentou e soprou com força crescente, até me dar vontade de correr, impulsionado por ele. O ar se tornou gélido, e a despeito do exercício, comecei a sofrer com o frio. A neve caía tão espessa e redemoinhava tão rápido à minha volta que eu mal conseguia manter os olhos abertos. De vez em quando, os céus eram rasgados por relâmpagos vívidos, e nesses flashes eu podia ver à frente uma grande massa de árvores, basicamente teixos e ciprestes todos completamente cobertos de neve.

Logo me vi em meio ao abrigo das árvores e ali, em relativo silêncio, pude ouvir o barulho do vento lá em cima. No momento, a escuridão da tempestade se mesclara à escuridão da noite. Gradativamente, a tempestade foi se afastando; agora vinha em fortes lufadas e estrondos. Nesses momentos, o estranho som do lobo dava a impressão de encontrar eco em vários sons similares à minha volta.

De vez em quando, através da massa negra das nuvens em movimento, surgia um raio de luar, que iluminava a vastidão e me mostrava que eu me encontrava na margem de uma massa densa de ciprestes e teixos. Quando a neve parou de cair, saí do abrigo e comecei a investigar com mais atenção. Tive a impressão de que, em meio às tantas antigas fundações por que eu passara, talvez devesse haver ainda uma casa de pé na qual, embora em ruínas, eu pudesse achar algum tipo de abrigo temporário. Quando contornei o bosque, descobri que um muro baixo o cercava e, seguindo-o, acabei achando uma abertura. Ali os ciprestes formavam uma aleia que levava a uma estrutura quadrada semelhante a um prédio. Logo quando acabava de vê-lo, porém, as nuvens esconderam a lua e eu perdi a trilha na escuridão. O vento aparentemente ficara mais frio, pois me vi tremendo enquanto caminhava. A perspectiva do abrigo, contudo, me impeliu a seguir em frente cegamente.

Parei, pois houve uma repentina calmaria. A tempestade cessara, e talvez por solidariedade com o silêncio da natureza, meu coração pareceu parar de bater. Mas a sensação foi apenas momentânea, pois de repente o luar apareceu entre as nuvens, me mostrando que eu estava em um cemitério e que o objeto quadrado à minha frente era um enorme túmulo de mármore, alvo como a neve que o cobria e o cercava. Com o luar, ouvi um feroz suspiro da tempestade, que retomou seu curso com um uivo comprido, como o de muitos cães ou lobos. Fiquei surpreso e senti o frio nitidamente me assaltar até parecer me apertar o coração. Então, enquanto o luar ainda iluminava o túmulo de mármore, a tempestade recrudesceu, como se estivesse voltando sobre os próprios passos. Impelido por uma espécie de fascínio, me aproximei da sepultura para ver o que era e descobrir por que algo assim se encontrava sozinho num lugar como aquele. Circundei-a e li, acima da porta dórica, em alemão:

CONDESSA DOLINGEN DE GRATZ
EM STYRIA
PROCUROU E ENCONTROU A MORTE,
1801

Em cima do túmulo, aparentemente cravado no mármore sólido — pois a estrutura era composta de um punhado de enormes blocos de pedra — havia uma grande estaca de ferro. Ao examinar a parte de trás, vi, gravado em grandes letras russas:

OS MORTOS VIAJAM DEPRESSA

Havia algo tão estranho e sobrenatural na coisa toda que fiquei meio zonzo. Comecei, pela primeira vez, a sentir arrependimento por não ter seguido o conselho de Johann. Então, fui tomado por um pensamento, sob as circunstâncias mais misteriosas e com um choque terrível: esta é a Noite de Walpurgis!

A Noite de Walpurgis, quando, segundo a crença de milhões de pessoas, o demônio estava à solta — quando as sepulturas eram abertas e os mortos se levantavam e saíam andando. Quando todas as coisas más da terra, do ar e da água fazem a festa. Esse era o lugar que o cocheiro especialmente evitara. Essa era a aldeia despovoada de séculos antes. Ali era onde jazia o suicida; e esse era o lugar onde eu estava sozinho — abatido, tremendo de frio numa mortalha de neve, com uma tempestade violenta se formando sobre a minha cabeça! Precisei de toda a minha filosofia, toda a religião que me ensinaram, toda a minha coragem, para não desmaiar de medo.

E agora um tornado perfeito explodiu. O chão estremecia como se milhares de cavalos galopassem em cima dele; e dessa vez, a tempestade trazia em suas asas gélidas não neve, mas grandes pedras de granizo que caíam com tamanha violência que pareciam disparadas por estilingues baleares — pedras de granizo que derrubavam folhas e galhos e tornavam o abrigo dos ciprestes praticamente tão inútil quanto uma plantação de milho. No início eu correra para a árvore mais próxima, mas logo me deu vontade de sair dali e buscar o único local que me parecia prover refúgio, o portal dórico do túmulo de mármore. Ali, agachado de encontro à porta de bronze maciço, obtive certa proteção do açoite das pedras de granizo. Ali, elas só me atingiam quando ricocheteavam no chão ou no mármore.

Quando me apoiei na porta, ela se moveu de leve e se abriu para dentro. O abrigo até mesmo de uma tumba era bem-vindo naquela tormenta sem trégua, e eu já ia entrando quando um relâmpago iluminou toda a expansão dos céus. Nesse instante, como sou um homem vivo, vi, quando meus olhos se voltaram para a escuridão do túmulo, uma bela mulher de rosto redondo e lábios vermelhos, aparentemente adormecida sobre um féretro. Quando o trovão ressoou, fui agarrado pela mão de um gigante e atirado lá fora na tempestade. A coisa toda foi tão repentina que, antes que eu pudesse me dar conta do choque, tanto moral quanto físico, me vi sob a chuva de granizo. Ao mesmo tempo, tive uma sensação estranha, avassaladora, de não estar sozinho. Olhei para o túmulo. Então, um novo relâmpago me cegou e atingiu a estaca de ferro acima do túmulo, atravessando a terra, estourando e despedaçando o mármore, como numa explosão de fogo. A mulher morta se levantou num momento de agonia, enquanto era devorada pela chama, e seu amargo grito de dor foi abafado pelo ruído do trovão. A última coisa que ouvi foi a mistura desses sons apavorantes, enquanto era novamente agarrado pela mão gigantesca e arrastado para longe, o granizo me atingindo e o ar à volta parecendo reverberar com os uivos dos lobos. A última coisa que lembro ter visto foi uma forma vaga, branca, em movimento, como se todas as sepulturas em torno houvessem enviado os fantasmas de seus mortos envoltos em mortalhas e eles estivessem me cercando em meio à alvura brumosa do granizo.

Aos poucos, a consciência foi voltando vagamente; depois veio uma terrível sensação de cansaço. Durante algum tempo, de nada me lembrei, mas lentamente meus sentidos retornaram. Meus pés pareciam destroçados de dor, e eu não conseguia mexê-los. Pareciam entorpecidos. Um frio descia pela minha nuca até a espinha, e meus ouvidos, assim como os pés, estavam dormentes, porém atormentados. No meu peito, no entanto, havia uma sensação de calor, a qual era, em contraste, deliciosa. Um pesadelo, se é possível usar tal expressão, pois um peso enorme no meu peito dificultava a minha respiração.

Esse período de semiletargia durou um bom tempo e quando se dissipou devo ter dormido ou desmaiado. Senti então uma espécie de repulsa, como o primeiro estágio de náusea, e um tremendo desejo de me libertar de alguma coisa — eu não sabia do quê. Um vasto silêncio me envolveu, como se todo o mundo dormisse ou estivesse morto — quebrado apenas pelo leve resfolegar de algum animal próximo a mim. Senti uma aspereza cálida na garganta e então tomei consciência da terrível verdade, que congelou meu coração e fez o sangue me subir à cabeça. Um animal bem grande estava deitado sobre meu corpo e lambia meu pescoço. Temi me mexer, pois algum resquício de prudência me ordenou que ficasse imóvel. A fera, porém, aparentemente percebeu alguma mudança em mim, pois ergueu a cabeça. De olhos entreabertos, vi acima de mim os dois olhos chamejantes de um lobo gigantesco. Seus dentes brancos afiados brilhavam na boca vermelha escancarada e senti seu hálito quente e acre no meu rosto.

Durante mais um intervalo de tempo perdi a memória. Então, me dei conta de um grunhido grave, seguido por um ganido, repetido várias vezes. Foi quando, a uma grande distância, ouvi um "Holloa! Holloa!", de muitas vozes em uníssono. Cuidadosamente ergui a cabeça e olhei na direção de onde o som vinha, mas o cemitério bloqueava a minha visão. O lobo continuava a ganir de forma estranha e um brilho vermelho começou a se mover em torno do arvoredo de ciprestes, como se seguisse o som. Com a aproximação das vozes, o lobo gania cada vez mais rápido. Tive medo de fazer qualquer barulho ou movimento. O lume vermelho chegou mais perto, acima da alvura que se estendia até a escuridão à minha volta. Então, sem aviso, por detrás das árvores surgiu, trotando, um grupo de cavaleiros carregando tochas. O lobo saiu de cima de mim e se dirigiu para o cemitério. Vi um dos cavaleiros (soldados, a julgar por seus quepes e longos casacões militares) levantar a carabina e mirar. Um companheiro ergueu-lhe o braço e ouvi a bala passar zumbindo sobre minha cabeça. Evidentemente, o atirador achara que o meu corpo era o do lobo. Outro flagrou o animal tentando fugir e fez um disparo. Então, a galope, o pelotão seguiu em frente — parte dele na minha direção e o restante seguindo o lobo que desaparecera em meio aos ciprestes cobertos de neve.

Enquanto os homens se aproximavam, tentei me mexer, mas estava sem forças para tanto, embora pudesse ver e ouvir tudo que acontecia à volta. Dois ou três soldados desceram de seus cavalos e se ajoelharam a meu lado. Um deles ergueu minha cabeça e pôs a mão no meu peito.

— Boas novas, companheiros! — gritou ele. — O coração ainda está batendo!

Despejaram conhaque na minha garganta, e o álcool me devolveu o vigor. Fui capaz de abrir totalmente os olhos e enxergar o ambiente. Luzes e sombras se deslocavam entre as árvores e ouvi os homens chamando uns aos outros. Eles se reuniram, emitindo exclamações amedrontadas, e as luzes aumentaram quando os outros saíram disparados do cemitério, como se estivessem possuídos. Quando os mais distantes se aproximaram, os que me cercavam perguntaram, ansiosos:

— Então, vocês o encontraram?

A resposta veio rápida:

— Não! Não! Vamos embora logo. Agora! Não é bom ficar aqui, ainda por cima esta noite!

"O que era aquilo?" afinal era a pergunta, feita de todas as maneiras. A resposta veio de forma diversa e indefinida, como se os homens fossem movidos por algum impulso a falar, porém refreados por um medo coletivo de expressar seus pensamentos.

— Era... Era... Com certeza! — balbuciou um deles, cujo juízo estava sem dúvida momentaneamente comprometido.

— Um lobo... Mas não um lobo! — acrescentou outro, estremecendo.

— Não adianta ir atrás dele sem a bala sagrada — observou um terceiro de forma mais trivial.

— Foi o nosso castigo por sair hoje à noite! Sem dúvida, fizemos por merecer ganhar nossos mil marcos! — exclamou um quarto.

— Havia sangue no mármore quebrado — comentou outro após um instante — Isso não foi obra dos relâmpagos. Quanto a ele... Está seguro? Vejam sua garganta! Companheiros, o lobo ficou em cima dele e manteve seu sangue quente.

O oficial olhou para a minha garganta e respondeu:

— Ele está bem; a pele não foi perfurada. O que tudo isso significa? Nunca o teríamos achado não fosse pelos ganidos do lobo.

— Que fim ele levou? — indagou o homem que segurava minha cabeça e que parecia ser o menos apavorado do grupo, pois suas mãos estavam firmes e não tremiam.

Na manga trazia a divisa de um oficial subalterno.

— Foi para casa — respondeu o sujeito cujo rosto comprido estava pálido e que efetivamente tremia de pavor enquanto olhava ao redor, amedrontado. — Há bastante túmulos ali para ele descansar. Venham, companheiros, venham rápido! Vamos embora deste lugar amaldiçoado.

O oficial me ajudou a sentar, enquanto emitia um comando. Então, vários homens me acomodaram num cavalo. Ele pulou para a sela atrás de mim, me tomou nos braços e deu ordem para a partida. Desviando os rostos dos ciprestes, tomamos nosso rumo em formação militar.

Até ali, minha língua se recusava a funcionar, e segui mudo. Devo ter adormecido, pois minha primeira lembrança em seguida foi me ver de pé, apoiado a um soldado de cada lado. Já era dia claro, e para os lados do norte um rastro vermelho de sol se refletia, como uma trilha de sangue, na vastidão da neve. O oficial estava dizendo aos homens para manter segredo sobre o que tinham visto, salvo que haviam encontrado um desconhecido inglês, vigiado por um enorme cão.

— Cão! Aquilo não era um cão — interveio o homem que se mostrara tão apavorado. — Acho que sei o que é um lobo.

O jovem oficial respondeu calmamente:

— Eu disse cão.

— Cão! — reiterou o outro com ironia. Era evidente que sua coragem crescia com o nascer do sol. Apontando para mim, ele falou: — Olhe a garganta dele. Isso é obra de um cão, chefe?

Instintivamente ergui a mão para o pescoço e quando o toquei gritei de dor. Os homens me cercaram para ver, alguns se inclinando de suas selas. Novamente, ouviu-se a voz calma do jovem oficial:

— Um cão, como falei. Se algo mais for dito, viramos motivo de chacota.

Fui então posto sobre um cavalo atrás de um soldado e seguimos para os subúrbios de Munique. Ali encontramos uma carruagem perdida, na qual me puseram, e nela me levaram até o Quatre Saisons — o jovem oficial me acompanhando enquanto um soldado nos seguia a cavalo. Os outros tomaram o rumo do acampamento militar.

Quando chegamos, Herr Delbrück desceu com tal rapidez as escadas para me receber que ficou evidente que ele observava a cena do lado de dentro. Me estendendo as mãos, solicitamente me ajudou a entrar. O oficial me fez uma saudação e já se virava para partir quando percebi sua intenção e insisti que me acompanhasse até meus aposentos. Enquanto tomávamos um cálice de vinho, calorosamente lhe agradeci, bem como a seus companheiros corajosos, por me terem salvo. Ele respondeu com simplicidade que estava mais que feliz e que Herr Delbrück havia, de início, tomado providências para agradecer a todo o grupo de busca. O *maître d'hôtel* sorriu diante da observação ambígua, enquanto o oficial, alegando estar em serviço, se foi.

— Mas, Herr Delbrück — indaguei —, como e por que esses soldados foram à minha procura?

Ele deu de ombros como se não tivesse feito nada de mais, enquanto respondia:

— Tive a sorte de obter a permissão do comandante do regimento em que servi para convocar voluntários.

— Mas como soube que eu estava perdido?

— O condutor chegou até aqui com o que sobrou da carruagem, que virou quando os cavalos fugiram.

— Mas sem dúvida o senhor não enviaria uma equipe de buscas apenas com base no relato dele, certo?

— Ah, não! — respondeu o maître d'hôtel. — Mas antes mesmo que o cocheiro chegasse, recebi esse telegrama do boiardo do qual o senhor é hóspede. — E tirou do bolso um telegrama, que me entregou:

> Bistritz
>
> Seja cuidadoso com o meu convidado — sua segurança é extremamente preciosa para mim. Se algo lhe acontecer, ou se ele se perder, não poupe recursos para encontrá-lo e garantir sua segurança. Ele é inglês e, consequentemente, aventureiro. Com frequência a neve, os lobos e a noite oferecem perigos. Não perca um instante se suspeitar de que algo de ruim possa lhe acontecer. Seu zelo será recompensado.
>
> Drácula

Enquanto eu segurava o telegrama, o chão pareceu sumir sob meus pés. Se o atento *maître d'hôtel* não me segurasse, acho que eu teria caído. Havia algo tão estranho em tudo isso, algo tão bizarro e impossível de imaginar, que cresceu em mim a sensação de ser um espécie de joguete entre forças oponentes — e a mera e vaga ideia disso já me paralisava. Sem dúvida, eu me encontrava sob alguma forma de proteção misteriosa. De um país distante viera, precisamente na hora certa, uma mensagem que me livrou do perigo da neve e das mandíbulas do lobo.

VILÃO: HORACE DORRINGTON

O RELATO DO SR. JAMES RIGBY

ARTHUR MORRISON

Após o retumbante sucesso obtido por Arthur Conan Doyle com sua série sobre Sherlock Holmes, outros autores, sem dúvida pressionados por editores que esperavam capitalizar o novo fenômeno das aventuras de detetive, lançaram um dilúvio de romances e contos cujos protagonistas seguiram os passos de Holmes. O mais bem-sucedido foi o personagem de Arthur Morrison (1863-1945) Martin Hewitt, que fez sua estreia em *Martin Hewitt: Investigator* (1894), seguido por mais duas coletâneas de contos e um romance, *The Red Triangle* (1903).

Como Doyle, Morrison tinha pouco interesse ou afeição por seu detetive, convencido de que suas histórias ambientadas nos cortiços de Londres eram bem mais relevantes. Talvez tivesse razão, já que elas venderam bem na época, mostraram grande vitalidade e são encaradas como instrumentais na implementação de muitas reformas sociais importantes, sobretudo no que tange à moradia.

Além de seus romances naturalistas de crime e pobreza no East End de Londres e das proezas de Hewitt, Morrison escreveu outros livros ligados ao gênero de mistério, incluído *Cunning Murrell* (1900), um relato romantizado das atividades de um curandeiro no início do século XIX na zona rural de Essex; *The Hole in the Wall* (1902), uma história de um homicídio num cortiço londrino e, o mais importante, *The Dorrington Deed-Box* (1897), uma coletânea de contos sobre o inescrupuloso Horace Dorrington, ladrão que vez ou outra ganha seu dinheiro honestamente — trabalhando como detetive particular!

"O relato do sr. James Rigby" foi originalmente publicado em *The Dorrington Deed-Box* (Londres: Ward, Lock &Co., 1897).

O RELATO DO SR. JAMES RIGBY

ARTHUR MORRISON

Devo aqui registrar em linguagem tão simples e direta quanto posso formular, os acontecimentos que se seguiram ao meu recente retorno à Inglaterra; e devo deixar a cargo de outros julgar se minha conduta foi ou não ocasionada por medo tolo e credulidade imprudente. Ao mesmo tempo, tenho minha própria opinião quanto ao que teria sido o comportamento de qualquer outro homem de inteligência e coragem medianas nas mesmas circunstâncias; mais especialmente um homem com a minha excepcional criação e hábitos reservados.

Nasci na Austrália e vivi ali toda a minha vida até bem recentemente, salvo por uma única viagem à Europa na infância, na companhia dos meus pais. Foi então que perdi meu pai. Ainda não tinha completado nove anos, mas minha lembrança dos acontecimentos daquela viagem europeia é singularmente vívida.

Meu pai imigrara para a Austrália na época do seu casamento e se tornara rico por especulações especialmente afortunadas na aquisição de terras em Sydney e arredores. Como família, éramos anormalmente autocentrados e isolados. Dos meus pais jamais ouvi uma palavra sobre os parentes na Inglaterra; com efeito, até esta data desconheço o nome de batismo do meu avô. Com frequência supus que alguma séria briga familiar ou grande desgraça devesse ter precedido ou acompanhado o casamento de meu pai. Seja como for, nunca consegui descobrir coisa alguma sobre meus parentes, fossem maternos ou paternos. Os dois, porém, eram gente instruída, e na verdade imagino que o hábito de reclusão de ambos deva ter sido fruto, em primeiro lugar, de tal circunstância, já que os colonizadores que os cercavam naquele início, apesar de indivíduos excelentes, não constituíam uma classe que se destacasse por uma cultura intelectual extrema. Meu pai estocava sua biblioteca na Inglaterra e, de tempos em tempos, acrescentava volumes recém-chegados. Passava a maior parte dos seus dias entre os livros, saindo, porém, ocasionalmente em excursão com uma arma em busca de algum novo espécime para adicionar a seu museu de história natural, que ocupava três aposentos compridos em nossa casa junto ao rio Lane Cove.

Tinha eu, como já disse, oito anos quando embarquei com meus pais em uma volta pela Europa, e o ano era 1873. Ficamos apenas um breve período na Inglaterra assim que chegamos, pretendendo permanecer mais tempo na volta. Fizemos o passeio, deixando a Itália para o final, e foi ali que meu pai enfrentou uma perigosa aventura.

Estávamos em Nápoles, e ele adquirira um gosto bizarro por um rufião de aparência pitoresca que atraíra sua atenção por ter uma expressão facial incomumente clara para um italiano e no qual meu pai cismou ter reconhecido uma semelhança com Tasso, o poeta. Esse homem tornou-se seu guia em excursões nas cercanias de Nápoles, embora não pertencesse a nenhum grupo regular de guias e, com efeito, desse a impressão de não ter qualquer ocupação regular de caráter definido. "Tasso", como meu pai sempre o chamava, era um sujeito bastante educado e muito inteligente, mas minha mãe desde o início antipatizou extremamente com ele, sem conseguir apresentar um motivo muito claro para sua aversão. No caso, seu instinto se mostrou correto.

"Tasso" — seu nome real, por sinal, era Tommaso Marino — convenceu meu pai de que algo interessante havia para ser visto na cratera Astroni, cerca de sete quilômetros a oeste da cidade; além do mais, convenceu-o a fazer o percurso a pé, e os dois foram. Tudo ia bem até chegarem à cratera e, então, numa parte erma e fraturada do morro, o guia de repente se virou e atacou meu pai com uma faca, sendo sua intenção, sem dúvida, matá-lo e se apossar dos valores do inglês. Felizmente meu pai tinha no bolso da calça um revólver, pois fora sido alertado sobre o perigo que um estranho nessa época corria vagando nos arredores de Nápoles. Foi ferido no braço esquerdo na tentativa de impedir uma facada e atirou, à queima-roupa, matando seu agressor no local. Abandonou o lugar às pressas, fazendo um torniquete no braço no caminho, procurou o cônsul britânico em Nápoles e o informou de todas as circunstâncias. Com as autoridades, não houve grande dificuldade. Um exame ou dois, algumas assinaturas, um pouco de pressão por parte do cônsul e meu pai foi liberado, no que tange aos agentes da lei. Enquanto, porém, tais formalidades progrediam, não menos do que três tentativas foram perpetradas contra sua vida — duas com faca e uma com um tiro — e de cada uma delas ele escapou quase que por milagre. O rufião morto, Marino, era membro da temida Camorra, e os *camorristi* estavam ansiosos para vingar sua morte. Para qualquer um familiarizado com a história da Itália — mais especificamente com a história do velho reino de Nápoles —, o nome da Camorra há de ser bem conhecido. Ela foi uma das piores e mais poderosas das muitas sociedades secretas nefastas da Itália e não contava com nenhuma das habituais desculpas, de tempos em tempos, justificam outras. Não passava de um gigantesco clube para a prática de crimes e extorsão de dinheiro. Tão poderosa era que, com efeito, criou um imposto regular sobre todo o fornecimento de alimentos que entrava em Nápoles — um imposto coletado e pago com muito mais regularidade do que os impostos devidos ao governo legítimo do país. O porte de bens contrabandeados era monopólio da Camorra, uma organização perfeita existente para tal finalidade em todo o reino. A população vivia aterrorizada por essa sociedade detestável, que detinha não menos que doze centros só na cidade de Nápoles. Ela contratava para a prática de crimes tão sistemática e calmamente quanto uma empresa ferroviária contrata para o transporte de mercadorias. Um homicídio tinha um preço, conforme as circunstâncias, com um bônus extra para sumir com o corpo; um incêndio criminoso era algo bastante lucrativo; mutilações e sequestros eram executados com rapidez e eficiência, e qualquer diabólica indignidade imaginável era mera questão de preço. Uma das vocações primordiais do grupo era, é evidente, o ato de saltear. Com a chegada de Vittorio Emanuele e a fusão da Itália em um único reino, a Camorra perdeu parte do seu poder, mas durante muito tempo criou problemas consideráveis. Ouvi dizer que no ano seguinte às questões que estou relatando, duzentos *camorristi* foram banidos da Itália.

Assim que os trâmites legais foram resolvidos, meu pai recebeu a sugestão oficial mais ostensiva possível de que quanto antes e mais secretamente deixasse o país melhor seria para ele e sua família. O cônsul britânico também sugeriu que a justiça seria inteiramente incapaz de protegê-lo contra as maquinações da Camorra, e, com efeito, pouca persuasão foi necessária para nos fazer partir, pois a pobre da minha mãe vivia em constante terror de que fôssemos assassinados juntos em nosso hotel. Assim sendo, não perdemos tempo e retornamos à Inglaterra concluindo nossa volta pela Europa.

Em Londres, ficamos em um hotel bastante conhecido próximo à Bond Street. Não estávamos lá senão havia três dias quando meu pai chegou da rua uma noite firmemente convencido de que havia sido seguido por cerca de duas horas, e seguido de forma muito habilidosa. Mais de uma vez havia se virado subitamente com o propósito de confrontar seus perseguidores, que sentia estarem em seus calcanhares, mas não vira ninguém com aparência suspeita. Na tarde seguinte, ouvi minha mãe falando com minha babá (que viajava conosco) sobre um homem de aparência desagradável, que ficava parado em frente à portaria do hotel, e que, ela tinha certeza, a seguira e a meu pai posteriormente quando ambos caminhavam. Minha mãe ficou nervosa e comunicou seus temores a meu pai. Ele, porém, minimizou a situação e pouca importância deu ao caso. Ainda assim, a perseguição continuou e meu pai, que jamais foi capaz de prestar atenção nas pessoas que o perturbavam — na verdade, ele mais sentia essas presenças por instinto, como nesses casos —, foi ficando furioso e decidiu procurar a polícia. Então, numa manhã, minha mãe descobriu um pequeno rótulo de papel grudado no lado de fora da porta do quarto que ela e papai ocupavam. Era pequeno, circular, mais ou menos do tamanho de uma moeda de seis pences, ou até menor, mas minha mãe tinha a certeza de que não estava lá quando ela entrara pela porta na noite anterior, por isso ficou aterrorizada. Porque o rótulo continha um símbolo mínimo, desenhado toscamente à tinta — um par de facas de um formato curioso, cruzadas: o símbolo da Camorra.

Ninguém soube explicar o que era ou como tinha ido parar ali. Minha mãe insistiu com meu pai para se colocar sob a proteção da polícia imediatamente, mas ele protelou. Na verdade, acho que suspeitou de que o rótulo pudesse ser uma brincadeira de mau gosto de algum hóspede do hotel que tivesse ouvido falar de sua aventura napolitana (que foi noticiada em vários jornais) com a intenção de lhe dar um susto. Mas naquela mesma noite, meu pobre pai foi encontrado morto, esfaqueado em uma dezena de lugares, numa rua calma e curta a não mais que quarenta metros de distância do hotel. Ele saíra tão somente para comparar charutos de uma marca especial que lhe agradava, numa loja duas ruas distante, e menos de meia hora depois da sua saída, a polícia surgiu à porta do hotel com a notícia da sua morte, tendo obtido o endereço nas cartas que meu pai levava nos bolsos.

Não faz parte da minha intenção atual discorrer sobre o sofrimento da minha mãe ou descrever em detalhes os incidentes que se seguiram à morte do meu pai, pois volto a esse período remoto da minha vida apenas para deixar mais clara a relação com o que me aconteceu recentemente. Será suficiente, portanto, dizer que no inquérito, o júri deu o veredicto de homicídio doloso praticado por alguma ou algumas pessoas desconhecidas; que várias vezes foi dito que a polícia obtivera uma pista das mais importantes e que, sendo assim, muito naturalmente jamais houve qualquer prisão. Voltamos para Sydney e lá eu cresci.

Talvez eu já devesse ter mencionado que minha profissão — ou, melhor dizendo, meu hobby — é a arte. Feliz ou infelizmente, como queiram achar, não preciso seguir qualquer profissão como meio de sobrevivência, mas desde os 16 anos todo o meu tempo tem sido dedicado a desenhar e pintar. Não fosse pela objeção incontornável da minha mãe em se separar de mim, mesmo pelo mais curto tempo, há muito eu devia ter vindo para a Europa para trabalhar e estudar nas instituições regulares. Em vez disso, decidi fazer o melhor possível na Austrália e vaguei pelo país com bastante liberdade, lutando com as dificuldades de moldar em forma artística a curiosa paisagem australiana. Existe um quê estranho, desolado, sobrenatural no cenário característico australiano que a maioria costuma considerar pouco valioso para os propósitos de um pintor de paisagens, mas com o qual sempre estive convencido de que um pintor capaz pudesse fazer grandes coisas. Por isso fiz, modestamente, o melhor possível.

Dois anos atrás, minha mãe faleceu. Eu tinha então 28 anos e fiquei sem um único amigo no mundo e, tanto quanto me era possível saber, sem um único parente. Logo descobri impossível continuar morando na casa enorme perto do rio Lane Cove. Ela extrapolava minhas necessidades simples, e a coisa toda era um constrangimento, sem falar na associação da casa com minha falecida mãe, o que gerava um efeito doloroso e deprimente em mim. Assim, vendi a casa e parti. Durante um ano ou mais levei a vida de um vagabundo solitário in New South Wales, pintando o melhor que podia suas florestas repletas de árvores magníficas com sua curiosa folhagem arrebitada. Então, terrivelmente insatisfeito com o meu desempenho e, no geral, tomado de um espírito inquieto, resolvi abandonar a colônia e morar na Inglaterra, ou, ao menos, em algum lugar na Europa. Eu pintaria nas escolas de Paris, prometi a mim mesmo, e adquirira aquele domínio técnico do meu material que sentia então me faltar.

Nem bem tomei tal decisão, me pus a concretizá-la. Instruí meus advogados em Sydney a encerrar meus negócios e se comunicarem com seus correspondentes em Londres a fim de que, por ocasião da minha chegada eu pudesse cuidar dos meus negócios por intermédio deles. Eu praticamente decidira transferir todo o meu patrimônio para a Inglaterra e transformar aquele velho país em meu domicílio permanente, e, três semanas depois de tomar tal decisão, eu já a pusera em prática. Levei comigo as necessárias cartas de apresentação aos advogados londrinos e as escrituras pertinentes a certas terras no sul da Austrália, compradas por meu pai pouco antes de partir para a viagem europeia fatal. Havia, nessas terras, minas de cobre, descoberta já confirmada, e eu acreditava poder negociar lucrativamente a propriedade com uma empresa em Londres.

Descobri-me, até certo ponto, um estranho no ninho a bordo de um grande navio de passageiros. Já não me parecia possível na constante associação que se dá a bordo de um navio manter a introversão que se tornara minha segunda natureza. Mas isso havia se tornado de tal maneira a minha natureza que ridiculamente eu temia rompê-la, pois, apesar de adulto, devo confessar minha absurda timidez e, além da idade, meu comportamento não era muito diferente em comparação ao de um garoto da escola. De alguma forma, porém, eu mal passara um dia no mar quando tive a agradável oportunidade de conhecer outro passageiro, um homem entre 38 e quarenta anos, cujo nome era Dorrington. Sujeito alto, espadaúdo, bem estruturado, talvez de boa aparência, salvo pelo rosto extremamente redondo e compleição roliça; usava um bigode militar escuro e andava ereto, com um porte que lembrava o de um membro da cavalaria e os olhos, acho eu, eram os mais penetrantes que eu já vira na vida. Seus modos eram extremamente sedutores e nele encontrei o único bom interlocutor que já havia conhecido. Conhecia todo mundo e estivera em todos os lugares. Seu estoque de casos pitorescos era inesgotável, e durante nossa amizade jamais o ouvi repetir a mesma história. Nada acontecia — nenhum pássaro passava voando pelo navio, nenhum prato era posto na mesa — sem que Dorrington fizesse uma observação pertinente e contasse um caso adequado. E ele era incapaz de entediar ou cansar alguém. A despeito de tanta conversa nunca parecia indevidamente intrometido nem minimamente egoísta. O sr. Horace Dorrington era, sem dúvida, a pessoa mais encantadora que eu havia conhecido. Além disso, descobrimos que tínhamos o mesmo gosto no tocante a charutos.

— A propósito — me disse Dorrington numa noite deslumbrante enquanto fumávamos encostados no parapeito —, Rigby não é um nome muito comum na Austrália, é? Acho que me lembro de um caso, há vinte anos ou mais, de um cavalheiro australiano com esse nome que sofreu severos maus-tratos em Londres. Na verdade, pensando bem, não tenho certeza de que ele foi morto. Por acaso você já ouviu falar disso?

— Já — respondi. — Ouvi falar muito, infelizmente. Ele era meu pai, e *foi* assassinado.

— Seu pai? Nossa... sinto muitíssimo. Talvez eu não devesse ter mencionado, mas é claro que eu não sabia.

— Ah, tudo bem. Já se passou tanto tempo que não me incomoda falar no assunto. A coisa toda foi completamente fora do comum.

Então, sentindo que devia a Dorrington algum tipo de relato, depois de tantos que ele me fizera, contei-lhe tudo a respeito da morte do meu pai.

— Ah — disse Dorrington quando terminei —, eu já tinha ouvido falar da Camorra, conheço uma ou duas coisas a respeito. Na verdade, ela existe até hoje. Não tão disseminada e aberta como foi um dia, é claro, e bem menor. Mas continua bastante ativa de uma maneira discreta, e bastante nociva. Aquela era uma gangue de bandidos, os *camorristi*. Pessoalmente, fico surpreso por você nunca mais ter ouvido falar deles. São do tipo de gente que prefere matar três pessoas a matar uma, e a ideia de vingança que tinham ia muito além do mero assassinato do ofensor; seu hábito era incluir a esposa e a família, bem como tantos parentes quanto possível. De todo jeito, *você* aparentemente se saiu bem, embora eu me sinta inclinado a chamar isso de sorte e não de outra coisa.

Então, como era invariavelmente seu hábito, Dorrington contou outro de seus casos. Falou dos crimes da máfia, a sociedade italiana secreta, maior e ainda mais poderosa que a Camorra e quase tão criminosa quanto. Relatos de vingança implacável exercida contra pai, filho e neto em sucessão, até a raça ser dizimada. Depois, falou sobre os métodos, dos volumosos recursos à disposição da Camorra e da Máfia, bem como da astuta paciência com que seus esquemas eram levados a cabo. Falou das vítimas que descobriam tarde demais que seus criados mais confiáveis haviam jurado destruí-las e daqueles que tinham fugido para lugares remotos da terra na esperança de serem esquecidos, mas que eram seguidos e exterminados com ferocidade bárbara em seus esconderijos mais seguros. Onde quer que houvesse italianos, era de esperar que existisse um ramo de uma das sociedades e jamais se podia saber de onde podiam surgir. Os dois italianos que trabalhavam no porão do navio naquele momento talvez fossem membros de uma ou de outra e podiam ou não ter alguma tarefa a executar não incluída em seus contratos de trabalho.

Indaguei se ele algum dia tivera contato pessoalmente com uma dessas sociedades ou seus feitos.

— Com a Camorra não, embora eu saiba de coisas sobre ela que provavelmente causariam surpresa, e não pouca, em alguns de seus membros. Mas tive negócios profissionais com a Máfia, e nisso também não me saí muito mal. Mas não se tratou de um caso tão sério quanto o do seu pai, e sim de roubo de documentos e chantagem.

— Negócios profissionais? — indaguei.

Dorrington riu.

— Isso. Acho que cheguei muito perto de desvendar um segredo. Não costumo contar às pessoas quem sou quando viajo, e na verdade nem sempre uso meu nome verdadeiro, como estou fazendo agora. Sem dúvida você já ouviu esse nome alguma vez, não?

Tive de confessar que não me lembrava dele. Mas me desculpei mencionando minha vida reclusa e o fato de que jamais deixara a Austrália desde a infância.

— Ah — disse ele —, claro que ele é bem menos conhecido na Austrália, mas na Inglaterra somos bastante populares, meu sócio e eu. Mas, vamos lá, olhe bem para mim e pense, e lhe dou uma dúzia de chances e aposto um soberano que você não é capaz de acertar o que faço. E nem chega a ser uma atividade tão desconhecida assim.

Adivinhar seria inútil, e foi o que lhe disse. Ele não parecia o tipo de homem que fizesse questão absoluta de ter algum tipo de atividade. Desisti.

— Bem — disse Dorrington —, não desejo especialmente que todo o navio fique sabendo, mas não me importo de contar a você, que decerto há de descobrir tão logo se estabeleça na velha Inglaterra: somos aquilo que se conhece como agentes de interrogatórios privados, ou seja, detetives, homens do serviço secreto, como preferir chamar.

— Não diga!

— É verdade. E acho que posso afirmar que estamos no topo, se não um tantinho acima. Claro que não posso lhe contar, mas você ficaria atônito se eu lhe desse os nomes de alguns de nossos clientes. Lidamos com certas casas reais, europeias e asiáticas, que o deixaria pasmo caso eu pudesse mencioná-las. Dorrington & Hicks é o nome da firma, e somos ambos homens muito ocupados, embora tenhamos um regimento de assistentes e correspondentes. Fiquei na Austrália três meses por conta de um assunto bastante constrangedor e complicado, mas acho que me saí muito bem e minha intenção é recompensar meu esforço com umas pequenas férias quando voltar. Pronto, você agora sabe o pior de mim. E D.&H. lhe apresentam seus respeitosos cumprimentos e acreditam que por sua infalível pontualidade e uma atenção absoluta ao trabalho, possam esperar receber ordens suas sempre que você tiver o infortúnio de necessitar dos seus serviços. Segredos de família extraídos, apagados, reduzidos ou interrompidos com dinheiro. Atenção especial quando se trata de encomendas por atacado. — Ele riu e tirou do bolso a charuteira. — Você não tem outro charuto no bolso — falou — ou não estaria fumando esse toco tão pequeno. Experimente um destes.

Peguei o charuto e o acendi no que restava do meu.

— Então — falei — suponho que seja a prática da profissão que lhe deu tanto domínio sobre informações e casos curiosos e incomuns. Inegavelmente, você deve ter lidado com várias questões curiosas.

— Sim, tem razão — concordou Dorrington. — Mas, na verdade, não posso relatar minhas experiências mais curiosas devido à confidencialidade profissional. Aquilo que *posso* contar, em geral o faço alterando nomes, datas e locais. Aprende-se a ser discreto numa atividade como a minha.

— E quanto à sua aventura com a Máfia? Existe algum segredo sobre isso?

Dorrington deu de ombros.

— Não. Nenhum em particular. Mas o caso não foi especialmente interessante. Aconteceu em Florença. Os documentos eram de um abastado americano, e alguns pilantras da Máfia conseguiram roubá-los. Não importa o teor dos documentos, o que é uma questão privada, mas o proprietário teria pago um bom dinheiro para recuperá-los, e a Máfia os reteve em troca de resgate. Acontece que os mafiosos tinham uma noção tão equivocada da fortuna do americano e do que ele estava disposto a pagar que, por mais que quisesse os papéis de volta, não aguentou tantas exigências e nos contratou para negociar e fazer o que pudéssemos. Acho que seria possível recuperar os itens roubados e, com efeito, passei algum tempo elaborando um plano, mas no final concluí que não valeria a pena. Se a Máfia fosse enganada daquela forma, talvez considerasse apropriado enfiar uma faca em alguém e isso não era coisa fácil de impedir. Por isso, dei um tempo e optei por outra linha de trabalho. Os detalhes não interessam, são bastante desinteressantes, e falar deles a você seria conversa meramente profissional. Existe um bocado de trabalho tedioso e paciente a ser feito no meu trabalho. De toda maneira, consegui descobrir precisamente em que mãos os documentos estavam. Essa pessoa não era inteiramente inocente e havia duas ou três coisas que, conduzidas corretamente, talvez a levasse a ter complicações constrangedoras com a justiça. Por isso, posterguei as negociações enquanto lançava minha rede para pegar esse cavalheiro, que era o presidente daquele ramo específico da Máfia, e quando tudo estava pronto tive um encontro amistoso com ele e revelei meus planos. Eles foram mais eficientes do que qualquer outro argumento pode ser e, no final, optamos por um acordo amigável com termos favoráveis para ambas as partes, e meu cliente conseguiu recuperar o que era seu, inclusive todas as despesas, por cerca de um quinto do preço que ele imaginara ter de pagar. Isso é tudo. Aprendi um bocado sobre a Máfia ao longo do caso e nessa ocasião e em outras aprendi um bocado sobre a Camorra também.

Dorrington e eu ficávamos mais íntimos a cada dia de viagem, até ele estar a par de todos os detalhes da minha historinha rotineira, e eu, de muitas de suas experiências mais curiosas. Na verdade, ele era um homem com um fascínio irresistível por um bicho do mato enfadonho como eu. Com toda a sua animação, jamais esquecia os negócios e na maioria dos portos em que parávamos, mandava mensagens telegráficas para o sócio. Conforme a viagem se aproximava do fim, Dorrington foi ficando ansioso e impaciente, temendo não chegar a tempo de tomar o rumo da Escócia para caçar perdizes no dia 12 de agosto. Seu único lazer, aparentemente, era esse, e as férias que se prometera seriam passadas numa propriedade para esse fim que alugara em Perthshire. Haveria de ser um grande aborrecimento perder a data, segundo ele, mas tudo indicava que teria de se apressar. Ele achava, contudo, que de qualquer forma conseguiria chegar a tempo, desembarcando do navio em Plymouth e pegando o primeiro trem para Londres.

— É — disse ele —, acho que vou conseguir desse jeito, mesmo se o navio se atrasar uns dois dias. Por sinal — acrescentou de repente —, por que você não vai para a Escócia comigo? Não tem compromisso algum à espera, e posso lhe prometer uma ou duas semanas de diversão.

O convite me agradou.

— É muita gentileza sua, e na verdade não tenho nada urgente me esperando em Londres. Preciso me encontrar com aqueles advogados de que lhe falei, mas não há pressa. Uma ou duas horas na minha passagem por Londres seriam suficientes. Mas como não conheço ninguém do seu grupo e...

— Ora, ora, meu caro — respondeu Dorrington, estalando os dedos. — Tudo bem. Não montarei um grupo. Não haverá tempo para reuni-lo. Um ou dois poderão aparecer mais tarde, mas, se acontecer, eles serão sujeitos formidáveis e ficarão encantados de conhecê-lo, garanto. Na verdade, você me fará um grande favor se aceitar, do contrário ficarei sozinho, sem uma alma com quem conversar. Seja como for, *não* vou perder o dia 12, se houver a mínima possibilidade. Você tem de ir, sabe? Não há desculpas. Posso lhe emprestar as armas ou o que você quiser, embora acredite que você tenha trazido esse tipo de coisa. Quem é seu advogado em Londres, aliás?

— Mowbray, do Lincoln's Inn Fields.

— Mowbray? Nós o conhecemos bem. Seu sócio morreu no ano passado. Quando digo que *nós* o conhecemos bem, quero dizer como uma firma. Nunca o encontrei pessoalmente, embora meu sócio, que cuida da administração, tenha negócios regulares com ele. É um sujeito excelente, mas seu gestor é péssimo; não sei por que Mowbray o mantém. Não deixe que ele faça nada para você por conta própria, o sujeito é um grande trapalhão e tenho quase certeza de que bebe. Trate diretamente com Mowbray, não há outro melhor em Londres. E por falar nisso, pensando bem, é uma sorte que você não tenha nada urgente para ele, pois com certeza não o achará na cidade no dia 12, já que ele é um velho caçador e jamais perde uma temporada, de modo que agora você não tem sequer uma sombra de desculpa para me deixar na mão, e podemos considerar tudo combinado.

Depois de combinado, a viagem terminou sem percalços. Mas o vapor se atrasou, desembarcamos em Plymouth e partimos apressados da cidade no dia 10. Tínhamos três ou quatro horas para nos preparar antes de partir de Euston no trem noturno. A propriedade de Dorrington era bem distante da estação de Crieff, e ele calculou que na melhor das hipóteses não chegaríamos lá antes do início da noite seguinte, o que nos daria, contudo, tempo suficiente para uma longa noite de sono reconfortante antes da atividade esportiva matutina. Felizmente, eu levava bastante dinheiro vivo comigo, de modo que nada nos fez perder tempo sob esse aspecto. Trocamos de roupa nos aposentos de Dorrington (ele era um solteirão) na Conduit Street, e partimos com todo conforto de Euston no trem das dez.

Então se seguiram oito dias formidáveis. O tempo estava ótimo, havia muitos pássaros, e a minha primeira experiência como caçador de perdizes foi um sucesso absoluto. Decidi que no futuro sairia da minha concha e interagiria com o mundo que continha indivíduos encantadores como Dorrington e esportes tão prazerosos quanto aquele que estava me deleitando. No oitavo dia, porém, Dorrington recebeu um telegrama chamando-o imediatamente a Londres.

— É um aborrecimento chocante — disse ele. — Lá se vão as minhas férias inteiramente por água abaixo, ou ao menos será dividida em duas, e temo que a primeira possibilidade seja a mais provável. É o que acontece numa profissão incerta como a minha. Mas não há como evitar. Preciso ir, como você entenderia de imediato, se conhecesse o motivo. Mas o que mais me aborrece é deixá-lo totalmente sozinho.

Eu o tranquilizei nesse ponto e observei que fazia muito tempo estava habituado a contar apenas com minha própria companhia. No entanto, com Dorrington ausente, com certeza a vida na propriedade de caça corria o risco de ser menos agradável que com ele presente.

— Mas você vai morrer de tédio — interveio Dorrington, ecoando meus pensamentos. — Por outro lado, não será muito proveitoso voltar já para a cidade. Todos estão fora, inclusive Mowbray. Nós temos uma questãozinha que o aguarda neste exato momento, conforme mencionou meu sócio em sua carta ontem. Por que não passar o tempo dando uma volta por aqui? Ou pode ir para Londres em etapas admirando as paisagens. Sendo artista, você vai gostar de ver algumas cidades antigas, como Edimburgo, Chester, Warwick e outras. Não é um grande programa, talvez, mas não me ocorre nada mais para sugerir. Quanto a mim, preciso partir no primeiro trem que conseguir pegar.

Implorei a ele que não se preocupasse comigo e se concentrasse no trabalho. Na verdade, eu estava disposto a ir para Londres e me hospedar lá, ao menos por algum tempo. Mas Chester era um lugar que eu tinha muita vontade de conhecer — uma cidade antiga de verdade, murada — e não me desagradava passar um dia em Warwick. Assim, no final, decidi fazer as malas e partir para Chester no dia seguinte. De lá, eu tomaria um trem para Warwick. Meia hora depois, Dorrington partiu.

Chester foi puro encantamento para mim. Minhas lembranças da viagem à Europa na infância voltaram bem vívidas no que tange aos infortúnios sofridos por meu pai, mas dos velhos prédios que visitamos eu pouco me lembrava. Agora em Chester eu encontrava a cidade medieval sobre a qual tantas vezes havia lido. Passeei durante horas a fio pelas velhas ruas com casas em estilo normando e lojas nas galerias e andei nas muralhas da cidade. A noite seguinte à minha chegada foi amena e agraciada com luar, então fui tentado a ficar na rua. Dei uma caminhada pela cidade e terminei com um passeio ao longo da muralha, indo de Watergate à catedral. A lua, salpicada vez ou outra por pedaços de nuvem e em alguns momentos encoberta totalmente durante meio minuto, iluminava todo o Roodee nos intervalos e prateava o rio que se estendia além. Mas, conforme eu andava, fui me dando conta de uns passos abafados pouco atrás de mim. Dei pouca importância ao fato a princípio, embora não conseguisse ver ninguém próximo que pudesse ser a causa do ruído. Logo, porém, percebi que quando eu parava, como acontecia às vezes para contemplar do parapeito, os passos misteriosos também cessavam, e, quando eu voltava a andar, o ruído suave recomeçava também. De início, achei que talvez fosse um eco, mas uma rápida reflexão desmontou tal ideia. O meu caminhar era regular, firme, e o que seguia o meu era macio, rápido e arrastado — um mero cambaleio. Além disso, quando dei alguns passinhos na ponta dos pés, a fim de fazer um teste, o cambaleio persistiu. Estavam me seguindo.

Não sei se isso pode ou não parecer imaginação infantil, mas confesso ter pensado no meu pai. Quando eu estivera na Inglaterra pela última vez, na infância, a morte violenta do meu pai havia sido precedida precisamente por tais perseguições. E agora, passados todos esses anos, na minha volta, na primeiríssima noite que eu caminhava sozinho ao ar livre, havia passos estranhos atrás de mim. O caminho era estreito e não seria possível alguém passar por mim sem ser visto. Virei-me devagar e vi um vulto sair da sombra do parapeito e correr. Corri também, mas não alcancei a figura, que se afastou mais e mais, ficando mais indistinta ainda à minha frente. Um dos motivos foi que eu me sentia inseguro no terreno desconhecido. Encerrei minha caçada e continuei meu passeio. Podia muito bem se tratar de algum ladrão vagabundo, pensei, que imaginava se aproveitar de uma oportunidade conveniente para arrancar meu relógio. Mas eu já estava bem distante do ponto onde irei de costas anteriormente quando as passadas arrastadas recomeçaram. De início, fingi não notar. Então, voltando-me com a maior rapidez que pude, dei uma rápida corrida. Inútil de novo, pois à distância vi sumir a mesma figura indistinta, com mais velocidade do que eu podia correr. O que significava aquilo? A coisa toda me incomodou tanto que abandonei o passeio e retornei a pé para o hotel.

As ruas estavam em silêncio. Eu já atravessara duas e estava prestes a alcançar uma das principais, onde ficam as casas normandas, quando, do extremo da rua escura às minhas costas, surgiu outra vez o som da agora passada inconfundível. Eu me detive. As passadas também cessaram. Me virei e voltei um pouco, e, quando o fiz, os sons se perderam no fim da rua.

Não podia ser imaginação. Não podia ser coincidência. Para um único incidente talvez tal explicação funcionasse, mas não para essa recorrência persistente. Corri para o hotel, decidido, já que não conseguia mesmo ver meu perseguidor, a não me virar mais para identificá-lo. Mas antes de chegar ao hotel lá estavam de novo aqueles passos arrastados e não mais tão distantes.

Não seria verdade dizer que eu estava preocupado a essa altura da aventura, mas me afligia saber o que podia significar aquilo tudo, e, no geral, estava confuso diante da situação. Pensei um bocado, mas fui me deitar e me levantei de manhã sem chegar a qualquer conclusão.

Se foi ou não mera imaginação induzida pela experiência da noite anterior, não sei dizer; mas passei aquele dia com a sensação desagradável de estar sendo vigiado e, para mim, era extremamente real. Agucei o ouvido, mas no movimento diurno, mesmo na velha e tranquila Chester, as características individuais de passos diferentes não eram facilmente identificáveis. Uma vez, porém, enquanto descia um lance de escadas na rua principal, achei ter escutado os rápidos passos arrastados na velha e curiosa galeria que acabara de deixar. Subi novamente a escada e olhei. Havia um homem de aparência meio miserável olhando uma vitrine e se inclinando tanto que escondia a cabeça atrás da pesada pilastra de madeira que aguentava o prédio acima. Poderiam ter sido seus passos, mas poderia ser a minha imaginação. De todo jeito, eu iria dar uma olhada nele. Subi o último degrau, mas quando me virei, o homem saiu correndo, e de cabeça baixa evitando meu olhar, sumiu ao descer uma outra escada. Corri a toda velocidade atrás dele, mas, quando alcancei a rua, ele sumira.

O que *podia* significar isso tudo? O homem tinha bem mais que uma altura mediana e usava um daqueles chapéus de feltro macio que costumamos ver na cabeça de organista londrino. Seu cabelo era negro e volumoso e extrapolava a gola do casaco. Sem dúvida *isso* não era ilusão; sem dúvida eu não estava imaginando uma aparência italiana para esse homem simplesmente por conta da lembrança do destino do meu pai, certo?

Talvez tenha sido tolice minha, mas Chester perdeu a graça para mim. Esse tormento era novidade, e eu não consegui esquecê-lo. Voltei ao hotel, paguei a conta, mandei a mala para a estação ferroviária e peguei um trem para Warwick, via Crewe.

Estava escuro quando cheguei, mas a noite era quase tão amena quanto a última que eu passara em Chester. Comi muito pouco no jantar tardio no hotel e fiquei em dúvida sobre o que fazer comigo mesmo. Um caixeiro-viajante muito gordo e sonolento era o único outro cliente visível, e o salão de bilhar estava vazio. Aparentemente nada havia a fazer senão acender um charuto e dar uma caminhada.

Pude ver apenas o suficiente da antiga cidade para me encher de esperanças quanto ao passeio do dia seguinte. Não havia nada à vista que parecesse despertar o interesse possível de encontrar em Chester, mas existia um bom número de belas casas do século XVI e lá estavam os dois portões em arco com as capelas a encimá-los. Claro que o castelo era a cereja do bolo e eu o visitaria no dia seguinte, caso não tivesse dificuldade com a permissão. Recordei-me direitinho de que lera sobre os belos quadros que ele continha. Eu estava descendo a ladeira que partia dos portões, tentando lembrar quem eram os pintores daquelas telas, além de Van Dyck e Holbein, quando... Lá estava o mesmo passo arrastado atrás de mim!

Admito que me custou, dessa vez, tentar ver meu perseguidor. Havia algo misterioso naquelas passadas persistentes e esquivas, e, com efeito, algo preocupante nas minhas circunstâncias, me evadindo de um lugar para outro e incapaz de descartar meu inimigo ou entender suas ações ou motivações. Mas me virei, ainda assim, e na mesma hora as passadas se foram, em ritmo acelerado, para a sombra da arcada. Dessa vez não dei mais que meia dúzias de passos para trás. Tornei a me virar e parti para o hotel. Enquanto andava, o passo arrastado me seguia.

A coisa era séria. Devia haver algum propósito nessa vigilância incessante, e o propósito não me parecia benéfico. Sem dúvida, algum olho invisível me monitorara o dia todo, notara minhas idas e vindas e a minha viagem de Chester até ali. Novamente, e de forma impossível de evitar, as perseguições que precederam a morte do meu pai me vieram à cabeça e não pude esquecê-las. Não me restava dúvida então de que eu vinha sendo atentamente observado desde o momento em que pus os pés em Plymouth. Mas quem poderia estar à espera para me vigiar em Plymouth, quando, na verdade, eu só decidira desembarcar no último momento? Então pensei nos dois italianos que trabalhavam no porão do vapor — precisamente os homens que Dorrington usara para ilustrar em que lugares insuspeitos os membros das terríveis sociedades secretas italianas podiam ser encontrados. E a Camorra não se satisfazia com uma única vingança; destruía o filho após o pai e esperava muitos anos, com infinita paciência e astúcia.

Perseguido pelos passos, cheguei ao hotel e fui para a cama. Dormi de maneira irregular de início, e o descanso melhor veio com o passar da noite. De manhãzinha acordei com um choque repentino e com uma sensação indefinida de estar sendo perturbado por alguém próximo a mim. A janela ficava diretamente em frente ao pé da cama e ali, quando olhei, vi o rosto de um homem, moreno, mau e rindo, com uma moita de cabelo negro na cabeça sem chapéu e pequenas argolas nas orelhas.

Foi apenas um flash, e o rosto sumiu. Fui assaltado pelo pavor que se costuma sentir quando se desperta repentina e violentamente, e passaram-se segundos até que eu conseguisse me levantar da cama e ir até a janela. Meu quarto era no primeiro andar e a janela dava para uma cocheira. Tive um vislumbre momentâneo de uma figura humana passando pelo portão da cocheira e vi que era a figura que fugira de mim nas galerias em Chester. Uma escada que pertencia à cocheira permanecia sob a janela e isso era tudo.

Levantei-me e me vesti. Não dava mais para aguentar esse tipo de coisa. Se ao menos fosse algo tangível, se houvesse alguém que eu pudesse agarrar e travar uma luta, se necessário, não seria tão ruim. Mas eu estava cercado por uma maquinação misteriosa, persistente, inexplicável, que era totalmente impossível de lidar ou enfrentar. Queixar-me à polícia seria absurdo — me tomariam por lunático. São, de fato, exatamente essas as reclamações que com tamanha frequência os lunáticos fazem à polícia — queixam-se de que são perseguidos por inimigos indefinidos e assombrados por rostos que os espreitam em janelas. Mesmo que não me considerasse lunático, o que poderia a polícia de uma cidade provinciana fazer por mim num caso como esse? Não, eu deveria me consultar com Dorrington.

Tomei café da manhã e depois resolvi que tentaria, de qualquer jeito, visitar o castelo antes de partir. Tentei e consegui permissão para vê-lo. Mas durante toda a manhã me senti oprimido por aquela horrível sensação de ser vigiado por olhos maléficos. Nitidamente não haveria conforto para mim enquanto aquilo durasse. Por isso, depois do almoço, peguei um trem que me levou a Euston pouco depois das seis e meia.

Tomei um táxi diretamente para a casa de Dorrington, mas ele não estava e sua volta era esperada apenas bem tarde. Assim, peguei a estrada até um hotel grande próximo a Charing Cross — evito mencionar o nome por motivos que logo serão compreendidos —, enviei minha mala e jantei.

Não me restava a menor dúvida de que eu continuava sob a vigilância do homem ou homens que até então haviam me perseguido; aliás, eu não nutria a esperança de me eludir deles, salvo por alguma ideia do cérebro privilegiado de Dorrington. Então, como não desejasse ouvir novamente aqueles passos arrastados — a coisa de fato me parecera em Warwick causar um efeito fisicamente doloroso em meus nervos — fiquei no hotel e me deitei cedo.

Não senti medo de acordar cara a cara com um italiano risonho ali. Minha janela era no quarto andar, fora do alcance de qualquer coisa, salvo de uma escada de incêndio. E, efetivamente, acordei por conta própria, confortável, e nada vi da minha janela, exceto o céu brilhante, os prédios defronte e o tráfego lá embaixo. Mas ao sair do quarto e pegar o corredor, no momento que me virei para fechar a porta, ali, no portal superior, logo abaixo do número do quarto, havia um pequeno rótulo de papel redondo, talvez um tantinho menor que uma moeda de seis pence, e, no rótulo, desenhada toscamente à tinta, a imagem de duas facas cruzadas num formato curioso, curvo. O símbolo da Camorra!

Não tentarei descrever o efeito que esse desenho causou em mim. Ele será melhor se imaginado, em vista do que falei sobre os incidentes que precederam o assassinato do meu pai. Era o sinal de um destino inexorável, acercando-se passo a passo, implacável, inevitável e misterioso. Em pouco menos de 12 horas após ver aquele símbolo, meu pai era um cadáver desfigurado. Um dos criados do hotel passou enquanto eu estava junto à porta, e resolvi lhe perguntar se ele sabia de alguma coisa a respeito do rótulo. O rapaz olhou o papel e depois, com mais curiosidade, para mim, mas não deu qualquer explicação. Tomei um café da manhã rápido e depois fui de táxi até a Conduit Street. Paguei a conta e levei minha mala.

Dorrington havia ido para o escritório, mas deixou um recado dizendo que se eu aparecesse deveria ir me encontrar com ele lá, que o escritório ficava na Bedford Street, em Covent Garden. Dei o endereço ao motorista do táxi.

— Ora, ora — saudou Dorrington quando apertamos as mãos. — Você me parece meio agitado! A Inglaterra não está lhe fazendo bem?

— Bom — respondi —, até agora ela tem se mostrado bastante difícil.

Em seguida descrevi, nos mínimos detalhes, as minhas aventuras conforme as registrei aqui.

Dorrington fez uma expressão séria e disse:

— É de fato extraordinário, incrivelmente extraordinário, e não é sempre que uso esse termo, face à minha experiência. Mas fica evidente que algo precisa ser feito, para ganhar tempo a todo custo. Estamos no escuro, no momento, é claro, e imagino que terei de dar tratos à bola antes de encontrar um ponto de partida. Nesse meio-tempo, creio que você deva desaparecer tão astutamente quanto conseguirmos providenciar. — Ficou sentado algum tempo, tamborilando a testa com as pontas dos dedos enquanto refletia. — Eu me pergunto — disse, afinal — se aqueles sujeitos italianos no barco *estarão* ou não envolvidos. Suponho que você não tenha se identificado em lugar algum, certo?

— Em lugar algum. Como você sabe, estivemos juntos o tempo todo até você partir da propriedade de caça, e desde então não falei com pessoa alguma.

— Bom, não há dúvida de que se trata da Camorra — disse Dorrington —, isso está bem claro. Acho que lhe disse no vapor que era formidável que você nada tivesse sabido deles desde a morte do seu pai. O que os fez demorar tanto não há como saber. Eles sabem o que fazem. Você teve sorte, de todo modo, até agora. O que eu gostaria de descobrir é como eles o identificaram e partiram na sua pista tão prontamente. Não há como saber de que forma esses sujeitos conseguem informações, é simplesmente incrível. Mas se conseguirmos descobrir, talvez possamos secar a fonte ou dar um jeito para levá-los a um beco sem saída. Caso você tivesse ido a algum lugar a negócios e dado seu nome, como poderia ter feito, por exemplo, no escritório de Mowbray, eu me inclinaria a suspeitar que a dica lhes chegara por algum corrupto do estabelecimento. Mas você não fez isso. É claro que se aqueles sujeitos italianos do vapor *estiverem* envolvidos, você sem dúvida foi identificado, mas se não estiverem, só pode ter sido por dedução. Nós dois desembarcamos juntos e continuamos juntos até um ou dois dias atrás. Para qualquer estranho, eu poderia ser Rigby, e você, Dorrington. Vamos trabalhar nessa linha. Acho que farejo um plano. Você está hospedado em algum lugar?

— Não. Paguei minha conta no hotel e vim para cá com a minha mala.

— Muito bem. Há uma casa em Highgate administrada por um homem muito confiável, onde se pode passar alguns dias, ou mesmo uma semana, com todo conforto, se você não se importar de não sair na rua e não ser visto. Suponho que seus amigos da Camorra estejam vigiando na rua lá fora neste exato momento, mas acho que será bem fácil mandar você para Highgate sem que eles descubram o segredo, se você não se importa de passar um tempinho recluso. Nas atuais circunstâncias imagino que você não se oponha, certo?

— Me opor? Acho que não.

— Muito bem, está resolvido então. Você pode dizer que se chama Dorrington ou não, como preferir, embora talvez seja mais seguro não gritar "Rigby" muito alto. Mas quanto a mim, ao menos por um ou dois dias, serei o sr. James Rigby. Você está com seus cartões de visita?

— Sim, estão aqui. Mas ao adotar meu nome, você não vai correr perigo?

Dorrington piscou satisfeito.

— Já corri perigo algumas vezes antes no meu ramo. E se *eu* não me importo com os riscos, você não precisa se preocupar, porque estou lhe avisando que vou cobrar por isso quando lhe mandar a minha conta. E acho que posso cuidar de mim muito bem, mesmo com a Camorra aí fora. Vou levá-lo a esse lugar em Highgate, e depois você não me verá por alguns dias. Não vai me ajudar, enquanto estiver encarnando o personagem do sr. James Rigby, sair por aí deixando pistas entre este lugar e o refúgio. Você tem outros documentos de identificação, certo?

— Tenho, sim — respondi, mostrando uma carta dos meus advogados de Sydney para Mowbray e as escrituras da propriedade do sul da Austrália, que retirei da mala.

— Ah — exclamou Dorrington —, vou lhe dar um recibo formal disso, já que são valiosos. É uma questão de negócios, e faremos tudo como manda o figurino. Quero algo sólido assim para bancar qualquer blefe que eu precise fazer. Um mero cartão de visitas nem sempre funciona, você sabe. Pena que Mowbray esteja fora da cidade, pois haveria uma forma em que ele poderia dar uma ajudinha, acho. Mas tudo bem, deixe tudo comigo. Está aqui o recibo. Mantenha-o escondido em alguma lugar, onde gente curiosa não possa lê-lo.

Dorrington me entregou o recibo e depois me levou até a sala do seu sócio e nos apresentou. O sr. Hicks era um homem baixo, enrugado, mais velho que Dorrington, calculei, uns 15 ou vinte anos, e com todo jeito e postura de um velho e tranquilo profissional.

Dorrington saiu da sala e logo depois voltou com o chapéu na mão.

— Sim — disse —, há um charmoso cavalheiro moreno com a cabeça de um escovão e brincos nas orelhas de cara feia na próxima esquina. Se foi ele que olhou pela sua janela, não me espanta que você tenha levado um susto. Sua vestimenta sugere a atividade de organista, mas ele dá a impressão de que cortar uma garganta estaria mais na sua linha de serviço do que executar músicas, e sem dúvida ele tem amigos tão sedutores quanto ele à mão. Se vier comigo agora acho que podemos nos livrar dele. Providenciei uma carruagem de quatro rodas para você, os cabriolés têm muito vidro e deixam ver muita coisa. Puxe a cortina e se encoste no assento quando entrar.

Ele me levou até um pátio nos fundos do prédio em que ficava o escritório, do qual um pequeno lance de escadas ia dar no porão. Seguimos por uma passagem nesse porão até alcançarmos outra escada, que levava ao corredor de outro prédio. Saindo pela porta no extremo desse, passamos por um grande quarteirão de casas populares e nos vimos em Bedfordbury. Ali nos aguardava uma carruagem de quatro rodas, na qual me enfiei sem demora.

A ideia de Dorrington era que eu seguisse até King's Cross nesse táxi e lá ele me encontraria num cabriolé veloz. Não funcionou o combinado, e, dispensando o cabriolé, ele me acompanhou no restante da viagem na carruagem.

Paramos afinal diante de um fileira de casas, aparentemente recém-construídas — casas do tipo exageradamente ornamentadas, com telhados de duas águas, que abundam nos subúrbios.

— Crofting é o nome do homem — explicou Dorrington, enquanto desembarcávamos. — Ele é um tipo estranho de cliente, mas bastante decente em essência, e sua esposa faz um café que o dinheiro não compra na maioria dos lugares.

Uma mulher atendeu a porta, uma mulher extremamente magra. Dorrington a cumprimentou como sra. Crofting, e entramos.

— Acabamos de perder de novo a nossa criada, sr. Dorrington — disse a mulher, a voz estridente —, e o sr. Crofting não está em casa, mas não deve demorar.

— Acho que não precisamos esperar por ele, sra. Crofting — respondeu Dorrington. — Tenho certeza de que não poderia deixar meu amigo em melhores mãos que as da senhora. Espero que tenham um quarto vago.

— Bom, para um amigo seu, sr. Dorrington, sem dúvida sempre haverá um quarto.

— Isso mesmo. Meu amigo, o sr... — Dorrington me lançou um olhar significativo — o sr. Phelps, gostaria de ficar hospedado alguns dias. Quer total tranquilidade por um período. A senhora entende?

— Ah, sim, sr. Dorrington, eu entendo.

— Muito bem, então, dê todo o conforto possível a ele e também o seu melhor café. Acho que vocês têm uma ótima biblioteca, e o sr. Phelps saberá apreciá-la. Você trouxe charutos? — indagou Dorrington, virando-se para mim.

— Trouxe, tenho alguns na mala.

— Então, acho que vai ficar bem confortável. Até logo. Acredito que vá me ver em alguns dias. Ou pelo menos receberá uma mensagem. Enquanto isso, aproveite o quanto puder.

Dorrington partiu, e a mulher me mostrou um quarto no andar superior, onde coloquei minha mala. Em frente, no mesmo andar, ficava uma sala de estar contendo, suponho, cerca de duzentos ou trezentos livros, a maioria romance, em prateleiras. A mobília do lugar era do tipo que se costuma encontrar numa estalagem comum — sofás de crina, mesinhas de jogo, lustres e congêneres. A sra. Crofting me explicou que o horário habitual da refeição era às duas, mas que eu podia fazê-la quando quisesse. Optei, contudo, por seguir o costume da casa e me sentei com um charuto e um livro.

Às duas, veio a comida, e fiquei agradavelmente surpreso de ver que era muito boa, superava a impressão que a casa causara em mim. Era evidente que a sra. Crofting era uma cozinheira excelente. Não havia sopa, mas um soberbo linguado e costeletas bem passadas com ervilhas e um omelete, além de uma garrafa de Bass. Percebi que não me sentiria tão mal nesse lugar, afinal. Acreditava que Dorrington se desempenharia igualmente bem na sua parte da transação, assumindo minhas responsabilidades e problemas. Ouvi um ruído pesado de movimentos desastrados no piso inferior e inferi daí que o sr. Crofting voltara.

Depois da refeição, acendi um charuto e a sra. Crofting trouxe o café. Era um café excelente e preparado como eu gosto: forte, sem creme e em grande quantidade. Tinha um sabor próprio também, raro, mas não desagradável. Tomei uma xícara e sentei-me no sofá com meu livro, deixando outra ao meu lado. Não chegara a ler seis linhas quando adormeci.

Acordei com a sensação de torpor gelado no meu lado direito, um terrível enrijecimento nas pernas e um barulho alto de água jorrando. Tudo em volta era um breu e... O que era aquilo? Água! Água por todo lado. Eu estava deitado dentro de 15 centímetros de água fria e mais água caía sobre mim. Sentia uma dor lancinante. Mas onde eu estava? Por que a escuridão? E de onde vinha a água? Fiquei em pé, cambaleante, e imediatamente bati a cabeça num telhado duro acima. Ergui a mão; aquele era o telhado desse lugar desconhecido: duro, liso e frio, e a pouco mais que um metro e meio do chão, de modo que me dobrei ao ficar de pé. Estendi a mão até a parede lateral, que também era dura, lisa e fria. Então a convicção me atingiu como um soco — eu estava em um tanque de ferro coberto e a água estava sendo despejada para me afogar!

Esmurrei freneticamente a tampa e me esforcei para levantá-la. Ela não se mexeu. Gritei a plenos pulmões e me virei para sentir a extensão da minha prisão. Num sentido, eu podia tocar os lados opostos ao mesmo tempo e facilmente com as mãos, no outro, o tanque era mais largo —

talvez tivesse um pouco mais que 1,80 metro ao todo. O que era aquilo? Seria esse o meu fim pavoroso, encerrado nesse tanque enquanto a água subia aos poucos para me sufocar? Já chegara à trinta centímetros. Me atirei sem piedade de encontro às laterais, soquei o ferro inclemente, bati com o rosto e a cabeça, gritei e implorei. Então, me ocorreu que eu podia, ao menos, impedir a entrada da água. Estendi a mão e senti o filete de água, depois encontrei a entrada e a fechei com os dedos. Mas a água continuava a cair com um vigor ruidoso; havia outra abertura no extremo oposto, que eu não conseguiria alcançar sem soltar a que agora segurava! Eu só estava prolongando a minha agonia. Ai, a astúcia diabólica que imaginara aquelas duas entradas, tão afastadas uma da outra! Novamente, bati nas paredes, quebrei as unhas arranhando os cantos, gritei e implorei no meu desespero. Eu estava louco, mas não privado dos sentidos, pois os horrores do meu estado pavoroso, indefeso, acachapavam o meu cérebro, atento e alerta a cada marola da água incessante.

No auge do meu frenesi, prendi a respiração, pois ouvi um som vindo de fora. Gritei de novo, implorei uma morte mais rápida. Então ouvi alguém mexer na tampa acima de mim, que foi erguida de um lado, deixando entrar a luz de uma vela. Dei um salto da posição de joelhos e forcei a tampa para trás. A chama da vela dançou à minha frente. A vela estava na mão de um homem empoeirado, aparentemente um operário, que me encarou com um olhar apavorado e nada disse, exceto:

— Meu Deus!

Lá em cima estavam as vigas de um telhado de duas águas e, apoiada de encontro a elas, a viga grossa que, estendida entre duas das outras, havia mantido a tampa do tanque no lugar.

— Socorro! — gritei, quase sufocando. — Me tire daqui!

O homem me pegou pelas axilas e me ergueu, ensopado e meio morto, pela beira do tanque, no qual a água continuava a cair, criando um ruído no ferro oco que quase abafava nossas vozes. O homem estivera trabalhando na cisterna de uma casa vizinha e, tendo ouvido um barulho incomum, subira pelos espaços abertos no anteparo da parede para dar passagem por baixo dos telhados para os construtores. Entre os barrotes aos nossos pés havia um alçapão pelo qual, drogado e insensível, me tinham levado a fim de me atirar naquela cisterna horrível.

Com a ajuda do meu amigo operário, consegui subir pelo mesmo caminho que me levara até lá. Voltamos para a casa onde ele estivera trabalhando, e os moradores me deram conhaque e me emprestaram roupas secas. Sem demora chamei a polícia, mas quando os policiais chegaram, a sra. Crofting e seu respeitável esposo haviam sumido. Algum ruído incomum no telhado os alertara provavelmente. E, quando a polícia, seguindo minhas instruções, foi ao escritório de Dorrington e Hicks, esses profissionais astutos também haviam sumido, mas com tal pressa que o conteúdo do escritório, documentos e tudo o mais, ficara exatamente onde eles os tinham deixado.

A trama estava clara. As perseguições, os passos, o rosto na janela, o rótulo na porta — tudo fora uma mera cilada arquitetada por Dorrington para seu próprio proveito, que era me pôr sob seu poder e se apossar dos meus documentos. Armado com eles, e com sua retórica elaborada e conhecimento dos negócios, ele procuraria o sr. Mowbray se passando pelo sr. James Rigby, venderia a minha terra no sul da Austrália e transferiria toda a minha propriedade de Sydney para si próprio. O resto da minha bagagem estava em sua casa, e, caso alguma prova mais fosse necessária, a mala seria encontrada ali. Ele se assegurara de que eu não me encontraria com o sr. Mowbray, que, por sinal, descobri mais tarde, jamais deixara seu escritório e jamais atirara com uma arma na vida. De início, estranhei que Dorrington não tivesse atentado contra minha vida nas caçadas na Escócia. Mas um pequeno detalhe me convenceu de que isso criaria um problema para ele. Livrar-se do corpo seria difícil, e ele teria de explicar meu sumiço repentino. Ao contrário, usando seu assistente italiano e seu aparato assassino em Highgate, fui levado a apagar minha própria trilha, e poderia ser descartado no final praticamente sem problemas. Quanto ao meu corpo, despido de tudo capaz de me dar a conhecer, seria simplesmente o de um desconhecido afogado que ninguém conseguiria identificar. Toda a trama foi concebida com base nas informações que eu mesmo fornecera a Dorrington durante a viagem. E tudo se originou do fato de ele ter se lembrado da notícia da morte do meu pai. Quando os documentos do escritório foram examinados, cada passo da operação foi plenamente revelado. Havia um telegrama codificado de Suez instruindo Hicks a alugar uma propriedade de caça. Havia telegramas e cartas da Escócia provendo instruções quanto a ações posteriores; na verdade, a coisa foi totalmente exposta. Dorrington e

Hicks eram realmente investigadores particulares e tinham atuado de boa-fé em diversos casos, mas várias de suas operações apresentavam aspectos mais que questionáveis. Entre seus documentos foram encontrados conjuntos completos, muito bem organizados em arquivos, cada um contendo em resumo uma história completa de um caso. Muitos deles apresentavam uma natureza bastante interessante, e fui capaz de montar, a partir do material assim fornecido, as narrativas que se seguem a esta. Quanto a meu próprio caso, só resta dizer que nem Dorrington, nem Hicks nem o casal Crofting foram pegos. Eles jogaram por um prêmio alto (talvez levassem um montante de seis dígitos se tivessem me matado, e o primeiro deles não seria o número um) e perderam por mero acidente. Mas muitas vezes me pergunto quantos dos corpos que os peritos de Londres atestaram ter sido vítima de afogamento de fato se afogaram, não onde foram resgatados, mas naquele tanque horrível em Highgate. Não sei qual era a droga que dava ao café da sra. Crofting valor aos olhos de Dorrington, mas nitidamente não foi suficiente para me manter inconsciente ao choque da água fria até o meu completo afogamento. Meses se passaram desde a minha aventura, mas até agora começo a suar frio só de ver um tanque de ferro.

VIGARISTA: A. J. RAFFLES

OS IDOS DE MARÇO
E. W. HORNUNG

Assim como Sherlock Holmes se destaca sozinho entre os detetives da era vitoriana — e eduardiana —, A. J. Raffles se impõe sobre os pilantras dessas eras de forma igualmente indisputável. Na verdade, quando Holmes foi aparentemente morto numa queda nas Reichenbach Falls em 1894, a figura que o substituiu como personagem mais popular na ficção de mistério foi o cavalheiro ladrão de joias cujo nome viria a se tornar parte da língua inglesa.

Ironicamente, Ernest William Hornung (1866-1921), o criador de Raffles, era cunhado de Arthur Conan Doyle, que escreveu as histórias de Holmes. A narrativa familiar amplamente aceita é que Hornung criou um ladrão, um contraponto definitivo ao detetive de Doyle para espicaçar seu parente meio arrogante.

Raffles era um jogador de críquete internacionalmente famoso que se viu sem um tostão na Austrália e, desesperado, decidiu roubar. Pretendia que o roubo fosse uma aventura singular, mas, depois de "sentir o gosto", descobriu que adorava ser um "ladrão cavalheiro" e continuou incursões noturnas ao voltar a Londres. "Por que acomodar-se à monotonia, a um emprego antipático", disse certa vez, "quando a excitação, o romance, o perigo e a vida decente estavam bem ali dando sopa? É claro que é muito errado, mas não podemos ser todos moralistas, e a distribuição da riqueza está muito errada, para começo de conversa."

As histórias são narradas na primeira pessoa por Harry "Bunny" Manders, o dedicado companheiro do vigarista charmoso e bonito que vive cercado de luxo no Albany. Bunny atuara como lacaio de Raffles, ou criado particular, como um homem de classe inferior quando os dois estavam na escola particular.

Hornung escreveu três coletâneas de contos sobre o notório ladrão de joias. A primeira, *The Amateur Cracksman* (1899), foi selecionada para a

Queen's Quorum e seguida por *The Black Mask,* 1901 (título norte-americano: *Raffles: Further Adventures of the Amateur Cracksman*) e *A Thief in the Night* (1905). Em *Mr. Justice Raffles* (1909), o único romance de Hornung sobre o personagem, Raffles já se tornara detetive.

Philip Atkey, usando o pseudônimo de Barry Perowne, começou a escrever sobre Raffles em 1933 (*Raffles After Dark*) e produziu nove livros e vários contos não reunidos em coletâneas sobre o personagem. Outros escritores também produziram paródias e pastiches sobre Raffles, o mais famoso deles a peça cômica de Graham Greene *The Return of A. J. Raffles*, produzida pela Royal Shakespeare Company, que estreou em Londres em dezembro de 1975. Entre os atores famosos que encarnaram Raffles estão John Barrymore (em *Raffles, the Amateur Cracksman*, 1917), Ronald Colman (em *Raffles*, 1930) e David Niven (em *Raffles*, 1940).

"Os idos de Março", o primeiro conto sobre Raffles, foi originalmente publicado na edição de junho de 1898 da *Cassell's Magazine* e integrou pela primeira vez uma coletânea em *The Amateur Cracksman* (Londres: Methuen&Co, 1899). Na dedicatória, ao cunhado, lê-se: "Para A.C.D. Uma forma de lisonja."

OS IDOS DE MARÇO

E.W. HORNUNG

Era 0h30 quando voltei ao Albany como último recurso desesperado. A cena do meu desastre continuava praticamente como eu a deixara. Os contadores de cartas de bacará ainda na mesa, junto com os copos vazios e os cinzeiros transbordando. Uma janela havia sido aberta para deixar sair a fumaça, mas na verdade deixava entrar neblina. O próprio Raffles tinha meramente trocado seu paletó formal por um de seus inúmeros blazers. Ainda assim, arqueou as sobrancelhas como se eu o tivesse arrastado da cama.

— Esqueceu alguma coisa? — indagou, quando me viu à porta.

— Não — respondi, entrando sem cerimônia, com uma insolência que até em mim causou surpresa.

— Não voltou para se vingar, voltou? Porque acho que não posso enfrentar você sozinho. Eu mesmo lamentei que os outros...

Estávamos cara a cara ao lado da lareira e eu o interrompi bruscamente.

— Raffles — comecei —, você pode estar surpreso por eu voltar desse jeito e a esta hora. Mal conheço você. Nunca estive em seus aposentos antes. Mas eu trabalhei para você como escravo na escola, e você disse que se lembrava de mim. É claro que isso não é desculpa, mas será que pode me escutar? Por dois minutos?

Na minha emoção, precisei primeiro me esforçar a cada palavra, mas sua expressão foi me tranquilizando à medida que eu prosseguia e não me equivoquei quanto à essa expressão.

— Sem dúvida, meu caro — respondeu ele —, durante os minutos que você desejar. Fume um cigarro e se sente — concluiu, me estendendo sua cigarreira de prata.

— Não — retorqui, encontrando finalmente minha voz plena enquanto balançava a cabeça em recusa. — Eu não fumo e não vou me sentar, obrigado. Nem você vai oferecer uma coisa ou outra depois de ouvir o que tenho a dizer.

— É mesmo? — indagou Raffles, acendendo o próprio cigarro e me encarando com os olhos azuis-claros. — Como sabe disso?

— Porque você provavelmente vai me mostrar a porta de saída — gritei com amargura. — E terá todos os motivos para tanto! Mas não adianta protelar. Sabe que acabei de perder mais de duzentos faz pouco?

Ele assentiu.

— Eu não tinha o dinheiro no bolso.

— Eu me lembro.

— Mas tinha o talão de cheques e fiz para cada um de vocês um cheque naquela escrivaninha.

— E?

— Nenhum deles valia o papel em que foi escrito, Raffles. Já estou devendo ao banco!

— Sem dúvida apenas momentaneamente, não?

— Não. Gastei tudo.

— Mas alguém me disse que você estava muito bem de vida. Ouvi dizer que herdou dinheiro, não?

— Sim. Há três anos. Foi a minha desgraça. Agora foi-se tudo, cada centavo! Sim, fiz tolices, jamais houve nem haverá um tolo como eu... Já basta para você? Por que não me manda sair?

Em vez disso, Raffles andava de um lado para outro com uma expressão séria no rosto.

— Sua família não pode fazer alguma coisa? — indagou, por fim.

— Graças a Deus — gritei —, não tenho família! Sou filho único. Herdei tudo que havia. Meu único consolo é que eles morreram e jamais saberão.

Desabei numa poltrona e escondi o rosto entre as mãos. Raffles continuava a palmilhar o caro tapete que era compatível com tudo mais nos seus aposentos. Não vi mudança em seus passos leves e regulares.

— Você costumava ser um geniozinho literário — falou, afinal. — Não editava o jornalzinho antes de partir? De todo jeito, me lembro de usar você para compor meus poemas. E a literatura de todo tipo está na moda hoje em dia. Qualquer boboca pode se sustentar com isso.

Balancei a cabeça:

— Nenhum boboca pode saldar meus débitos — falei.

— Você tem um apartamento por aí?

— Sim, na Mount Street.

— E quanto à mobília?

Ri em tom alto no meu desespero:

— Há meses está tudo à venda!

Então Raffles ficou imóvel, com as sobrancelhas erguidas e o olhar penetrante que eu agora encarava melhor, já que ele sabia o pior; então, dando de ombros, voltou a andar pela sala e durante alguns minutos nenhum de nós disse uma palavra. Mas em seu belo rosto sem expressão li meu destino e sentença de morte e amaldiçoei minha estupidez e covardia em procurá-lo. Porque havia sido gentil comigo na escola, quando era capitão do time e eu seu lacaio, eu ousara buscar sua generosidade agora; porque estava falido enquanto ele era rico o bastante para jogar críquete durante todo o verão e nada fazer no restante do ano, eu contara estupidamente com a sua piedade, sua solidariedade, sua ajuda! Sim, eu confiara nele de coração, apesar de toda a minha vergonha e servilismo ostensivos; e bem feito para mim. Havia tão pouca piedade quanto havia solidariedade naquela narina dilatada, naquela mandíbula rígida, naqueles frios olhos azuis que jamais me fitavam. Peguei meu chapéu. Fiquei de pé, titubeante. Estava disposto a sair sem dizer nada, mas Raffles se interpôs entre mim e a porta.

— Aonde você vai? — indagou.

— Isso é problema meu — retruquei. — Não quero mais incomodar *você*.

— Então, como vou poder ajudá-lo?

— Não pedi a sua ajuda.

— Então por que me procurou?

— Arre, pois é! — exclamei. — Pode me deixar passar?

— Não até você me dizer aonde vai e o que pretende fazer.

— Não dá para adivinhar? — gritei. E durante vários segundos nos encaramos.

— Tem coragem para isso? — indagou ele, quebrando o clima em um tom tão cínico que fez ferver minha última gota de sangue.

— Você há de ver — retorqui, enquanto recuava e arrancava a pistola do bolso do meu sobretudo. — Agora, você vai me deixar passar ou devo fazer isso aqui mesmo?

O cano tocou minha têmpora, e meu polegar, o gatilho. Louco como eu estava, arruinado, desonrado e agora finalmente decidido a pôr fim à minha vida desperdiçada, a única surpresa do dia foi que não fiz isso ali nem naquele momento. A satisfação abjeta de envolver um terceiro na própria destruição acrescentava uma atração miserável ao meu egoísmo mais básico, e caso medo ou horror surgisse no rosto do meu amigo, estremeço ao pensar que eu poderia ter morrido diabolicamente feliz levando essa expressão como meu derradeiro e ímpio consolo. Foi o olhar que ele me deu que freou minha mão. Não havia medo nem horror naquele olhar, apenas surpresa, admiração e em alguma medida uma expectativa agradável o suficiente para, afinal, me levar a devolver o revólver ao bolso com um palavrão.

— Seu demônio! — exclamei. — Acho que você queria que eu apertasse o gatilho!

— Não exatamente — foi a resposta, dada num tom levemente surpreso e uma mudança de cor que veio tarde demais. — Para falar a verdade, porém, eu meio que achei que você falasse sério e jamais me senti tão fascinado na vida. Jamais sonhei que você tivesse tanto estofo, Bunny! Não, você não vai embora agora, não vou deixar. E é melhor que você não tente novamente esse joguinho, porque não hei de ficar de braços cruzados uma segunda vez. Precisamos pensar num jeito de tirar você dessa enrascada. Eu não imaginava que fosse um sujeito desse tipo! Anda, me dê a arma.

Uma de suas mãos pousou suavemente em meu ombro, enquanto a outra se enfiou no bolso do meu sobretudo, e enfrentei sem um murmúrio sequer o sofrimento de me ver privado de minha arma. Isso não se deu simplesmente porque Raffles detinha o poder sutil de se fazer irresistível quando lhe aprouvesse. Ele era de longe o homem mais dominador que eu já conhecera. No entanto, minha aquiescência se deveu a mais que a mera sujeição da natureza mais fraca à mais forte. A esperança abandonada que me levara ao Albany tornou-se, como se num passe de mágica, uma sensação quase chocante de segurança. Raffles me ajudaria afinal! A. J. Raffles seria meu amigo! Era como se o mundo todo tivesse de repente se alinhado a meu favor. Longe, portanto de resistir à sua ação, peguei e mantive segura sua mão na minha, com um fervor tão incontrolável quanto o frenesi que o precedera.

— Deus o abençoe! — gritei. — Desculpe por tudo. Vou lhe contar a verdade. Eu *de fato* achei que você pudesse me ajudar no meu desespero, embora soubesse muito bem que você não me devia essa obrigação. Mesmo assim, em nome da velha escola, em nome dos velhos tempos, achei que você poderia me dar outra chance. Se não o fizesse, eu pretendia estourar meus miolos, o que ainda pretendo, se você mudar de ideia!

Na verdade, eu temia que isso estivesse ocorrendo, em vista de sua expressão enquanto eu falava e a despeito de seu tom gentil e do uso mais gentil ainda do meu velho apelido na escola. Suas palavras seguintes mostraram meu equívoco.

— Quanta infantilidade sua chegar a conclusões tão apressadas! Tenho meus vícios, Bunny, mas dar para trás não é um deles. Sente-se, meu caro amigo, e fume um cigarro para acalmar os nervos, eu insisto. Uísque? A pior coisa para você. Tome um café que eu estava acabando de coar quando chegou. Agora, me ouça. Você falou de "outra chance". Como assim? Outra chance no bacará? Nem pensar! Você acha que a sorte deve mudar de lado; e se não mudar? Iremos de mal a pior. Não, caro amigo, você já está suficientemente enrolado. Vai se entregar nas minhas mãos ou não vai? Muito bem, então. Você não se enrasca mais, e eu me comprometo a não apresentar meu cheque. Infelizmente há outros homens, e mais infelizmente ainda, Bunny, estou tão duro neste momento quanto você!

Foi a minha vez de encarar Raffles.

— Você? — vociferei. — Duro? Como é que vou acreditar nisso sentado aqui?

— Por acaso me recusei a acreditar no mesmo sobre você? — retrucou ele, sorrindo. — E com sua própria experiência, acha que porque um sujeito tem uma suíte neste lugar e pertence a um ou dois clubes e joga críquete, ele obrigatoriamente tem dinheiro no banco? Estou lhe dizendo, meu caro, que neste momento estou tão duro quanto você jamais esteve. Não tenho nada além da minha esperteza para subsistir, absolutamente nada além disso. Era necessário para mim ganhar algum dinheiro esta noite como era para você. Estamos no mesmo barco, Bunny. É melhor nos unirmos!

— Nos unirmos! — exclamei, animado. — Faço qualquer coisa neste mundo por você, Raffles, se você realmente se comprometer a não me entregar. Me diga o que fazer e eu faço! Eu entrei aqui desesperado e estou igualmente desesperado agora. Não me importa o que eu faça desde que consiga sair dessa sem um escândalo.

Novamente o vejo, recostado numa daquelas poltronas luxuosas que mobiliavam o aposento. Vejo sua figura atlética, indolente, suas feições pálidas, angulosas; o cabelo preto ondulado, a boca forte, inescrupulosa. E novamente sinto o foco cristalino do seu magnífico olhar, frio e luminoso como uma estrela, brilhando em meu cérebro — examinando todos os segredos do meu coração.

— Me pergunto se você fala sério mesmo! — disse Raffles, por fim. — Na situação atual, claro, mas quem pode garantir que não vai mudar de ânimo? Mesmo assim, há esperança quando um sujeito assume esse tom. Agora que penso nisso, você era um tremendo diabinho na escola. Uma vez me tirou de uma bela enrascada, me recordo. Lembra, Bunny? Bom, espere um pouco e talvez eu consiga ter uma bela ideia. Me dê tempo para pensar.

Levantou-se, acendeu mais um cigarro e voltou a andar pela sala outra vez, porém com um passo mais lento e um semblante pensativo e durante um tempo maior do que antes. Duas vezes parou ao lado da minha poltrona como se fosse dizer alguma coisa, mas em ambos os casos desistiu e voltou a andar em silêncio. Abriu a janela, que havia fechado algum tempo antes, e ficou uns minutos debruçado sob a bruma que enchia o pátio do Albany. Enquanto isso, um relógio na lareira deu uma hora e depois uma e meia, sem que qualquer de nós dois dissesse uma palavra.

No entanto, eu não só me mantive na poltrona muito paciente, como também adquiri uma tranquilidade incongruente naquela meia hora. Inconscientemente, eu transferira meu fardo para os ombros mais amplos desse amigo esplêndido, e meus pensamentos vagavam com meus olhos enquanto os minutos passavam. O aposento tinha um bom tamanho, era quadrado, com as portas sanfonadas, a lareira de mármore e a sombria e antiquada distinção peculiar ao Albany. Era charmosamente decorado, com a dose certa de negligência e a dose certa de bom gosto. O que mais me impressionou, porém, foi a ausência da parafernália típica que cerca um jogador de críquete. Em lugar do aparador convencional de bastões de críquete velhos de guerra, uma estante de carvalho entalhado, com as prateleiras bem arrematadas, enchia a maior parte de uma das paredes; e onde eu procurei grupos de jogadores de críquete encontrei exemplares de obras como "Amor e Morte" e "The Blessed Damozel", em encadernações empoeiradas e de tamanhos diferentes. O homem podia se passar muito bem por um poeta modesto em vez de um atleta de primeira grandeza.

Mas sempre existe um estreito fio de estética nessa composição complexa; alguns desses mesmos livros eu espanara em seu estúdio na escola, e eles me fizeram pensar em outro de seus muitos aspectos, bem como no pequeno incidente ao qual ele acabara de se referir.

Todos sabem o quanto a reputação de uma escola particular depende da reputação dos onze do time escolar e do caráter do capitão de críquete em especial, e eu nunca ouvi alguém negar que no tempo de A. J. Raffles nossa reputação era boa ou que a influência que ele se dava ao trabalho de exercer fosse prejudicial em termos de moral. Entretanto, cochichava-se na escola que ele tinha o hábito de circular pela cidade à noite em ternos quadriculados e usando uma barba falsa. Cochichava-se a respeito e ninguém acreditava. Só eu sabia que era verdade, pois noite após noite, segurei a corda para ele enquanto o resto do dormitório roncava e eu me mantinha acordado a noite toda para jogar a corda de novo quando recebesse um sinal. Bem, uma noite ele se excedeu e chegou muito perto da ignomínia de uma expulsão no auge da fama. Uma ousadia consumada e coragem extraordinária da parte dele, ajudadas, sem dúvida, por uma certa presença de espírito da minha parte, evitaram esse resultado. Nada mais carece dizer sobre um incidente aviltante. Mas não posso fingir tê-lo esquecido ao me entregar à misericórdia desse homem no meu desespero. E me perguntei quanto de sua leniência se devia ao fato de que Raffles também não o esquecera, quando ele parou mais uma vez junto à minha poltrona.

— Andei pensando naquela noite em que escapamos por pouco — começou ele. — Por que você levou um susto?

— Eu estava pensando na mesma coisa.

Ele sorriu, como se tivesse lido meus pensamentos.

— Bom, você era o tipo certo de amigão então, Bunny. Não falou e não recuou. Não fez perguntas nem contou histórias. Me pergunto se ainda é assim agora.

— Não sei — respondi, levemente confuso com seu tom. — Me enrolei de tal maneira na minha própria vida que confio em mim tão pouco quanto provavelmente qualquer um haverá de confiar. No entanto, nunca na vida desapontei um amigo. Do contrário eu talvez não estivesse no buraco em que estou esta noite.

— Exatamente — concordou Raffles, assentindo para si mesmo, como se concordando com alguma linha de reflexão oculta —, exatamente o que eu me lembro de você, e aposto que isso é tão válido hoje quanto há dez anos. Não mudamos, Bunny. Apenas evoluímos. Suponho que nem você nem eu mudamos realmente desde quando você descia aquela corda e eu costumava subir por ela, confiando em você. Que estaria disposto a tudo por um amigo... certo?

— A tudo neste mundo! — exclamei com satisfação.

— Mesmo se fosse um crime?

Parei para pensar, pois seu tom se alterara, e tive certeza de que ele estava me provocando. Mas seus olhos pareciam tão sérios como de costume, e da minha parte não havia clima para hesitações.

— Mesmo assim. Diga qual é o crime e conte comigo.

Ele me encarou com admiração num instante e com desconfiança no outro; então abandonou o assunto com um movimento de cabeça e o risinho cínico que lhe era peculiar.

— Você é um cara bacana, Bunny! Um sujeito realmente desesperado, hein? Suicídio numa hora e qualquer crime que eu queira na outra! O que quer é uma mãozinha, meu garoto, e fez bem em procurar um cidadão decente e cumpridor das leis com uma reputação a zelar. Seja como for, precisamos ter o dinheiro esta noite. De um jeito ou de outro.

— Esta noite, Raffles?

— Quanto antes, melhor. Cada hora após as dez da manhã de amanhã representa um risco. Basta que um daqueles cheques chegue a seu banco e você e o cheque serão desonrados juntos. Não! Precisamos levantar os recursos esta noite e reabrir sua conta assim que amanhecer. E tenho a leve impressão de que sei onde os recursos podem ser levantados.

— Às duas da madrugada?

— Isso.

— Mas como, onde, a uma hora dessas?

— Com um amigo meu aqui na Bond Street.

— Ele deve ser um amigo muito íntimo!

— Íntimo não é o termo. Conheço a casa dele e tenho comigo uma chave.

— Você vai acordá-lo a esta hora da noite?

— Se ele estiver dormindo.

— E é essencial que eu vá com você?

— Sem dúvida.

— Então vou, mas preciso dizer que não gosto da ideia, Raffles.

— Prefere a alternativa? — indagou meu amigo, com um sorriso desdenhoso. — Não, esqueça, isso é injusto — exclamou de forma apologética na mesma hora. — Entendo perfeitamente. É uma provação bestial. Mas não funcionaria se você ficasse de fora. Vou lhe dizer o seguinte: tome um gole antes de começarmos, só um. Ali está o uísque, aqui, um sifão, e enquanto você se serve vou vestir um sobretudo.

Bem, ouso dizer que o fiz com alguma liberdade, pois o plano de Raffles, apesar de sua aparente inevitabilidade não me soava menos desagradável. Sinto-me, contudo, obrigado a dizer que depois de esvaziar meu copo ele me pareceu menos aterrador. Enquanto isso, Raffles voltou à sala, com um sobretudo por cima do blazer e um chapéu de feltro macio pousado informalmente na cabeça cacheada que ele balançou com um sorriso quando lhe estendi o decantador.

— Quando voltarmos — disse ele. — Primeiro o trabalho, depois a diversão. Está vendo que dia é hoje? — acrescentou, arrancando uma folhinha de um calendário shakespeariano, enquanto eu esvaziava meu copo. — Quinze de março. Os idos de março, os idos de março, lembra, hein, Bunny? Você não iria se esquecer, certo?

E, com uma risada, jogou umas pedras de carvão no fogo antes de baixar o gás como um dono de casa cuidadoso. Assim, saímos juntos quando o relógio na lareira marcava duas horas.

II

Picadilly era uma vala de bruma alva, cercada de lampiões de rua borrados e cercada por uma fina camada de lama adesiva. Não encontramos nenhum outro transeunte nas calçadas desertas, e fomos contemplados com um olhar bastante duro do guarda de plantão, que, no entanto, levou a mão ao capacete reconhecendo meu amigo.

— Viu, sou conhecido da polícia — riu Raffles ao passarmos. — Pobres-diabos, precisam manter olho aberto numa noite como esta! A neblina pode ser um incômodo para você e para mim, Bunny, mas é uma bênção divina para as classes criminosas, sobretudo já no final da estação. Cá estamos. E aposto que o infeliz, afinal, já está na cama dormindo!

Tínhamos entrado na Bond Street e parado na calçada alguns metros abaixo, à direita. Raffles estava observando algumas janelas do outro lado da rua, janelas mal visíveis em meio à bruma, e sem a claridade de uma luz para fazê-las se destacar. Ficavam em cima de uma joalheria, como pude ver pelo olho-mágico na porta da loja com a ajuda da luz acesa lá dentro. Mas toda a "parte superior", com entrada particular ao lado da loja, estava escura e deserta como o próprio céu.

— É melhor desistirmos por ora — insisti. — Sem dúvida haverá tempo suficiente de manhã!

— Nem pensar — retrucou Raffles. — Tenho a chave dele. Vamos surpreendê-lo. Venha.

E pegando meu braço direito, fez com que eu apressasse o passo para atravessar a rua, abriu a porta com sua chave, e em seguida a fechou depressa, mas suavemente, atrás de nós. Ficamos em pé juntos ali no escuro. Do lado de fora, passos regulares se aproximavam; nós os ouvimos apesar da bruma quando atravessamos a rua. Agora, conforme chegavam mais perto, os dedos do meu amigo apertaram meu braço.

— Pode ser o tal sujeito — sussurrou ele. — É um notívago de marca maior. Sem um pio, Bunny! Vamos matá-lo de susto. Ah!

As passadas regulares se foram sem uma pausa. Raffles respirou fundo, e a pressão de seus dedos em meu braço afrouxou.

— Mesmo assim, sem um pio — continuou no mesmo sussurro. — Vamos lhe dar um baita susto, onde quer que ele esteja! Tire o sapato e me siga.

Ora, pode causar espanto eu seguir tal ordem, mas só para quem nunca conheceu A.J. Raffles. Parte do seu poder residia em passar a ilusão de ser mais líder que comandante. E era impossível não seguir alguém que liderava com tamanho entusiasmo. Podemos questionar, mas primeiro obedecemos. Agora, então, quando o ouvi tirar os sapatos, fiz o mesmo, e já estava atrás dele na escada quando me dei conta de como era extraordinário procurar um estranho para pedir dinheiro no meio da noite. Obviamente, porém, Raffles e o sujeito tinham uma intimidade excepcional, e não me restou senão inferir que ambos estavam habituados a pregar peças um no outro.

Tateamos tão lentamente na subida que tive tempo para registrar mais de uma coisa antes de chegarmos ao segundo piso. A escada não tinha carpete. Os dedos da minha mão direita nada encontraram na parede úmida; os da esquerda deixaram uma trilha na poeira que podia ser percebida no corrimão. Uma sensação estranha me assaltara desde que entramos na casa, e ela crescia a cada degrau galgado. Em que ermitão daríamos um susto em sua cela?

Chegamos a um patamar. Os corrimões nos levavam para a esquerda e novamente para a esquerda. Mais quatro degraus e estávamos num patamar mais comprido, e de repente um fósforo iluminou a escuridão. Não o ouvi sendo riscado. Sua claridade cegava. Quando meus olhos se habituaram à luz, vi Raffles segurando o fósforo com uma das mãos e o encobrindo com a outra, entre tábuas nuas, paredes despidas e portas abertas de quartos vazios.

— Aonde você me trouxe? — exclamei. — A casa está desocupada!

— Psiu! Espere! — sussurrou ele, guiando-me para entrar em um dos quartos vazios.

Seu fósforo se apagou quando cruzamos a porta e ele riscou outro sem o menor ruído. Então ficou de costas para mim, mexendo em alguma coisa que não consegui ver. Mas, quando descartou o segundo fósforo, havia alguma luz em seu lugar, e um ligeiro odor de óleo. Dei um passo à frente para olhar sobre seu ombro, mas antes que conseguisse, ele se virou e apontou um pequeno lampião para o meu rosto.

— O que é isto? — perguntei. — Que diabo de piada você está tramando?

— Está tramada — respondeu ele, com seu riso discreto.

— Para cima de mim?

— Temo que sim, Bunny.

— Não tem ninguém na casa, então?

— Só nós dois.

— Então foi só uma mera história que você contou sobre o seu amigo da Bond Street, que nos daria o dinheiro?

— Não totalmente. É verdade que Danby é meu amigo.

— Danby?

— O joalheiro aqui embaixo.

— Como assim? — sussurrei, tremendo como vara verde quando entendi o que ele queria dizer. — Nós vamos pegar o dinheiro do joalheiro?

— Bem, não exatamente.

— O que, então?

— O equivalente... De sua loja.

Não havia necessidade de mais perguntas. Entendi tudo, menos minha própria estupidez. Ele me dera uma dezena de pistas, e eu não peguei nenhuma. E lá estava eu, a encará-lo, naquele quarto vazio; e lá estava ele com seu lampião, rindo para mim.

— Um ladrão! — exclamei. — Você! Você!

— Eu lhe disse que sobrevivia com a minha esperteza.

— Por que não me disse o que você ia fazer? Por que não confiou em mim? Por que precisou mentir? — exigi saber, horrorizado.

— Eu quis lhe contar. Estive a ponto de lhe contar mais de uma vez. Você deve lembrar como sondei você a respeito de crime, embora você provavelmente tenha se esquecido do que falou. Não achei que estivesse falando sério na hora, mas pensei em testá-lo. Agora vejo que não falava sério, e não o culpo. Sou o único culpado. Dê o fora, meu caro, o mais rápido que puder. Deixe comigo. Você não vai me entregar, disso eu tenho certeza!

Ah, quanta esperteza! Sua inteligência diabólica! Caso tivesse partido para ameaças, coerção, zombaria, tudo ainda poderia ter sido diferente. Mas ele me liberou para deixá-lo em dificuldade. Não me culpou. Sequer me fez jurar que manteria o segredo. Confiava em mim. Conhecia minha fraqueza e minha força e lidava com ambas com sua maestria habitual.

— Não tão depressa — falei. — Fui eu que lhe dei a ideia ou você já estava decidido de qualquer maneira?

— De modo algum — respondeu Raffles. — É verdade que a chave está comigo há dias, mas quando ganhei no jogo esta noite, pensei em esquecê-la. Porque, de fato, este não é um trabalho para um homem só.

— Está decidido então. Sou seu homem.

— Está falando sério?

— Estou. Por esta noite.

— Bunny, meu amigão — murmurou ele, segurando o lampião um instante próximo ao meu rosto. No momento seguinte, já explicava o plano, e eu assentia, como se a vida toda tivéssemos sido um dupla de ladrões.

— Conheço a loja — sussurrou —, porque tenho umas coisinhas lá. Conheço esta parte de cima também. Está para alugar faz um mês, e pedi permissão para ver e fiz uma cópia da chave antes de usá-la. A única coisa que desconheço é como fazer uma conexão entre as duas. No momento não existe nenhuma. Chegamos aqui em cima, embora eu, pessoalmente, aposte no porão. Se esperar um instante, eu lhe digo.

Pousou o lampião no chão, foi até uma janela nos fundos e abriu-a quase sem fazer ruído; voltou, balançando a cabeça depois de fechar a janela com igual cuidado.

— Essa era a nossa única chance — explicou. — Uma janela nos fundos sobre uma janela nos fundos, mas está escuro demais para enxergar qualquer coisa, e não vamos correr o risco de iluminar lá fora. Desça atrás de mim até o porão. E lembre-se: embora não haja ninguém aqui, não podemos fazer barulho algum. Ouça, ouça isso!

Era o passo regular que tínhamos ouvido antes na rua lá fora. Raffles reduziu a luz do lampião e de novo ficamos imóveis até os passos se afastarem.

— Ou é um policial — cochichou — ou um vigilante que esses joalheiros todos se juntaram para contratar. O vigilante é o sujeito que precisamos vigiar; ele é pago exatamente para flagrar este tipo de coisa.

Esgueiramo-nos cautelosamente para descer os degraus, que rangeram um pouco, a despeito do nosso cuidado, e pegamos nossos sapatos na passagem. Depois descemos alguns degraus estreitos de pedra, ao pé dos quais Raffles usou o lampião e calçou novamente os sapatos, me instruindo a fazer o mesmo num tom bem mais alto do que se permitira usar lá em cima. Estávamos então consideravelmente abaixo do nível da rua, num pequeno espaço com tantas portas quanto lados. Todas estavam abertas e vimos adegas vazias, mas a quarta estava trancada e travada, e essa acabou nos levando ao fundo de um poço quadrado e profundo de bruma. Uma porta similar ficava em frente, do outro lado dessa área, e Raffles aproximou o lampião, enquanto escondia com o corpo sua luz. De repente um baque curto e súbito congelou meu coração. No momento seguinte, vi a porta se abrir e Raffles lá dentro, fazendo sinal para mim com um pé de cabra.

— Porta número um — sussurrou. — Deus sabe quantas mais há de haver, mas sei que existem duas, ao menos. Não precisaremos fazer muito barulho nelas, também; aqui embaixo o risco é menor.

Estávamos então no patamar da escada que fazia par com a de degraus estreitos de pedra que tínhamos acabado de descer: o pátio, ou poço, sendo a única parte comum ao prédio particular e o comercial. Mas esse lance não levava a qualquer passagem aberta; ao contrário, uma porta de mogno especialmente sólida nos aguardava lá em cima.

— Foi o que eu achei — murmurou Raffles, me entregando o lampião e pondo no bolso um punhado de chaves-mestras, depois de mexer durante alguns minutos na fechadura. — Vamos ter uma hora de trabalho para passar por esta!

— Você consegue arrombar?

— Não. Conheço essas fechaduras. É inútil tentar. Precisamos arrancar, e vai levar uma hora.

Levamos 47 minutos, segundo meu relógio; ou melhor, Raffles levou esse tempo. E nunca na vida eu vira nada feito com mais deliberação. Minha parte consistiu apenas em ficar de pé ao lado com o lampião em uma das mãos e um pequeno frasco de lubrificante na outra. Raffles segurava um belo estojo entalhado, destinado obviamente a suas navalhas, mas contendo, em vez delas, as ferramentas de sua atividade secreta, incluído aí o lubrificante. Desse estojo, ele escolheu uma "broca", capaz de abrir um buraco de uma polegada de diâmetro, e encaixou-a numa pequena, porém muito firme, "braçadeira" de aço. Despiu, então, o sobretudo e o blazer, estendeu-os com cuidado no degrau superior, ajoelhando-se ali, arregaçou os punhos e passou a trabalhar com a broca junto ao buraco da chave. Antes, porém, untou a broca para reduzir o ruído, e fazia, invariavelmente, o mesmo antes de começar um novo buraco e com frequência no meio do procedimento. Foram 32 investidas para abrir um buraco em torno daquela fechadura.

Notei que através do primeiro orifício circular, Raffles enfiou um indicador; então, conforme o círculo se tornava cada vez maior e oval, ele passou a mão toda até o polegar. E eu o ouvi soltar baixinho um palavrão.

— Era o que eu temia!

— O que foi?

— Um portão de ferro do outro lado!

— E como é que vamos passar por ele? — indaguei, desanimado.

— Arrombando a fechadura. Mas pode haver duas. Nesse caso, em cima e embaixo, e teremos dois buracos novos para fazer, já que a porta abre para dentro. Como está, não vai abrir nem cinco centímetros.

Confesso que não me senti animado quanto ao arrombamento da fechadura, tendo em vista que uma delas já nos tinha frustrado. Minha decepção e falta de paciência provavelmente seriam uma revelação para mim, caso eu parasse para pensar. A verdade é que eu estava entrando em nossa empreitada nefasta com um zelo involuntário do qual nem mesmo eu me dei conta no momento. O romance e o perigo de todo o procedimento me deixou enfeitiçado e extasiado. Meu sentido de moral e minha sensação de medo foram atingidos por uma só paralisia. E lá fiquei eu, segurando o lampião para iluminar a cena com um interesse mais intenso do que jamais havia mostrado por qualquer atividade honesta. E lá estava Raffles, ajoelhado, com seu cabelo negro desalinhado e o mesmo discreto meio-sorriso vigilante e decidido com o qual eu o vira manejar magistralmente o taco de criquete num jogo!

Afinal, a cadeia de orifícios foi concluída, a fechadura arrancada por inteiro, e um braço inteiro desnudo entrou até o ombro pela abertura e pelas barras da grade de ferro além dela.

— Agora — sussurrou Raffles —, se houver apenas uma fechadura, há de ser no meio. Aleluia! Aqui está ela! Assim que eu arrombá-la, estaremos dentro finalmente.

Ele retirou o braço, uma chave-mestra foi escolhida no molho e ele então enfiou novamente o braço todo, até o ombro, na abertura. Foi um momento de tirar o fôlego. Ouvi meu coração latejar no corpo todo, o relógio tiquetaquear no meu bolso, e vez por outra o ruído da chave-mestra. Então, por fim, ouvimos um clique inequívoco. Mais um minuto, e a porta de mogno e a grade de ferro se abriram; e Raffles estava sentado a uma mesa de escritório, enxugando o rosto, com o lampião lançando uma luz constante a seu lado.

Achávamo-nos agora em um lobby vazio e espaçoso atrás da loja, mas separado dela por uma cortina de ferro, cuja mera visão me encheu de desespero. Raffles, contudo, não parecia nadinha incomodado, tendo pendurado o casaco e o chapéu em alguns pregos no lobby antes de examinar a tal cortina com seu lampião.

— Não é nada — declarou, após um minuto de inspeção. — Passaremos por ela rapidinho, mas há uma porta do outro lado que talvez nos cause problema.

— Outra porta! — gemi. — E como você pretende lidar com isso?

— Levantando-a com o pé de cabra. O ponto fraco dessas cortinas de ferro é a alavancagem que se pode conseguir de baixo para cima. Mas faz barulho, e é aí que você entra, Bunny; aqui eu não conseguiria fazer sem você. Preciso que, lá de cima, me avise com uma batida quando a rua estiver livre. Vou com você para iluminar.

Bom, é fácil imaginar quão pouco me agradou a perspectiva dessa vigília solitária; por outro lado, havia algo muito estimulante na responsabilidade vital que me caberia. Até então, eu havia sido um mero espectador. Naquele momento, eu tomaria parte no jogo. E essa nova excitação me deixou mais que nunca insensível àquelas reflexões sobre consciência e segurança que já se assemelhavam a nervos mortos no meu peito.

Assim, assumi meu posto sem um murmúrio na sala da frente acima da loja. A mobília havia sido deixada para ser descartada pelo inquilino vindouro, e, felizmente para nós, aí se incluíam persianas que já estavam baixadas. Era a coisa mais simples do mundo ficar olhando pelas ripas para a rua, bater com meu pé duas vezes quando visse alguém se aproximar e uma só quando o caminho estivesse novamente livre. Os ruídos que até mesmo eu podia ouvir lá embaixo, com exceção de um ruído metálico no começo, eram, de fato, incrivelmente leves, mas cessavam de todo a cada dupla batida do meu pé; e um policial passou bem uma meia dúzia de vezes sob os meus olhos, e o homem que supus que fosse o vigilante do joalheiro com mais frequência ainda, durante a maior parte da hora que fiquei junto à janela. Uma vez, na verdade, meu coração chegou à boca, mas foi apenas uma vez. Isso quando o vigilante parou e espreitou pelo olho-mágico que dava para dentro da loja iluminada. Esperei pelo apito — esperei pela forca ou pela prisão! Mas meus sinais haviam sido rigorosamente obedecidos, e o homem seguiu seu caminho com serenidade imperturbável. No final eu recebi um sinal, e voltei sobre meus passos com fósforos acesos, descendo a escada larga, depois a estreita, atravessei a área e subi até o lobby onde Raffles me aguardava com uma das mãos estendida.

— Bom trabalho, meu garoto! — saudou-me ele. — Você é o mesmo sujeito prestativo numa emergência de antes e terá a sua recompensa. Tenho o equivalente a mil libras ao que me consta. Está tudo nos meus bolsos. E tem mais isso aqui que encontrei neste escaninho: um Porto muito decente e alguns charutos, destinados aos colegas de negócios do caro Danby. Sirva-se e logo vai se animar. Descobri também um banheiro, e precisamos de uma boa limpeza antes de partir, pois estou tão preto quanto sua bota.

A cortina de ferro estava baixada, mas ele insistiu em subi-la até podermos enxergar pela porta de vidro no outro lado e ver seu trabalho na loja atrás dela. Ali, duas lâmpadas elétricas ficavam acesas a noite toda, e com a ajuda de seus frios raios brancos não pude, a princípio, ver nada de errado. Dei uma olhada ao longo de um corredor organizado, um balcão de vidro vazio à minha esquerda, prateleiras de vidro com prata intocada à minha direita e me encarando, o buraco negro do olho-mágico que brilhava como uma lua cenográfica sobre a rua. O balcão não havia sido esvaziado por Raffles: seu conteúdo estava no cofre, do qual ele desistira após um rápido olhar. Também não quisera a prataria, salvo para escolher uma cigarreira para mim. Limitara-se, exclusivamente à vitrine da loja, que tinha três compartimentos, cada qual mantidos seguros durante a noite por painéis removíveis com fechaduras separadas. Raffles os removera algumas horas antes do horário, e a luz elétrica brilhava sobre uma veneziana corrugada nua como as costelas de uma carcaça oca. Cada artigo de valor se fora do único lugar que não podia ser visto do pequeno olho mágico na porta; no restante do espaço tudo se encontrava precisamente como havia sido deixado na véspera. E salvo por uma série de portas mutiladas atrás da cortina de ferro, uma garrafa de vinho e uma caixa de charutos com a qual certas liberdades haviam sido tomadas, uma toalha encardida no banheiro, um fósforo apagado aqui e acolá e as nossas digitais nos corrimões empoeirados, não deixamos um indício sequer da nossa visita.

— Se eu já estava com isso na cabeça há muito tempo? — disse Raffles enquanto caminhávamos pelas ruas já quase ao alvorecer, parecendo a quem visse que voltávamos de um baile. — Não, Bunny, nunca pensei nisso até que vi o andar superior vazio cerca de um mês atrás e comprei algumas coisas na loja a fim de reconhecer o terreno. Isso me lembra que jamais paguei por elas, mas juro que o farei amanhã, e se isso não for justiça poética, o que mais seria? Uma visita me mostrou as possibilidades do lugar, mas a segunda me convenceu das impossibilidades sem um comparsa. Por isso eu praticamente já havia desistido da ideia quando você apareceu lá em casa, e na noite e na circunstância exatas para isso! Mas cá estamos nós no Albany, e espero que ainda haja fogo na lareira, porque não sei quanto a você, Bunny, mas estou tão gelado quanto a coruja de Keats!

Ele era capaz de pensar em Keats após cometer um crime! Podia ansiar pelo calor da lareira como qualquer um! Comportas se romperam dentro de mim, e o termo claro para a nossa aventura me assaltou frio como gelo. Raffles era um ladrão. Eu o ajudara a cometer um assalto, logo, eu também era um ladrão. Ainda assim pude ficar de pé e me aquecer junto à sua lareira e vê-lo esvaziar os bolsos, como se nada de incrível ou de vil tivéssemos feito.

Meu sangue congelou. Meu coração se apertou. Meu cérebro fundiu. Como eu gostara desse vilão! Como eu o admirara! Agora meu afeto e admiração tinham de se transformar em repulsa e desgosto. Aguardei a mudança. Ansiei por senti-la no coração. Mas... Aguardei e ansiei em vão!

Vi que ele estava esvaziando os bolsos; a mesa reluzia com o tesouro neles contido. Anéis às dúzias, diamantes aos montes; pulseiras, pingentes, alfinetes de chapéu, colares, pérolas, rubis, ametistas, safiras; e diamantes sempre, diamantes em tudo, baionetas cintilantes de luz, me estonteando — me cegando — me fazendo descrer porque eu já não podia esquecer. Por último, não surgiu uma joia, com efeito, mas meu próprio revólver, tirado de um bolso interno. E isso calou fundo. Suponho que eu tenha dito algo — minha mão se estendeu num ímpeto. Posso visualizar Raffles naquele momento, quando me olhou uma vez mais com uma sobrancelha arqueada sobre cada olho azul-claro. Posso vê-lo pegar os cartuchos de munição com seu sorriso tranquilo e cínico, antes de me entregar de novo a pistola.

— Você pode não acreditar, Bunny, mas jamais andei com uma arma carregada antes. Acho que ela inspira confiança, mas acaba parecendo muito constrangedor se algo dá errado; pode-se usá-la, e esse não é, de forma alguma, o jogo, embora com frequência eu ache que o assassino que acabou de cometer o ato deva ter grandes sensações antes que as coisas esquentem demais para ele. Não fique tão perturbado, meu caro. Eu jamais senti tais sensações, e suponho que jamais virei a sentir.

— Mas o que fez hoje você já tinha feito, não? — indaguei com voz rouca.

— Antes? Meu caro Bunny, você me ofende! Por acaso hoje lhe pareceu uma primeira tentativa? Claro que eu já tinha feito antes.

— Com frequência?

— Bem... Não! Não com frequência suficiente para destruir o encanto, de todo jeito. Na verdade, nunca, a menos que eu esteja terrivelmente duro. Você já ouviu falar dos diamantes Thimbleby? Bom, aquela foi a última vez. E o resultado foi decepcionante. E no ano passado teve aquele trabalhinho da casa de barcos Dormer, em Henley. Fui eu também, na verdade. Ainda não apliquei nenhum golpe realmente grande. Quando esse dia chegar, eu paro.

Sim, eu me lembrava muito bem de ambos os casos. Imaginar que ele fosse o autor! Era incrível, ultrajante, inconcebível. Então meus olhos pousaram na mesa, cintilando e reluzindo em uma centena de lugares, e a incredulidade se foi.

— Como foi que você começou? — perguntei, quando a curiosidade superou o mero espanto, e um fascínio pela sua carreira aos poucos se mesclou ao meu fascínio pelo homem.

— Ah, essa é uma longa história — disse Raffles. — Foi nas Colônias, quando estive lá jogando críquete. É uma história longa demais para lhe contar agora, mas eu me encontrava mais ou menos na mesma situação que você hoje à noite, e foi a minha única saída. Nunca me passou pela cabeça continuar, mas senti o gostinho e me lambuzei todo. Por que trabalhar se eu podia roubar? Por que me acomodar a um emprego antipático quando a excitação, o romance, o perigo e a vida decente estavam bem ali dando sopa? É claro que é muito errado, mas não podemos ser todos moralistas, e a distribuição da riqueza está muito errada, para começo de conversa. Além disso, não acontece o tempo todo. Estou cansado de recitar Gilbert para mim mesmo, mas o que ele disse é profundamente verdadeiro. Só me pergunto se você há de gostar tanto dessa vida quanto eu!

— Gostar? — gritei. — Eu não! Essa vida não é para mim. Uma vez basta!

— Você não vai me dar uma mãozinha numa próxima vez?

— Não me peça isso, Raffles. Não me peça, pelo amor de Deus!

— Mas você disse que faria qualquer coisa por mim! Você pediu que eu dissesse qual era o crime e você estaria comigo! Mas vi logo que você não estava falando sério. Você não voltou atrás comigo esta noite, e isso deveria me satisfazer, só Deus sabe! Suponho que eu esteja sendo ingrato e injusto e tudo o mais. Que deveria deixar tudo terminar por aqui. Mas você é o homem certo para mim, Bunny. O homem certo! Pense em como nos saímos hoje. Nem um arranhão, nem um percalço! Não há nada muito terrível nisso, sabe? Jamais haverá, enquanto trabalharmos juntos.

Ele estava em pé defronte a mim com uma das mãos em cada um dos meus ombros; sorria, como sabia tão bem fazer. Virei as costas, plantei os cotovelos na bancada da lareira e coloquei a cabeça, que fervia, entre as mãos. No instante seguinte, uma mão mais calorosa pousara nas minhas costas.

— Muito bem, meu garoto! Você tem toda a razão e estou mais que errado. Jamais vou pedir de novo. Pode ir, se quiser, e apareça aqui por volta do meio-dia para pegar o dinheiro. Não houve acerto, mas, claro, vou tirá-lo dos seus apuros, sobretudo depois da maneira como ficou ao meu lado esta noite.

Vi-me novamente com o sangue fervendo.

— Farei de novo — falei, entredentes.

Ele balançou a cabeça.

— Não você — falou, sorrindo com bom humor do meu entusiasmo insano.

— Farei, sim — gritei com um juramento. — Ajudarei todas as vezes que você quiser! Que diferença faz agora? Já fiz uma vez. Farei de novo. Já entreguei a alma ao diabo de qualquer jeito. Não posso voltar atrás, e não voltaria se pudesse. Quando você me quiser, serei seu homem.

E foi assim que Raffles e eu unimos forças criminosas nos idos de março.

NORTE-
-AMERICANOS DO
SÉCULO XIX

VILÃO: O CAPITÃO

A HISTÓRIA DE UM JOVEM LADRÃO
WASHINGTON IRVING

Entre os menos prováveis suspeitos de escreverem uma história sobre um vilão terrível está Washington Irving (1783-1859), cujos livretos e livros de tamanho convencional lhe granjearam o título de "Pai da Literatura Americana", já que ele foi o primeiro autor de peso a casar a literatura americana com a literatura mundial. Sua vida no exterior, passada sobretudo na Espanha, na Itália e na Inglaterra, influenciou enormemente sua obra nos anos de formação dos Estados Unidos do século XIX.

O encanto fácil de suas narrativas e seu humor suave tornaram-no caro ao público leitor e ele obteve grande sucesso com obras como *A History of New York* (sob a assinatura Diedrich Knickerbocker, 1809), geralmente considerada a primeira obra americana de ficção humorística, e, especialmente, *The Sketch Book of Geoffrey Crayon, Gent.* (1819-1820), que contém os contos imortais, conhecidos de todas as crianças americanas, "Rip Van Winkle" e "The Legend of Sleepy Hollow".

Em 1824, ele escreveu *Tales of a Traveller*, sob a assinatura Geoffrey Crayon, na esperança de recriar o sucesso de *The Sketch Book*. Embora seus primeiros contos chamem a atenção por serem encantadores e sentimentais, visões românticas da vida, muitas das pequenas esquetes em *Tales of a Traveller* são simplesmente chocantes, sobretudo "A história de um jovem ladrão". Enquanto muitos contos de amor e casamento cálidos e suaves de Irving retratassem charmosas jovens solteiras e seus pretendentes em termos convencionais e melosos de devoção pura e etérea, a heroína desafortunada e o jovem que a ama nesta curta história parecem ter sido arrancados das páginas da maioria dos mais melodramáticos exemplos de terror gótico.

O personagem-título, um dos mais pavorosos vilões da literatura americana, narra a história na primeira pessoa com uma indiferença peculiar que contradiz a violência e a tragédia descritas. O capítulo de *Tales of a Traveller* intitulado "A história de um jovem ladrão" na verdade inclui mais de uma história, mas o episódio que aparece aqui está completo. Trata-se de uma história criminal de tão singular brutalidade que não causa surpresa saber que, como tantos contos de Irving, tenha influenciado muitos autores americanos do século XIX.

"A história de um jovem ladrão" foi publicado pela primeira vez em *Tales of a Traveller* (Londres: John Murray, 1824, dois volumes); a primeira edição americana foi publicada mais tarde no mesmo ano, na Filadélfia, por H.C. Carey & I. Lea.

A HISTÓRIA DE UM JOVEM LADRÃO

WASHINGTON IRVING

Nasci na cidadezinha de Frosinone, que fica nos arredores de Abruzzi. Meu pai fizera um pequeno patrimônio no comércio e me deu alguma instrução, já que pretendia me ceder à igreja, mas eu andava em companhias demasiado alegres para envergar a batina, por isso cresci sendo um insolente com todo mundo. Fui um sujeito displicente, meio briguento vez por outra, mas bem-humorado de modo geral, o que fez com que eu me saísse bem durante um tempo, até me apaixonar. Morava em nossa cidade um inspetor ou fiscal de terras empregado do príncipe que tinha uma filha, uma bela moça de 16 anos, vista como superior aos nossos concidadãos e mantida em casa quase o tempo todo. Eu a via ocasionalmente e me apaixonei loucamente por ela, que parecia tão inocente e doce e muito diferente das mulheres queimadas de sol a que eu me habituara.

Como meu pai não me negava dinheiro, eu estava sempre bem-vestido e aproveitava todas as oportunidades de me exibir aos olhos da beldade. Costumava vê-la na igreja, e como sabia um pouco tocar violão, dedicava-lhe às vezes uma canção sob sua janela à noite; tentei me encontrar com ela no vinhedo do pai, não muito distante da cidade, local onde de vez em quando a moça caminhava. Ela sem dúvida gostava de mim, mas era jovem e tímida, e o pai a mantinha sob estrita vigilância. Alarmou-se ante as minhas atenções, pois tinha uma opinião ruim a meu respeito e buscava um pretendente melhor para a filha. Fiquei enfurecido ante as dificuldades que me surgiam no caminho, tendo sido habituado a ter sucesso fácil com as mulheres e a ser considerado um dos jovens mais inteligentes do lugar.

O pai levou para visitá-la um pretendente; um fazendeiro rico de uma cidade vizinha. O dia do casamento foi marcado e os preparativos começaram. Eu a vi na janela e achei que ela me olhava com tristeza. Decidi que o enlace não aconteceria, custasse o que custasse. Encontrei-me com o futuro noivo no mercado e não consegui refrear a minha raiva. Algumas palavras ásperas foram trocadas por nós, e eu saquei meu estilete e o enfiei em seu coração. Fugi para uma igreja próxima em busca de abrigo, e com um pouco de dinheiro obtive absolvição. Só me faltava coragem para abandonar meu refúgio.

A essa altura, nosso comandante estava recrutando soldados. Ele me conhecia desde a minha infância, e ouvindo falar da minha situação me procurou em segredo e fez ofertas tais que concordei em me alistar entre seus comandados. Com efeito, mais de uma vez eu considerara adotar esse modo de vida, pois conhecia vários sujeitos corajosos das montanhas, que costumavam gastar livremente seu dinheiro entre os jovens da cidade como eu. Assim, parti do refúgio bem tarde da noite, me dirigi ao local do encontro, fiz os juramentos obrigatórios e me tornei membro da tropa. Ficamos durante algum tempo numa parte distante das montanhas e nosso estilo aventureiro de vida me agradou imensamente e distraiu minhas ideias. Com o tempo, elas voltaram com toda a violência a me recordar de Rosetta. A solidão em que com frequência eu me encontrava me dava tempo para refletir sobre sua imagem, e, enquanto eu vigiava à noite o nosso acampamento adormecido nas montanhas, meus sentimentos alcançaram quase o nível de uma febre.

Passado um tempo, mudamos de pouso e decidimos descer para uma estrada entre Terracina e Nápoles. No curso da nossa expedição, passamos um ou dois dias nas montanhas cobertas de mata que se erguiam sobre Frosinone. Não posso lhes dizer como me senti quando olhei para baixo e identifiquei a residência de Rosetta. Decidi ter um encontro com ela. Mas com que finalidade? Não podia ter esperança de que ela abandonasse seu lar e me acompanhasse na minha vida perigosa nas montanhas. Ela havia sido criada de forma demasiado delicada para tanto; e, quando eu observava as mulheres ligadas a alguns membros da nossa tropa, não conseguia suportar a ideia de Rosetta na mesma situação. O retorno à minha vida de antes era igualmente impensável, pois havia um preço pela minha cabeça. Ainda assim, eu estava decidido a vê-la; o próprio risco e a inutilidade disso me deixava furiosamente ansioso para perseguir meu intento.

Faz cerca de três semanas que convenci nosso comandante a descer para as cercanias de Frosinone, na esperança de sequestrar alguns de seus principais moradores e obrigá-los a pagar um resgate. Estávamos de tocaia já à noitinha, não muito distante do vinhedo do pai de Rosetta. Afastei-me discretamente de meus companheiros e me aproximei a fim de explorar o local de seus frequentes passeios.

Como bateu forte meu coração quando, entre as vinhas, vislumbrei o brilho de um vestido branco! Eu sabia que tinha de ser ela, já que é raro as mulheres da cidade se vestirem de branco. Avancei furtivamente e sem fazer ruído até que, afastando as vinhas, me vi, de repente, diante dela. Rosetta emitiu um grito lancinante, mas tomei-a em meus braços, tapei-lhe a boca e a obriguei a ficar calada. Desabafei todo o frenesi da minha paixão, prometi renunciar ao meu modo de vida, pôr meu destino em suas mãos, fugir com ela para onde pudéssemos viver seguros juntos. Nada do que eu pudesse dizer ou fazer a acalmava. Em vez de amor, a impressão era de que o horror e o medo haviam tomado de assalto seu peito. Conseguindo em parte se livrar dos meus braços, seus gritos encheram o ar. Em um instante o comandante e meus demais companheiros estavam à nossa volta. Eu daria tudo naquele momento para ela estar a salvo de nossas mãos e na casa de seu pai. Era tarde demais. O comandante declarou-a um prêmio e ordenou que ela fosse levada para as montanhas. Argumentei que ela era o meu troféu, que eu a tinha reivindicado primeiro. Mencionei minha afeição anterior. Ele riu amargamente em resposta, observando que bandidos nada têm a ver com intrigas de aldeia e que, segundo as leis da tropa, todos os despojos do gênero eram determinados pelo grupo. Amor e ciúme ferviam em meu coração, mas fui obrigado a optar entre obedecer ou morrer. Entreguei-a ao comandante e partimos para as montanhas.

Ela foi dominada pelo medo e seus passos eram tão débeis e hesitantes que precisou de apoio. Eu não suportava a ideia de que meus companheiros a tocassem, e assumindo uma tranquilidade artificial, implorei que a confiassem a mim, já que era a quem estava mais habituada. O comandante me encarou um instante com um olhar inquiridor, mas eu o sustentei sem piscar, e ele consentiu. Tomei-a nos braços; ela estava quase inconsciente. A cabeça descansou em meu ombro, sua boca ficou próxima da minha. Eu sentia seu hálito em meu rosto e ele parecia atiçar a chama que me devorava. Ai, Deus! Ter aquele tesouro ardente em meus braços e ao mesmo tempo pensar que não era meu!

Chegamos ao pé da montanha. Eu subi com dificuldade, principalmente onde a floresta era densa, mas nem por isso abriria mão do meu fardo delicioso. Imaginei, com raiva, porém, que logo teria de fazê-lo. A ideia de que uma criatura tão delicada precisasse ser abandonada nas mãos dos meus rudes companheiros me enlouqueceu. Senti a tentação, com o estilete na mão, de abrir caminho esfaqueando todos eles, e carregá-la em triunfo. Mal tive a ideia e logo percebi sua insensatez, mas meu cérebro ardia com o pensamento de que ninguém além de mim deveria desfrutar de seus encantos. Empenhei-me em ultrapassar meus companheiros com a rapidez dos meus movimentos e abrir uma pequena distância em relação ao grupo, caso alguma oportunidade de escapar se apresentasse. Tentativa vã! A voz do comandante de repente ordenou uma parada. Tremi, mas tive de obedecer. A pobrezinha entreabriu o olho lânguido, mas não tinha forças nem mobilidade. Deitei-a na grama. O comandante me lançou um olhar terrível de desconfiança, e me ordenou esquadrinhar a mata com meus companheiros, em busca de algum pastor que pudesse ser enviado ao pai da moça com um pedido de resgate.

Vi de imediato o perigo. Resistir com violência seria morte certa, mas deixá-la sozinha, entregue ao comandante! Manifestei-me então com um fervor inspirado pela minha paixão e pelo meu desespero. Recordei ao comandante que tinha sido eu o primeiro a me apossar dela; que ela era meu troféu e que a nossa ligação anterior deveria torná-la sagrada entre os meus companheiros. Insisti, portanto, que ele precisava me garantir que ela seria respeitada. Do contrário, eu me recusaria a obedecer suas ordens. Sua única resposta foi me apontar sua carabina, a cujo sinal todos meus companheiros fizeram o mesmo. Riram com crueldade da minha raiva impotente. O que me restava fazer? Senti a loucura de resistir. Eu estava encurralado pelas ameaças, e meus companheiros me obrigaram a segui-los. Ela permaneceu sozinha com o chefe. Sim, sozinha e quase sem vida!

Aqui o ladrão faz uma pausa em seu relato, acachapado por suas emoções. Grandes gotas de suor lhe molham a testa. Arfava, em lugar de respirar; seu peito musculoso subia e descia como as ondas de um mar encapelado. Quando ficou mais calmo, retomou seu relato.

Eu não demoraria para encontrar um pastor de ovelhas, garanti. Corri com a rapidez de um cervo, ansioso, se possível, para voltar antes que o que eu temia acontecesse. Deixei meus companheiros bem para trás e me reuni com eles antes que houvessem coberto metade da distância que percorri. Apressei-os a voltar ao local onde tínhamos deixado o comandante. Quando nos aproximamos, eu o vi sentado ao lado de Rosetta. Seu olhar triunfante e a condição desolada da pobre moça não me deixaram dúvidas quanto ao que havia acontecido. Não sei como contive a minha fúria.

Foi com extrema dificuldade e com a minha ajuda para guiar sua mão que ela conseguiu rabiscar algumas letras pedindo ao pai para enviar trezentos dólares para resgatá-la. A carta foi despachada com o pastor. Depois que ele partiu, o chefe se virou e me disse, severamente:

— Você deu um exemplo de motim e vontade própria, que se tolerado seria ruinoso para a tropa. Caso eu o tratasse conforme exigem as leis, esta bala teria atravessado seu cérebro. Mas você é um velho amigo; suportei pacientemente sua fúria e suas tolices. Cheguei mesmo a protegê-lo de uma paixão idiota que viraria sua cabeça. Quanto a esta moça, as leis da nossa associação precisam ser seguidas.

Assim, emitiu seus comandos, houve um sorteio e a moça indefesa foi abandonada à tropa.

Aqui o ladrão fez nova pausa, arfando de raiva e só um pouco depois foi capaz de retomar seu relato.

O inferno, disse ele, tomou conta de meu coração. Percebi a impossibilidade de vingança e senti que, segundo os termos que nos uniam na tropa, o comandante estava em seu direito. Corri freneticamente para longe daquele lugar. Atirei-me no chão, arranquei a grama com as próprias mãos, esmurrei minha cabeça e rangi meus dentes, em agonia e fúria. Quando, afinal, voltei, vi a pobre vítima, pálida, desgrenhada; o vestido rasgado e imundo. Um sentimento de pena por um instante superou os outros, mais violentos. Carreguei-a nos braços até o pé de uma árvore e a encostei com toda delicadeza ao tronco. Peguei minha cuia cheia de vinho e, levando-o a seus lábios, consegui que ela engolisse um pouco do líquido. Em que estado ela estava! Ela, que no passado eu considerara o orgulho de Frosinone, que tão pouco tempo antes eu vira passeando no vinhedo do pai, tão inocente, bela e feliz! Os dentes estavam cerrados, os olhos, vidrados no chão; seu corpo estava inerte e em um estado de insensibilidade absoluta. Inclinei-me sobre ela, na agonia de recordar tudo que ela fora e angustiado diante do que agora via. Lancei um olhar de horror para meus companheiros, que lembravam um bando de demônios exultantes ante a queda de um anjo e senti horror de mim mesmo por ser cúmplice deles.

O comandante, sempre desconfiado, viu, com sua habitual perspicácia, o que estava se passando dentro de mim e ordenou que eu fosse para o alto da mata para manter vigilância sobre a vizinhança e aguardar a volta do pastor. Obedeci, é claro, sufocando a fúria que fervilhava em meu ser, embora naquele momento eu o considerasse o meu inimigo mais letal.

No caminho, contudo, um raio de reflexão me veio à mente. Percebi que o comandante não estava senão seguindo com rigor as leis terríveis às quais jurara fidelidade. Que a paixão que me cegara poderia ter sido fatal para mim, não fosse a sua tolerância, que ele penetrara em minha alma e tomara precauções mandando que eu me afastasse, a fim de impedir que eu cometesse algum excesso movido pela raiva. Daquele instante em diante senti que era capaz de perdoá-lo.

Ocupado com esses pensamentos, cheguei ao sopé da montanha. O lugar era solitário e seguro, e em pouco tempo vislumbrei, a distância, o pastor cruzando a planície. Corri para ir ter com ele, que nada conseguira. Encontrara o pai da moça mergulhado no mais profundo desespero. O homem lera a carta com violenta emoção e depois, acalmando a si mesmo com um esforço repentino, respondera, friamente:

— Minha filha foi desonrada por esses miseráveis. Que seja devolvida sem resgate ou que morra!

Estremeci ante tal resposta. Eu sabia que, segundo as leis da nossa tropa, sua morte era inevitável. Era o que exigiam os nossos juramentos. Ainda assim, senti que, não conseguindo tê-la para mim, eu podia me tornar seu carrasco!

Novamente o ladrão fez uma pausa, agitado. Sentei-me refletindo sobre suas últimas palavras assustadoras, que provavam a que excessos as paixões podem levar quando escapam de todo o freio moral. Existe uma terrível veracidade nesta história que me lembrou algumas das trágicas ficções de Dante.

Chegáramos a um momento fatal, prosseguiu o bandido. Depois do relatório do pastor, voltei com ele, e o comandante ouviu de seus lábios a recusa do pai da moça. Fez um sinal, que todos entendemos, que o seguíssemos até certa distância da vítima. Ali, ele pronunciou sua sentença de morte. Todos estavam preparados para executar a sua ordem, mas intervim.

Argumentei que havia a questão da piedade, bem como a da justiça. Que eu estava tão preparado quanto qualquer outro para acatar a lei implacável que deveria servir de alerta a todos que hesitassem em pagar resgates exigidos para libertar nossos prisioneiros, mas que, embora o sacrifício fosse adequado, ele deveria ser levado a cabo sem crueldade. A noite se aproximava, continuei; logo ela adormeceria. Que fosse então liquidada. Tudo que eu pedia agora em nome do meu afeto anterior por ela era que me permitissem desferir o golpe. Eu o faria com a mesma precisão porém mais suavemente que qualquer dos outros.

Vários ergueram as vozes contra a minha proposta, mas o comandante os calou e me disse que eu poderia conduzi-la até um matagal a uma certa distância e que confiava na minha promessa.

Corri para me apossar da minha presa. Senti uma espécie de triunfo triste por ter, finalmente, me tornado seu dono exclusivo. Levei-a para a parte mais densa da floresta. Ela continuava no mesmo estado de insensibilidade e estupor. Fiquei grato por não se recordar de mim, pois se tivesse sequer uma vez murmurado meu nome, eu talvez me acovardasse. Dormiu, afinal, nos braços daquele que estava prestes a apunhalá-la. Muitos foram os conflitos que encarei antes de conseguir me obrigar a desferir o golpe. Meu coração doía, ferido pelos conflitos recentes por que passara, e temi que, se procrastinasse, algum outro membro da tropa se tornasse seu carrasco. Quando seu repouso já durava algum tempo, me afastei suavemente dela, de modo a não perturbar seu sono, e tomando repentinamente meu punhal, cravei-o em seu peito. Um murmúrio doloroso e concentrado, mas desprovido de qualquer movimento convulsivo, acompanhou seu último suspiro. Assim pereceu essa pobre coitada.

VILÃO: NARRADOR

O CARA DE LUA
JACK LONDON

Nascido John Chaney, Jack London (1876-1916) era filho ilegítimo de um astrólogo itinerante. A mãe se casou com John London oito meses após seu nascimento. Jack London cresceu na pobreza da zona da Baía na Califórnia, caiu na estrada como um vagabundo, pegando carona em trens de carga e foi condenado a um mês de trabalhos forçados na cadeia, o que o ajudou a adquirir compreensão e solidariedade pela classe trabalhadora pobre, bem como uma aversão por esse tipo de vida. Depois de ler o *Manifesto comunista*, apaixonou-se pelo socialismo, mas ansiava tanto por enriquecer que se juntou à corrida do ouro na região de Klondike, em Yukon, no Canadá, em 1891. Voltou a Oakland sem ter descoberto um grama sequer de ouro, mas com o cenário para o clássico romance americano *O chamado selvagem* (1903), que se tornou um dos livros mais vendidos do início do século XX, chegando a mais de um milhão de exemplares vendidos durante a vida do autor. Começou a vender contos para a *Overland Monthly*, a *Black Cat* e a *Atlantic Monthly* na década de 1890. Logo vieram os livros, e ele foi contratado por Hearst para cobrir a guerra russo-japonesa, tornou-se um autor best-seller, ganhou mais de um milhão de dólares, e em 1913 já era considerado o autor mais bem pago, mais conhecido e popular do mundo. Entre os livros que continuam a ser lidos até hoje estão os clássicos de aventura *O lobo do mar* (1904) e *Caninos brancos* (1906), além do autobiográfico *Martin Eden* (1909). London passara a beber muito ainda na adolescência, e o alcoolismo, a saúde frágil, as catástrofes financeiras e o excesso de trabalho provavelmente o levaram a cometer suicídio aos quarenta anos, embora a causa oficial da morte tenha sido dada como uremia.

"O Cara de Lua" foi originalmente publicado em *The Argonaut* em 1902 e pela primeira vez incluído numa coletânea em *Moon-Face and Other Stories* (Nova York: Macmillan, 1906).

O CARA DE LUA

JACK LONDON

John Claverhouse tinha cara de lua cheia. A gente conhece o tipo, as maçãs do rosto bem afastadas, queixo e testa se derretendo nas bochechas para criar o círculo perfeito, e o nariz, grande e gorducho, equidistante da circunferência, achatado contra o exato centro do rosto como uma bola de massa de bolo presa no teto. Talvez por isso eu o odiasse, pois, na verdade, ele se transformara numa ofensa para os meus olhos, e eu acreditava que a terra era prejudicada pela sua presença. Talvez minha mãe fosse supersticiosa quanto à lua e tivesse olhado para ela por cima do ombro errado na hora errada.

Seja como for, eu odiava John Claverhouse. Não que ele tivesse feito comigo algo que a sociedade considerasse errado ou alguma maldade. Ao contrário. O mal era de um tipo mais profundo, mais sutil; de tal forma elusivo e intangível a ponto de inviabilizar uma análise clara e definível em palavras. Todos vivenciamos essas coisas em algum período da vida. Pela primeira vemos um determinado indivíduo, um indivíduo que no segundo anterior sequer sonhávamos que existisse. No entanto, no primeiro momento do encontro dizemos "não gosto deste sujeito". Por que não gostamos dele? Ah, não sabemos. Sabemos apenas que não gostamos. Sentimos um desagrado, só isso. Assim aconteceu entre mim e John Claverhouse.

Que direito tinha aquele homem de ser feliz? Ainda assim, ele era um otimista. Estava sempre alegre e rindo. Tudo estava sempre bem, maldito seja! Ah, e como me feria a alma o fato de ele ser tão feliz! Outros podiam rir e eu não me importava. Até mesmo eu ria — antes de conhecer John Claverhouse.

Mas aquele riso! Aquele riso me irritava, me enlouquecia, como nenhuma outra coisa na face da terra era capaz de me irritar ou de me enlouquecer. Me assombrava, me possuía e não me deixava em paz. Era um riso enorme, colossal. Estivesse eu acordado ou dormindo, vivia comigo, zunindo e atritando as cordas do meu coração como uma enorme palha de aço. Ao raiar da aurora, surgia calamitoso atravessando os campos para estragar meu agradável devaneio matinal. Debaixo do ardente sol do meio-dia, quando os vegetais pendiam de seus caules e os pássaros se retiravam para as entranhas da floresta e toda a natureza cochilava, seu potente "Ha! Ha!" e "Ho! Ho!" se elevava ao céu e desafiava o sol. E sob o breu da meia-noite, das ermas estradas vicinais vinham seus importunos cacarejos para me despertar do sono e fazer com que eu me contorcesse na cama e enfiasse as unhas na palma da mão.

Eu saía furtivamente durante a noite e soltava seu gado nos campos, e de manhã ouvia seu riso estrepitoso quando ele o arrebanhava de novo. "Não faz mal", dizia. "Os pobres animais idiotas não têm culpa de escapar para pastos mais abundantes."

Ele tinha um cão que chamava de Marte, um brutamontes esplêndido, metade perdigueiro, metade bloodhound, lembrando ambos. Marte era uma grande alegria para o dono e os dois andavam sempre juntos. Mas eu não tinha pressa, e, um dia, quando a oportunidade se apresentou, atraí o animal para longe e me livrei dele com estricnina e um pedaço de carne. John Claverhouse não se abalou. Seu riso continuou genuíno e frequente como antes, e seu rosto igualzinho a uma lua cheia como sempre havia sido.

Então, botei fogo nos seus palheiros e no celeiro. Mas como o dia seguinte era domingo, ele se mostrou despreocupado e satisfeito.

— Aonde você estava indo? — perguntei, quando ele cruzou a estrada.

— Truta — respondeu Claverhouse, com o rosto resplandecente como a lua cheia. — Eu simplesmente adoro truta.

Nunca houve um homem tão intolerável! Toda a sua colheita fora pelos ares junto com os palheiros e o celeiro. Não havia seguro, eu sabia. Mesmo assim, diante da fome e do inverno rigoroso, o sujeito saiu contente em busca de um cardume de trutas, certamente porque as "adorava"! Se uma expressão sombria se instalasse, por mais brevemente que fosse, em seu semblante, ou se a sua cara bovina se afilasse e entristecesse, ficando menos parecida com a lua, ou se aquele sorriso por uma única vez se apagasse dos seus lábios, garanto que eu o teria perdoado por existir. Mas não. Ele apenas ficou mais animado ante o infortúnio.

Eu o insultei. Ele me encarou lentamente e sorriu surpreso.

— Brigar com você? Por quê? — indagou devagar. E depois riu. — Você é tão engraçado. Ho! Ho! Vai me matar de rir! Ha, ha, ha! Ah! Ho! Ho!

O que fazer? Eu não suportava mais. Pelo sangue de Judas, como eu o odiava! E ainda por cima aquele nome — Claverhouse! Que nome! Não era um absurdo? Claverhouse! Deus do céu, POR QUE Claverhouse? Vez após vez, eu me perguntava o mesmo. Não me incomodaria se fosse Smith, ou Brown ou Jones — mas CLAVERHOUSE! Experimente. Repita para si mesmo: Claverhouse. Ouça o som ridículo: Claverhouse! Pergunto: Um homem deveria viver com esse nome? "Não", você responde. "Não", respondia eu.

Mas refleti sobre sua hipoteca. Com a colheita e o celeiro destruídos, eu sabia que ele não conseguiria quitar o que devia. Por isso encontrei um financiador astuto, durão e discreto e consegui que a hipoteca fosse transferida para ele. Não apareci, mas por meio desse agente forcei a execução, e poucos dias (não mais, acredite, do que o permitido por lei) foram concedidos a John Claverhouse para remover seus bens do imóvel. Então passei por lá para ver como ele recebera o golpe, pois morara ali mais de vinte anos. Ele, contudo, me recebeu com os olhinhos redondos brilhando e a fisionomia foi se iluminando e transformando seu rosto numa lua cheia.

— Ha! Ha! Ha! É demais esse meu caçula! Você já ouviu algo igual? Vou lhe contar. Ele estava brincando na beira do rio quando um pedaço da margem desmoronou e ele se molhou todo. "Ai, pai", gritou ele: "uma poça enorme voou e me acertou!"

Ele parou e esperou que eu partilhasse sua animação infernal.

— Não vejo graça nenhuma nisso — falei secamente, e sei que meu rosto mostrou azedume.

Ele me olhou espantado e então veio aquela luz infernal, brilhando e se espalhando, como descrevi anteriormente, até que seu rosto brilhou suave e cálido como a lua de verão, e depois veio o riso...

— Ha! Ha! Que coisa mais engraçada! Você não acha? Ha, ha, ha! Ho, ho, ho! Ele não acha! Ora, veja só. Sabe, uma poça...

Mas dei meia-volta e o larguei ali. Foi a última vez. Eu não aguentava mais. A coisa precisava terminar, pensei, maldição! O mundo precisava ficar livre dele. E enquanto eu subia o morro, ouvia seu riso monstruoso reverberar de encontro ao céu.

Ora, eu tenho orgulho de fazer as coisas bem-feitas, e, quando decidi matar John Claverhouse, minha intenção era fazê-lo de tal forma que me impedisse de olhar para trás e sentir vergonha. Odeio trapalhadas e odeio brutalidade. Para mim, existe algo de repugnante em meramente bater num homem com o punho nu. Eca! É de embrulhar o estômago! Assim, dar um tiro, esfaquear ou rachar a cabeça de John Claverhouse (ai, esse nome!) não me apetecia. E não só eu estava inclinado a atuar de forma limpa e artística, como também de maneira a não despertar a menor suspeita a meu respeito.

Para esse fim utilizei meu intelecto, e, passada uma semana de profunda incubação, bolei o plano. Então, pus mãos à obra. Comprei uma cocker spaniel de cinco meses e me dediquei a treiná-la. Caso alguém me espionasse, a impressão era de que o treinamento consistia exclusivamente numa coisa: *trazer de volta*. Ensinei à cadela, à qual dei o nome de Bellona, a pegar gravetos que eu jogava na água, e não só pegá-los, mas trazê-los imediatamente, sem mordiscar ou brincar com eles. A ideia era que ela não parasse em hipótese alguma, mas entregasse o graveto com a maior presteza. Criei o hábito de correr para longe e deixar que ela me perseguisse, com o graveto na boca, até me alcançar. A cadela era brilhante e levou o jogo tão a sério que logo me vi satisfeito.

Depois disso, na primeira oportunidade casual, apresentei Bellona a John Claverhouse. Eu sabia o que estava fazendo, pois tinha ciência de uma pequena fraqueza dele e de um pequeno pecado particular que ele cometia inveterada e regularmente.

— Não — disse ele, quando coloquei a ponta da corda em sua mão. — Não, você não está falando sério. — E sua boca se escancarou e ele sorriu, iluminando toda a maldita cara de lua cheia. — Eu meio que achei, sei lá, que você não gostasse de mim — explicou. — Não é engraçado eu ter cometido um erro desses? — A ideia o fez explodir em risadas. — Como ela se chama? — indagou entre espasmos de riso.

— Bellona — respondi.

— Há! Há! — riu ele. — Que nome mais engraçado!

Cerrei os dentes, pois sua alegria me irritava, e desembuchei:

— Ela era a fêmea de Marte, sabia?

Então a luz da lua cheia começou a inundar seu rosto, até que ele explodiu:

— Esse era o meu outro cachorro. Bem, acho que ela é viúva agora. Há! Há! Ho! Ho! — E saiu pulando atrás de mim. Me virei e fugi correndo morro acima.

A semana se passou, e no sábado à noite, eu disse a ele:

— Você vai se mudar na segunda, não é?

Ele assentiu e sorriu.

— Então não vai ter outra chance de pegar aquelas trutas que tanto "agradam" você.

Mas ele não percebeu meu risinho.

— Ah, não sei — respondeu, estalando a língua. — Vou lá amanhã me esforçar ao máximo.

Assim, me senti duplamente seguro e voltei para casa sem caber em mim de euforia.

Logo cedo na manhã seguinte, eu o vi com uma rede e um saco de pano, Belladona trotando em seus calcanhares. Eu sabia para onde ele ia e cortei caminho pelo pasto dos fundos, subindo pela mata até o topo da montanha. Mantendo-me cuidadosamente fora do seu campo de visão, segui pelo ponto mais elevado durante uns três quilômetros até um anfiteatro natural no morro, onde o riozinho descia rapidamente de um barranco e parava para tomar fôlego numa plácida piscina delimitada por pedras. Ali era o lugar! Sentei-me no topo da montanha, onde era capaz de ver tudo que acontecia, e acendi meu cachimbo.

Após se passarem vários minutos, John Claverhouse surgiu chapinhando ao longo do leito do riacho. Bellona saltitava a seu lado e ambos estavam animados. Os latidos breves e animados da cadela se fundiam às exclamações de barítono dele. Chegando à piscina, ele largou a rede e o saco, tirando do bolso da calça o que me pareceu uma vela grande e grossa. Eu sabia, porém, que aquilo era uma banana de dinamite, pois era esse o seu método para pegar trutas. Ele as dinamitava. Amarrou o pavio enrolando a banana bem apertada num pedaço de algodão. Então, acendeu o pavio e atirou o explosivo na piscina formada pelo riacho.

Como um raio, Bellona entrou na piscina para pegá-lo. Eu podia ter soltado um grito de alegria. Claverhouse chamou-a aos berros, mas foi em vão. Atirou torrões de terra e pedrinhas, mas ela nadou, inabalável, até pegar com a boca a banana de dinamite e, então, dar meia-volta e se dirigir à margem. Foi quando pela primeira vez Claverhouse percebeu o perigo e começou a correr. Como previsto e planejado por mim, ela foi atrás dele. Ah, que maravilha! Como eu já disse, a piscina ficava numa espécie de anfiteatro. Acima e abaixo, o riacho podia ser cruzado sobre pedras, a pé. E em círculos, para baixo e para cima e atravessando pelas pedras, Claverhouse e Bellona apostavam corrida. Eu jamais acreditaria que um homem tão desajeitado pudesse correr tão depressa. Mas corria. Belladona ia, desabalada, atrás dele e com mais velocidade. Então, precisamente quando o alcançou, ele em plena corrida e ela pulando com o focinho no joelho do dono, houve um relâmpago repentino, uma explosão de fumaça, uma detonação pavorosa, e onde homem e cão tinham estado um instante antes nada sobrou para ser visto, salvo um enorme buraco na terra.

"Morte por acidente durante pesca ilegal", foi o veredicto do júri; e por isso me orgulho da forma limpa e artística como dei fim a John Claverhouse. Não houve trapalhadas, não houve brutalidade; nada para gerar vergonha em toda a transação, como garanto que você há de concordar. Seu riso infernal não ecoa mais nos morros nem sua cara gorda de lua cheia surge para me incomodar. Meus dias são de paz agora, e meu sono noturno, profundo.

VILÃO: QUONG LUNG

A SOMBRA DE QUONG LUNG

C. W. DOYLE

Charles William Doyle (1852-1903) nasceu em Landour, na Índia, e estudou na Universidade de Calcutá antes de se mudar para a Grã-Bretanha para estudar medicina em Londres e Edimburgo, finalmente recebendo seu diploma de médico na Universidade de Aberdeen em 1875. Exerceu a medicina na Inglaterra até 1888, emigrando depois para os Estados Unidos para morar em Santa Cruz, na Califórnia, onde se tornou amigo íntimo de Ambrose Bierce.

Seu primeiro livro, *The Taming of the Jungle* (1899) era uma série de esquetes sobre as vidas simples dos primitivos povos indianos que viviam em Terai, a imensa floresta adjacentes à base dos Himalaias, descrevendo suas superstições e seu amor pela beleza das cercanias. O livro foi (inevitavelmente) comparado com as obras de Rudyard Kipling e mais de um jornal (o *Saturday Evening Gazette*, de Boston, o *Daily Eagle*, do Brooklyn e o *The Press)* consideram o livro de Doyle um rival de peso.

Doyle escreveu apenas um outro livro, *The Shadow of Wuong Lung*, que aparentemente teve o objetivo principal de mostrar as condições desumanas de vida das escravas de Chinatown, em São Francisco. Os cinco contos conexos giram em torno do cruel Quong Lung, que, ao contrário da maioria dos vilões "orientais" da época, não tinha como intento a conquista do mundo. Era apenas um rico e poderoso gângster, com um bando de capangas que não se detinha diante de coisa alguma quando se tratava de garantir seu domínio adquirido da região, incluídos aí, o controle da prostituição, da escravidão, dos sequestros e homicídios. Dois dos contos ganharam prêmios importantes: "The Wings of Lee Toy" (*San Francisco Examiner*, 19 de dezembro de 1897) por um conto de Natal, e "The Seats of Judgement" (*Argonaut*) por um conto escrito em 1898.

"A Sombra de Quong Lung" foi publicado originalmente em *The Shadow of Quong Lung* (Filadélfia: J.B. Lippincott, 1900).

A SOMBRA DE QUONG LUNG

C.W. DOYLE

I
UM RETÓRICO DOCE

— O senhor é Chin Lee, o escriba? — indagou um belo jovem chinês ao escritor profissional de cartas, cuja mesa, com seus instrumentos de escrita, ficava próxma ao muro num dos cruzamentos da Clay Street, em São Francisco.

— Chin Lee, escriba, eu mesmo; e você está com sorte nesta linda manhã por ter vindo me procurar, em vez de ir parar nas mãos de Ah Moy (que o mar leve seu cadáver!), que se aproveita dos incautos mais abaixo na rua.

— Sou Ho Chung, e cheguei faz pouco de Pequim, deixando lá Moy Yen, minha esposa, que voltou para seus parentes, que são das montanhas do norte e não falam como falamos. Pretendo enviar uma carta que possa ser lida pelos seus parentes, através da qual eles saibam que sou um homem honrado e que estou fazendo os preparativos para a viagem dela para este país. O senhor tem conhecimento da língua dos povos da montanha?

— Todas as línguas do nosso grande país me contaram seus segredos — disse Chin Lee, a solenidade embelezando a mentira que era contada diariamente (ele tinha um agente em Chinatown que falava o dialeto manchu e traduzia as comunicações que Chin Lee lhe levava). — O senhor está cheio de sorte nesta propícia manhã — prosseguiu — pois Ah Moy descende de porcos selvagens.

— Dizem que a pena dele é mais doce, mas que a arte do senhor é mais honesta.

— Eles... Meus inimigos, sem dúvida! Dizem a verdade quanto à minha honestidade, mas mentem quando depreciam as minhas qualidades como um escritor doce. Doçura e Afeição moram no meu lar, jantam comigo toda noite. Mas como se comunica com Moy Yen, já que vossas línguas são diferentes?

— Ensinei a ela algumas palavras da minha língua e ela me ensinou algumas da dela. Assim...

— É! É! — interrompeu Chin Lee. — O amor tem sua própria linguagem, e não carece muito de meras palavras em qualquer língua. Mas o que você deseja?

— Quero que você diga à moça, Moy Yen, minha esposa, que quando o homem-criança Ho Sung, ou Moy Yep, se for menina (que os Deuses não permitam!) chegar, eu vou mandar o dinheiro para ela vir com o neném para São Francisco. E, Chin Lee — hesitou ele um instante —, você já amou uma mulher?

— Amei mulheres em cada província da nossa Terra Florida, e em muitas línguas, Ho Chung.

— Mas o senhor tem conhecimento de um *sam-yen* interpretado sob um balcão no Caminho da Morte, onde nada é perguntado?

— Veja a prova! — respondeu Chin Lee, arregaçando a manga e exibindo uma cicatriz no braço.

— E um neném lhe chegou depois?

— Sim, e as canções que escrevi para ele são cantadas até hoje nas ruas de Xangai, pois fiquei estupefato com a maravilha de sua pequenez. Veja, vou acrescentar uma dessas canções à carta que vou escrever para você pelo pagamento de um *ping-long* (folha de betel).

Os dois atravessaram a rua até o cavalheiro baixinho que vendia a tentadora iguaria que os hindus entendem tão melhor. E enquanto discutiam as porções picantes, andaram para lá e para cá no lado ensolarado da Union Square, que é um retiro tranquilo, na verdade, no tráfego fervilhante de Chinatown.

— Vou escrever para você duas cartas — começou Chin Lee. — Uma caso o bebê seja homem e outra caso seja menina. O preço pelas duas cartas será o mesmo que o de uma, e, meu amigo, onde foi que você disse que Moy Yen, sua esposa, mora?

— No travessa Pin-yang, da cidade Moukden, que fica na província manchu Shign-king, nas montanhas. Mas, provavelmente, sua carta não vai chegar a ela, pois a travessa é uma das muitas ruelas de uma grande cidade.

"Sua apreensão teimosa claramente se deve à sua muita afeição", pensou Chin Lee. Em seguida, falou, em voz alta:

— Não tema jamais! Moy Yen, com um bebê sorridente no peito, receberá a carta que a encherá de deleite; meu pai idoso, que cuida dos meus negócios na China (Que os Céus amenizem sua partida!), tem um agente em Moukden e se encarregará de fazer com que a carta não se perca.

— Mas Moy Yen é...

— Ela é muito bonita? — interrompeu Chin Lee, lendo o pensamento com a ajuda de sua grande prática.

— Mais bonita do que posso dizer em palavras, e...

— Assim também foi o meu caso — interrompeu novamente Chin Lee. — A mulher que me causou o ferimento que lhe mostrei, um ferimento perigoso — a essa altura seu tom era confidencial e amistoso, um velho truque sempre utilizado —, mas a mulher valia a pena, por causa da sua beleza e ternura, até mesmo da partida súbita de Chin Lee, que é o escravo de uma consciência alerta e dono de muita experiência em assuntos do coração. E é um unguento para a ferida, que ainda lateja quando o ar esfria, revestir minhas experiências tão grandes das vestimentas da minha retórica em benefício dos meus honrados patrocinadores.

— Iria ajudar sua retórica ver uma representação de Moy Yen? — indagou Ho Chung, tirando do bolso uma caixa esmaltada e mostrando uma miniatura de uma jovem chinesa pintada por um artista chinês.

— A visão da Juventude e da Beleza são como esporas para o poeta hesitante ou como o sol que acorda um vale adormecido cujo encanto é aumentado por seus raios ardentes — disse Chin Lee, enquanto segurava a miniatura a variadas distâncias dos óculos, examinando-a criticamente.

— Olhar para isso esta única vez — prosseguiu untuosamente — foi inspiração suficiente para lançar as fundações de uma carta que deveria servir de modelo para todos os amantes, de Pequim a Yun-nan, mas olhá-la a intervalos até esta mesma hora amanhã resultará na construção de torreões e pináculos de retórica que nunca dantes foram construídos na nossa língua.

Fez, então, uma pausa, meditando e observando a miniatura com a cabeça inclinada para o lado.

— Você me deixaria isto até amanhã a esta hora para que eu possa escrever aquilo que corresponde à sua afeição e é devido à beleza e ao valor de Moy Yen? — Então, percebendo a hesitação de Ho Chung, prosseguiu: — A pintura não tem valor para ninguém salvo para você, mas quem há de avaliar o que é caro ao coração? Ainda assim, eu lhe darei vinte dólares que ficarão com você até que eu a devolva.

— Ela é o meu conforto numa terra estrangeira — disse Ho Chung, olhando com avidez a imagem.

— E é digna da retórica de Chin Lee — respondeu o outro com arrogância.

Isso solucionou o impasse. Feita a troca do dinheiro pela pintura, Ho Chung deu ao escriba vários e completos detalhes a serem transmitidos a Moy Yen: detalhes de sua própria vida e do trabalho em São Francisco e sua expectativa de que ela estivesse bem e de que o bebê tivesse, sem dúvida, nascido.

— Ponha o meu coração na carta, Chin Lee — concluiu.

— Vou envolvê-lo no âmbar da minha retórica e transmutar a juventude, a esperança e as maravilhas desta terra de raios de sol em palavras que amadurecerão de forma tão agradável quanto as ondas na praia em Santa Cruz quando a lua cheia derrama sua bênção sobre o mar adormecido e os ventos são aquietados!

II
O GATO BRINCA COM O RATO

— Você veio, sem dúvida, quitar seu débito comigo, Chin Lee — disse o homem forte e arrogante atrás do balcão que estampava o Destino em suas feições.

— Isso, Quong Lung — respondeu Chin Lee, com uma confiança recentemente adquirida. — Tenho comigo algo que não apenas me livrará da inadimplência, mas que vai colocar dinheiro em seu bolso. Mas minhas palavras são confidenciais e para serem ditas apenas em sua sala privada.

Quong Lung trancou por dentro a porta da frente e fortificou a passagem com uma barricada urdida pela fatalidade. Pois as guerras dos *tongs* jamais cessam, e já fazia vários dias que sua cabeça estava a prêmio.

Mas os assassinos e pertencentes aos grupos em contenda concordavam que Quong Lung tinha uma vida enfeitiçada e que seus inimigos duravam pouco.

E Chin Lee, escriba de cartas profissional e pós-mestre na arte da mentira — e devendo dinheiro a Quong Lung, além de uma amarga dívida em prestação de serviços! —, estirou-se com uma negligência relaxada no tapete para fumar no apartamento privado de Quong Lung, enquanto o último tomava seu lugar no outro lado do tapete.

Depois de fumarem três ou quatro cachimbos em silêncio, Chin Lee tirou de dentro da blusa a miniatura de Moy Yen e a entregou a Quong Lung.

— Ela valeria a pena? — indagou, simplesmente, porque retórica estava fora de questão com *esse* homem.

— Valeria, se estivesse disponível.

— Todas as coisas estão disponíveis para os poderosos. Mas o preço que peço é grande, Quong Lung, e os fortes são sempre piedosos e generosos e não vão forçar sua piedade e generosidade para saldar minhas dívidas.

— Diga o que quer.

— A quitação plena, dada por escrito, do dinheiro que lhe devo e... — ficou em silêncio por um minuto e depois prosseguiu com voz trêmula: — Veja, Quong Lung, seu conhecimento que daquela pequena ocorrência em Ross Alley, dez anos atrás, quando um homem foi encontrado morto com um bilhete na mão, pesa como chumbo na minha alma e tem congelado, diversas vezes, o fluxo das palavras que são o meu sustento.

— E?

— Devolva-me o escrito, e eu farei o que me pedir para todo o sempre.

— Seja como for, você *fará* o que eu pedir para todo o sempre — disse Quong Lung, com indiferença. — Providencie para que a jovem seja "disponibilizada" sem perda de tempo.

— A morte não tem tanta amargura quanto sua supremacia, Quong Lung!

— Só os tolos se matam, Chin Lee, e seria uma pena — prosseguiu com um risinho desdenhoso —, seria uma pena pôr fim ao fluxo da vossa "retórica".

Virou devagar a cabeça e olhou com insolência para o trêmulo Chin Lee, que parara de fumar e se encontrava ajoelhado em súplica diante dele com as mãos entrelaçadas. Como um gato brinca com um rato apenas para abrilhantar o joguinho de pegá-lo novamente, ele pareceu ceder quando disse:

— Sua dívida em dinheiro será quitada quando a jovem estiver "disponível", usando sua expressão. Mas sua dívida em prestação de serviços prosseguirá com juros: tenho necessidade da sua "retórica". Agora, me fale da jovem.

— O nome dela, Inexorável, é Moy Yen, a esposa de Ho Chung, um ourives talentoso que ganha bem trabalhando para Quen Loy da Dupont Street.

— Ela está aqui?

— Não, Sumidade; está em Moukden, na província de Shing-king, onde o povo usa uma língua diferente da nossa, como o senhor sabe. E Ho Chung, o marido, está economizando dinheiro para a viagem dela para cá com o bebê, depois que ele nascer.

— Bebê? — indagou Quong Lung, franzindo a testa.

— Sim, Piedosíssimo.

— E o que *eu* iria fazer com um bebê? Minha sombra caiu sobre ele. Providencie para que murche.

— O raio há de atingi-lo, Venerável!

— Faça uma fotografia deste retrato: será necessária para a entrada de Moy Yen neste país como uma "Filha nativa".

— E se ela for tão bonita quanto o retrato mostra, isso vai saldar a dívida maior?

— Talvez — respondeu Quong Lung, olhando-o por um instante com desdém. — Agora, vá!

III
COMO A RETÓRICA PODE SERVIR AO AMOR

— Aqui está o seu retrato, Ho Chung — disse Chin Lee quando os dois se encontraram na hora marcada.

— Não consegui dormir essa noite de tanto pensar no retrato — respondeu Ho Chung, devolvendo o dinheiro ao escriba e escondendo a miniatura preciosa dentro da blusa.

— Seu sono será doce esta noite, meu jovem, embalado pela noção de que jamais uma bela mulher recebeu uma carta como a que você há de enviar a Moy Yen. Mas não é apropriado que uma retórica como a minha seja desperdiçada numa rua barulhenta. Venha comigo para a praça logo ali. Ao menos, lá há grama e uma sombra agradável.

Quando os dois chegaram à Union Square, Chin Lee desenrolou os papéis que trazia na mão e leu a seguinte carta que havia redigido:

Moy Yen — Flor de Cerejeira! — pensar que estas minhas tolas palavras serão vistas por teus olhos!

— Excelente! — interrompeu Ho Chung. — Vejo que você sofreu como eu.

Chin Lee registrou o elogio com um sorriso, e prosseguiu a leitura:

...Mas para começar corretamente: tive a sorte de conhecer um Mestre da Retórica, um tal Chin Lee, que não é velho demais a ponto de ter esquecido o êxtase da paixão tenra, e que sofreu seriamente no cultivo das afeições. Ele tem grande habilidade na nobre arte da escrita, pois trabalhou toda a vida e em todas as horas do dia e da noite, no pedregoso terreno da poesia e da expressão. Sua habilidade só é menor que minha devoção, que aqui ele transmutou em tenras expressões e frases amorosas compatíveis com a tua excelência insuperável. Que tipo de homem ele é está descrito abaixo: sua instrução iguala-se tão somente à sua benevolência, que é comentada por toda gente nesta grande e fabulosa cidade de São Francisco, de tal forma que quando se tem sorte, todos dizem: "Aqui tem a mão de Chin Lee!"

— Mas isso é não é coisa alguma para Moy Yen, que há de querer saber de mim — interveio Ho Chung.

— Os jovens são sempre impacientes — disse Chin Lee, olhando com expressão de censura por cima dos óculos. — A paciência é sempre recompensada — acrescentou, voltando à leitura:

O que quero, para começar e concluir, é lhe mostrar, Orvalho da Manhã, a extraordinária competência do meu Honrado Amigo, Chin Lee, que caminhou nos jardins da erudição, onde apenas o chá mais perfeito, o Orange Pekoe da linguagem, por assim dizer, é cultivado.

— Essa é uma bela expressão — disse Chin Lee, erguendo os olhos para Ho Chung: — "o Orange Pekoe da linguagem" é uma bela expressão, e soa lindamente.

— Continue — disse Ho Chung, chutando um cascalho no chão.

Chin Lee, ajustando os óculos, prosseguiu:

No entanto, aconteça o que acontecer, sempre se lembre de que Chin Lee é um Homem Honrado — e meu melhor amigo.

— Mas isso não diz nada de mim — disse Ho Chung, com certa irritação.

— Devo eu, sem exibir minhas credenciais atuar como intermediário entre meus honrados clientes e aqueles com quem se correspondem que vivem onde a nossa língua não é falada? — indagou Chin Lee, com leve irritação.

— Talvez você tenha razão, mas vou ditar o restante da carta. Veja, vou fazer uma uma menção favorável sobre sua pessoa a Moy Yen.

— Ora, ora, Ho Chung. Pense: alguém que tem o conhecimento dos "Quatro Livros" e dos "Cinco Clássicos" recorreria a um mero ourives em questões relativas à retórica? Devo permitir que meu conhecimento absoluto dos Analectos de Confúcio seja atropelado ainda que por um apaixonado? Sua falta de instrução deveria ficar de joelhos na presença de uma compreensão que abrange a enciclopédia *Wan heen tung kaou*, compilada pelo erudito Ma Twan-lin — concluiu com uma ênfase arrogante.

— Mesmo assim, Chin Lee — retrucou Ho Chung com uma expressão impaciente —, se eu não puder falar do fundo do coração com Moy Yen, serei obrigado a empregar a pena de Ah Moy, que, dizem, escreve como lhe mandam.

— Ah, Moy é um porco, e o pai dele, um cão vira-lata! Ele nada sabe do "Ta-heo" (o Livro do Grande Aprendizado), e escreve cartas para chineses mandarem para suas vadias imundas, mas você é um *sing-song* (um cavalheiro) e fez muito bem em procurar o único *sing-song* que exerce a minha profissão em São Francisco.

— Seu tempo é precioso, Chin Lee, e também eu preciso do meu dia de trabalho — disse Ho Chung, virando as costas para o escriba.

— Tchch, tchch! — cacarejou Chin Lee, com impaciência. — Pronuncie, então, as palavras que tenho de escrever, sem considerar a nobre arte da retórica, do fundo de seu coração destreinado para o de Moy Yen.

Não serei nada senão sua pena. Vamos lá. Mas não deixe de falar bem de mim, como prometido.

— As palavras já escritas até agora permanecerão, Chin Lee — disse o outro, como forma de conciliação com o Mestre da Retórica, ao encargo do qual estava, afinal, a redação da carta para Moy Yen, uma carta que não podia ser mal-interpretada por motivos óbvios.

IV
SOBRE UMA PAIXÃO VULGAR

Quando o escriba estava a postos, Ho Chung ditou sua mensagem para a distante Moy Yen nos seguintes termos:

> *Amada — Alma de Minh'alma! — carregando dois corações dentro de um só corpo! És abençoada e agraciada além do poder de meras palavras! Mas aqui busco no reino das palavras para ti os elogios merecidos, embora, primeiramente, deva exaltar as grandes qualidades do meu Honrado Amigo Chin Lee...*

— Residente no número 7793 da Clay Street — interrompeu o escriba. — E eu acrescentaria: "Ele fala a vossa língua e é famoso pela modéstia e benevolência."

— Que seja, mas não interrompa de novo — interveio Ho Chung com evidente irritação, antes de retomar mais uma vez o ditado. — Escreva agora apenas o que eu disser.

E Chin Lee, entendendo a expressão no rosto de Ho Chung, se calou e escreveu o que segue:

> *E o nosso bebê? Acaso ele já chegou, Flor de Laranjeira? Ah, os dias tediosos até que eu o veja e o segure nos braços! Mas a ideia de que ele seja parte teu e parte meu e que descanse em teu colo tenro mora em meu coração como pérolas de orvalho nas pétalas de uma rosa recém-aberta. Ele está bem, ah, como deve estar bem contigo. E é Nosso! Conta-me tudo que meu coração sente fome de ouvir, Aurora do Amor.*

Quanto a mim, continuo a serviço de Quen Loy, e meu trabalho é muito requisitado e me ocupa do início da manhã ao início da noite. Quen Loy não permite que eu trabalhe mais que isso por medo de que minha visão seja prejudicada. Meu salário é mais que razoável e até a loteria me ajudou, motivo pelo qual sou capaz de enviar, por meio desta, vinte taels. *Daqui a dois meses, se minha sorte não mudar, enviarei dinheiro suficiente para trazer-te para cá com o pequeno Fruto Nosso, para esta terra boa, onde o sol brilha durante mais dias do que em qualquer lugar.*

Quanto às pessoas deste país, elas não são os Diabos Brancos que o nosso povo ignorante descreve. O pior que pode ser dito a respeito delas é que irrompem em nossas casas e não reverenciam nossos Deuses nem nossos santuários. Também me disseram que as mulheres desnudam seus colos e ombros para serem vistos pelos devassos e que dançam de um jeito impróprio nos braços de homens que não são seus maridos. Isso eu não vi, pois meus olhos existem apenas para a tua beleza, Aroma de Jasmim!

Mas, ah!, pensar em ti e em tua beleza e no Fruto — o bebê, o Nosso Fruto! — é o que não paro de fazer. É o que me sustenta nas horas de trabalho. Além disso, tenho teu retrato para contemplar! Mas é à noite, quando o estímulo do trabalho finda, que sinto mais intensamente que sou um estrangeiro num país distante. Amada, acordei tremendo na noite passada: meu pensamento estava em Pequim contigo e eu podia ouvir tua suave respiração. Então, estiquei a mão, mas, ah!, o lugar ao meu lado estava vazio e eu chorei até o raiar do dia. Ah, como é cruel a distância entre nós! Assim como o vasto mar que nos separa e nada sabe sobre o nosso amor e não se importa e nos é indiferente. Mas se o dinheiro puder trazer-te a mim, eu hei de trabalhar para consegui-lo.

Adeus, Flor de Laranjeira. Lanço minha bênção no espaço em que este mundo gira, sabendo que estais em algum lugar nele e que ela haverá de te encontrar.

Do teu Marido,
Ho Chung.

V
A VOZ DA LABUTA

Para Ho Chung, dois meses após o envio da carta acima, chegou a seguinte resposta de Moy Yen, que foi traduzida para Ho Chung um dia depois, tendo o ladino Chin Lee se consultado com seu agente manchu antes:

Mais Amado: teu bebê chegou! — e é um Filho-Homem!

Oh, meu Senhor, trilhei um caminho margeado por morte em ambos os lados. A Dor segurou minha mão direita, e o Medo, a esquerda. A noite estava escura e nebulosa e cheia de sussurros de desastre. E eu podia ter falhado e ter morrido, mas pensar no Nosso Fruto e no meu marido numa terra distante e estranha trabalhando por mim, me amparou. E, então, o bebê Ho Sung nasceu, e a luz voltou.

Mas a maravilha fresca e pura do teu Filho-Homem! Como posso explicar! Oh, Ho Chung, as mãos dele são como pétalas de uma rosa, e uma mulher astuta de Hindostan me ensinou a pintar suas unhas com henna.

Mas a maior maravilha são seus pés, meu Poderoso! Ele arrancou a própria roupa com eles ontem à noite — e posso segurar os dois numa só palma da mão!

Ele é tão lindo que sequer tenho medo de botá-lo no peito que é esfaqueado com mil lâminas quando ele suga.

Ele tem fala, também, e é por meio de dois simples gritos que passa a sensação de prazer e dor: seu riso parece uma minúscula cascata de alegria; e seus lamentos também são melodiosos, embora cortem meu coração. E ele cresce rápido — mal posso alimentá-lo, embora meus seios nunca estejam vazios.

Amado, os vinte taels *que você me mandou chegaram. Vai levar mil anos até que eu consiga o restante do dinheiro que me levará a ti para pôr o Nosso Fruto, como o chamais, em teus braços.*

Da tua
Moy Yen.

VI
O FENECER DE UM BOTÃO

— Ho Chung se emocionou e quase morreu quando li a carta para ele — disse Chin Lee, entregando a missiva a Quong Lung. — Veja, ele soube por uma carta anterior que seu bebê maravilhoso nascera. E então chegou esta carta, que, sofrendo como estava, ele deixou comigo.

Quong Lung pegou o papel e leu o seguinte:

Mais Amado! Com quem partilho minha felicidade e meu pesar! Um grande pesar nos atingiu.

Mas o bebê — o nosso bebê, o Nosso Fruto! — era um bebê maravilhoso!

Como explicar!

Ontem, um vilão roubou-o de nós. No início, meu coração se encheu de esperança, por causa do leite que encheu meus seios, pois achei que aquilo era um sinal de que o nosso pequenino estava vivo ainda e que sem dúvida o sugaria novamente. Mas agora meu coração está cheio de dor e o leite nos meus seios secou!

Força da minha Força! Invoca tua força mais suprema em teu auxílio: teu filho-homem Ho Sung foi roubado de junto a mim enquanto eu dormia, e hoje seu corpo foi encontrado no canal, e meu leite, ai, meu Senhor, ainda se via em seus lábios congelados.

— Seu honrado e idoso pai Terra Florida é um "artista" — disse Quong Lung, oferecendo um charuto a Chin Lee.

— Mas *nós* somos ainda mais talentosos que nossos pais, colhemos aquilo que eles plantam. Na verdade, Chin Sen, meu pai, não fez outra coisa senão seguir minhas instruções — respondeu Chin Lee, ansioso.

Quong Lung continuou a leitura:

Oh, meu Senhor, com meu bebê morto e meu marido numa terra distante, minha vida cessa. Por favor, me deixe ir ao teu encontro logo, logo, logo!

Da tua esposa desesperada em luto,
Moy Yen

— Providencie para que ela venha logo — disse Quong Lung, pondo cinco moedas de vinte dólares na mesa. — Sua beleza vai murchar se ela sofrer tempo demais. Ah, já sei! — exclamou. — Meu agente em Xangai, Fan Wong, vai enviar seu próximo lote de escravas para mim daqui a dois meses sob o encargo de minha esposa, Suey See, que executa essas tarefas para mim. Moy Yen voltará como sua filha californiana, Chin Lee, conforme as exigências da Lei de Exclusão chinesa. Sua filha terá uma acompanhante honrada.

— O senhor está de ótimo humor hoje, Patrão. Honra maior ainda será para Moy Yen vir para cá como *sua* filha. As autoridades não farão pergunta alguma do lado de cá.

— Não haverá perguntas seja qual for o caso — disse Quong Lung.

— Mesmo os Diabos Brancos o temem, Sumidade! Mas Ho Chung é jovem e forte e pode estar ciente desse assunto, e minha vida ainda é preciosa para mim. Isso me poria em uma trilha perigosa margeada pela morte, Sumo Piedoso.

— Portanto eu o ordeno — disse Quong Lung, devagar, encarando Chin Lee com os olhos entreabertos. — Mas você se saiu bem até aqui, Chin Lee, muito bem. Quanto mesmo você me deve?

— Cento e trinta e oito dólares, Justo Negociador. E o pedaço de papel que caiu em suas mãos. Pense: consegui fazer com que sua sombra caísse sobre uma flor que era um empecilho, e a flor murchou. Isso deverá ter um peso a meu favor, Piedosíssimo.

— Foi bem feito, muito bem feito! Não valeu menos que cinquenta dólares que agora deduzo de sua dívida em dinheiro comigo — decidiu Quong Lung, redigindo um recibo que entregou a Chin Lee nesse valor.

— Mas o senhor não calcula um valor justo pela remoção do bebê, Quong Lung.

— Muito justo, muito justo, considerando o que foi encontrado dez anos atrás em Ross Alley na mão de um morto.

— Quong Lung, seria mais fácil confessar tudo do que viver sob a pressão de sua sombra. Sim, confessar tudo, tudo! Algumas de suas maldades também.

Havia uma bateria conectada à cadeira em que se sentava Chin Lee, e, quando ele se apoiou nos braços do móvel para ficar de pé, Quong Lung ligou a corrente com um imperceptível movimento do pé.

— Alterar a voz, Chin Lee, invoca morte súbita. Nenhum homem me ameaça e continua vivo.

Ergueu um dedo ameaçador, enquanto a vítima se contorcia na armadilha do Demônio que Concede Choques.

— Pare o Demônio, Quong Lung, pare o Demônio! Serei seu escravo para sempre — choramingou Chin Lee.

— Nenhum homem pode me ameaçar e continuar vivo — repetiu Quong Lung, de forma autoritária. — Ainda assim, serei magnânimo com você, pois apenas a barra da minha sombra caiu sobre sua pessoa desta vez. E também estou consciente do botão que murchou.

Desligou, então a corrente, enquanto Chin Lee, quase morto de medo, afundou na cadeira e enxugou as grandes gotas de suor da testa.

— Grande é Quong Lung e grande são seus feitiços! — exclamou com a voz entrecortada. — Sou seu escravo de hoje em diante.

— Bem dito, Chin Lee. Agora beba, pois você recebeu o menor castigo que dispenso aos ingratos e necessita da ajuda de *sam shu* — disse Quong Lung, pondo duas xícaras e um bule cheio de gim chinês na mesa entre os dois.

— Não, não tenha medo, Chin Lee. A bebida não está envenenada. Veja só — falou, enchendo uma xícara e bebendo o conteúdo. Então, enquanto o convidado bebia com mão trêmula, Quong Lung prosseguiu: — Você esteve mais perto de um castigo mais pesado que aquele, Chin Lee. Chegue um passo para a direita da cadeira e vai ver.

Chin Lee mal obedeceu ao comando e uma flecha passou zumbindo por ele, atravessando a cadeira da qual acabara de se levantar.

— Outros meios que tenho para subjugar os recalcitrantes. Nunca se esqueça de que está em minhas mãos. E agora um pouco mais de *sam shu*. Pode voltar a se sentar — disse Quong Lung, removendo a flecha da cadeira.

— Você vai escrever para Moy Yen, em nome de Ho Chung, e instruí-la a se pôr aos cuidados da minha esposa Suey See, que também vai procurá-la com credenciais supostamente vindas de Ho Chung.

— Seus desejos serão cumpridos, Dominador — respondeu o outro, debilmente. Então, com um ar bajulador, prosseguiu: — E quando Moy Yen mandar dizer que vem, vou alterar a data de sua chegada na tradução da carta para Ho Chung, de modo que não sejamos de forma alguma interrompidos quando levarmos nossa bela perdiz para a gaiola. Ho, ho!

— Você é o filho digno daquele digno artista, seu pai honrado e idoso, e a sua retórica ainda o levará longe. Beba mais um.

VII
UM ENTERRO POR FOGO

— O esplendor do dia está refletido em seu rosto, meu jovem amigo — disse Chin Lee com seu melhor sorriso profissional ao desdobrar a carta que Ho Chung lhe dera na véspera, a terceira que lhe cabia traduzir e embelezar com as flores de sua retórica para o jovem ourives. — Ah, ah! — prosseguiu, enquanto desamassava a carta na mesa. Sou, com efeito, a sua Sorte. Veja o que é ter empregado um homem versado em línguas e capaz de invocar palavras alegres a seu bel prazer. Sabe-se muito bem por aí que posso colocar muito mais significado numa frase que Ah Moy, o faminto, é capaz de colocar em um parágrafo. Não foi à toa que escolhi as flores que abundam em *She king* de Confúcio — gabou-se, balançando a cabeça em sinal de autoaprovação.

— É enorme, de fato, Chin Lee, a extensão da sua instrução...

— Ela é comentada até entre os bárbaros que habitam as fronteiras do Tibete — interrompeu o escriba. — Mesmo os mandarins que determinam os destinos do nosso grande império gostam de amenizar suas funções grandiosas e importantes recitando as odes que eu costumava criar nos meus momentos ociosos. E quando contaram ao Imperador que certo Chin Lee, escriba, prosódico e retórico...

— Mas isso é conversa fiada — interrompeu Ho Chung, olhando, faminto, a carta nas mãos de Chin Lee.

— Como é precipitada a juventude — exclamou Chin Lee, num tom de desaprovação. — Que frase gloriosa você banaliza com o hálito de sua impaciência. A beleza do dia jovem, o amor ansioso cintilando em sua jovem expressão, as notícias aqui contidas...

— Ai, homem de muitas palavras, notícias boas? — interrompeu mais uma vez Ho Chung, aflito.

Mas o outro ergueu a mão em protesto e prosseguiu:

— E a ideia da grande tarefa que o mais poderoso dos imperadores tinha em mente me entregar certa vez, a tarefa de compilar uma enciclopédia para se rivalizar com a de Ma Twan-lin... Tudo isso me elevou a um ápice de fervor poético que teria culminado num clímax de retórica que ecoaria como um trovão durante gerações! Você não tem amor pela literatura? E que ânsias da posteridade lhe aprazem?

— Tenho um imenso amor por Moy Yen, Chin Lee, e meu coração anseia por notícias dela. Me dê a carta, que eu a darei a Ah Moy e deixarei a você a tarefa de nutrir seu "fervor poético" — disse Ho Chung, estendendo a mão com impaciência.

— A desatenção da juventude ultrapassa a compreensão dos sábios! Bem, se lhe cabe obstruir o fluxo da prosa rítmica da qual me sinto capaz mesmo agora, a despeito da interrupção, traduzirei a carta da vossa Moy Yen. Sente-se a meu lado, meu amigo impaciente, enquanto melhoro as frases rudes com as quais o escriba de cartas de Moukden expressou o amor da bela Moy Yen por vós.

Limpando, deliberadamente, os óculos, Chin Lee passou a ler o que segue, interpolando e alterando, segundo as exigências da trama que lhe dizia respeito:

> *Ho Chung, Libertador! Oh, minha esperança se concretizou! Ontem chegaram outros vinte* taels *que mandaste! E um parente, mas descoberto ultimamente — comerciante de ópio e chapéus e sem filhos também — me deu outros vinte para a viagem e mais outros vinte para te dar. Antes que a Lua se encha de novo, me disseram que mais uma vez porei os olhos em meu Belo Senhor. O grande navio de ferro movido a fogo e vapor, no qual cruzarei os mares que nos separam, zarpará daqui a um mês (Chin Lee substituíra "duas semanas" por "um mês") e eu estarei com meu doce Senhor onde brotam as flores de laranjeira. Junto a esta envio um papel que diz a data da partida e o nome do navio que me levará a ti.*
>
> *Mas, ah, meu Senhor! Como posso deixar para trás o Nosso Fruto? Ah, os lábios doces que fiz e os milagres das mãos e dos pés! E a boca suave que me sugava o peito! Oh, Ho Chung, Ho Chung, como posso deixar Nosso Fruto para trás! Não és capaz de entender, meu Senhor, mas o amor de uma mulher por seu filho, morto ou vivo, está além da compreensão dos homens... E morro mil mortes por pari-lo — e depois perdê-lo!*

Apressem-se, dias e noites! Sejam propícios, mares e estrelas! Para que logo eu possa abraçar meu amado mais uma vez.

Oh, Ho Chung, quanto amor sinto por ti!

Da tua esposa,

Moy Yen.

Enquanto Ho Chung meditava profundamente sobre sua iminente felicidade, Chin Lee disse:

— Jamais vi coração falar com coração com tanta doçura quanto numa primeira paixão tenra, e ninguém é mais capaz de interpretar suas doces falas que um homem de sentimento e experiência. E esse sou eu. As frases curtas contidas aqui lhe trouxeram a luz do Sol, mas cintilaram quando passaram pela buril da minha arte, meu jovem ourives. Caso seguisse o tolo impulso de levar a carta a Ah Moy... Ora, por que sujar minha boca mencionando seu nome, ele é um mero vendedor de linguagem trivial; chinês iletrado em literatura! E creia, meu jovem enamorado, é melhor que você guarde a lembrança da minha tradução brilhante do que alguém lhe expor, em toda a sua abominável crueza, o trabalho do escriba que redigiu essa carta para Moy Yen. Que ela tenha uma morte por fogo.

E antes que Ho Chung pudesse adivinhar a intenção do escriba, Chin Lee já atirara a carta, que precisava ser destruída, no braseiro a seus pés.

— O que você fez? — exclamou Ho Chung, furioso. — Chin Lee, você excedeu suas funções, e por menos que isso já mereceria ser punido. As cartas de Moy Yen são meu único consolo numa terra estrangeira.

— Baixe essa mão e reprima essa raiva — comandou um vigoroso mercador chinês, encarando Ho Chung por cima dos óculos. Ele chegara a tempo de testemunhar a incineração da carta por Chin Lee e ouvir a explosão de Ho Chung. Era Quong Lung, que mantinha sua vil supremacia aventurando-se na rua mesmo quando as Guerras dos *Tongs* estavam em seu auge, embora com a cabeça a prêmio. Mas os See Yups eram numerosos, e ele vivia praticamente cercado por um cinturão guarda-costas de assassinos desesperados a seu serviço fiel. Na multidão de orientais que o rodeava e que parecia fazer parte da onda móvel que ia e vinha ao longo da rua, havia homens prontos a esfaquear qualquer um que fizesse um movimento ameaçador contra Quong Lung. A casa de onde saíra uma bala que atravessara sua manga na semana anterior havia sido queimada na mesma noite; e Chinatown ria da temeridade do *tong* cujo assassino de aluguel disparara o tiro.

— Chin Lee — prosseguiu ele —, sua retórica deve ter falhado para provocar a raiva desse distinto *sing-song*.

— Dominador — retrucou Chin Lee —, eu pensava fazer um favor a meu jovem amigo, Ho Chung, com as lembranças de uma perfeita tradução de certa carta carente de mérito retórico. Mas Ho Chung não tem amor pela literatura e períodos castiços e se ressentiu da destruição da mensagem rude traduzida por mim.

— Meu jovem — disse Quong Lung, enquanto registrava mentalmente Ho Chung —, há de confortá-lo saber que Chin Lee, mestre de muitas palavras, *me* faz grande favor traduzindo certas cartas que vêm de distritos onde se usa linguagem diferente da nossa.

— E quem é o senhor, afinal? — indagou Ho Chung, com certa veemência.

— Sou *aquele* Quong Lung conhecido de todos em Chinatown.

— Ouvi falar do senhor, ouvi falar muito mal do senhor, e não o aprecio — retrucou Ho Chung, acaloradamente.

— Também lhe contaram que Chin Lee é meu amigo? — perguntou Quong Lung, aparentemente ignorando a demonstração de fúria de Ho Chung. — Não? Bem, ouça dos meus lábios, então. E, além disso, deixe-me dizer que aqueles que o honram a mim honram também. É claro que há motivos para seu destempero, e não vou levá-lo em conta. — Então, virando-se para o escriba, prosseguiu: — Mas, Chin Lee, providencie que enquanto a carta que destruístes estiver fresca em vossa memória seja posta nos termos mais nobres para que sirva de bálsamo para a mágoa desse distinto *sing-song*.

Dito isso, Quong Lung retomou seu caminho lentamente ao longo da rua, aparentemente sem reparar que todos os homens o observavam.

— Você está, sem dúvida, com sorte hoje, meu jovem amigo impetuoso — disse Chin Lee, pondo em ordem seus apetrechos para escrita. — Não são muitos os homens que expressam desapreço por Quong Lung na cara dele e são desculpados por isso. Mas cuide para que a sombra dele não lhe caia em cima: é o Manto da Morte.

VIII
O REI ESTÁ MORTO, VIVA O REI

Suey See de tal forma instruíra Moy Yen durante a longa viagem quanto à dificuldade de aportar em São Francisco senão como filha de Chin Lee, nascida na Califórnia, que a jovem não fez objeções quando lhe disseram que a ausência de Ho Chung no porto era absolutamente necessária.

— Seu amor pelo belo ourives, seu marido, há de traí-la na presença do agente da lei, que então há de mandá-la de volta para o outro lado do mar cruel.

— Louvado seja o céu por me mandar tão bons amigos quando eu necessitava. Imagine, Suey See, fui privada de meu bebê e não posso perder também meu senhor.

Então, também, a influência de Quong Lung junto aos responsáveis pela administração da Lei de Exclusão chinesa facilitou a chegada de Moy Yen.

No espaço de tempo em que foi levada a um dos "estabelecimentos" de Quong Lung, empanturram-na com um *sam shu* tão engenhosamente sofisticado que ela mal percebeu quando a jogaram no quarto acolchoado onde Suey See dissera que Ho Chung aguardava por ela.

Naquela mesma noite, Chin Lee, compartilhando a "fumaça negra" no tapete da sala privada de Quong Lung, dirigiu-se assim ao anfitrião:

— Quong Lung, a destruição de um escrito importante da qual o senhor foi testemunha merece recompensa, Negociador Justo. Se recuperado, criaria problemas.

— Problemas para você, sem dúvida, seu mero filho de um grande artista.

— Não, Quong Lung, o idoso e enfermo Chin Sen, meu pai muito honrado, falharia se eu não o tivesse instruído com tanto cuidado para não cometer qualquer erro. E, decerto, ele nada teve a ver com a incineração da carta de Moy Yen.

— Incineração bastante útil, Chin Lee — disse Quong Lung, num tom meio arrastado.

Andara tomando uísque com incomum liberdade desde que monitorara as formalidades relativas à chegada de seu "séquito de perdizes", conforme se referia às mulheres. E a beleza de Moy Yen (que agora era sua propriedade segundo os trâmites da lei que fecha os olhos a tais transações) lhe apetecia imensamente.

— Incineração bastante útil. Quando você me deve agora em dinheiro?

— Oitenta e oito dólares, Alma Generosa.

— Redija um recibo nesse valor, meu Conspirador, que eu o assinarei.

Depois de guardar o recibo, Chin Lee observou da forma mais casual que conseguiu invocar em sua ajuda:

— E Moy Yen, a minha filha, é atraente?

— Ela é linda, Chin Lee. Está além do poder até mesmo de sua retórica fabricar-lhe elogios — respondeu Quong Lung, as narinas se inflando, enquanto umedecia os lábios.

— Sem dúvida, ela vale o pedaço de papel que foi encontrado inconvenientemente em Ross Alley dez anos atrás — disse Chin Lee, com certa relutância, tentando reprimir indícios da ansiedade que o torturava.

Quong Lung pousou o cachimbo e se sentou no tapete. Depois de procurar entre seus papéis, pegou um que entregou a Chin Lee. Amarelecera com o tempo.

— Moy Yen é tão bonita, Chin Lee, e você administrou tão bem e fielmente esse assunto, que eu aqui e agora o libero de me prestar mais serviços por conta de tê-la colocado em minha gaiola — disse ele, voltando a se deitar no tapete e preparando mais ópio para fumar.

Quando Chin Lee pôs fogo no malfadado papel na lamparina a óleo a seu lado na bandeja, e enquanto o via arder até ser totalmente consumido, pareceu-lhe que a sombra de Quong Lung se afastara de sua alma e que ele, finalmente, se livrara do fantasma sombrio que o assombrara durante dez anos a serviço do tirano à sua frente. Andaria, afinal, com mais confiança entre seus companheiros e seu dia seria mais brilhante, achou. Se, sob a pressão do papel que acabara de destruir, ele florescera na atividade da retórica, sua arte — agora libertada da Servidão — alçaria voos cada vez mais altos e nobres. Finalmente realizaria algo sobre o que todos os homens haveriam de falar e que se tornaria um clássico, mesmo com os poucos anos que lhe restavam.

Ele chegara a esse ponto no agradável devaneio que se refletia em seu rosto, quando Quong Lung, percebendo sua expressão de êxtase e intuitivamente lendo seus pensamentos, falou uma vez mais após terminar de fumar o cachimbo:

— Mas você sempre terá de lembrar, Chin Lee — começou, num tom mais profundo e decisivo do que jamais usara —, sempre há de lembrar, haja o que houver, que é o pai de Moy Yen, e não falhará na assistência paternal que ela possa exigir de você.

E a sombra de Quong Lung, que se afastara da alma de Chin Lee por um instante, caiu mais uma vez sobre ele com sua sinistra opressão.

IX
AFIANDO UMA MACHADINHA

Chin Lee quase não dormiu naquela noite. O temor amenizado da denúncia pelo crime de dez anos antes havia sido agora substituído por um temor maior ainda de uma possível localização de Moy Yen por Ho Chung. E Ho Chung era jovem e forte. E corajoso, também, pois havia encarado sem titubear o poderoso Quong Lung e até mesmo chegado a falar desdenhosamente com ele. Além disso estava perdidamente apaixonado.

Melhor a morte do que a tirania do malfadado Quong Lung, que o libertara de um medo menor para impor outro maior.

Seria Quong Lung invencível, então? Seria, com efeito, o Mestre Supremo na arte da conspiração? Não havia sido o próprio Chin Lee o responsável por mostrar a Quong Lung que era possível planejar e executar um esquema bem estruturado para satisfazer o Mestre? Acaso Quong Lung não o elogiara usando o termo "conspirador"?

Quando penetrou no quarto de Chin Lee através das frestas entre as persianas e barricadas, a débil luz da manhã iluminou seu semblante pálido e esgotado, mas também com uma expressão indiscutível de convicção firme em seu rosto. Pois ele jogara o dado, embora sua vida pudesse ser o preço do jogo que ele estava prestes a pôr em prática.

Uma coisa o favorecia: a vantagem do primeiro golpe e no momento que bem lhe aprouvesse. E, mais que isso, ele atacaria com uma machadinha que ele mesmo afiara!

Quando raiou o dia em que haveria de aportar o navio que levava Moy Yen para São Francisco, como ansiava Ho Chung, o jovem ourives procurou Chin Lee.

— Venha comigo — começou com uma expressão radiosa. — Venha comigo, Chin Lee, e me ajude a dar as boas-vindas à minha esposa, Moy Yen. Vou precisar da ajuda de sua retórica.

— Isso exigiria que eu fechasse a minha banca de escriba durante todo o dia, caro ourives, e a arte do escriba está decaindo devido à existência de redatores de cartas que nada entendem de enciclopédias que até mesmo os Demônios Brancos leem e admiram.

— E qual seria o preço para fechar sua banca durante todo o dia, Chin Lee?

— O preço, meu jovem amigo abastado, é difícil de avaliar pecuniariamente apenas: a *posteridade* há de sofrer, caso eu o acompanhe, pois que esta manhã estou trabalhando com urgência para elaborar frases de mérito excepcional, e não se pode pôr na balança pérolas que hão de perecer e palavras que têm juventude imortal e que virão a enriquecer gerações futuras.

— Cinco dólares bastam? — indagou Ho Chung.

— Cinco dólares dificilmente aliviarão minha consciência por privar o reino das cartas das minhas realizações de um dia inteiro. Os Deuses esperam serviço em troca dos talentos com que nos brindam. Mas no seu caso, tendo em vista que foi capaz de distinguir um artista de um chinês iletrado, dispensarei o que me é por direito devido e o acompanharei até o porto para receber Moy Yen.

Após embolsar seu pagamento e guardar a mesa de escriba na loja de um amigo, Chin Lee acompanhou Ho Chung ao porto, ao qual chegaram já próximo ao meio-dia.

Não havia quase ninguém no local, pois os sinalizadores em Point Lobos não tinham visto indícios da aproximação do Cidade de Pequim.

Para cima e para baixo andaram Ho Chung e o escriba, o último tentando encher as horas que se arrastavam com frases floreadas que caíam em ouvidos moucos, já que Ho Chung estava mais preocupado em se concentrar no ponto em que surgiria o vapor do que em escutar Chin Lee.

— Minha barriga está roncando — disse Chin Lee lá pelo meio da tarde. — Seria bom, meu patrono, atender ao chamado da natureza para suportar o estresse dessa nossa espera. Além disso, você também parece exausto e não seria gentil recepcionar Moy Yen com uma expressão faminta. Como poderei produzir pérolas de retórica quando a Fome tapa minha boca com a mão?

Assim, Ho Chung, de má vontade, acompanhou o escriba faminto e cansado a um lugar na Market Street, onde até mesmo o dinheiro de um chinês é capaz de produzir comida e bebida.

Vendo que Ho Chung mal tocara no prato, Chin Lee o pressionou:

— Coma, meu jovem. Talvez você precise de toda a sua força até o final do dia.

— Como assim? — indagou Ho Chung, olhando de soslaio seu interlocutor.

— Nós que estudamos filosofia adquirimos força e tranquilidade mental que nem mesmo a decepção é capaz de perturbar. Mas você é jovem, e teimoso, e impaciente e precisa se preparar com comida e bebida para o caso de enfrentar uma decepção e perder a força.

— Decepção? Que decepção? — questionou Ho Chung.

— E eu sei? Falo de decepção em geral. Você ficou decepcionado hoje de manhã, por exemplo, porque o navio não chegou no horário e tal decepção o desgastou. Por isso, coma.

Terminada a refeição, os dois voltaram ao porto, e, em respeito aos pés cansados de Chin Lee, se sentaram num engradado vazio no extremo do cais e aguardaram.

Pouco depois, o movimento no porto cresceu e quando o navio ficou à vista, as autoridades, que supervisionavam a chegada de chineses, vieram até o cais. Ho Chung juntou-se a elas, conforme o tinham instruído, acompanhado de Chin Lee.

Chegara o momento feliz em que Ho Chung mais uma vez veria a esposa, Moy Yen. Ele foi levado até a cabine designada para as mulheres chinesas.

— Moy Yen, minha amada — falou, baixinho, com os braços estendidos, ao entrar. Mas não houve resposta. Com ansiedade, Ho Chung examinou os rostos inexpressivos e impassíveis diante dele.

— Sem dúvida, ela está em algum outro aposento — disse ele ao intérprete. — Mande buscá-la.

— O nome Moy Yen não consta da lista de passageiros. O senhor deve ter cometido algum equívoco, certo? — indagou o intérprete ao funcionário do navio que os acompanhava.

— Não temos nenhuma passageira com esse nome.

Um medo enorme se apossou de Ho Chung e tanto ele tremia que foi obrigado a segurar firme o braço de Chin Lee quando ambos deixaram o navio.

— Coragem, meu jovem amigo! Invoque a filosofia em sua ajuda — disse Chin Lee.

A única resposta que conseguiu, porém, foi:

— Ah, Moy Yen, Moy Yen! Onde estais, minha amada?

Chin Lee levou o amigo até o lugar onde haviam se sentado de manhã, no extremo do cais. Ali reinava o silêncio e a escuridão, quebrada apenas pelo cintilar das estrelas acima.

X
O RISO NEM SEMPRE É AGRADÁVEL

— Coragem, meu pobre Amigo! Você há de achar Moy Yen — começou Chin Lee.

O cintilante cinturão de Orion e a gloriosa Sírio brilhando no lindo céu negro azulado de uma noite californiana refrescada por um vento norte, não causou impressão alguma em Ho Chung, que gemia de vez em quando:

— Ai, Moy Yen, Moy Yen! Onde estais?

— Ouça, Ho Chung, vou lhe dizer.

— Como? Você pode me dizer onde está Moy Yen e não me disse antes? — exclamou Ho Chung, agarrando com força o braço do outro. — Explique-se, escriba! E com poucas palavras! Do contrário, o que o aguarda é a morte!

— Vou lhe contar uma história sem rodeios — respondeu Chin Lee, que se preparara para a ocasião. — E se parecer que estou mentindo, que seja esse o instrumento da minha destruição — disse, tirando um facão da blusa misteriosa e o entregando a Ho Chung. — Dez anos atrás — prosseguiu —, também eu tive uma amante...

— Mas Moy Yen é minha *esposa*! — interrompeu Ho Chung.

— Mas uma amante ainda é mais querida do que uma esposa, meu amigo inexperiente! Sim, Yu Moy era mais linda do que posso dizer com palavras, e Shan Toy roubou-a de mim. E depois foi achado morto em

Ross Alley, com um escrito na mão que teria me mandado para as mãos do carrasco branco. E esse escrito caiu nas mãos de Quong Lung, que muito prejudicou você. Durante dez anos, Quong Lung...

— Mas isso não tem relação com Moy Yen — interveio, com impaciência, Ho Chung.

— Tem mais ligação com ela do que a própria roupa que lhe veste o corpo — explicou Chin Lee. — Ouça: com a prova que me levaria ao cadafalso, Quong Lung (espírito maligno cuja crueldade e canalhice não se rivalizam com nada que exista no inferno!) me tornou escravo de suas iniquidades. Me calou com o pavor de sua sombra onipresente.

Chin Lee fez uma pausa, enquanto Ho Chung, sem jamais aliviar a pressão com que segurava o braço do escriba, respirou fundo com as narinas dilatadas.

— Continue.

— Ai, meu Irmão Aflito! — prosseguiu Chin Lee —, ele arquitetou muita maldade. Mas por que desperdiçar palavras? Você o ofendeu abertamente na primeira vez que o viu e isso foi comentado em Chinatown. Portanto, a sombra de Quong Lung caiu sobre você, também.

— Mas e Moy Yen? Me fale de Moy Yen!

— Quong Lung atingiu você através dela.

— Ela está morta? — perguntou Ho Chung com veemência, aumentando a pressão no braço do outro.

— Não, há coisas piores do que a morte, e Moy Yen, pelas leis dos Demônios Brancos, é agora escrava de Quong Lung e está presa em sua casa de má fama em Waverley Place. Não, meu amigo, a força de sua mão é demasiado grande, e eu sou um velho e minha carne é tenra.

— E sabendo disso tudo, você nada me disse! — exclamou Ho Chung, sem registrar a última observação de Chin Lee.

— De nada teria lhe adiantado saber, Ho Chung: Quong Lung tem muitos artifícios, e além disso, contar-lhe isso significaria sua morte.

— De todo jeito, teria sido piedoso da sua parte me contar. Continue.

— Veja, Ho Chung, sou velho o bastante para ser seu pai, e, por isso, mais sábio e mais experiente. Se me deixar guiá-lo nessa questão, livraremos o mundo de um monstro e você recuperará sua Moy Yen.

— Recuperar Moy Yen! Moy Yen desonrada. Ha, ha, ha! — E Ho Chung, que de hábito não demonstrava seus sentimentos, seguindo a tradição da sua raça, teve um surto de riso histérico. — Eu amava Moy Yen, ha, ha, ha! Ela foi raptada de mim, com seu conhecimento, ha, ha, ha! E agora cabe a mim livrar o mundo de Quong Lung para atender seu desejo e, como recompensa, receber Moy Yen, cuja honra foi maculada... Ah, Deuses! Isso é motivo para muito gargalhar, ha, ha, ha!

No primeiro surto de riso, o coração de Chin Lee disparou e um medo congelante o assaltou. "A loucura o dominou", pensou. Conforme a situação se prolongava, o terror do escriba aumentou. Com um esforço repentino, libertou-se de Ho Chung e fez uma tentativa de escapar.

— A sombra de Quong Lung cobriu você esta noite — gritou Ho Chung quando novamente agarrou Chin Lee e lhe cravou a faca entre os ombros.

Jogou o moribundo na baía e, depois de limpar as mãos e a arma numa torneira no cais da qual havia bebido naquela tarde, tomou o rumo de Waverley Place — em direção a Moy Yen.

XI
CONFORME FOI OUVIDO NUMA MULTIDÃO

A casa em que Moy Yen estava naquele momento confinada consistia de um longo corredor para o qual davam quartos pouco maiores que celas. Cada um deles tinha uma janela com pesadas grades de ferro, através das quais os que estavam no corredor podiam ver as moças lá dentro.

Em volta de cada janela, quando Ho Chung entrou, havia uma multidão poliglota, cujo tamanho era proporcional à beleza da ocupante do cômodo. Tão densa era ela à volta de uma das janelas que Ho Chung — embora insistente e impaciente, além de mais pesado e mais alto que os demais — não conseguiu abrir caminho até a frente, precisando esperar pela sua vez.

Uma olhada por cima das cabeças dos que se aglomeravam à frente mostrou-lhe Moy Yen sentada na beira de uma cama. Estava vestida de veludo preto e usava uma tiara cravejada de joias. Dos lóbulos das orelhas pendiam argolas pesadas que lhe chegavam quase aos ombros, e nos pulsos ela usava grandiosos braceletes de jade. Ao alcance de sua mão, na cama, estava uma faca de aspecto ameaçador que o pai lhe dera ao despedir-se da filha em Hong-Kong ("Que ela guarde sua honra, Pequenina, se for preciso", dissera ele).

Moy Yen tinha uma expressão de tristeza intensa e parecia olhar através e além da multidão que a observava.

— Dizem que ela não está há mais de duas semanas em São Francisco — disse um jovem de "sangue" chinês na multidão a seu amigo mimado. — Se esses chineses ordinários se retirassem, podíamos pelo menos contemplar sua beleza, da qual tanto falam.

Ho Chung, em pé imediatamente atrás do rapaz, pensou em esfaqueá-lo ali mesmo, mas isso atrapalharia questões bem mais importantes.

— Ela tem uma tristeza que aumenta sua beleza, acho eu — comentou o amigo bem-alimentado, que se achava em melhor posição para ver Moy Yen. Inclinou a cabeça para o lado, criticamente, e estalou os lábios enquanto a observava.

— Ouvi alguém dizer no restaurante, ontem à noite, que Quong Lung deu a Chin Lee, o escriba, de quem ela supostamente é filha, 3 mil dólares por ela — disse o jovem chinês experiente (Ho Chung deu um sorriso sombrio ao ouvir o comentário e a lembrança do que acabara de acontecer no cais foi um modesto sopro de consolo para a dor em seu coração).

— Quong Lung jamais fez investimento melhor, Lee Yung, e ele não é mau avaliador de carne — retrucou o homem que preenchia perfeitamente a descrição do Salmista de um ímpio "cujos olhos estão inchados de gordura e transbordam as fantasias de seu coração devasso".

— A mim disseram também que ela não deixa ninguém entrar em seu quarto, nem mesmo uma mulher. Quey Lem, uma velha que toma conta das moças aqui, me contou ontem à noite que Quong a botou nessa cela há três dias como castigo, porque ela repeliu seus avanços com uma faca...

— Está ali na cama ao lado dela — interrompeu o homem avantajado, ao ver a faca.

— É uma grande história, Nu Fong — continuou o homem sofisticado, e a multidão, que ele elegantemente ignorava, ouviu sua "história". — Estou nas boas graças de Quey Lem por bons motivos. Vez por outra eu lhe dou um agradinho por se lembrar de mim — acrescentou, olhando à volta com arrogância para Ho Chung, que firmou o pé enquanto avançava um centímetro em direção à janela.

— Ela se portou como uma gata selvagem recém-enjaulada, me disse Quey Lem — prosseguiu Lee Yung — e teria morrido de inanição, pois se recusava a comer ou beber.

— O que a fez criar tanto problema, Lee Yung?

— Ah, ela tinha um amante, ou marido, algum tipo de obstáculo, que esperava encontrar em São Francisco, e Quong Lung separou-a dele.

— Ha, ha, ha — riu Nu Fong. — Separou-a dele é demais! Mas por que não morreu de fome?

— Sua carreira acadêmica, Nu Fong, foi lamentavelmente negligenciada. Se você fosse um "Filho Nativo", como eu sou, saberia que esses Demônios Brancos podem roubar os sentidos de alguém envenenando o ar que se respira; então, quando a pessoa está nessa condição, podem alimentá-la por meio de tubos que são enfiados pela boca até o estômago.

— Esse é um jeito sem graça de prover o próprio sustento, Lee Yung, e um insulto ao paladar que tem seus direitos inalienáveis.

Nesse momento, eles haviam avançado próximo o suficiente à janela para dar uma visão completa a Lee Youg de Moy Yen, que estava sentada de maneira passiva com um olhar deprimido

— Pela Tumba do meu Pai! — exclamou Lee Yung. — Da tiara em sua cabeça até os pezinhos, ela é feita para os usos e as artes do amor.

Mais não lhe foi permitido dizer, pois Ho Chung, segurando com firmeza as costas dos dois jovens bateu a cabeça de um contra a do outro.

— Vocês não têm respeito por donzelas em apuros, seus cães mimados? — perguntou Ho Chung, furioso. — Não se mexam, se não querem morrer repentinamente.

Empurrou os dois para o lado e se aproximou da janela. O som da sua voz raivosa havia atraído outros no corredor, e, quando esses vieram em sua direção, ele os afastou com um gesto imperioso.

— A moça aí dentro é Moy Yen, minha esposa, que me foi roubada. Quero falar com ela e não quero que nos escutem. Que isso convença todos a se manterem afastados — avisou, tirando da manga a faca.

XII
AS GRADES DE FERRO SÃO INEFICAZES ÀS VEZES

Quando ouviu a voz de Ho Chung, Moy Yen ergueu a cabeça e correu até a janela, e quando a multidão se afastou intimidada por Ho Chung, ele se virou para Moy Yen e segurou as mãos que a esposa estendera por entre as grades.

— Ah, Moy Yen! Os Deuses que juraram proteger-te são falsos, e não há Deuses, apenas demônios de maior ou menor grau. Ah, Pequenina, como viestes parar aqui?

— Meu Belo Senhor — respondeu ela. — Suey See, a esposa de um tal Quong Lung, mostrou a mim e ao meu pai cartas em Hong Kong escritas para ti por Chin Lee, teu grande amigo, e elas diziam que eu devia me entregar aos cuidados de Suey See, que me daria proteção honrosa até São Francisco. Por isso, eu vim.

— Mas *hoje* era o dia da tua chegada.

— Tuas cartas, Meu Senhor, diziam que era para eu começar a viagem duas semanas antes do prazo combinado, e eu obedeci. Mas agora vais me levar daqui, meu Senhor e Amo.

— Sim, decerto hás de escapar, Minha Amada, mas o tempo é curto e tenho muito a perguntar. Para onde te levaram no dia da chegada?

— Para a casa de Quong Lung. Mas por que a pergunta, Ho Chung? — quis saber Moy Yen, erguendo o olhar ansioso para o rosto do marido.

— Conta-me tudo, meu Coração. E depressa, depressa. O tempo é curto.

— De tudo que aconteceu sou totalmente inocente, meu Marido. Pois me levaram a um aposento onde me disseram que eu te encontraria, mas não te vi ali. Logo depois, enquanto eu chorava, a comida e a bebida com drogas que me deram depois que deixei o navio me privaram dos sentidos e dormi um sono profundo.

Ela se interrompeu para chorar até que Ho Chung lhe pediu que prosseguisse.

— Quando acordei, caro Amo, uma luz brilhava no quarto, e alguém, que agora sei que era Quong Lung, estava a meu lado com olhar faminto. E ele falou comigo coisas que só amantes se dizem. Mas, quando pousou uma das mãos profanas em meu ombro, pulei da cama e avancei contra ele com a faca que escondera na manga e que até então conseguira manter longe dos olhos dos meus inimigos. Então Quong Lung fugiu, e a porta que se fechou atrás dele foi trancada, e não consegui derrubá-la nem arrancar as grades da janela. Eu era um pássaro numa gaiola, e, portanto, não me restava coisa alguma senão gritar por socorro. Mas ninguém me acudiu. Toda noite um peso estranho me domina e o ar do meu quarto fica impregnado de um odor pesado e doce. Depois disso, semiacordada, eu vejo ou sonho que homens estranhos e uma velha estão à minha volta, e quando acordo não tenho vontade de comer nem de beber. E, porque persisti em repelir Quong Lung, fui trazida para cá por meios que desconheço. E aqui, homens, com paixões abomináveis e olhares malévolos, vêm e dizem coisas pavorosas para mim. E terei de continuar aqui até me entregar a Quong Lung. Mas prefiro morrer, Ho Chung, meu Marido, como deves saber em teu coração. E agora me leva daqui.

— És Corajosa e Linda e Fiel! Mas, ah, Moy Yen, também um pássaro numa gaiola, de fato, e sou impotente para te libertar, salvo de um único jeito. Sim, decerto tens de escapar, pois isso é o cúmulo da Desonra, e a morte é preferível à desonra! Coragem! O caminho para a liberdade não é tão difícil. Pequenina, vem para mais perto, tenho medo que alguém aqui fora ouça nossa conversa e conte para Quong Lung. Aperta o peito nas grades para que eu sinta as batidas do teu coração fiel. Agora, fecha os olhos, pois por mais belos que eles sejam teu rosto adquire outra beleza quando estão fechados, como tantas vezes observei durante o teu sono.

Assim, Moy Yen fechou os olhos e apertou o peito nas grades da janela.

— Meu marido — murmurou —, agora que viestes, sou novamente feliz.

Ho Chung pôs a mão onde pudesse sentir as batidas do coração da esposa.

— Era aqui que o Nosso Fruto costumava dormir, Flor de Laranjeira! — Enquanto falava, Ho Chung firmou a ponta da faca com a mão que repousava no seio de Moy Yen e, antes que alguém na multidão pudesse adivinhar sua intenção, cravou-a no coração da jovem com um golpe rápido da outra mão.

XIII
UM ACIDENTE EM CHINATOWN

A multidão se dispersou e fugiu em total desordem, quando Ho Chung se afastou da janela. Com o grito de Moy Yen moribunda ecoando em seus ouvidos, ele se encaminhou rapidamente para os aposentos de Quong Lung, onde foi precedido — durante a conversa com Moy Yen — por Wau Shun, que atuava como "vigilante" no estabelecimento em Waverley Place. Wau Shun era um dos mais perigosos assassinos de Chinatown, pois era protegido pelo peso do poder de Quong Lung; além disso, nenhum homem sabia o que ele pretendia ou para onde estava olhando, devido à sua atroz vesguice. No momento, sofria um severo castigo em forma de palavras vindas de Quong Lung, encolhido sob as chibatadas da zombaria do patrão.

— Então, você não se envergonha de receber um salário de homem e correr como uma mulher, Wau Shun! Sem dúvida o convívio constante com as mulheres que você mantém transformou seu sangue em leite. Ho Chung não passa de um garoto comparado a você.

— Dominador, estou aqui em prol de seus interesses, pois Ho Chung não tardará. Vim protegê-lo.

— Me proteger! Acaso o chacal protege o leão?

— Não, Poderosíssimo! Mas uma morte se avizinha e suas mãos veneráveis não podem se manchar de sangue.

— Ah! E por que você não executa sua missão em seu posto, meu chacal prestativo? Tem meios para isso.

— Não pude usar explosivos, Grande Amo, por medo de matar Moy Yen.

— Acaso a faca e a machadinha estavam sem fio?

— A ira de Ho Chung foi terrível de ver, Quong Lung. Até a multidão recuou diante dela. Pois ele é alto e forte e parecia demente.

— É claríssimo ver que a sua coragem não é maior do que a das mulheres sob seu encargo. E me falar de sangue! E de matar! Como se um Mestre de Acidentes tivesse necessidade de sujar as mãos com coisas vulgares! Mas fique aqui e mantenha os explosivos à mão para o caso de serem necessários.

Quong Lung atravessou o corredor e armou a barricada; não passava de um empecilho pouco resistente e facilmente cederia à pressão do ombro de um homem — mas havia um fio estendido de um lado ao outro do corredor menos de um metro diante da barricada, que Quong Lung ironicamente batizou de "O fio do destino".

Voltando ao aposento, que estava brilhantemente iluminado, escancarou a porta de modo a ser visto com nitidez por qualquer um que entrasse no corredor. Então, encostando-se casualmente ao batente da porta, fumou durante algum tempo em silêncio. Afinal, abriu a porta que levava à rua pressionando uma mola e calmamente aguardou os acontecimentos.

Mal completara esses detalhes, quando Ho Chung surgiu no corredor brandindo na mão uma faca.

— Você é um vilão, Quong Lung! — gritou. — Graças aos Deuses eu o encontrei!

Quando jogou o peso na barricada, Ho Chung rompeu o fio diante dela, e cem quilos de ferro lhe caíram na cabeça, vindos de um alçapão no teto do corredor, matando-o instantaneamente.

OS EDUARDIANOS

VIGARISTA: CECIL THOROLD

O INCÊNDIO DE LONDRES
ARNOLD BENNETT

O prolífico Enoch Arnold Bennett (1867-1931) produziu cerca de meio milhão de palavras anualmente durante mais de vinte anos e, deliberadamente frugal, mantinha uma contagem exata de palavras escritas e do valor recebido por seus romances, contos e peças. Sua reputação se apoiava em grande parte sobre suas várias obras a respeito da gente de classe média baixa da região onde nascera, Staffordshire, cujos habitantes já faziam cerâmica quando os romanos invadiram a Inglaterra e continuam a fazê-lo até hoje. Romances realistas como *The Old Wives' Tale* (1908), *Clayhanger* (1910) e *Riceyman Steps* (1923) já foram incluídos no primeiro escalão dos romances ingleses, embora tenham deixado, em sua maioria, de ser apreciados no século XXI.

Bennett escrevia com frequência obras de mistério e criminais, dentre as quais se destacam *The Grand Babylon Hotel* (1902), um romance puramente detetivesco; *The Statue* (1908), escrito em colaboração com o romancista de mistério Eden Phillpotts e que faz jus a seu subtítulo, *Uma história de intriga e mistério internacional*; e *The Night Visitor and Other Stories* (1931), que contém contos sobre os ocupantes de um grande hotel, inclusive a aventura do poeta Lomax Harder, que mata um homem por um excelente motivo no clássico conto "Murder!". Talvez a realização mais notável de Bennett no gênero criminal seja *The Loot of Cities* (1904), uma coletânea de seis contos sobre o misto de Robin Hood/promotor/criminologista Cecil Thorold, "um milionário em busca da felicidade", cujos métodos nada ortodoxos incluem sequestro para estimular um romance e roubo para recuperar bens roubados.

"O incêndio de Londres" foi originalmente publicado em 1904 no número de junho-novembro da *The Windsor Magazine*; a primeira coletânea da qual fez parte foi *The Loot of Cities* (Londres, Alston Rivers, 1904).

O INCÊNDIO DE LONDRES

ARNOLD BENNETT

I

— O senhor está sendo chamado ao telefone.

O sr. Bruce Bowring, diretor administrativo da Corporação Consolidada de Mineração e Investimento Ltda. (com capital de dois milhões distribuído em cotas de uma libra, cujo valor de mercado era então de vinte libras, sete xelins e seis pence), virou-se, irritado, e olhou pelo espaço eletricamente iluminado de seu fantástico escritório particular para o funcionário de confiança que a ele se dirigira. O sr. Bowring, em mangas de camisa diante de um espelho florentino, escovava o cabelo com a delicadeza da mãe que não criou a maior parte de uma grande família.

— Quem é? — indagou, como se tal chamado fosse para ele a gota d'água. — São quase sete da noite de uma sexta-feira! — acrescentou, martirizado.

— Acho que é um amigo, senhor.

O financista de meia-idade largou a escova com cabo de ouro e, caminhando sobre o felpudo tapete persa, entrou na cabine telefônica e fechou a porta.

— Alô! — exclamou no transmissor, decidido a não ficar furioso com o aparelho. — Alo*ôô*! Quem fala? Sim, aqui é Bowring. Quem fala?

— *Hmm* — a voz débil e desencarnada no receptor sussurrou em seu ouvido. — *Hmmm.* Um amigo.

— Seu nome?

— Nada de nomes. Achei que você gostaria de saber que haverá uma tentativa de roubo esta noite na sua casa em Lowndes Square. Tentarão roubar dinheiro. E antes das nove da noite. *Hmm.* Achei que gostaria de saber.

— Ah! — exclamou o sr. Bowring.

A frágil exclamação foi tudo que conseguiu produzir a princípio. No silêncio confinado e quente da cabine telefônica, essa mensagem, chegando-lhe misteriosamente da imensidão desconhecida de Londres, provocou-lhe um repentino medo de que talvez seu esquema admirável ainda pudesse ser frustrado, mesmo no derradeiro momento. Por que justamente esta noite? E por que antes das nove horas? Seria possível que seu segredo tivesse vazado?

— Algum outro detalhe interessante? — perguntou, preparando-se para exibir uma frieza imperturbável e alegre.

Mas não houve resposta. E quando, após alguma dificuldade, ele conseguiu que a telefonista revelasse de que número viera a ligação, descobriu que seu interlocutor usara uma cabine pública na Oxford Street. Voltou para sua sala, vestiu a casaca, tirou um grande envelope de uma gaveta trancada e o pôs no bolso, sentando-se depois para refletir um pouco.

Nessa época, o sr. Bruce Bowring era um dos mais famosos ilusionistas do distrito financeiro londrino. Começara, dez anos antes, com nada além de um chapéu de seda. Daquele chapéu vazio haviam brotado, primeiro, a Hoop-La Ltda., uma mina de ouro sul-africana com vários moinhos e dividendos frequentes, depois a Hoop-La nº 2 Ltda., uma mina com tantas reencarnações quanto Buda, e, em seguida, uma sucessão incrível de minas e combinações de minas. Quanto mais o chapéu se esvaziava, mais cheio ficava; e o número de itens que dele emergia (que agora incluíam a casa em Lowndes Square e uma propriedade dos sonhos em Hampshire) crescia cada vez mais, e o ilusionista se tornava mais grandioso e persuasivo, enquanto a plateia mostrava cada vez mais entusiasmo em seus aplausos. Finalmente, com um floreio ímpar e mais um arregaçar de mangas provando que não houvera engodos, tirara do chapéu a C.C.M.I., uma espécie de bandeira britânica incrivelmente enorme, que envolvia todos os outros itens em suas esplêndidas dobras. As ações da C.C.M.I. eram afetuosamente chamadas de "Sólidos" no círculo de magnatas que investiam em minas sul-africanas; geravam dividendos atraentes, embora irregulares, obtidos basicamente pela flutuação e especulação do mercado; esse círculo acreditava nelas. E, com a perspectiva da assembleia anual de acionistas, que aconteceria na tarde da terça-feira seguinte (com o ilusionista presidindo e seu chapéu na mesa), o preço de mercado, após um período de depressão, se estabilizara.

As reflexões do sr. Bowring foram interrompidas por um telegrama, que ele abriu e leu:

Cozinheira bêbada de novo. Jantarei com você em Devonshire, sete e trinta. Aqui impossível. Já providenciei bagagem.

Marie

Marie era a esposa do sr. Bowring, e ele disse a si mesmo que o telegrama o aliviara enormemente; agarrou-o, e seu ânimo melhorou. De todo modo, já que não chegaria perto de Lowndes Square, certamente podia rir da tentativa de roubo. Concluiu que a Providência, afinal, era uma coisa maravilhosa.

— Veja isso — disse ao funcionário, mostrando o telegrama, fingindo desânimo.

— Arre! — comentou o funcionário, discretamente solidário ao patrão vitimizado dessa maneira por cozinheiras devassas. — Suponho que o senhor vá para Hampshire esta noite, como de hábito, certo?

O sr. Bowring respondeu que sim, e que tudo parecia em ordem para a assembleia, e que voltaria na segunda-feira à tarde ou, no máximo, bem cedo na terça.

Então, com algumas instruções de última hora e aquele olhar de águia à volta da própria sala e os aposentos adjacentes, olhar que um magnata dos negócios realmente eficiente jamais dispensa ao sair do trabalho para o fim de semana, o sr. Bowring sem pressa, embora de forma imponente, deixou os escritório-sede da C.C.M.I.

— Por que será que Marie não telefonou em vez de enviar um telegrama? — conjeturou, enquanto era conduzido até Devonshire por seu par de cavalos cinzentos, o cocheiro e o lacaio.

II

Devonshire Mansion, um edifício reluzente de 11 andares, no estilo Foster & Dicksee, com estrutura de ferro de Homan, elevadores assinados por Waygood, decoração por Waring e terracota aos montes, se situa nas fímbrias do Hyde Park. Trata-se de um prédio de materiais diversos. Suas fundações estão firmemente alicerçadas na ferrovia do metrô; acima fica a adega de vinhos, depois a vasta lavanderia e então (um correr de janelas quase no nível da rua) uma academia de ginástica, uma sala de bilhar, um restaurante com grelha e uma tabacaria, cujo dono tem um nome terminado em "opoulos". No primeiro andar, fica o renomado restaurante Devonshire Mansion. Em Londres, de hábito, existe apenas um restaurante onde, quando se é uma pessoa totalmente correta, "é possível fazer uma refeição decente". O lugar muda a cada temporada, mas nunca há mais de um ao mesmo tempo. Naquela temporada, por acaso era o Devonshire (o chef inventara jantares à base de tripas, *tripes à la mode de Caen*, e tais refeições — pelo preço de sete xelins e seis pence — viraram uma coqueluche). Por conseguinte, todas as pessoas totalmente corretas se alimentavam obrigatoriamente no Devonshire, já que não havia outro lugar decente para concorrer com ele. Estando em voga o restaurante, entraram em voga, por consequência, os nove andares de suítes mobiliadas acima dele, que estavam sempre cheias. E o sótão, no cume do prédio, onde os criados despiam seus uniformes elegantes e se tornavam humanos, abrigava muita abastança. O fato de o restaurante estar em voga também exercia uma influência benéfica sobre o status do Kitcat Club, que era um clube misto dos mais modernos e tinha sua "sede" no terceiro andar.

Passava um pouquinho de sete e meia quando o sr. Bruce Bowring altivamente subiu a escadaria desse reduto de opulência e fez uma pausa breve próximo à imensa lareira no topo (setembro estava inclemente, e a madeira ardia de modo agradável) para indagar ao maître se a sra. Bowring conseguira uma mesa. Mas Marie ainda não chegara — logo ela, que jamais se atrasava! Incomodado e aborrecido, ele se encaminhou, precedido pelo maître, para o cintilante Salão Luís XIV e escolheu, devido ao figurino diurno que usava, uma mesa meio escondida atrás de uma coluna de ônix. O enorme aposento estava mais ou menos cheio de belas mulheres e homens possessivos, apesar do mês. Logo em seguida, um casal jovem (o homem mais bonito e mais bem-vestido que a mulher) ocupou a mesa do outro lado da coluna. O sr. Bowring aguardou cinco minutos e depois pediu um Sole Mornay e uma garrafa de Romanée-Conti, após o que aguardou mais cinco minutos. Sentia certo medo da esposa e não se dispôs a começar sem ela.

— Você não sabe ler? — Era o jovem da mesa ao lado falando num tom alto com um lacaio vesgo que segurava um telegrama. — "Sólidos! Sólidos", meu amigo. "Venda os Sólidos a qualquer preço amanhã e na segunda." Entendeu? Bom, envie imediatamente.

— Entendido, meu senhor — disse o lacaio, e se afastou apressado.

O jovem encarou fixa, mas distraidamente, o sr. Bowring, parecendo ver através dele a tapeçaria às suas costas. O sr. Bowring, contra sua vontade e constrangido, enrubesceu. Em parte para disfarçar o enrubescimento e em parte porque faltavam quinze minutos para as oito e precisava pegar o trem, baixou o rosto e começou a comer o peixe. Poucos minutos depois, o lacaio voltou, entregou o troco ao jovem e surpreendeu o sr. Bowring dirigindo-se a ele e lhe entregando um envelope — envelope esse que trazia na aba a inscrição "Kitcat Club". A mensagem estava escrita a lápis na caligrafia de sua esposa e dizia:

Acabei de chegar. A bagagem me atrasou. Estou nervosa demais para encarar o restaurante e vou comer qualquer coisa aqui sozinha. O lugar felizmente está vazio. Venha me buscar assim que terminar.

O sr. Bowring soltou um suspiro irritado. Odiava o clube da esposa, e essa sucessão de mensagens telefônicas, telegráficas e caligráficas o estava exasperando.

— Não há resposta! — vociferou, e depois fez um gesto para que o lacaio se aproximasse. — Quem é o cavalheiro na mesa ao lado com a senhora? — murmurou.

— Não tenho certeza absoluta, senhor — foi a resposta sussurrada. — Algumas autoridades dizem que ele é o maioral no Hipódromo, mas outros afirmam que é uma espécie de milionário americano.

— Mas você se dirigiu a ele com reverência.

— Naquele momento, julguei que ele fosse o maioral, senhor — explicou o lacaio, retirando-se.

— A conta! — exigiu o sr. Bowring ferozmente do garçom, ao mesmo tempo que o jovem cavalheiro e sua acompanhante se levantaram e saíram.

No elevador, o sr. Bowring encontrou o lacaio vesgo no comando.

— Você é o ascensorista também?

— Esta noite, senhor, sou muitas coisas. A verdade é que o ascensorista teve umas horas de folga, já que acabou de ter filhos gêmeos.

— Certo. Para o Kitcat Club.

O elevador deu a impressão de disparar para o topo do prédio, e o sr. Bowring achou que o lacaio entendera mal o andar pedido, mas ao seguir pelo corredor, viu afixada nas portas duplas à sua frente a familiar placa dourada: Kitcat Club. Exclusivo para sócios. Abriu a porta e entrou.

III

Em lugar do vestíbulo conhecido do clube da esposa, o sr. Bowring encontrou uma pequena antecâmara e, mais além, através de um portal semiescondido por uma *portière*, teve um vislumbre de uma sala de estar ricamente decorada e iluminada por uma luz rósea. Na entrada, com uma das mãos erguida para a *portière*, estava o jovem que o fizera enrubescer no restaurante.

— Com licença — disse o sr. Bowring, com toda a pompa —, é aqui o Kitcat Club?

O outro avançou para a porta de entrada, os olhos brilhantes fixos no sr. Bowring; seu braço se esgueirou pela porta aberta e voltou trazendo a placa dourada. Depois, ele bateu a porta e a trancou.

— Não, aqui definitivamente não é o Kitcat Club — respondeu. — É o meu apartamento. Entre e sente-se. Eu estava esperando o senhor.

— Não farei nada disso — retrucou o sr. Bowring com desdém.

— Mas quando eu lhe disser que sei que o senhor vai se safar esta noite, sr. Bowring...

O jovem sorriu afavelmente.

— Me safar? — A espinha dorsal do financista de repente virou uma esponja.

— Foi o termo que usei.

— Quem diabos é você? — grunhiu o sr. Bowring, obrigando-se a recuperar a postura ereta.

— O "amigo" que lhe telefonou. Quero especificamente o senhor em Devonshire hoje à noite, e achei que o medo de um roubo em Lowndes Square talvez tornasse mais garantida a sua chegada aqui. Fui eu que inventei a história da cozinheira bêbada e o brindei com um telegrama assinado "Marie". Sou o humorista que fingiu num tom alto enviar instruções telegráficas para a venda dos "Sólidos" a fim de observar seu comportamento sob o teste. Sou o especialista que forjou a caligrafia da sua esposa no bilhete do Kitcat. Sou o patrão do criado vesgo que lhe entregou o bilhete e que, depois, o levou de elevador para o andar errado. Sou o artífice dessa placa dourada, uma cópia exata da genuína, dois andares abaixo, que o induziu a me visitar. Só a placa me custou quase dez libras; o uniforme do criado, duas libras e 15 xelins. Mas jamais levo em conta as despesas quando, com a ajuda de um gasto generoso, posso evitar a violência. Odeio violência — disse, balançando de leve a placa para lá e para cá.

— Então, a minha esposa... — gaguejou o sr. Bowring, num misto de pânico e fúria.

— Provavelmente está em Lowndes Square, imaginando o que terá acontecido ao senhor.

O sr. Bowring respirou fundo, lembrou que era um homem importante, e se aprumou.

— Você deve estar louco — observou calmamente. — Abra imediatamente essa porta.

— Talvez — admitiu o estranho, com seriedade. — Talvez seja uma espécie de loucura. Mas sente-se. Não temos tempo a perder.

O sr. Bowring olhou aquele rosto bonito, com as narinas delicadas, a boca avantajada, o queixo quadrado e barbeado e os olhos escuros, o cabelo negro e o bigode longo. E notou as mãos finas e compridas. "Decadente!", concluiu. Ainda assim, e embora ostentando a expressão de estar sendo indulgente com o capricho de um lunático, acabou obedecendo ao estranho.

Foi numa bela sala de estar estilo Chippendale que entrou. Perto da lareira, à qual o fogo aceso emprestava um alegre aconchego, havia duas poltronas e, no meio, uma mesa pequena. Atrás, se encontrava aberto um biombo de quatro painéis.

— Posso lhe dar apenas cinco minutos — avisou o sr. Bowring, sentando-se com arrogância.

— Serão suficientes — respondeu o estranho, também se sentando. — O senhor tem no bolso, sr. Bowring, provavelmente no bolso superior, cinquenta notas do Banco da Inglaterra de mil libras cada e uma quantidade de notas menores, totalizando mais dez mil libras.

— Sim?

— Preciso exigir do senhor as primeiras cinquenta notas mencionadas.

O sr. Bowring, no silêncio da sala iluminada por uma luz rósea, pensou em toda a Devonshire Mansion, com seus corredores sem fim e inúmeros aposentos, seus quilômetros de tapetes, suas florestas de mobília, seu ouro e sua prata, suas joias e seus vinhos, suas belas mulheres e seus homens possessivos — todo o microcosmo ativo fundado sobre a noção unânime de que a sacralidade da propriedade é uma lei natural. E pensou no quanto era desconcertante que ele se visse preso nessa armadilha, impotente, precisamente no meio dessa vasta noção, e fosse obrigado a admitir que a sacralidade da propriedade não passava de uma convenção puramente artificial.

— Com que direito você me faz tal exigência? — indagou, com um sarcasmo corajoso.

— Com o direito que me dá o meu conhecimento exclusivo — disse o estranho, com um vasto sorriso. — Ouça o que somente o senhor e eu sabemos. O senhor chegou ao fim da linha. A Consolidada, idem. O senhor tem um passado que consiste basicamente de 19 flutuações fraudulentas. Pagou dividendos advindos de capital até não haver mais capital algum. Especulou e perdeu. Fraudou balanços a seu bel-prazer e jogou areia nos olhos dos auditores. Viveu como dez lordes. Suas casas estão hipotecadas. Possui uma coleção sem rival de pagamentos sem recibo. O senhor é pior que um ladrão comum. Que esses indivíduos me perdoem a comparação.

— Meu caro senhor... — interrompeu o sr. Bowring, com arrogância.

— Permita-me prosseguir. O mais grave é que a sua autoconfiança vem abandonando aos poucos o senhor. Finalmente, percebendo que um sujeito idiota estava prestes a romper a casca da sua ostentação e desnudá-lo, e prevendo para si mesmo um futuro atrás das grades, com um supremo esforço da sua genialidade o senhor pegou emprestadas sessenta mil libras em um banco em nome da C.C.M.I. por uma semana, e providenciou para que, junto com sua esposa... Os dois se evaporassem. Vai fingir partir como de hábito para sua casa de campo em Hampshire, mas é Southampton o seu destino esta noite, e o porto do Havre o verá amanhã. Talvez dê um pulo em Paris para trocar algum dinheiro, mas na segunda-feira estará a caminho de... Francamente, não sei de onde, talvez Monte Video. Claro que corre o risco da extradição, mas o risco é preferível à certeza que o aguarda na Inglaterra. Acho que vai escapar da extradição. Se eu pensasse de outra forma, não o teria atraído até aqui hoje, porque, uma vez extraditado, talvez o senhor começasse a se distrair falando de mim.

— Então tudo se trata de chantagem! — acusou o sr. Bowring, abatido.

Os olhos escuros que o observavam brilharam de alegria.

— Fico desolado — prosseguiu o jovem — por ter que obrigá-lo a fugir com apenas dez mil libras. Mas, realmente, não menos que cinquenta mil hão de me recompensar pela massa encefálica que despendi no estudo da sua interessante situação.

O sr. Bowring consultou o relógio.

— Muito bem — disse, com voz rouca. — Eu lhe darei dez mil. Me orgulho de encarar de frente os fatos, e por isso lhe darei dez mil.

— Meu amigo — respondeu a aranha —, você é um bom juiz de caráter. Acha sinceramente que não sei exatamente o valor que acabei de lhe dizer? São oito e meia. O senhor, se me permite comentar, está ficando sem tempo.

— E suponha que eu me recuse a lhe dar o que você quer... E aí? — indagou o sr. Bowring, após refletir.

— Já lhe confessei que odeio violência. Se assim for, o senhor deixará este apartamento ileso, mas não sairá da ilha.

O sr. Bowring examinou as feições atraentes do estranho. Então, enquanto os elevadores subiam e desciam, e o vinho borbulhava, e as joias faiscavam, e o ouro tilintava, e as belas mulheres seguiam sendo belas, em todos os quatro cantos do Devonshire, o sr. Bruce Bowring contou e depositou cinquenta notas na mesa da silenciosa sala de estar. Afinal, era uma fortuna aquela pequena pilha branca sobre a polida madeira avermelhada.

— *Bon voyage!* — disse o estranho. — Não imagine que eu não esteja solidário com o senhor. Estou. O senhor apenas foi desafortunado. *Bon voyage!*

— Não! Pelos céus! — O sr. Bowring quase gritou, recuando da porta e tirando do bolso da calça um revólver. — É demais! Não tive a intenção de... mas me surpreendi! Para que serve um revólver?

O jovem se levantou rapidamente e pôs as mãos sobre as notas.

— A violência é sempre tolice, sr. Bowring — murmurou.

— Vai devolvê-las ou não?

— Não.

Os olhos bonitos do estranho pareceram cintilar de alegria com o drama.

— Então...

O revólver foi erguido, mas, no mesmo instante, uma mãozinha o arrancou da mão do sr. Bowring, que se virou e viu a seu lado uma mulher.

O grande biombo caiu devagar e sem ruído no chão da forma espantosamente peculiar a biombos quando são derrubados.

O sr. Bowring soltou um palavrão.

— Uma cúmplice! Eu devia ter visto logo! — grunhiu em derradeira repulsa.

Correu em direção à porta, destrancou-a, e nunca mais foi visto.

IV

A senhora tinha mais ou menos 27 anos, altura mediana e era magra, com um rosto comum, muito inteligente e expressivo, iluminado por olhos corajosos e cinzentos e coroado por um cabelo abundante, solto e macio. Talvez fosse o cabelo macio, talvez a boca que se contorceu quando ela deixou cair o revólver — quem há de saber —, mas toda a atmosfera da sala de luz rósea subitamente se alterou. O incalculável a invadira.

— Parece surpresa, srta. Fincastle — disse o homem em posse das notas, rindo alegremente.

— Surpresa! — ecoou a senhora, controlando a boca. — Meu caro sr. Thorold, quando, estritamente como jornalista, aceitei seu convite, não previ participar dessa sequência. Francamente, não previ.

Ela tentava falar de maneira fria e uniforme, na suposição de que uma jornalista não faz sexo durante o horário de trabalho. Mas naquele exato momento ela não era nem mais nem menos mulher do que uma mulher sempre é.

— Se eu tive a má sorte de aborrecê-la... — Thorold ergueu os braços em desespero galante.

— Aborrecer não é a palavra — disse a srta. Fincastle, com um sorriso nervoso. — Posso me sentar? Obrigada. Vamos recapitular. Você chegou à Inglaterra, vindo de algum lugar, como o filho e herdeiro do falecido Ahasuerus Thorold, o operador de Nova York, que morreu valendo seis milhões de dólares. Soube-se que enquanto estava na Argélia na primavera, você ficou no Hotel St. James, famoso como cenário do que é chamado de "Mistério Argelino", rótulo familiar aos leitores dos jornais ingleses desde abril. O editor do meu jornal, por isso, me instrui a obter uma entrevista com você. Faço isso. A primeira coisa que descubro é que, embora americano, você não tem sotaque americano. Você explica o fato dizendo que desde a infância sempre morou na Europa com a mãe.

— Mas decerto você não duvida de que eu seja Cecil Thorold! — disse o homem. Os rostos deles estavam próximos por sobre a mesa.

— Claro que não. Estou apenas recapitulando. Continuo: entrevisto você a respeito do mistério argelino e consigo algumas novas informações relativas ao assunto. Então, você me oferece um chá e suas opiniões, e as minhas perguntas se tornam mais pessoais. Então acontece que, estritamente em nome do meu jornal, indago quais são seus lazeres. E, de repente, você responde: "Ah! Meus lazeres! Venha jantar comigo hoje, de forma bem informal, e eu lhe mostro como me divirto!" Eu vim. Jantei. Você me confina atrás daquele biombo e me diz para escutar. E... E o milionário revela não ser mais que um chantagista.

— Você precisa entender, minha cara...

— Eu entendo tudo, sr. Thorold, menos você impedir que eu estivesse presente na cena.

— Um capricho! — gritou Thorold com vivacidade. — Uma excentricidade minha! Possivelmente devido ao eterno e universal desejo dos homens de se exibirem diante de uma mulher!

A jornalista tentou sorrir, mas alguma coisa em seu rosto fez Thorold correr até uma cômoda.

— Beba isso — comandou ele, voltando com um copo.

— Não preciso de nada. — A voz era um sussurro.

— Me faça essa gentileza.

A srta. Fincastle bebeu e tossiu.

— Por que você fez aquilo? — perguntou ela com tristeza, olhando para as notas.

— Você não está querendo dizer — explodiu Thorold — que tem pena do sr. Bruce Bowring, está? Ele apenas entregou o que roubou. E as pessoas de quem ele roubou também roubaram. Todas as atividades centradas em torno da Bolsa de Valores são simplesmente várias manifestações de um instinto primitivo. Suponha que eu não tivesse interferido. Ninguém ganharia absolutamente nada, salvo o sr. Bruce Bowring. No entanto...

— Você pretende devolver esse dinheiro à Consolidada? — perguntou, ansiosa, a srta. Fincastle.

— Não exatamente! A Consolidada não o merece. Você não deve considerar seus acionistas um rebanho de inocentes carneirinhos tosquiados. Eles conhecem o jogo. Entraram nele para obter o que pudessem. Além disso, como eu poderia devolver o dinheiro sem me entregar? Quero o dinheiro para mim.

— Mas você é milionário.

— Exatamente porque sou milionário quero mais. Todos os milionários são assim.

— Lamento descobrir que você é um ladrão, sr. Thorold.

— Um ladrão! Não. Sou apenas direto, apenas evito o intermediário. No jantar, srta. Fincastle, você demonstrou ter ideias de certa forma avançadas sobre propriedade, casamento e a aristocracia cerebral. Disse que rótulos são para a maioria burra e que a minoria sábia examina as ideias por trás dos rótulos. Você me rotulou de ladrão, mas examine a ideia e perceberá que pode muito bem chamar a si mesma de ladra. Seu jornal todo dia omite a verdade acerca do distrito financeiro, e faz isso a fim de sobreviver. Em outras palavras, ele contribui, participa do jogo. Hoje publicou um anúncio de cinquenta linhas de um falso balanço da Consolidada, a dois xelins a linha. Essas cinco libras, parte do butim de uma grande cidade, ajudarão a pagar seu relato da nossa entrevista dessa tarde.

— Nossa entrevista dessa noite — corrigiu a srta. Fincastle com rigidez —, e tudo o que vi e ouvi.

Com essas palavras, ela se pôs de pé, e, quando Cecil Thorold a encarou, a expressão dele mudara.

— Começo a desejar — disse ele lentamente — ter optado por me privar da sua companhia esta noite.

— Você poderia ser um homem morto se tivesse optado por isso — retrucou a srta. Fincastle e, observando o semblante sem expressão do seu interlocutor, tocou no revólver. — Já esqueceu? — indagou, sardônica.

— Claro que não estava carregado — observou ele. — Claro que providenciei mais cedo para que não estivesse. Não sou trapalhão nesse nível...

— Então, não salvei sua vida?

— Você me obriga a dizer que não e a lhe recordar que me prometeu que não sairia de trás do biombo. No entanto, em vista do motivo, só posso lhe agradecer esse lapso. Pena que isso a compromete em caráter irremediável.

— Compromete a mim?! — exclamou a srta. Fincastle.

— Claro. Não está vendo que você está envolvida nisso? Nesse roubo, para usar um rótulo. Você ficou sozinha com o ladrão. Acorreu em seu auxílio em um momento crítico... "Cúmplice", disse o próprio sr. Bowring. Minha cara jornalista, o episódio do revólver, ainda que sem munição, sela seus lábios.

A srta. Fincastle riu de maneira histérica, inclinando-se sobre a mesa com as mãos pousadas no tampo.

— Meu caro milionário — falou rapidamente —, você não conhece o novo jornalismo ao qual tenho a honra de pertencer. Você o conheceria melhor se tivesse morado mais tempo em Nova York. Tudo que tenho a declarar é que, comprometida ou não, um relato completo desse caso aparecerá no jornal amanhã de manhã. Não, não informarei a polícia. Sou simplesmente uma jornalista, mas jornalista *sou*.

— E a sua promessa, que você fez antes de ir para trás do biombo, sua promessa solene de que nada revelaria? Sou obrigado a mencioná-la.

— Algumas promessas, sr. Thorold, temos o dever de quebrar, e é meu dever quebrar essa. Eu jamais a faria caso tivesse a mínima ideia da natureza dos seus lazeres.

Thorold continuou sorrindo, embora de leve.

— Realmente, sabe — murmurou —, isso está ficando meio sério.

— Isso é muito sério — gaguejou ela.

Então, Thorold reparou que a nova jornalista soluçava baixinho.

V

A porta se abriu.

— A srta. Kitty Sartorius — anunciou o ex-ascensorista, que agora vestia roupas à paisana e misteriosamente deixara de envesgar.

Uma moça bonita, uma moça que tinha um encanto notável e estava ciente disso (uma das mulheres mais bonitas do Devonshire) impulsivamente entrou correndo na sala e pegou a srta. Fincastle pela mão.

— Minha querida Eve, você está chorando. Qual é o problema?

— Lecky — Thorold repreendeu o criado —, dei-lhe instruções para que não deixasse ninguém entrar.

A loura bonita virou-se de rompante para Thorold.

— Eu disse a ele que queria entrar — justificou imperiosamente, semicerrando os olhos.

— Sim, senhor — disse Lecky. — Foi assim. A moça queria entrar.

Thorold assentiu.

— Foi suficiente — falou. — Tudo bem, Lecky.

— Sim, senhor.

— Mas, Lecky, da próxima vez que você se dirigir a mim publicamente, tente se lembrar de que não sou da nobreza.

O criado envesgou.

— Com certeza, senhor.

E se retirou.

— Agora estamos sozinhos — afirmou a srta. Sartorius. — Apresente-nos, Eve, e se explique.

A srta. Fincastle, tendo recuperado o autocontrole, apresentou a amiga, a radiosa estrela do Teatro Regency, ao milionário.

— Eve não estava *muito* segura a seu respeito — declarou a artista —, e por isso combinamos que se ela não aparecesse no meu apartamento até as nove da noite, eu desceria para avaliar a situação. O que o senhor andou aprontando para fazer Eve chorar?

— Foi sem querer, eu garanto... — começou Thorold.

— Existe algo entre vocês dois — afirmou Kitty Sartorius com sagacidade, em um tom significativo. — O que é?

Então se sentou, tocou no chapéu de aba larga, alisou o vestido branco e bateu no chão com o pé.

— O que é, afinal? Sr. Thorold, acho que é melhor *o senhor* me contar.

Thorold ergueu as sobrancelhas e obedientemente começou a narrativa, de pé e de costas para a lareira.

— Que coisa esplêndida! — exclamou Kitty. — Fico tão satisfeita de ver que o senhor acuou o sr. Bowring! Eu o encontrei uma noite e o achei abominável. E aquelas são as notas? Nossa, de tudo que...!

Thorold continuou sua narrativa.

— Ah, mas você não pode fazer *isso*, Eve! — disse Kitty, repentinamente séria. — Não pode abrir a boca sobre isso! Causaria todo tipo de transtornos. Seu jornal patético obrigaria você a permanecer em Londres e não conseguiríamos sair de férias amanhã. Eve e eu vamos iniciar uma longa viagem amanhã, sr. Thorold, começando por Ostende.

— Não diga! — falou Thorold. — Eu também vou partir nessa direção em breve. Talvez nos encontremos.

— Espero que sim — disse Kitty sorrindo, antes de olhar para Eve Fincastle. — Você realmente não pode fazer *isso*, Eve.

— Preciso, preciso! — teimou a srta. Fincastle, apertando as mãos uma contra a outra.

— E ela fará — afirmou Kitty dramaticamente depois de estudar a expressão da amiga. — Ela fará isso, e as nossas férias serão arruinadas. Já estou vendo. Vejo claramente. Ela está vivenciando um de seus tolos surtos de consciência. Em teoria, Eve é destemidamente avançada, imprudente e nada convencional, mas na prática...! Sr. Thorold, o senhor acabou de arrumar um baita problema. Por que desejava tão especificamente essas notas?

— Não as desejo tão especificamente.

— Bem, de toda forma, é uma situação das mais peculiares. O sr. Bowring não conta, e essa tal Consolidada não fica pior do que está. Nenhum inocente será prejudicado. É o seu lucro ilegal que está errado. Por que não jogar as malfadadas notas no fogo? — sugeriu Kitty, rindo do próprio humor brincalhão.

— É claro — disse Thorold, e com um rápido movimento jogou as cinquenta notas na lareira, onde elas provocaram uma labareda amarelo-azulada.

Ambas as mulheres gritaram e ficaram de pé.

— *Sr.* Thorold!

— Sr. *Thorold*! (— Ele é adorável! — murmurou Kitty).

— O incidente, me atrevo a esperar, está agora encerrado — disse Thorold calmamente, mas com os olhos negros brilhando. — Preciso agradecer a ambas por uma noite muito agradável. Algum dia, quem sabe, eu talvez tenha a chance de explicar melhor a vocês a minha filosofia.

MADAME SARA
L.T. MEADE E ROBERT EUSTACE

Os primeiros anos do conto de mistério apresentaram um bom número de mulheres criminosas, a maioria das quais partilhavam os atributos da juventude, da beleza, do charme e tinham a companhia de um amigo ou bando dedicado. Também costumavam ser pilantras inteligentes que gostavam da adrenalina e se divertiam imensamente com o roubo de joias, dinheiro ou antiguidades e quadros valiosos.

Madame Sara, criação da prolífica Elizabeth Thomasina Meade Smith (1844-1914), usando o pseudônimo de L.T. Meade, e do dr. Robert Eustace Barton (1863-1948), é um tipo incrivelmente diferente de mulher, cercada por uma aura de mistério. Embora seja aparentemente uma jovem bonita de menos de 25 anos, o conto registra que ela compareceu a um casamento trinta anos antes e tinha então a mesma aparência.

Madame Sara também é uma assassina implacável, incluindo vítimas de ambos os sexos entre seus triunfos. Os seis contos que protagoniza foram reunidos na coletânea *The Sorceress of the Strand* (1903), um dos mais de sessenta volumes de mistério, crime e tramas detetivescas escritos por Meade; no total, ela produziu mais de trezentos romances e coletâneas de contos de vários gêneros.

Nascida na Irlanda, Meade se mudou mais tarde para Londres, onde se casou, escreveu prolificamente e se tornou uma feminista ativa e membro do Pioneer Club, um clube feminino progressista fundado em 1892; seus membros eram identificados por números, em vez de nomes, a fim de enfatizar a irrelevância da posição social. Em seu tempo livre, Meade trabalhava como editora da *Atalanta*, uma revista muito popular para moças.

O dr. Robert Eustace colaborou com vários autores, inclusive Edgar Jepson, Gertrude Warden e Dorothy L. Sayers, mas com frequência maior com Meade. Embora tenha trabalhado com ela em livros importantes como

Stories from the Diary of a Doctor (1894; segunda série, 1896), *A Master of Mysteries* (1898), *The Brotherhood of the Seven Kings* (1899), *The Gold Star Line* (1899) e *The Sanctuary Club* (1900), seu nome raramente aparece nas capas dos livros, mas apenas nas folhas de rosto, o que nos leva a conjeturar se o motivo para isso é a timidez do autor ou a falta de respeito do editor.

"Madame Sara" foi originalmente publicado em outubro de 1902 na *The Strand Magazine* e a primeira coletânea da qual fez parte foi *The Sorceress of the Strand* (Londres, Ward, Lock, 1903).

MADAME SARA

L.T. MEADE E ROBERT EUSTACE

Todos os comerciantes e um bocado de gente que não é do ramo já ouviram falar da Agência Werner, o órgão fiscalizador de toda a atividade comercial britânica. Sua finalidade é conhecer a condição financeira de todas as empresas de atacado e de varejo, desde a Rothschild's até a menor lojinha de doces em Whitechapel. Não digo que todas as empresas figurem em seus registros, mas através do método de investigação secreta pode-se descobrir o status de qualquer empresa ou indivíduo. Trata-se da grande salvaguarda do comércio britânico e impede muitas negociações fraudulentas.

Dessa agência, eu, Dixon Druce, fui nomeado gerente em 1890. Desde então, tenho conhecido gente bizarra e visto coisas estranhas, pois os homens fazem coisas curiosas para obter dinheiro neste mundo.

Aconteceu que em junho de 1899, meus negócios me levaram à Madeira numa investigação de certa importância. Deixei a ilha no dia 14 a bordo do *Norham Castle* com destino a Southampton. Embarquei após o jantar. Era uma noite linda, e os acordes da banda nos jardins públicos de Funchal pairavam sobre a baía salpicada com a luz das estrelas, enchendo o ar cálido e suave. Então, as sirenes anunciaram a partida e, acenando um adeus para a ilha mais encantadora do mundo, me dirigi à sala dos fumantes para acender meu charuto.

— O senhor quer um fósforo?

A voz vinha de um jovem esbelto, de pé junto à balaustrada. Antes que eu pudesse responder, ele já riscara um fósforo e o estendera para mim.

— Desculpe — disse ele, jogando o fósforo no mar —, mas sem dúvida estou falando com o sr. Dixon Druce, não?

— Está, sim — respondi, devolvendo seu olhar com atenção —, mas o senhor está em vantagem quanto a mim.

— Por acaso não me conhece? — indagou o homem. — Jack Selby, Hayward's House, Harrow, 1879.

— Caramba! É mesmo! — exclamei.

Nossas mãos se encontraram em um aperto caloroso, e um instante depois me vi sentado perto do meu velho amigo, que fora meu calouro em dias remotos e que eu não via desde o momento em que dei adeus ao "Hill" sob a bruma cinzenta de uma manhã de dezembro, vinte anos antes. Ele era um garoto de quatorze anos então, mas ainda assim o reconheci. O rosto era bronzeado e bonito, e as feições, refinadas. Na adolescência, Selby chamava atenção pela boa aparência, pela cabeça bem formada e feições másculas; tais características ainda se achavam presentes, e, embora estivesse agora levemente além da primeira juventude, certamente era bonito. Fez para mim um pequeno resumo da sua história.

— Meu pai me deixou um bocado de dinheiro — falou —, e The Meadows, nossa antiga residência de família, agora é minha. Tenho um apreço especial por história natural, apreço esse que me levou há dois anos para a América do Sul. Tive minha cota de aventuras estranhas e colecionei espécimes e troféus valiosos. Estou agora a caminho de casa. Vim do Pará, na Amazônia, num navio da Booth Line para Madeira, e baldeei para a Castle Line. Mas por que toda essa conversa a meu respeito? — acrescentou, aproximando um pouco sua cadeira da minha no convés. — E a sua história, amigão? Está estabelecido com esposa e filhos ou seu sonho dos dias de escola se realizou e hoje você é dono do melhor laboratório particular de Londres?

— Quanto ao laboratório — falei, com um sorriso —, você precisa conhecê-lo. De resto, continuo solteiro. E você?

— Casei no dia anterior à minha partida do Pará, e minha esposa está a bordo comigo.

— Maravilha! — respondi. — Quero ouvir tudo a respeito.

— Ouvirá. O nome de solteira dela é Dallas: Beatrice Dallas. Acabou de fazer vinte anos. O pai era inglês, e a mãe, espanhola, ambos já falecidos. Ela tem uma irmã mais velha, Edith, de quase trinta anos, solteira, que também está a bordo conosco. As duas também têm um meio-irmão, consideravelmente mais velho que Edith e Beatrice. Conheci minha esposa ano passado no Pará e me apaixonei de imediato. Sou o homem mais feliz do mundo. Desnecessário dizer que eu a acho deslumbrante, e ela também é bastante abastada. A história da sua fortuna é curiosa. O tio por parte de mãe era um espanhol extremamente rico que fez uma enorme fortuna no Brasil com diamantes e minerais. Era dono de várias minas. Mas acredita-se que a fortuna tenha lhe virado a cabeça. Pelo menos, ao que parece, no que tange à distribuição do próprio dinheiro. Ele dividiu os lucros anuais e os juros entre o sobrinho e as duas sobrinhas, mas declarou que a propriedade em si jamais deveria ser dividida. Deixou-a toda para aquele dos três que sobrevivesse aos demais. Um arranjo totalmente ensandecido, mas não raro no Brasil, acredito.

— Muito louco — ecoei. — Qual o valor do patrimônio?

— Mais de dois milhões de libras.

— Minha nossa! — exclamei. — Quanto dinheiro! E quanto ao meio-irmão?

— Deve ter mais de quarenta anos e evidentemente não presta. Nunca o vi. As irmãs não falam com ele nem nada sabem dele. Parece que é um grande apostador. Já me disseram que no momento está na Inglaterra, e, como existem certas tecnicalidades que precisam ser cumpridas antes que as moças possam usufruir plenamente de suas rendas, uma das primeiras coisas que preciso fazer quando chegar lá é encontrá-lo. Ele precisa assinar certos documentos, pois não conseguiremos organizar as coisas até sabermos o seu paradeiro. Há algum tempo, minha esposa e Edith ouviram dizer que ele andava doente, mas, vivo ou morto, precisamos saber tudo sobre ele, e o mais rapidamente possível.

Permaneci calado, e ele prosseguiu:

— Vou apresentar você à minha esposa e à minha cunhada amanhã. Beatrice é praticamente uma criança comparada a Edith, que age com relação a ela quase como mãe. Bee é uma belezinha, doce e roliça e com ar de menina. Mas Edith é bonita também, embora às vezes me pareça vaidosa como um pavão. A propósito, Druce, isso me leva a outra parte da minha história. As irmãs têm uma conhecida no navio, uma das mulheres mais incríveis que já conheci. Ela se chama Madame Sara e conhece Londres muito bem. Na verdade, confessa ter uma loja na prestigiosa rua Strand. O que ela andou fazendo no Brasil, não sei, já que mantém em absoluto segredo todos os seus negócios. Mas você achará engraçado quando eu lhe disser qual é a sua profissão.

— Qual?

— Embelezadora profissional. Afirma ter o privilégio de restaurar a juventude aos que a consultam. Declara, também, ser capaz de fazer gente bem feia ficar bonita. Não há dúvida de que é muito inteligente. Conhece um pouco de tudo e tem receitas maravilhosas em relação a remédios, cirurgia e odontologia. Ela própria é muito linda, muito clara, com olhos azuis e um jeito inocente, meio infantil, além de uma vasta cabeleira dourada. Confessa abertamente que é muito mais velha do que parece. Dá a impressão de ter uns 25 anos. Aparentemente já viajou pelo mundo todo e diz que é uma mistura de indiana e italiana: o pai era italiano, e a mãe, indiana. Está acompanhada de um árabe, um sujeito bonito, meio pitoresco, que a idolatra, e também está trazendo para a Inglaterra dois brasileiros do Pará. Essa mulher trabalha com todo tipo de segredos curiosos, mas sobretudo na área dos cosméticos. Sua loja na Strand poderia, imagino, contar histórias bem estranhas. Os clientes a procuram lá, e ela faz o que é necessário para eles. É fato que ocasionalmente realiza pequenos procedimentos cirúrgicos, e não há um dentista em Londres que se equipare a ela. Ela confessa bem ingenuamente que tem alguns segredos que ninguém conhece para grudar dentes falsos no palato. Edith Dallas a venera. Com efeito, sua adoração beira a idolatria.

— Você fez uma brilhante descrição dessa mulher — falei. — Precisa me apresentar a ela amanhã.

— Apresentarei — respondeu Jack, com um sorriso. — Eu gostaria de saber a sua opinião sobre ela. Estou realmente feliz de ter encontrado você, Druce. É como nos velhos tempos. Quando chegarmos a Londres, pretendo me estabelecer na minha *town house* na Eaton Square durante o restante da temporada. The Meadows vai ser remobiliada, e Bee e eu nos mudaremos para lá por volta de agosto. Aí você precisa ir nos visitar. Mas infelizmente antes de me entregar apenas ao prazer, preciso encontrar aquele precioso cunhado, Henry Joachim Silva.

— Se tiver alguma dificuldade, recorra a mim — ofereci. — Posso pôr a seu dispor, extraoficialmente, claro, agentes que são capazes de encontrar praticamente qualquer homem na Inglaterra, vivo ou morto.

Em seguida, forneci a Selby um resumo da minha atividade.

— Obrigado — agradeceu ele, no final. — Isso é ótimo. Você é precisamente o homem que queremos.

Na manhã seguinte, após o café da manhã, Jack me apresentou à esposa e à cunhada. Ambas tinham aparência estrangeira, mas eram muito bonitas. A esposa, em especial, era graciosa, e sua aparência, incomum. Conversávamos há uns cinco minutos quando vi caminhando pelo convés uma mulher magra e *mignon* usando um grande chapéu de palha.

— Ah, Madame! — exclamou Selby. — Aí está a senhora. Tive a sorte de encontrar um velho amigo a bordo, o sr. Dixon Druce, e lhe contei tudo sobre a senhora. Gostaria que vocês dois se conhecessem. Druce, esta é Madame Sara, sobre quem lhe falei. Sr. Dixon Druce, Madame Sara.

Ela fez uma graciosa reverência e depois me olhou com atenção. Nunca vi mulher tão encantadora. A seu lado, tanto a sra. Selby quanto a irmã pareceram desbotar e se tornarem insignificantes. Sua tez era incrivelmente clara, o rosto tinha uma expressão refinada, o olhar era penetrante, inteligente, mas continha a franqueza e a inocência próprias de uma criança. O vestido era muito simples; no todo, sua aparência era juvenil e natural.

Quando nos sentamos para conversar sobre amenidades e assuntos triviais, instintivamente senti ter despertado nela um interesse maior do que seria de se esperar após uma apresentação banal. Aos poucos, ela foi conduzindo a conversa de modo a deixar Selby, a esposa e a cunhada de fora, e depois, quando os três se afastaram, aproximou-se um pouco e disse baixinho:

— Estou muito feliz por termos nos encontrado, mas como é estranho esse encontro! Foi realmente acidental?

— Não estou entendendo.

— Sei quem você é — disse ela, casualmente. — Você é o gerente da Agência Werner, cuja finalidade é conhecer os negócios privados daqueles que prefeririam preservar seus próprios segredos. Agora, sr. Druce, serei absolutamente franca com o senhor. Tenho uma pequena loja na Strand, uma perfumaria, e por trás daquelas portas de aparência inocente empreendo a atividade que me traz o ouro do reino. Por acaso, sr. Druce, o senhor faz alguma objeção a que eu continue a ganhar meu sustento de maneira absolutamente inocente?

— Em absoluto — respondi. — A senhora me surpreende ao aludir a esse assunto.

— Quero que faça uma visita à minha loja quando for a Londres. Estive fora durante três ou quatro meses. Faço maravilhas por meus clientes, e eles me pagam regiamente por meus serviços. Guardo alguns segredos totalmente inocentes que não posso confiar a ninguém. Eu os obtive em parte com os indianos e em parte com os nativos do Brasil. Estive recentemente no Pará para investigar certos métodos pelos quais minha atividade pode ser aperfeiçoada.

— E a sua atividade é...? — perguntei, olhando-a com curiosidade e uma pontada de surpresa.

— Sou uma embelezadora — respondeu ela, casualmente, me olhando com um sorriso. — O senhor ainda não precisa de mim, sr. Druce, mas chegará a hora em que até o senhor haverá de querer manter ao largo as mazelas da idade. Nesse meio-tempo, pode adivinhar a minha idade?

— Eu não me aventuraria a tanto — respondi.

— E eu não vou lhe dizer. Deixemos que permaneça um segredo. Enquanto isso, entenda que a minha vocação é bastante honesta e que tenho segredos. Devo alertá-lo, sr. Druce, que, mesmo no exercício da sua profissão, não interfira com eles.

A expressão infantil sumiu do seu rosto quando ela pronunciou as últimas palavras. Pareceu-me haver um toque de desafio em seu tom. Pouco depois, ela se afastou e eu voltei a me reunir com meus amigos.

— O senhor estava conversando com Madame Sara, sr. Druce — disse a sra. Selby. — Não a achou encantadora?

— Ela é uma das mulheres mais bonitas que já vi na vida — respondi —, mas tem uma aura de mistério.

— Com certeza — interveio Edith Dallas, solenemente.

— Ela me perguntou se eu podia adivinhar sua idade — prossegui. — Não tentei, mas certamente ela não pode ter mais de 25 anos.

— Ninguém sabe a idade dela — disse a sra. Selby —, mas eu lhe contarei um fato curioso em que talvez o senhor não acredite. Ela foi madrinha no casamento da minha mãe há trinta anos. Declara que nunca muda e não tem medo da velhice.

— A senhora está falando sério? — exclamei. — Mas isso é impossível!

— O nome dela está no registro, e minha mãe a conhecia bem. Já era misteriosa na época, e acho que minha mãe sucumbiu ao seu poder, mas disso não tenho certeza. De todo jeito, Edith e eu a adoramos, não é, Eddie?

Pousou, então, afetuosamente a mão no braço da irmã. Edith Dallas nada disse, mas seu rosto estava contraído. Passado um tempo, falou devagar:

— Madame Sara é sobrenatural e terrível.

Talvez não haja nenhuma profissão imaginável — nem mesmo a advocacia — que torne seus praticantes mais desconfiados que a minha. Odeio todo tipo de mistério — tanto em pessoas quanto em coisas. Os mistérios são meus inimigos naturais; sinto agora que essa mulher era indubitavelmente um mistério. Que se interessava por mim eu não duvidava, talvez porque me temesse.

O restante da viagem transcorreu de maneira agradável. Quanto mais eu conhecia a sra. Selby e sua irmã, mais gostava delas. Eram calmas, simples e diretas. Eu tinha certeza de que eram pessoas excelentes.

Nós nos separamos em Waterloo, Jack, a esposa e a cunhada para tomar o rumo da casa de Jack em Eaton Square, e eu para voltar aos meus aposentos em St. John's Wood. Eu tinha uma casa lá, com um comprido jardim, no final do qual ficava o meu laboratório, o laboratório que era o orgulho da minha vida e, conforme considerava com apreço, o melhor laboratório privado de Londres. Ali eu passava todo o meu tempo livre fazendo experiências e tentando uma ou outra combinação química, na esperança de realizar grandes feitos um dia, pois não via a Agência Werner's como o fim da minha carreira. Ainda assim, ela me interessava muito, e eu não lastimava voltar às minhas charadas comerciais.

No dia seguinte, pouco antes de eu sair para meu local de trabalho, Jack Selby apareceu.

— Quero que você me ajude — disse. — Já andei tentando de maneira geral obter informações sobre meu cunhado, mas em vão. Ele não consta em nenhum registro. Você poderia me mostrar o caminho para descobri-lo?

Eu disse que sim e que o faria, se ele deixasse o assunto nas minhas mãos.

— Com prazer — respondeu ele. — Veja bem, estamos empacados. Nem Edith nem Bee têm como conseguir dinheiro com regularidade até esse homem ser encontrado. Não consigo imaginar por que ele se esconde.

— Porei anúncios nas colunas pessoais dos jornais — falei — e solicitarei a quem tiver informações a respeito dele que se comunique comigo no escritório. Também darei instruções a todas as filiais da agência, bem como aos meus assistentes em Londres, para manterem os olhos abertos a qualquer novidade. Você pode ter certeza de que dentro de uma ou duas semanas saberemos tudo sobre ele.

Selby pareceu se animar com a proposta e, tendo me implorado para visitar a esposa e a cunhada tão logo fosse possível, se despediu.

Naquele mesmo dia os anúncios foram elaborados e enviados a vários jornais e a investigadores, mas passaram-se semanas sem o menor resultado. Selby foi ficando agitado com a demora. Jamais estava feliz, salvo na minha presença, e insistia que eu visitasse, sempre que tivesse tempo, sua casa. Eu gostava das visitas, pois adquiri um interesse tanto por ele quanto pelos seus, e quanto a Madame Sara, eu não conseguia tirá-la da cabeça. Um dia a sra. Selby me perguntou:

— O senhor voltou a ver Madame Sara? Sei que ela gostaria de lhe mostrar sua loja e os arredores.

— Eu realmente prometi visitá-la — respondi —, mas ainda não tive tempo.

— O senhor iria comigo amanhã de manhã? — indagou Edith, repentinamente.

Ela corou ao falar, e a expressão preocupada, desconfortável, se tornou mais marcante em seu rosto. Há algum tempo eu reparara que ela vinha parecendo nervosa e deprimida. A primeira vez que observei tal peculiaridade fora a bordo do *Norham Castle*, mas, com o passar do tempo, em vez de melhorar, a situação piorou. O rosto, para uma mulher tão jovem, estava abatido; ela se assustava ao ouvir qualquer ruído, e o nome de Madame Sara jamais era falado em sua presença sem que ela demonstrasse uma emoção quase indevida.

— O senhor irá comigo? — insistiu ela, com grande ansiedade.

Imediatamente prometi que sim, e no dia seguinte, por volta das 11 horas, Edith Dallas e eu nos vimos em um cabriolé a caminho da loja de Madame Sara. Chegamos em poucos minutos e descobrimos um lugarzinho despretensioso, espremido entre uma camisaria e um vendedor de gravuras baratas. Nas vitrines da loja havia pirâmides de frascos de perfume, com tampas facetadas cintilantes amarradas com fitas coloridas. Descemos do cabriolé e entramos. Dentro da loja havia alguns degraus que levavam a uma porta de mogno maciço.

— Esta é a entrada dos aposentos particulares — disse Edith, apontando para uma pequena placa de bronze na qual estava gravado o nome: "Madame Sara, Perfumista". Edith apertou uma campainha elétrica, e a porta foi imediatamente aberta por um recepcionista bem-vestido. Ele olhou para a srta. Dallas como se a conhecesse muito bem e disse:

— Madame está lá dentro e a espera, senhorita.

Conduziu-nos até um cômodo sereno, mobiliado de maneira sóbria, mas elegante. Deixou-nos sozinhos então, fechando a porta. Edith virou-se para mim.

— O senhor sabe onde estamos? — indagou.

— Estamos no momento em uma pequena sala nos fundos da loja de Madame Sara — respondi. — Por que está tão perturbada, srta. Dallas? Qual é o problema?

— Estamos na entrada da caverna de um mago — respondeu ela. — Logo veremos pessoalmente a mulher mais maravilhosa de toda Londres. Não existe ninguém como ela.

— E a senhorita... A senhorita tem medo dela? — indaguei num sussurro.

Ela levou um susto, recuou e com grande dificuldade recuperou a compostura. Nesse momento o recepcionista retornou para nos conduzir através de uma série de pequenas salas de espera, e logo nos vimos na presença da própria Madame Sara.

— Ah! — disse ela, com um sorriso. — Isso é ótimo. Você manteve a sua palavra, Edith, e fico agradecida. Agora vou mostrar ao sr. Druce alguns dos mistérios da minha atividade. Mas entenda, meu senhor — acrescentou —, que eu não lhe contarei nenhum dos meus verdadeiros segredos. Entretanto, o que quiser saber a meu respeito, basta perguntar.

— O que faz a senhora achar que eu estaria interessado em seus assuntos? — perguntei.

Ela me lançou um olhar solene, que de alguma forma me deixou atônito, e depois falou:

— Conhecimento é poder. Não recuse o que estou disposta a dar. Edith, você não se importa de esperar aqui enquanto mostro os aposentos ao sr. Druce, não é? Primeiro observe esta sala, sr. Druce. Ela é iluminada a partir do telhado. Ao fechar, a porta automaticamente se tranca, de modo que qualquer intrusão é impossível. Este é o meu *sanctum sanctorum*. Um odor suave de perfume paira no cômodo. Hoje está fazendo calor, mas a sala em si está fresca. O que o senhor acha disso?

Não respondi. Ela se dirigiu até o outro extremo e me fez sinal para acompanhá-la. Ali havia uma mesa quadrada e lustrosa de carvalho, sobre a qual se via um leque de artigos e implementos de aparência extraordinária — frascos tampados cheios de medicamentos estranhos, espelhos planos e côncavos, escovas, pulverizadores, esponjas, instrumentos delicados de pontas finas feitos de aço brilhante, bisturis minúsculos e fórceps. Em frente à mesa havia uma cadeira como as que usam os dentistas. Acima dela, luzes elétricas em potentes refletores e lentes semelhantes a lâmpadas de lanternas. Outra cadeira, montada sobre um pedestal de vidro, servia, segundo me informou Madame Sara, para administrar eletricidade estática. Viam-se baterias galvânicas para as correntes contínuas e bobinas de indução para correntes farádicas. Havia também agulhas de platina para queimar raízes de cabelos.

Madame Sara me levou deste para outro cômodo, onde um conjunto ainda mais incrível de instrumentos podia ser visto. Ali se encontravam uma mesa de operação de madeira, clorofórmio e éter. Depois que vi tudo, ela se virou para mim:

— Agora o senhor sabe — disse ela. — Sou médica, quiçá uma curandeira. Esses são meus segredos. Por meio deles vivo e floresço.

Deu-me, então, as costas e entrou em outra sala com o passo leve e ágil de uma jovem. Edith Dallas, pálida como um fantasma, nos aguardava.

— Você cumpriu seu dever, minha menina — disse Madame. — O sr. Druce viu apenas o que me convém que ele veja. Sou muito agradecida a ambos. Vamos nos encontrar essa noite no "sarau" de Lady Farringdon. Até mais tarde.

Quando já estávamos na rua e voltávamos no cabriolé para Eaton Square, me virei para Edith.

— Muitas coisas me deixam confuso quanto à sua amiga — falei —, mas talvez nada mais que o seguinte: por que meios pode uma mulher que nada mais é que dona de uma loja ser admitida em algumas das melhores residências de Londres? Por que a sociedade abre as portas para essa mulher, srta. Dallas?

— Não posso lhe dizer com precisão — foi a sua resposta. — Só sei que aonde quer que ela vá é bem recebida e tratada com consideração, e onde quer que ela não apareça há uma sensação universalmente expressa de pesar.

Eu também havia sido convidado para a recepção de Lady Farringdon naquela noite, e compareci movido por uma imensa curiosidade. Não havia dúvida de que Madame Sara me interessava. Eu não me sentia seguro quanto a ela. Sem dúvida, havia um mistério ali, e, também, por algum motivo incompreensível, seu desejo era tanto me agradar quanto me desafiar. Por quê?

Cheguei cedo e estava próximo ao pé da escada quando a chegada de Madame Sara foi anunciada. Usava um vestido do mais rico cetim branco e muitos diamantes. Vi quando a dona da casa fez uma reverência em sua direção e falou animadamente. Percebi que Madame Sara respondeu e vi a expressão satisfeita que iluminou o rosto de Lady Farringdon. Poucos minutos depois, um homem com um rosto de aparência estrangeira e uma comprida barba se sentou ao piano de cauda. Tocou um prelúdio leve, e Madame Sara começou a cantar. A voz era doce e grave, carregada de um *páthos* extraordinário. Era o tipo de voz que penetra no coração. Fez-se uma pausa instantânea na conversa animada. Ela cantou sob um silêncio absoluto, e quando a canção terminou veio um furor de aplausos. Eu estava prestes a me virar para dizer algo a um senhor que estava por perto quando notei Edith Dallas, de pé, ao meu lado. Seus olhos encontraram os meus, e ela pousou a mão na minha manga.

— O salão está quente — disse, meio esbaforida. — Me leve até a varanda.

Fiz o que ela pediu. A atmosfera nos salões da recepção se tornara quase intolerável, mas, comparativamente, ao ar livre estava fresco.

— Não posso perdê-la de vista — disse Edith de repente.

— Quem? — indaguei, meio espantado com suas palavras.

— Sara.

— Ela está ali — falei. — Dá para vê-la de onde você está.

Por acaso, estávamos a sós. Aproximei-me um pouco.

— Por que tem medo dela? — indaguei.

— Tem certeza de que não seremos ouvidos? — foi sua resposta. E logo em seguida: — Ela me apavora!

— Não trairei sua confiança, srta. Dallas. Por que não confia em mim? Poderia me dar um motivo para seus temores.

— Não posso. Não ouso. Já falei demais. Não se demore aqui comigo, sr. Druce. Ela não pode nos ver juntos.

Logo depois, ela se embrenhou no grupo de convidados e, antes que eu pudesse detê-la, já estava ao lado de Madame Sara.

Lembro que a recepção em Portland Place foi no dia 26 de julho. Dois dias depois, os Selby ofereceriam seu derradeiro "sarau" antes de partir para o campo. Fui, é claro, convidado, e Madame Sara também compareceu. Nunca se vestira de forma mais esplendorosa, nem jamais parecera tão jovem ou tão bonita. Aonde quer que fosse, todos os olhares a seguiam. Via de regra, seus vestidos eram simples, quase como os que uma menina usaria, mas nessa noite ela optou por ricos tecidos orientais em várias cores e cravejados de pedras preciosas. O cabelo dourado estava salpicado de diamantes. Em volta do pescoço um colar misturava turquesas e diamantes. Havia várias mulheres jovens na sala, mas nem a mais moça nem a mais linda tinham qualquer chance se comparadas a ela. Não se tratava meramente de beleza física, mas de charme — um charme que atraía todos à sua volta.

Vi a srta. Dallas, esbelta, alta e pálida, de pé a uma pequena distância. Aproximei-me dela. Antes que eu tivesse tempo para falar, Edith se inclinou para mim.

— Ela não está divina? — sussurrou. — Ela enfeitiça e encanta a todos. Arrebatou toda Londres.

— Então não está com medo dela hoje? — indaguei.

— Com mais medo que nunca. Fui enfeitiçada. Mas veja, ela vai cantar de novo.

Eu não me esquecera da canção com que Madame Sara nos brindara na recepção dos Farringdon, e fiquei calado para ouvir. Fez-se total silêncio no salão. Sua voz flutuava sobre a cabeça dos convidados interpretando uma canção espanhola sonhadora. Edith me disse que se tratava de uma canção de ninar e que Madame se gabava de pôr qualquer um que a ouvisse cantá-la para dormir.

— Ela tem muitos pacientes que sofrem de insônia — sussurrou a moça — e em geral os cura com essa canção e mais nada. Ah! Não devemos falar, ela vai nos ouvir.

Antes que eu pudesse responder, Selby se aproximou apressado. Não reparara na presença de Edith e me pegou pelo braço.

— Venha comigo um minuto até aquela janela, Dixon — pediu. — Preciso falar com você. Suponho que não tenha ouvido nenhuma novidade a respeito do meu cunhado, certo?

— Nenhuma palavra — respondi.

— Para falar a verdade, sinto-me terrivelmente prejudicado com essa situação. Não podemos arrumar nenhuma das nossas questões financeiras simplesmente porque esse homem opta pelo sumiço. Os advogados da minha esposa telegrafaram para o Brasil ontem, mas nem seus banqueiros sabem coisa alguma sobre ele.

— Tudo é uma questão de tempo — argumentei. — Quando vocês partem para Hampshire?

— No sábado.

Ao dizer isso, Selby olhou à volta e depois baixou o tom de voz.

— Quero dizer outra coisa. Quanto mais eu vejo... — disse, apontando com a cabeça para Madame Sara — menos gosto dela. Edith está entrando numa fase estranha. Você notou? E o pior é que minha esposa também foi contaminada. Suponho que seja esse estratagema da mulher para rejuvenescer e embelezar as pessoas. Sem dúvida a tentação é inevitável no caso de uma mulher sem beleza, mas Beatrice é linda e jovem. O que ela tem a ver com cosméticos e pílulas para a pele?

— Você não está me dizendo que a sua esposa se consultou com Madame Sara na condição de médica, está?

— Não exatamente, mas a procurou para ver os dentes. Queixou-se de uma dor de dente recentemente, e a odontologia de Madame Sara tem renome. Edith vive indo procurá-la por algum motivo, mas, também, Edith é fascinada por ela.

Depois dessas palavras, Jack se afastou para falar com outra pessoa, e, antes que eu deixasse meu posto na janela, vi Edith Dallas e Madame Sara tendo uma conversa intensa. Não pude deixar de ouvir as seguintes palavras:

— Não vá à minha casa amanhã. Parta para o campo o mais rápido que puder. Sem dúvida, é a melhor coisa a fazer.

Enquanto falava, Madame Sara se virou rapidamente e encontrou meu olhar. Fez uma reverência de cabeça, e aquele olhar peculiar que já me lançara antes, que continha uma espécie de desafio, surgiu mais uma vez. Senti desconforto, e durante a noite que se seguiu não consegui tirá-lo da cabeça. Eu me lembrei do que Selby dissera a respeito da esposa e de suas questões financeiras. Sem dúvida, ele se casara com alguém que guardava um segredo — um segredo sobre o qual Madame Sara tinha pleno conhecimento. Havia muito dinheiro envolvido, e coisas estranhas acontecem quando milhões estão em jogo.

Na manhã seguinte eu acabara de acordar e estava tomando café quando recebi um bilhete, trazido por um mensageiro especial e marcado como "urgente". Eu o abri de imediato. Era o seguinte o conteúdo:

Meu caro Druce,

Um golpe terrível nos atingiu. Minha cunhada, Edith, adoeceu repentinamente durante o café da manhã. O médico mais próximo foi chamado, mas nada pôde fazer, e ela morreu faz meia hora. Venha, por favor, me ver, e, se conhecer algum especialista inteligente, traga-o com você. Minha esposa está absolutamente arrasada. Abraço,

Jack Selby

Li o bilhete duas vezes até de me dar conta do seu significado. Então, saí apressado e, chamando o primeiro cabriolé que vi, disse ao condutor:

— Me leve ao no 192 da Victoria Street o mais rápido que conseguir.

Ali morava um certo sr. Eric Vandeleur, um velho amigo e cirurgião da polícia do distrito de Westminster, que incluía a Eaton Square. Não existia ninguém mais perspicaz ou astuto que Vandeleur, e o caso em questão pertencia definitivamente à sua seara, tanto do ponto de vista jurídico quanto profissional. Ele não estava no apartamento quando cheguei, já tendo saído para o tribunal. Para lá corri e fui informado de que ele se encontrava no necrotério.

Para um homem que, ao que me parecia, vivia numa perpétua atmosfera de crime e violência, de morte e tribunais de legistas, sua animação e bom humor habituais eram marcantes. Talvez se tratasse apenas de uma reação ao trabalho, pois ele tinha a reputação de ser um dos mais astutos especialistas em jurisprudência médica e o mais habilidoso analista de casos toxicológicos da equipe da Polícia Municipal. Antes que eu pudesse mandar avisá-lo que queria vê-lo, ouvi uma porta bater e Vandeleur surgiu apressado no corredor, vestindo o paletó enquanto já ia saindo.

— Olá! Não vejo você há séculos. Está precisando de mim?

— Sim, com muita urgência — respondi. — Você está ocupado?

— Até o pescoço, meu caro amigo. Não posso lhe dar atenção agora, mas talvez mais tarde.

— O que houve? Você parece agitado.

— Preciso ir voando até Eaton Square, mas venha comigo se quiser e me conte o que deseja no caminho.

— Formidável! — exclamei. — A ocorrência foi comunicada, então? Você está indo à casa do sr. Selby, no nº 34A. Vou com você então.

Ele me olhou espantado:

— Mas o caso acabou de ser comunicado. O que você sabe sobre isso?

— Tudo. Vamos pegar esse cabriolé, e eu lhe conto no caminho.

Enquanto seguíamos em direção a Eaton Square, rapidamente expliquei a situação, observando vez por outra o rosto bem barbeado de Vandeleur. Aquele não era mais Eric Vandeleur, o homem com a última história de salão e o brilho brincalhão nos olhos azuis; era Vandeleur o legista judicial, com um rosto que mais parecia uma máscara, o queixo se projetando ligeiramente e as feições circunspectas.

— A coisa promete ser séria — disse ele, quando terminei —, mas não posso fazer nada antes da autópsia. Chegamos, e lá está o meu homem a me esperar. Ele foi esperto.

Na escada vi um homem com aparência de autoridade, usando uniforme, que nos saudou.

— Legista — explicou Vandeleur.

Entramos na casa silenciosa e escura. Selby estava nos aguardando no hall e veio nos receber. Eu o apresentei a Vandeleur e ele imediatamente nos conduziu à sala de jantar, onde encontramos o dr. Osborne, a quem Selby chamara assim que o alarme da doença de Edith disparou. O dr. Osborne era um homem muito jovem, pálido e de baixa estatura. O rosto demonstrava considerável preocupação. Vandeleur, porém, conseguiu deixá-lo totalmente à vontade.

— Terei uma conversa com o senhor daqui a alguns minutos, dr. Osborne — disse ele —, mas primeiro preciso ouvir o relato do sr. Selby. Poderia, por favor, me dizer o que exatamente ocorreu?

— Com certeza — respondeu Selby. — Tivemos uma recepção aqui ontem à noite, e minha cunhada só foi dormir de madrugada; estava meio deprimida, mas bem de saúde. Minha esposa foi ao quarto dela depois que a irmã se deitou e me contou mais tarde que encontrou Edith histérica, mas não conseguiu fazer com que ela se explicasse. Ambos falamos em levá-la para o campo sem demora. Na verdade, nossa intenção era partir esta tarde.

— E? — quis saber Vandeleur.

— Tomamos café por volta de nove e meia, e a srta. Dallas desceu, parecendo saudável como sempre e com boa disposição. Comeu com apetite e, por acaso, tanto ela quanto minha esposa se serviram do mesmo prato. A refeição quase acabara quando ela se afastou da mesa apressada, soltou um grito estridente, ficou muito pálida, apertou a mão contra a costela e saiu correndo da sala. Minha esposa imediatamente foi atrás da irmã. Voltou um ou dois minutos depois dizendo que Edith estava com uma dor horrível e me pediu para chamar um médico. O dr. Osborne mora logo ali na esquina. Veio na mesma hora, mas Edith morreu assim que ele chegou.

— O senhor estava no quarto? — indagou Vandeleur, virando-se para Osborne.

— Sim — respondeu o médico. — Ela estava consciente até o último instante, e morreu repentinamente.

— Ela lhe disse algo?

— Não, apenas me assegurou que não comera nada até descer para o café da manhã. Depois que ela faleceu, mandei imediatamente notificar o caso, tranquei a porta do quarto onde está o corpo da pobre moça e também providenciei para que ninguém tocasse em coisa alguma nesta mesa.

Vandeleur tocou a campainha e uma criada apareceu. Ele deu ordens rápidas. Tudo que restara do café da manhã foi coletado e apreendido. Em seguida, ele e o legista subiram ao segundo andar.

Quando ficamos sozinhos, Selby desabou numa poltrona. Seu rosto estava bastante abatido e preocupado.

— É a horrível brusquidão disso tudo que é tão terrível — falou com voz embargada. — Quanto a Beatrice, acho que jamais será a mesma. Era profundamente ligada a Edith. Edith era quase dez anos mais velha do que ela e sempre agira como se fosse sua mãe. Esse é um triste começo para a nossa vida juntos. Mal consigo pensar direito.

Permaneci com ele um pouco mais e depois, como Vandeleur não retornava, voltei para casa. Lá não consegui me concentrar em nada, e quando Vandeleur me ligou por volta das seis da tarde, corri para encontrá-lo em seu escritório. Assim que cheguei, vi que Selby estava com ele, e a expressão no rosto dos dois me contou a verdade.

— O caso é complicado — disse Vandeleur. — A srta. Dallas morreu por ingestão de veneno. Uma análise e um exame exaustivos foram feitos, e um veneno potente, desconhecido dos toxicólogos europeus, foi encontrado. Isso em si já é bastante estranho, mas como o veneno foi administrado é um enigma. Confesso, neste exato momento, que estamos todos perplexos. Decerto o veneno não estava nos restos do café da manhã, e temos a declaração dela antes de morrer de que não comeu nenhuma outra coisa. Agora, um veneno com tamanha potência faria efeito rapidamente. É evidente que ela estava bem quando desceu para o café, e que o veneno começou a agir perto do fim da refeição. Mas como ela o ingeriu? Com essa pergunta, porém, eu lidarei mais tarde. O ponto mais urgente é o seguinte: a situação é séria em vista das questões monetárias e do valor da vida da moça. Considerando-se os aspectos do caso, sua sanidade inquestionável e a afeição pela irmã, praticamente podemos excluir a hipótese de suicídio. Assim, devemos considerar o caso um homicídio. Essa moça inofensiva e inocente foi abatida pela mão de um assassino, e com tamanha astúcia diabólica que nenhum rastro ou pista ficou para trás. Para um ato como esse deve haver algum motivo muito poderoso, e a pessoa que o tramou e executou tem de ser um criminoso com um conhecimento científico muito acima da média. O sr. Selby me falou da posição financeira exata da pobrezinha e também da de sua jovem esposa. O sumiço total do meio-irmão, em vista do seu caráter anterior, é estranhíssimo. Sabendo, como sabemos, que entre ele e dois milhões de libras havia duas vidas... *Uma foi tirada!*

Uma sensação mortal de frio me assaltou quando Vandeleur proferiu essas últimas palavras. Olhei para Selby. Seu rosto perdera a cor, e as pupilas estavam contraídas, como se tivesse visto algo aterrorizante.

— O que aconteceu uma vez pode acontecer de novo — prosseguiu Vandeleur. — Estamos na presença de um grande mistério, e eu o aconselho, sr. Selby, a proteger sua esposa com o maior cuidado.

Essas palavras vindas de um homem com a posição e a autoridade de Vandeleur nesses assuntos foram suficientemente chocantes para meus ouvidos, mas para Selby receber um alerta tão solene sobre sua jovem e bela esposa, que era para ele tudo no mundo, foi realmente terrível. Ele escondeu a cabeça entre as mãos.

— Misericórdia! — exclamou. — Será este um país civilizado em que a morte pode andar assim, invisível, sem poder ser evitada? Diga, sr. Vandeleur, o que preciso fazer.

— O senhor deve ser guiado por mim — disse Vandeleur —, e, acredite, não existe bruxaria no mundo. Porei um detetive em sua casa imediatamente. Não fique alarmado. Ele estará à paisana e agirá como um mero criado. Ainda assim, nada acontecerá com sua esposa sem o conhecimento dele. Quanto a você, Druce — prosseguiu, virando-se para mim —, a polícia está fazendo todo o possível para encontrar esse tal de Silva, e eu lhe peço que a ajude com sua grande agência e comece de imediato. Deixe seu amigo a meu cargo. Telegrafe na mesma hora se tiver notícias.

— Pode contar comigo — garanti, e um instante depois parti. Conforme andava rapidamente pela rua, a ideia de Madame Sara, sua loja e seu histórico misterioso, os instrumentos cirúrgicos, a mesa de operação, os indutores de correntes farádicas, me voltou à cabeça. No entanto, o que Madame Sara poderia ter a ver com o presente e inexplicável mistério?

A ideia mal surgira em minha mente quando ouvi um ruído ao longo da calçada. Olhei para trás e vi uma elegante carruagem aberta, conduzida por uma dupla de cavalos, parada ali. Também ouvi meu nome ser chamado. Me virei. Debruçada para fora da carruagem estava Madame Sara.

— Vi o senhor passando, sr. Druce. Acabei de ouvir a notícia sobre a pobre Edith Dallas. Estou horrivelmente chocada e nervosa. Fui até a casa, mas não me deixaram entrar. O senhor sabe dizer qual foi a causa da morte?

Os olhos azuis da mulher se encheram de lágrimas enquanto ela falava.

— Não tenho permissão para revelar o que ouvi, Madame — respondi —, já que estou oficialmente ligado ao caso.

Seus olhos se estreitaram. As lágrimas secaram como por mágica. O olhar se tornou desdenhoso.

— Obrigada — respondeu. — Sua resposta me diz que ela não morreu de causas naturais. Que horror! Mas não vou retê-lo. Posso levá-lo a algum lugar?

— Não, obrigado.

— Até logo, então.

Fez, então, um sinal para o cocheiro e, enquanto a carruagem se afastava, ela se virou e olhou para mim. O rosto tinha a expressão desafiadora que eu vira mais de uma vez. Estaria ela envolvida no caso? A ideia me atingiu com uma violência que quase pareceu convicção. Ainda assim, eu não tinha motivos para tanto. Motivo algum.

Achar Henry Joachim Silva era agora meu principal objetivo. Meus funcionários tinham instruções para fazer todas as investigações possíveis, com grandes recompensas pecuniárias como estímulo. As filiais de outras agências em todo o Brasil receberam comunicações por cabo, e todos os canais da Scotland Yard foram usados. Mesmo assim sem resultados. Os jornais relataram o caso; havia parágrafos na maioria deles referentes ao meio-irmão desaparecido e à misteriosa morte de Edith Dallas. Então, alguém tomou conhecimento da história do testamento e ela foi distribuída a varejo para o público. No inquérito, o júri proferiu o seguinte veredito:

— Concluímos que a srta. Edith Dallas morreu por ingestão de um veneno desconhecido, mas não há provas que indiquem por quem ou como ele foi administrado.

Essa declaração insatisfatória estava fadada a mudar repentinamente. No dia 6 de agosto, enquanto eu estava sentado no meu escritório, um bilhete me foi entregue por mensageiro particular.

Norfolk Hotel, Strand.

Caro senhor,

Acabei de chegar a Londres, vindo do Brasil, e vi seus anúncios. Estava prestes a publicar um eu mesmo a fim de saber o paradeiro de minhas irmãs. Sou um inválido grave e incapaz de sair do quarto. O senhor poderia me visitar o mais breve possível? Atenciosamente,

Henry Joachim Silva

Numa agitação incontrolável, na mesma hora expedi dois telegramas, um para Selby e outro para Vandeleur, pedindo-lhes que se encontrassem comigo sem falta o mais rápido possível. Então, o homem jamais estivera na Inglaterra. A situação se mostrava mais surpreendente do que nunca. Uma coisa, ao menos, era provável: a morte de Edith Dallas não fora obra do seu meio-irmão. Passava um pouco das seis e meia quando Selby chegou, e Vandeleur apareceu dez minutos depois. Eu lhes falei do ocorrido e lhes mostrei a carta. Em um espaço de meia hora chegamos ao hotel e, quando me identifiquei, fomos levados a um quarto no primeiro andar pelo criado de Silva. Havia um homem descansando na poltrona quando entramos. O rosto era terrivelmente magro, os olhos e as bochechas tão encovados que o rosto mais parecia uma caveira. Fez um esforço para se levantar quando entramos e olhou para nós com absoluto espanto. Imediatamente me apresentei e expliquei quem éramos. Ele então acenou para o criado, dispensando-o.

— Sr. Silva, é claro que o senhor ouviu as notícias, certo? — indaguei.

— Notícias? Quais? — Ergueu os olhos para mim e pareceu ler alguma coisa em meu rosto. Voltou a se sentar, então.

— Céus! — exclamou. — O senhor alude a minhas irmãs? Diga logo, elas estão vivas?

— Sua irmã mais velha morreu no dia 29 de julho e temos todos os motivos para crer que a morte foi criminosa.

Quando proferi essas últimas palavras, a mudança que se operou em seu rosto foi dolorosa de testemunhar. Ele não falou, mas permaneceu imóvel. As mãos, com aparência de garras, seguraram com força os braços da poltrona; o olhar ficou fixo; os olhos, esbugalhados, como se fossem pular das órbitas ocas; a cor da pele adquiriu o tom de argila. Ouvi a respiração agitada de Selby às minhas costas, e Vandeleur se aproximou do homem e pousou a mão em seu ombro.

— Diga-nos o que sabe sobre esse assunto — falou com autoridade.

Recuperando-se com esforço, o inválido começou em voz trêmula:

— Ouçam com atenção, pois precisam agir rapidamente. Tenho uma responsabilidade indireta por essa coisa pavorosa. Minha vida sempre foi desregrada e desperdiçada, e agora estou morrendo. Os médicos me dizem que me resta menos de um mês de vida, pois há um aneurisma no meu coração. Há 18 meses, eu estava no Rio. Vivia desregradamente e apostava muito. Entre meus amigos jogadores se incluía um homem muito mais velho que eu. Seu nome era José Aranjo. Por incrível que pareça, jogava melhor que eu. Uma noite, jogamos sozinhos. As apostas foram subindo até atingirem uma soma bem vultosa. Quando amanheceu, eu havia perdido quase duzentas mil libras. Embora eu seja rico em termos de renda de acordo com o testamento do meu tio, não poderia pagar uma vigésima parte desse valor. Esse homem conhecia minha situação financeira e, além de cinco mil libras de sinal, dei a ele um documento. Eu devia estar enlouquecido para fazer isso. O documento foi devidamente testemunhado e certificado por um advogado e dizia que caso eu sobrevivesse às minhas duas irmãs e assim herdasse a fortuna inteira do meu tio, meio milhão iria para José Aranjo. Senti que estava na reta final na época e que as chances de que eu viesse a herdar o dinheiro eram pequenas. Imediatamente após a assinatura do documento, esse homem partiu do Rio e eu soube um bocado de coisas sobre ele que até então desconhecia. Seus antecedentes eram dos mais bizarros, em parte indiano, em parte italiano. Passara muitos anos na Índia. Também soube que ele era tão cruel quanto esperto e que possuía alguns segredos incríveis relativos a envenenamentos desconhecidos no Ocidente. Pensei muito nisso, pois sabia que ao assinar aquele documento pusera a vida de minhas duas irmãs entre ele e uma fortuna. Fui até o Pará há seis semanas e lá descobri que uma de minhas irmãs se casara e que ambas haviam partido para Londres. Apesar de doente, resolvi segui-las para alertá-las. Também queria esclarecer as coisas com o senhor, sr. Selby.

— Um momento — interrompi, de súbito. — O senhor por acaso sabe se esse homem, José Aranjo, conhecia uma mulher que chama a si mesma de Madame Sara?

— Se ele a conhecia?! — exclamou Silva. — Muitíssimo bem, na verdade, e, aliás, eu também. Aranjo e Madame Sara eram amigos íntimos e se encontravam com constância. Ela se intitulava uma embelezadora profissional. Era muito bonita e tinha segredos para o desempenho da própria profissão que até mesmo Aranjo desconhecia.

— Céus! — exclamei. — Essa mulher está agora em Londres. Voltou para cá com a sra. Selby e a srta. Dallas. Edith era muito influenciada por ela e as duas se encontravam com frequência. Não há dúvidas em minha mente de que ela é culpada. Suspeitei dela durante algum tempo, mas não conseguia achar um motivo. Agora surge o motivo. Você com certeza pode mandar prendê-la, não?

Vandeleur não respondeu. Me lançou um olhar estranho e depois se virou para Selby.

— Sua esposa também consultou Madame Sara? — indagou bruscamente.

— Sim, ela a procurou para tratar um dente, mas não foi à loja desde a morte de Edith. Implorei para que ela não se encontrasse com essa mulher, e ela me prometeu que não o faria.

— Por acaso ela tem algum remédio ou loção que lhe tenha sido receitado por Madame Sara? Segue algum tratamento recomendado por ela?

— Não, disso eu tenho certeza.

— Muito bem. Vou falar com sua esposa hoje à noite e lhe fazer algumas perguntas. Vocês dois devem deixar a cidade imediatamente. Partam para a casa de campo e se estabeleçam por lá. Falo muito sério quando digo que a sra. Selby corre um perigo enorme até a morte do irmão. Precisamos ir embora agora, sr. Silva. Os negócios precisam esperar, neste momento. É absolutamente necessário que o sr. Selby saia de Londres já. Boa noite, meu senhor. Eu me darei o prazer de visitá-lo amanhã de manhã.

Despedimo-nos do doente. Assim que chegamos à rua, Vandeleur parou.

— Preciso deixar a seu critério, Selby — disse ele —, quanto desse assunto contar à sua esposa. Se eu fosse você, explicaria tudo. O momento para a ação imediata chegou, e ela é uma mulher corajosa e de bom senso. De agora em diante, você deve examinar toda comida e bebida que ela ingerir. Jamais deve perdê-la de vista ou deixar de ter alguém de confiança para monitorá-la.

— Eu mesmo farei isso, é claro, mas a situação é de levar alguém à loucura.

— Irei com você para o campo, Selby — falei de repente.

— Ah! — exclamou Vandeleur. — Essa é a melhor coisa a fazer, e o que eu queria propor. Peguem, todos vocês, um trem bem cedo amanhã.

— Então, voltarei imediatamente para casa, para tomar providências — falei. — Encontro você, Selby, em Waterloo para pegarmos o primeiro trem para Cronsmoor amanhã.

Quando eu já ia me virando, Vandeleur pegou meu braço.

— Estou feliz por você ir com eles — disse. — Escreverei para você esta noite com relação às instruções. Jamais deixe de portar um revólver carregado. Boa noite.

Às 6h15 da manhã seguinte, Selby, a esposa e eu estávamos num compartimento reservado e trancado da primeira classe, seguindo rapidamente rumo ao oeste. Os empregados e a criada pessoal da sra. Selby viajavam num vagão separado. O rosto de Selby mostrava sinais de uma noite insone, contrastando de forma impressionante com o rosto fresco e rosado da moça em torno da qual essa estranha batalha transcorria. O marido lhe contara tudo, e, embora ainda sofrendo imensamente com o choque e a dor da morte da irmã, seu rosto estava calmo e repousado. Uma carruagem nos aguardava em Cronsmoor, e às nove e meia chegamos à antiga casa dos Selbys, abrigada entre carvalhos e olmos. Tudo foi feito para tornar a chegada da noiva o mais alegre possível em tais circunstâncias, mas uma sombra, impossível de remover, ofuscava o próprio Selby. Ele mal conseguia sentir o menor interesse por qualquer coisa.

Na manhã seguinte, recebi uma carta de Vandeleur. Era muito curta, e mais uma vez ele insistia comigo sobre a necessidade de cuidado. Dizia que dois eminentes médicos haviam examinado Silva e o veredicto era de que o doente não viveria mais um mês. Até sua morte, todas as precauções precisavam ser estritamente tomadas.

O dia estava lindo, e após o café da manhã eu já ia sair para caminhar quando o mordomo me entregou um telegrama, que abri. Era de Vandeleur:

"Proíba toda comida até minha chegada. Indo para aí", eram as palavras. Corri até o escritório e o entreguei a Selby, que depois de lê-lo ergueu os olhos para mim.

— Descubra o horário do primeiro trem e vá recebê-lo, caro amigo — disse ele. — Esperemos que isso signifique o fim desse caso tenebroso.

Fui até o hall e olhei o horário dos trens. O próximo chegaria a Cronsmoor às 10h45, então fui até as cocheiras e pedi uma carruagem. Depois disso, fiquei andando de um lado para outro diante da casa. Não havia dúvida de que algo estranho acontecera. Vandeleur aparecer tão de repente devia significar a solução final do mistério. Eu acabara de atravessar o portão para aguardar a carruagem quando o som de rodas e cavalos galopando me chegou aos ouvidos. Os portões se abriram, e Vandeleur em um veículo aberto passou à toda por eles. Antes que eu me recuperasse da surpresa, ele desceu do veículo e já estava a meu lado. Carregava uma pequena bolsa preta na mão.

— Vim num trem especial — disse, falando rapidamente. — Não há um instante a perder. Venha rápido. A sra. Selby está bem?

— Como assim? — falei. — Claro que sim. Você acha que ela corre perigo?

— Perigo mortal — foi sua resposta. — Venha.

Corremos para a casa juntos. Selby, que ouviu nossos passos, veio nos receber.

— Sr. Vandeleur, o que é isso? Como o senhor veio até aqui?

— Num trem especial, sr. Selby. E quero ver sua esposa imediatamente. Será necessário realizar uma pequena cirurgia.

— Cirurgia! — exclamou Selby. — Sim, agora mesmo.

Atravessamos o hall e fomos até a sala matutina, onde a sra. Selby estava ocupada lendo e respondendo cartas. Levou um susto quando viu Vandeleur e exclamou, surpresa:

— O que houve?

Vandeleur se aproximou e tomou-lhe a mão.

— Não fique assustada — falou —, pois eu vim para pôr fim a todos os seus medos. Agora, por favor, me ouça. Ao visitar Madame Sara com sua irmã, a senhora foi lá para ouvir conselhos médicos?

Um rubor coloriu o rosto da moça.

— Um dos meus dentes doía — respondeu ela. — Fui lá por causa disso. Ela é, como suponho que o senhor saiba, uma dentista maravilhosa. Ela examinou o dente, descobriu que precisava obturá-lo e chamou um assistente, um brasileiro, para fazer isso.

— E desde então seu dente não doeu mais?

— Não. Ela obturou um dos de Edith no mesmo dia.

— A senhora poderia se sentar e me mostrar qual foi o dente que ela obturou?

Assim ela fez.

— Foi este — disse ela, apontando com o dedo para um dente inferior. — O que está acontecendo?

Vandeleur examinou o dente com calma e atenção. Houve um repentino movimento de sua mão, e um grito estridente vindo da sra. Selby. Com a destreza de uma longa prática e um pulso potente, ele extraíra o dente com um puxão. A rapidez da coisa toda, por mais surpreendente que fosse, não se rivalizou em estranheza com o seu movimento seguinte.

— Mande a criada da sra. Selby vir atendê-la — disse ao marido. — Depois venham, os dois, para a sala vizinha.

A criada foi chamada. A pobre sra. Selby desabara na cadeira, aterrorizada e meio desfalecida. Um instante depois, Selby se juntou a nós na sala de jantar.

— Muito bem — disse Vandeleur —, feche a porta, por favor.

Abrindo a bolsa preta, tirou dela vários instrumentos. Com um deles, removeu a obturação do dente. Era macia e saiu facilmente. Então, da bolsa tirou também um pequeno porquinho-da-índia, que me pediu para segurar. Apertou o instrumento afiado de encontro ao dente, e abrindo a boca do animalzinho pôs a ponta em sua língua. O efeito foi instantâneo. A cabecinha caiu sobre uma das minhas mãos: o porquinho-da-índia estava morto. Vandeleur estava pálido como papel. Correu até Selby e agarrou sua mão.

— Graças aos céus! — exclamou. — Cheguei a tempo, mas por pouco. Sua esposa está salva. Essa obturação não aguentaria mais uma hora. Pensei a noite toda a respeito do mistério da morte da sua cunhada e sobre cada ínfimo detalhe das provas para descobrir como o veneno poderia ter sido administrado. De repente, a coincidência de ambas as irmãs terem tido seus dentes obturados me chamou a atenção. Como um raio, a solução me ocorreu. Quanto mais eu pensava, mais sentia estar certo, mas por meio de que vil esperteza tal esquema pode ter sido concebido e executado ainda não consigo explicar. O veneno é muito parecido com escopolamina, um dos piores alcaloides tóxicos conhecidos, tão violento em suas proporções mortíferas que a quantidade que é posta num dente causaria uma morte quase instantânea. Foi mantido no lugar por uma obturação de guta-percha, com a certeza de que sairia dentro de um mês, provavelmente antes, e mais provavelmente durante a mastigação. A pessoa morreria imediatamente ou passados uns poucos minutos, e ninguém faria a conexão de uma visita ao dentista com a morte um mês mais tarde.

O que se seguiu pode ser contado em pouquíssimas palavras. Madame Sara foi presa como suspeita. Apareceu diante do juiz, bela e inocente, e conseguiu durante seu depoimento atordoar por completo aquele indivíduo arguto. Nada negou, mas declarou que o veneno devia ter sido inserido no dente por um dos dois brasileiros que ela recentemente contratara para ajudá-la no ofício de dentista. Logo depois, começara a desconfiar de ambos e os demitiu. Acreditava que os dois estivessem sendo pagos por José Aranjo, mas não podia afirmar nada com certeza. Assim, Madame Sara escapou da condenação. Eu tinha certeza da sua culpa, mas não havia sombra de uma prova genuína. Um mês depois Silva morreu, e Selby é agora duas vezes milionário.

VIGARISTA: HAMILTON CLEEK

O CASO DO HOMEM QUE CHAMAVA A SI MESMO DE HAMILTON CLEEK

THOMAS W. HANSHEW

Os super-heróis parecem ser figuras literárias ou de histórias em quadrinhos de natureza recente, mas muitos criminosos que surgiram um século atrás também tinham habilidades e poderes incríveis. Hamilton Cleek, a criação de Thomas W. Hanshew (1857-1914), tinha o talento extraordinário de deformar o rosto quase instantaneamente, criando uma dezena de semblantes variados em segundos, cobrindo o rosto com uma máscara viva sem a ajuda de maquiagem.

Era conhecido por diversos codinomes, como "Quarenta Caras" e o "Ladrão Invisível", alcunha que lhe desagradava; disse aos jornais que descrevê-lo meramente como um ladrão equivalia a chamar Paganini de "violeiro". Insistia que deviam referir-se a ele como "O Homem que Chama a Si Mesmo de Hamilton Cleek", prometendo aos jornalistas em troca de tal cortesia lhes fornecer dali em diante o local e a data de seu próximo roubo. Além disso, informou à Scotland Yard que enviaria à agência uma pequena porção de seu butim na manhã seguinte — como suvenir.

Embora atendesse por vários codinomes, Cleek é, na verdade, o príncipe de Mauravania, trono que abandonou para casar-se com Ailsa, uma mulher que é sua parceira no crime até que acaba por convencê-lo a se redimir, o que faz com que ele se torne detetive.

Existem 13 livros protagonizados por Hamilton Cleek, a maioria publicada depois da morte de Henshew. Os últimos foram escritos por sua esposa, Mary E. Hanshew, a princípio a partir das notas e ideias do marido e depois por conta própria. Quase todos foram assinados em conjunto por Thomas W. Hanshew e Mary E. Hanshew.

"O caso do Homem que Chamava a Si Mesmo de Hamilton Cleek", o primeiro conto da série, foi originalmente publicado em *The Man of the Forty Faces* (Londres, Cassell, 1910); a primeira edição americana adotou um título curioso, dado que o personagem atuava apenas como criminoso: *Cleek, the Master Detective* (Nova York, Doubleday, 1918).

O CASO DO HOMEM QUE CHAMAVA A SI MESMO DE HAMILTON CLEEK

THOMAS W. HANSHEW

I

A coisa não teria acontecido se qualquer outro guarda que não Collins estivesse de plantão na ponte Blackfriars naquela manhã. Pois Collins era jovem, bem-apessoado e... sabia disso. A natureza o dotara de um coração suscetível e uma visão aguçada para os atrativos da feminilidade. Assim, quando olhou à volta e viu a mulher abrindo caminho por entre o labirinto de veículos na "Esquina do Morto" — com a saia levantada apenas o suficiente para deixar ver dois pezinhos saltitantes calçados em sapatos franceses, e sobre eles uma figura graciosa, esbelta, e coroando o corpo um rosto encantador, ainda que demasiado moreno, com olhos amendoados e uma cabeleira lustrosa sob a proteção de um grande chapéu parisiense —, sentiu-se atraído de imediato.

Ele viu na hora que ela era francesa — extremamente francesa —, e ele preferia, via de regra, a beleza inglesa. Mas beleza é beleza, seja da França ou do Reino Unido, e ali indiscutivelmente estava um tipo perfeito, razão pela qual Collins não hesitou em correr para ajudá-la e conduzi-la em segurança até a calçada, deleitado por seus volúveis agradecimentos e extasiado quando ela se apoiou tímida mas firmemente nele.

— *Sire*, devo-lhe imensa gratidão — agradeceu de um jeito gracioso, meio sonhador, quando os dois alcançaram a calçada. Então, largou a manga do rapaz, olhou-o nos olhos e com timidez baixou a cabeça, como se atônita com a surpresa de ver a juventude e os belos traços dele. — Ah, não existe lugar algum no mundo, à exceção de Londres, onde se possa receber essa atenção delicada, desses fantásticos *sergeants de ville* — acrescentou a mulher com um suspiro. — Vocês, policiais ingleses, são marravilhosos,

marravilhosos. *Monsieur*, sou uma estrangeira, não conheço as ruas dessa cidade cheia de diversão, e se o senhor fizer a gentileza de me dizer onde ficar a Abadia de Vestminster...

Antes que P.C. Collins pudesse lhe dizer que se aquele era o seu destino, ela estava bem longe; na verdade, antes mesmo que a moça concluísse o que estava dizendo, em meio ao barulho do tráfego se ouviu um som fino e estridente que, para ouvidos treinados para o seu chamado, continha um significado inquietante.

Era a estridência de um apito policial, bem distante, vindo do Embankment, na margem do Tâmisa.

— Alô! Essa é uma chamada para o homem de plantão! — exclamou Collins, imediatamente alerta. — Me desculpe, moça. Eu a vejo depois. Aconteceu alguma coisa. Um dos meus parceiros está me fazendo sinal.

— Parceiros, *monsieur*? Parceiros? Fazendo sinal? Não entendi. Mas, sim, o que isso significa, hein?

— Santo Deus, não me perturbe agora! Eu... Quer dizer, espere um instante. Esse é o sinal para "interceptar" alguém e... Minha nossa! Aí está ele agora, vindo direto para cá, o safado, e correndo como o vento!

De repente, em meio a uma brecha no tráfego, uma figura em disparada surgiu à vista — a figura de um homem usando uma casaca cinza e uma cartola lustrosa, um homem bem-vestido, de aparência abastada, com um pequeno bigode curvado para cima e um cabelo de tom vermelho-arroxeado que se vê apenas na casca de uma castanha assada. Quando foi possível vê-lo claramente, o apito distante soou de novo; bem ao longe, vozes distantes gritavam: "Detenha esse homem!" etc.; então, os que estavam na rua próximo ao fugitivo aderiram à gritaria, se juntaram na perseguição e, num piscar de olhos, com taxistas, motorneiros, leiteiros e pedestres gritando, a algaravia foi suficiente para parecer estarem no Hades.

— Um batedor de carteiras, aposto — comentou Collins, enquanto se preparava para o embate e para pular sobre o homem quando este estivesse mais próximo. — Saia do caminho, *madmosele*. Primeiro o trabalho, depois o lazer. Além disso, você pode ser derrubada na confusão. Aqui, motorista! — gritou para o motorista de um carro preto e grande que contornou o extremo da ponte naquele momento, e se preparou para disparar pelo Embankment para aderir à perseguição. — Pare! Pare onde está! Parado. Agora mesmo, está ouvindo? Não queremos você no caminho. Agora... —

disse, apontando com a cabeça na direção do homem que corria — venha cá, seu patife; estou pronto para você!

E, como se realmente tivesse escutado o convite e estivesse ansioso para aceitá-lo, o homem ruivo "veio", cheio de ímpeto. E o tempo todo, a *madmosele*, contrariando o conselho de Collins, ficou parada, calma e silenciosamente aguardando.

Em sua direção vinha o fugitivo, com a multidão gritalhona em seu encalço, driblando os veículos, "abalroando" transeuntes que se atravessavam em seu caminho, correndo, se esquivando, saltando, como uma raposa perseguida por perdigueiros — até a hora em que percebeu um espaço livre no tráfego, deu um salto para atravessá-lo —, e se viu em apuros. Pois Collins investiu contra ele como um gato, cravou as mãos grandes e fortes como ferro em seus ombros e o imobilizou.

— Peguei você, vagabundo! — gritou, com um risinho breve e satisfeito. — Seu contorcionismo não adianta mais agora. Fique quieto. Vai ser mais fácil você sair do caixão, safado, do que se livrar das minhas mãos. Peguei você! Peguei você! Entendeu?

A resposta a isso basicamente deixou Collins sem ar.

— Claro que sim — disse o cativo, alegremente. — Faz parte do roteiro você me pegar. Apenas, pelo amor de Deus, não estrague o filme ficando aí imóvel, seu paspalho! Lute comigo, seja grosseiro, me sacuda. Faça parecer de verdade, faça parecer que eu de fato escapei de você, não que você me soltou. Companheiros aí atrás, não fiquem na frente da câmera. Ela está num daqueles táxis. Vamos, Bobby, não pareça de pedra! Lute! Lute, pateta, e salve o filme!

— Salvar o quê? — indagou, sem fôlego, Collins. — Ei! Deus do céu! Você está querendo dizer...?

— Lute, lute, lute! — interrompeu o homem, impaciente. — Você não entende a situação? É uma invenção: a gravação de um filme de cinema, ao vivo, para o Alhambra esta noite! Deus do céu! Marguerite, você não disse a ele?

— *Non, non!* Não deu tempo. Você veio tão rápido, não deu tempo. E ele... Ah, *le bon Dieu*! Ele não me deu chance. *Policier*, eu imploro, suplico, faça parecer real! Lute, brigue, não pare de se mover. Aqui! — Algo tilintou na calçada com o inequívoco som de ouro. — Aqui, *monsieur*, aqui está meio soberano para pagar o seu esforço. Mas, pelo amor de *Dieu*, não pegue enquanto o instrumento, a câmera, estiver ligada. É o cinematógrafo, e você vai estragar tudo!

O grito desconcertado que Collins deu se perdeu no alarido de riso da multidão reunida.

— Lute, lute! Não me ouviu, seu idiota? — insistiu o ruivo, irritado. — Você está sendo regiamente pago para isso, então, caramba, faça parecer real. Só isso! Valentão! Mais uma vez para a direita, depois me libere um pouco para que eu possa empurrá-lo e fingir que o esmurro. Tudo pronto aí, Marguerite? Senhores, abram um espaço em volta dela. Pronto com esse motor, *chauffeur*? Ótimo. Agora, Bobby, caia de costas e proteja os olhos quando eu o atacar, amigão. Um, dois, três... Lá vai!

Dito isso, ele empurrou o atônito Collins, fingiu socar sua cabeça quando o rapaz recuou e deu um pulo até onde a francesa estava, concluindo a aventura que era altamente dramática e sem dúvida teatral. Pois *mademoiselle*, vendo-o se aproximar, fez uma pose, abriu os braços e o acolheu — para enorme deleite da multidão que gargalhava —, e, então, ambos olharam para trás e se portaram como fazem as pessoas no palco quando são "perseguidas", gesticulando com extravagância. Correram, então, para o veículo que os aguardava e pularam dentro dele.

— Muito obrigado, Bobby, muito obrigado a todos — agradeceu alegremente o ruivo. — Vamos, *chauffeur*. Os operadores da câmera vão nos alcançar de novo em Whitehall, daqui a alguns minutos.

— Isso mesmo, senhor — respondeu o motorista, alegremente. O ruído da buzina do veículo se fez ouvir quando o cavalheiro vestido de cinza fechou a porta, e o veículo, partindo em velocidade, saiu em disparada pelo Embankment na exata direção de onde viera originalmente o homem e, passando diretamente pela parcela atrasada da multidão, apressada para a qual o fim da aventura ainda era desconhecido, praticamente alçou voo e... sumiu.

E Collins, se inclinando para pegar o meio soberano que lhe havia sido atirado, sentiu que, afinal, era um preço irrisório a ganhar para enfrentar a zombaria do bando de curiosos.

— Brilhante detenção, Bobby, não foi? — cantarolou uma voz desdenhosa que causou uma nova onda de risos na multidão. — Você vai ser promovido, pode crer! Vai estar tudo nos jornais vespertinos, ah, vai! Uma terrível troca de socos com um bandido. Policial corajoso arrancou meia libra de um bandido enfurecido! Tiro meu chapéu! Sua patroa não vai ficar orgulhosa quando você levá-la para ver esse filmaço?

— Mexam-se, agora, vamos lá! — comandou Collins, recuperando a dignidade e impondo-a com vigor. — Olha só, não é do meu agrado ver você rindo assim. Você foi pego tanto quanto eu. Dane-se aquela francesa! Ela podia ter me dado a dica antes que eu fizesse papel de idiota. Não digo que eu teria agido de modo tão natural se soubesse, mas... Aff! O que foi isso? Se não é aquele maldito apito de novo, e outra multidão vindo nesta direção. Não! Sim, minha nossa! Dois agentes da Scotland Yard vindo junto. Cruzes! O que você acha que isso significa?

Ele soube em seguida. Resfolegando, com a multidão nos calcanhares e gente vinda de todo lado trotando atrás, os dois homens "à paisana" passaram correndo por entre o grupo sorridente e caíram em cima de P.C. Collins.

— Oi, Smathers, vocês também estão nisso? — começou ele, seus sentimentos suavizados ao saber que outros braços da lei apareceriam com ele no filme no Alhambra naquela noite. — Está atrás de quê, bobalhão? Da francesa ou do parceiro ruivo de terno cinza?

— Sim, sim, é claro que estou. Você me ouviu sinalizar para pegá-lo, não ouviu? — respondeu Smathers, olhando à volta e ficando de repente agitado quando se deu conta de que Collins estava de mãos vazias e que o ruivo não estava ali. — Arre! Você não deixou que ele escapasse, deixou? Você o agarrou, não foi?

— Claro que agarrei. Pare com isso. Que tipo de piada é essa? — disse Collins, com uma piscadela e um sorrisinho. — Ainda não descobriu até agora, bobalhão? Ora, era só um faz de conta, a gravação de um filme para o Alhambra. Você e Petrie deviam ter vindo antes e pegado o pagamento, retardados. Ganhei meio soberano pelo meu papel quando deixei o cara se safar.

Smathers e Petrie ergueram as vozes num uivo desesperado.

— Quando você o quê?! — gritou Smathers, sem cerimônia. — Seu idiota! Você não está me dizendo que deixou os dois enrolarem você desse jeito, está? Não está dizendo que o teve nas mãos e depois deixou que escapasse, está? Ai! Sua besta quadrada! Teve o cara na mão, imagine!, teve o cara na mão e depois deixou que escapasse! Perdeu a chance de levar sua parte numa recompensa de duzentos paus quando só tinha que segurar o cara e não largar!

— Duzentos paus? Duzen... Do que você está falando? Não era verdade? Não era um filme, no fim das contas?

— Não, seu burro, não! — grunhiu Smathers, desatinado de desespero. — Seu energúmeno! Você é um idiota dos maiores! Sabe quem você teve nas mãos? Sabe quem você deixou escapar? Aquele demônio do "Quarenta Caras", o "Ladrão Invisível", o homem que chama a si mesmo de "Hamilton Cleek". E a mulher era sua parceira, sua cúmplice, sua abençoada alcaguete, "Margot, a Rainha dos Apaches", que veio de Paris para ajudá-lo naquela limpeza que fizeram nas joias de Lady Dresmer na semana passada!

— Céus! — Collins engoliu em seco, por demais abobalhado para dizer qualquer outra coisa, em um abatimento tão profundo que não conseguia pensar no que quer que fosse salvo no homem procurado pela Scotland Yard havia um ano, o homem sobre o qual toda a Inglaterra, toda a França, toda a Alemanha especulava, e que estivera em suas mãos, mas ele deixara escapar. O maior e mais ousado criminoso com que a polícia já lidara, o gênio quase sobrenatural do crime, que desafiava todos os sistemas, ria de todas as leis, zombava dos Vidocqs e Dupins e Sherlock Holmeses, fossem amadores ou profissionais, franceses ou ingleses, alemães ou americanos, que jamais mediram ou viriam a medir forças contra ele; e que, por pura diabrura, por uma ingenuidade diabólica e por um colossal descaramento, bem como por um poder concedido pela natureza que era simplesmente incrível, não tinha quem a ele se comparasse no universo.

Quem ou o que ele realmente era, de onde viera, se tinha origem inglesa, irlandesa, francesa, alemã, ianque, canadense, italiana ou holandesa, ninguém sabia e ninguém tinha a esperança de saber, a menos que ele mesmo decidisse revelar. Em seus muitos encontros com a polícia, ele assumira o jeito de falar, as características e, com efeito, os atributos faciais de cada uma dessas nacionalidades e com uma facilidade e perfeição simplesmente maravilhosas, ganhando assim o apelido de "Quarenta Caras" dentro da polícia e o de "Ladrão Invisível" entre os redatores e repórteres dos jornais. Que tenha vindo, eventualmente, a ter outro nome que não esses foi uma questão de impulso e capricho, resultado do seu atrevimento ostensivo e desavergonhado. Pois, de repente, enquanto Londres vivia uma febre de excitação e todos os jornais se atropelavam para cobrir um dos golpes mais ousados e bem-sucedidos, o sujeito decidiu escrever sem rodeios tanto para os editores quanto para a polícia, queixando-se de que os codinomes que lhe foram dados por uns e outros eram, ao mesmo tempo, vulgares e baratos.

"Vocês não pensariam em chamar Paganini de violeiro", escreveu. "Por que, então, me degradar com o termo rude 'ladrão'"? Sou tão artista na minha profissão quanto foi Paganini na dele, e exijo também uma cortesia similar de vocês. Assim, portanto, se no futuro for necessário aludirem a mim — e temo que com frequência será —, ficarei grato se o fizerem como 'O Homem que Chama a Si Mesmo de Hamilton Cleek'. Em retribuição a tal cortesia, cavalheiros, prometo alterar meu modo de proceder, virar a página, com efeito, e lhes dar a todo tempo daqui em diante informações de antemão dos lugares que escolher para campo de minhas operações e das datas em que farei minhas visitas a eles, e, na manhã seguinte a cada visita, enviar uma pequena porção do butim para a Scotland Yard como suvenir do acontecimento."

E a esse notável programa ele rigidamente aderiu dali em diante — sempre dando à polícia um aviso com 12 horas de antecedência, sempre escapando de suas armadilhas e ciladas, sempre executando seus planos apesar dos pesares, e sempre, na manhã seguinte, enviando alguma quinquilharia ou bugiganga ao superintendente Narkom na Scotland Yard, numa caixa de papelão cor-de-rosa, amarrada com uma fita rosada, e com a inscrição: "Com os cumprimentos do Homem que Chama a Si Mesmo de Hamilton Cleek."

Os detetives do Reino Unido, os detetives do Continente, os detetives dos Estados Unidos — cada um já havia entrado em embate com ele, experimentado artimanhas, montado ciladas e armadilhas, e todos tinham batido em retirada, vencidos.

E esse era o homem que ele — o policial Samuel James Collins — havia, de fato, tido em suas mãos. Não! Em seus braços, para ser exato, e depois, em troca de meio soberano, deixara escapar!

— Ai, socorro! Você fundiu meus miolos, Smathers, pode acreditar! — conseguiu falar, afinal. — Eu o peguei, peguei o Ladrão Invisível, com estas minhas mãos abençoadas, e depois acabei deixando aquela francesa levada... Mas olhe só: você tem certeza de que era ele? Ninguém pode se fiar na aparência do sujeito. Como então você tem certeza?

— Tendo, seu bobalhão! — rosnou Smathers, enojado. — Como eu não haveria de saber se estou atrás dele desde que ele saiu da Scotland Yard meia hora atrás?

— Saiu de onde? Caramba! Não vai me dizer que ele esteve lá? Quando? Por quê? Para quê?

— Para deixar um de seus bilhetinhos, o safado. Que detetive ele daria, se resolvesse se dedicar a isso e ficar ao lado da lei em vez de contra ela, hein? Ele entrou lépido e fagueiro, se sentou e conversou com o superintendente sobre alguma historinha inventada sobre uma carta "Mão Negra" que disse ter recebido e perguntou se poderia contar com a proteção da polícia enquanto estivesse na cidade. Só depois que ele saiu o superintendente viu um bilhete na cadeira em que o salafrário se sentara, e, quando o abriu, havia em preto e branco mais ou menos o seguinte:

"'A lista dos presentes que foram enviados para o casamento da filha mais velha de Sir Horace Wyvern amanhã é uma leitura interessante, sobretudo a parte que descreve as joias — sem dúvida um tributo à posição do pai da noiva como o maior especialista em neurologia no mundo — da corte da Áustria e dos principados continentais. O cuidado com tais gemas é responsabilidade demasiada para a noiva. Proponho, portanto, aliviá-la esta noite e enviar ao senhor o suvenir costumeiro do acontecimento amanhã pela manhã. Atenciosamente, O Homem que Chama a Si Mesmo de Hamilton Cleek.'

"É por isso que sei, ora bolas! O superintendente me mandou atrás dele, em disparada. E depois de um tempo eu o vi na rua Strand, passeando com aquela francesa levada, todo serelepe. Mas caramba! O cara deve ter olhos nas costas, pois me viu assim que eu o vi, e ele e a francesa se separaram na hora. Ela entrou num táxi e fugiu numa direção, ele mergulhou na multidão e saiu em disparada noutra. Num piscar de olhos, ele estava driblando e se esquivando, entrando e saindo de táxis, tudo para ganhar tempo, claro, para a mulher fazer o que ele a instruíra a fazer, e me obrigando a uma perseguição dos diabos, usando artimanhas do próprio diabo até estar pronto para tomar o rumo do Embankment. E você deixou que ele escapasse, e jogou fora um terço das duzentas libras em troca de meia libra!"

E muito depois de Smathers e Petrie partirem e a multidão curiosa se dispersar, e o posto de plantão na "Esquina do Morto" voltar a ser um posto de plantão e nada mais, P.C. Collins ficou ali parado, ruminando o gosto amargo dessas palavras e tentando calcular exatamente quantas libras e quanta glória havia deixado de ganhar.

II

— Mas, meu senhor, isso é ultrajante! Não vou medir minhas palavras, sr. Narkom. Falo simplesmente que se trata de um ultraje, uma desgraça para a polícia, uma indignidade com a comunidade em geral; e que a Scotland Yard tenha se permitido ser desafiada, ludibriada, transformada em objeto de galhofa dessa forma abominável por um ladrão insignificante...

— Tio querido, não se exalte dessa maneira. Tenho certeza de que se o sr. Narkom pudesse impedir...

— Segure a língua, Ailsa. Não permito interferências quando falo! Está na hora de alguém falar claramente e fazer esta instituição entender o que o público tem o direito de esperar dela. Para que pago meus impostos, que são extremamente altos, aliás, senão para manter a lei e a ordem e a proteção adequada da propriedade? E ver todo este abençoado país aterrorizado, a polícia desafiada, as casas dos indivíduos invadidas impunemente por um ladrão criado na sarjeta é um escândalo e uma vergonha! Você chama esse tipo de patetice de proteção policial? Que Deus me perdoe! Se é assim, poderíamos muito bem ficar sob a supervisão de um grupo de velhas senis e pronto!

Passara-se uma hora e meia desde aquela situação caótica na "Esquina do Morto". O cenário era a sala particular do superintendente Narkom no escritório central, os personagens do drama eram o próprio sr. Maverick Narkom, Sir Horace Wyvern e a srta. Ailsa Lorne, sua sobrinha, uma moça extremamente atraente, esbelta e loura de vinte anos, a órfã filha única de uma irmã muito querida que, até um ano antes, não conhecera um estilo de "vida" mais emocionante do que aquele que se leva numa cidadezinha em Suffolk quando se é a única filha de um vigário mal remunerado. Um acidente ferroviário a privara repentinamente dos dois genitores, deixando-a totalmente dependente dos próprios recursos, sem um centavo no mundo. Sir Horace a acudira, com toda a generosidade, e lhe dera um lar e um refúgio, sendo duplamente recompensado pela afeição e o cuidado que a moça lhe dedicava e pela forma como ela assumira o comando de uma casa que até então se encontrava exclusivamente a cargo dos criados, já que Lady Wyvern havia muito falecera e suas duas filhas eram do tipo que se dedicavam aos prazeres da sociedade e às exigências do mundo. Um homem esquentado — irascível, de pavio curto, meticuloso —, Sir Horace havia partido sem demora para o escritório do superintendente Narkom tão logo o bilhete desse cavalheiro, revelando a última ameaça do Ladrão Invisível, lhe havia sido entregue, e, a conselho da srta. Lorne, ocultara tal informação dos demais moradores da casa e trouxera a sobrinha consigo.

— Eu lhe digo que a Scotland Yard precisa fazer alguma coisa. Precisa, precisa! — vociferou, enquanto o sr. Narkom, ressentido por conta desse estigma sobre a instituição, cerrava os lábios e parecia furioso. — Esse sujeito sempre cumpre sua palavra, sempre, apesar do seu precioso bando de patetas, e se deixar que ele faça o mesmo desta vez, quando há mais de quarenta mil libras em joias na casa, será no mínimo uma vergonha nacional, e você e sua coleção de trapalhões serão merecidamente ridicularizados.

Narkom reagiu, magoado sob essa saraivada de críticas, esses "ataques" contra a eficiência do departamento de que tanto se orgulhava, dilatando as narinas, sua paciência a ponto de estourar.

— Bem, dessa vez ele não vai cumprir sua palavra, eu lhe prometo! — retrucou com veemência. — Cedo ou tarde todo criminoso, por mais esperto que seja, enfrenta seu Waterloo. E este será o dele! Vou tratar pessoalmente desse caso, Sir Horace. Não só mandarei a nata dos meus homens para vigiar as joias, como também irei com eles. E se esse sujeito passar pela porta da Mansão Wyvern esta noite, juro que o pegarei. Ele terá que ser o diabo em pessoa para escapar de mim! Srta. Lorne — disse, com uma pequena reverência de desculpas —, peço que perdoe meu linguajar, minha raiva me fez esquecer as boas maneiras.

— Não faz mal, sr. Narkom, desde que o senhor proteja os presentes de casamento da minha prima desse sujeito abominável — respondeu a moça com uma ligeira inclinação de cabeça e um sorriso que levou o superintendente a achar que estava diante da criatura mais bela do mundo, tal a forma que se irradiava pelo rosto da moça e aumentava a magia daqueles olhos gloriosos. — Não importa o que o senhor diga, o que o senhor faça, desde que consiga protegê-los.

— Ah, eu conseguirei. Tão certo quanto estou vivo, hei de conseguir! Podem ir para casa com a certeza disso. Meus homens chegarão um pouco antes do anoitecer, Sir Horace. Eu chegarei mais tarde. Eles irão um a um. Providencie para que entrem pelos fundos e para que, uma vez lá dentro, nenhum deixe a casa antes que eu chegue. Vou examiná-los ao chegar para ter certeza de que não há nenhum lobo em pele de cordeiro no grupo. Com um indivíduo como esse, um canalha com um talento diabólico para disfarces, todo cuidado é pouco. Enquanto isso, foi bom o senhor não dar essa notícia às suas filhas, que, naturalmente, ficariam nervosas e perturbadas, mas suponho que tenha mencionado o problema a algum criado de confiança a fim de que ninguém os engane e entre na casa sob pretexto algum, certo?

— Não, não fiz isso. A srta. Lorne foi contra e, como sou sempre guiado por ela, não falei do assunto com ninguém.

— O senhor acha que agi errado, sr. Narkom? — indagou, ansiosa, Ailsa. — Tive medo de que, se soubessem, acabassem perdendo a cabeça e que minhas primas, que são muito nervosas e emotivas, pudessem ouvir e nos criar ainda mais dificuldades ficando histéricas e exigindo nossa atenção num momento em que precisamos estar concentrados o tempo todo em vigiar a possível chegada desse homem. E como ele sempre cumpriu à risca suas terríveis promessas até hoje, sei que não aparecerá até o cair da noite. Além disso, as joias estão trancadas no cofre do consultório de Sir Horace, e o seu assistente, o sr. Merfroy, prometeu não sair dali um único instante antes de voltarmos.

— Ah, bom, tudo bem, então. Ouso dizer que existe pouca probabilidade de o nosso homem entrar enquanto a senhorita e Sir Horace estiverem aqui e correr o risco de permanecer na casa até o cair da noite para começar suas atividades. Ainda assim, não foi uma ação muito prudente, e eu recomendaria que voltassem para casa o mais rápido possível e escolhessem ao menos um criado, aquele que acharem menos suscetível a perder a cabeça, para ser posto a par da história, Sir Horace, e avisá-lo sobre a chegada dos meus homens. De resto, mantenha a questão em segredo, como fez até agora, e me espere por volta das nove horas. E tenha absoluta certeza: o "Ladrão Invisível" jamais se safará com uma única daquelas joias, caso entre na casa esta noite, e jamais sairá de lá a não ser algemado!

Dito isso, Nakrom delicadamente se despediu de suas visitas e se dedicou à seleção de seus homens sem demora.

Como prometido, às nove em ponto ele chegou à Mansão Wyvern e foi levado ao consultório de Sir Horace, onde o próprio dono da casa e a srta. Lorne o aguardavam e mantinham uma atenta vigilância diante da porta trancada de um apartamento contíguo onde estavam sentados os seis homens que haviam precedido o inspetor. Nakrom entrou e submeteu todos eles a um rígido exame — puxando-lhes os cabelos e barbas, esfregando-lhes o rosto com um lenço limpo em busca de qualquer vestígio de maquiagem ou algum tipo de disfarce, examinando seus distintivos e as marcas nas suas algemas para se certificar de que tinham a marcação que ele mesmo havia feito na privacidade do próprio escritório poucas horas antes.

— Não há problemas neste grupo — anunciou, com um sorriso. — Alguém mais entrou ou tentou entrar na casa?

— Nenhuma alma — respondeu a srta. Lorne. — Não confiei em ninguém para vigiar, sr. Narkom. Eu mesma me encarreguei disso.

— Ótimo. Onde estão as joias? Naquele cofre?

— Não — respondeu Sir Horace. — Elas estarão em exibição na galeria de quadros para os convidados do café da manhã de casamento amanhã, e como a srta. Wyvern quis supervisionar a arrumação pessoalmente e não haveria tempo para isso pela manhã, ela e a irmã estão lá organizando tudo neste momento. Como não me era possível impedir que o fizessem sem lhes contar o que temos a temer, não as contrariei; mas se o senhor acha que será mais seguro devolver as joias ao cofre depois que minhas filhas forem dormir, sr. Narkom...

— Não será necessário. Se o nosso homem entrar aqui, o fato de as joias estarem à vista constituirá uma tentação irresistível e... bem, ele há de descobrir que existe um anzol atrás delas. Estarei lá esperando por ele. Agora, o senhor e a srta. Lorne vão se juntar às moças e agir como se nada fora do comum estivesse acontecendo. Meus homens e eu ficaremos aqui, e é melhor apagar a luz e nos trancar neste aposento, para que não haja risco de alguém descobrir nosso plano. Sem dúvida, a srta. Wyvern e a irmã vão se deitar mais cedo do que de hábito por ser uma ocasião especial. Deixem que façam isso. Mandem os criados se deitarem também. O senhor e a srta. Lorne devem se deitar na mesma hora que todos os demais; ou, ao menos, fazer com que os outros pensem que o fizeram. Então, desçam aqui e nos destranquem.

Sir Horace concordou e, levando com ele a srta. Lorne, se dirigiu imediatamente à galeria dos quadros e se juntou às filhas, com as quais permaneceu até as 23 horas. Precisamente àquela hora, porém, a casa foi trancada, a futura noiva e a irmã se recolheram — os criados já haviam ido se deitar — e o silêncio se instalou na casa às escuras. No final de dez minutos, contudo, houve um leve ruído de pés calçados em chinelos atravessando o corredor onde ficava o consultório. Então, uma chave foi inserida na fechadura, abriu-se a porta, a luz foi acesa, e Sir Horace e a srta. Lorne surgiram diante dos vigilantes atentos.

— Agora, vamos, homens. Olhos de águia! — sussurrou Narkom. — Um homem em cada janela e em cada escada, de modo que ninguém suba ou desça, entre ou saia sem cair nos braços de um de vocês. Concentrem a atenção neste andar específico e, se ouvirem alguém se aproximando, finjam-se de mortos até a pessoa estar a seu alcance e vocês poderem derrubá-la antes que fuja. Esta é a porta para a galeria de quadros, Sir Horace?

— Sim — respondeu Sir Horace, enquanto enfiava uma chave na fechadura. — Mas sem dúvida o senhor há de precisar de mais homens do que os que trouxe, sr. Narkom, se a sua intenção é vigiar cada janela individualmente, pois este cômodo tem quatro, veja!

Com isso ele escancarou a porta, acendeu a luz do cômodo, e Narkom mal piscou diante da visão exuberante que o confrontou. Três mesas compridas, cobertas de cristais e prataria, vidros lapidados e joias, ocupavam todo o comprimento do aposento e faiscavam e cintilavam sob o brilho das lâmpadas elétricas que circundavam as sancas da galeria e se refletiam com esplendor luminoso no cristal e na prata de um enorme lustre, espalhando para todos os lados um fantástico arco-íris irregular, uma luz viva: estojos e baús, caixas e bandejas contendo os presentes da realeza, sobre os quais os jornais tanto haviam falado e dos quais o "Ladrão Invisível" jurara deixar tão poucos.

O sr. Narkom se aproximou e ficou de pé ao lado daquela profusão cintilante, apoiando a mão na mesa e deixando os olhos se fartarem com a visão daquele esplendor opulento.

— Que Deus abençoe a minha alma! É soberbo, é fantástico! — comentou. — Não espanta que o sujeito esteja disposto a correr tamanho risco para obter uma recompensa como esta. Vocês são uma tentação esplêndida, uma isca incrível, suas belezuras, mas o peixe que as morder descobrirá que existe um anzol terrível na pessoa de Maverick Narkom. Não importa o número de janelas, Sir Horace. Que ele entre por uma delas, se for seu plano. Jamais me afastarei por um instante destes objetos, de agora até amanhã de manhã. Boa noite, srta. Lorne. Vá para seu quarto e durma. O senhor também, Sir Horace. Daqui não sairei!

Dito isso, Narkom se agachou e, erguendo a longa toalha que cobria a mesa, cujas dobras pesadas iam até o chão, sumiu de vista sob elas, deixando que caíssem novamente.

— Apaguem a luz e vão dormir — falou numa voz abafada. — Não se preocupem, nenhum dos dois. Durmam, se puderem.

— Antes fosse fácil assim — retrucou a srta. Lorne, agitada. — Não vou conseguir pregar o olho. Tentarei, claro, mas sei que não vou conseguir. Venha, tio, venha! Ah, tenha cuidado, sr. Narkom. E se aquele sujeito horrível aparecer...

— Eu o pegarei, se Deus quiser! — garantiu ele. — Apaguem a luz e fechem a porta ao sair. Este é o Waterloo do "Quarenta Caras", finalmente.

E no instante seguinte a luz se apagou, a porta se fechou e ele ficou sozinho no aposento silencioso.

Durante dez a 12 minutos nem mesmo a mera sugestão de um ruído perturbou a tranquilidade reinante; então, de repente, seu ouvido treinado percebeu um som muito leve que o fez prender a respiração e se erguer ligeiramente, apoiado num cotovelo, para ouvir melhor — um som que vinha não de fora da casa, mas de dentro, do corredor escuro onde ele posicionara seus homens. Enquanto ouvia, ele estava ciente de que alguma criatura viva se aproximara da porta, tocara na maçaneta e, pelo movimento rápido e abafado, bem como pelo som de uma respiração acelerada, fora atacada e capturada. Saiu engatinhando de debaixo da mesa, acendeu a luz e escancarou a porta a tempo de ouvir a voz de Sir Horace dizer, com irritação:

— Não faça papel de bobo com seu excesso de zelo. Só desci para trocar uma palavrinha com o sr. Narkom.

Narkom viu Sir Horace de pé na entrada do cômodo, grotesco com um pijama listrado e um dos pulsos preso, como se numa algema de aço, pelos dedos firmes de Petrie.

— Por que não avisou que era o senhor?! — exclamou o indivíduo atônito, quando a luz tornou evidente o seu equívoco. — Logo que ouvi o senhor e o vi sair daquele corredor dos fundos, tive a certeza de que era o ladrão. E se o senhor tivesse lutado, eu teria quebrado sua cabeça como se fosse um ovo.

— Obrigado por nada — respondeu Sir Horace, com irritação. — Você devia ter se lembrado, porém, de que o homem primeiro precisaria entrar na casa antes de descer até aqui. Sr. Narkom — disse ele, virando-se para o superintendente —, eu já estava me deitando quando me veio à cabeça algo que me esqueci de lhe dizer, e como minha sobrinha está sentada em seu quarto com a porta aberta e não me pareceu agradável passar diante dela de pijama, desci pela escada dos fundos. Não sei como fui me esquecer disso, mas acho que o senhor deveria saber que existe outra forma de entrar na galeria dos quadros sem usar nem as janelas nem a escada, e esse caminho deve ser tanto revistado quando vigiado.

— Onde é? Onde fica? Por que o senhor não me falou dele para começar? — exclamou Narkom, irritado, olhando à volta, curioso. — É um painel? Uma porta secreta? Esta é uma casa antiga, e casas antigas às vezes são um ninho de coisas como essas.

— Felizmente, esta não é. É uma inovação moderna, não uma relíquia antiga, que fornece o meio de entrada, nesse caso. Um americano morou aqui antes que eu a comprasse dele, um desses indivíduos friorentos que os Estados Unidos produzem, que não suportava um bafo de ar frio dentro de casa depois do fim do outono. Esse homem abominável instalou uma dessas abomináveis mazelas americanas, um aquecedor, no porão, com canos enormes que vão para todos os cômodos da casa — enormes monstruosidades de metal, mais grossas que o corpo de um homem, que terminam em aberturas na parede com o que eles chamam de "registros", para abrir e deixar entrar o calor ou fechar ao bel-prazer do usuário. Não mandei retirar nem selar tais "registros". Simplesmente passei o papel de parede por cima deles quando os aposentos foram remodelados; tem um desses ali ao lado daquele sofá. E, se conseguir entrar nesta casa, um homem pode se meter dentro dessa geringonça e se esconder em um desses dutos até decidir sair dali. Me ocorreu que talvez fosse bom que vocês examinassem esse aquecedor e esses canos antes de mais nada.

— Claro que sim. Minha nossa! Sir Horace, por que o senhor não me falou disso antes? — indagou Narkom, agitado. — O sujeito pode muito bem estar lá neste exato minuto. Venha, me mostre essa coisa abominável.

— Fica lá embaixo, no porão. Temos de descer pela escada da cozinha, e estou sem lanterna.

— Aqui está — disse Petrie, tirando uma lanterna do cinto e entregando-a a Narkom. — É melhor descer lá com Sir Horace imediatamente. Deixem a porta da galeria aberta e a luz acesa. Fish e eu vamos vigiar a exposição até o senhor voltar. Caso o homem esteja num desses dutos e tente uma investida aqui, podemos agarrá-lo antes que chegue às janelas.

— Boa ideia — disse Narkom. — Vamos, Sir Horace. É por aqui?

— Sim, mas temos de andar com cuidado e prestar atenção para não tropeçar em nada. Um bocado da minha parafernália, garrafas, tubos de ensaio e coisas do gênero, está guardada no pequeno recesso que fica ao pé da escada, e meu assistente é descuidado e larga as coisas por todo lado.

Evidentemente era preciso cuidado, pois um ou dois minutos após ambos sumirem atrás da porta que levava à cozinha, Petrie e seus colegas ouviram um barulho que sugeria que algo tinha sido revirado e quebrado e riram baixinho um para o outro. Evidentemente, também, o perigo do aquecedor havia sido bastante exagerado por Sir Horace, pois quando, uns minutinhos depois, a porta se abriu e fechou, e os homens viram a figura do chefe reaparecer, ficou claro que seu humor não era dos melhores, já que tinha o semblante crispado e disse um palavrão quando desligou a lanterna, devolvendo-a a Petrie.

— Nada que valha a pena examinar, superintendente?

— Não. Nadinha! — respondeu Narkom. — Que velho bobalhão! Me arrastar até lá embaixo no meio do carvão e do lixo por causa de uma ideia insana como essa! Ora, os dutos não têm espaço para acomodar uma criança, e, mesmo assim, existe uma curva, um "cotovelo" abrupto, que só daria passagem para um gato. E esse é o homem que todos consideram uma autoridade em cérebro humano! Mandei aquele velho tolo de volta para cama pelo caminho que veio, e se...

Nisso, ele parou de súbito e prendeu a respiração com um som agudo, sibilante. Pois, de repente, o barulho de passos rápidos e o brilho de uma luz em movimento se materializaram e o fizeram olhar para cima; ali estava a srta. Lorne descendo a escada num estado de excitação nervosa e carregando na mão trêmula uma vela. Pusera um vestido folgado por cima da camisola, e o cabelo lhe descia pelos ombros num desarranjo glorioso.

Ele ficou ali olhando para ela, com a respiração cada vez mais acelerada, os olhos cada vez mais arregalados, como se a beleza da moça tivesse despertado algum sentido até então dormente de cuja existência ele jamais suspeitara; como se até então ele nunca houvesse se dado conta de quão bela uma mulher pode ser, quão encantadora, quão desejável; e enquanto ele a contemplava, a srta. Lorne terminou de descer a escada e se aproximou quase sem fôlego.

— Ah, sr. Narkom, o que foi aquele barulho que ouvi? — indagou num tom de profunda agitação. — Me deu a impressão de uma luta, alguma coisa se quebrando, e me vesti o mais rápido que pude e desci. Ele apareceu? Esteve aqui? O senhor o pegou? Ai, por que não me responde, em vez de ficar me olhando assim? Não percebe o quanto estou nervosa, com medo? Meu Deus! Ninguém vai me dizer o que houve?

— Não houve nada, senhorita — respondeu Petrie, retribuindo o olhar da moça quando ela se voltou para ele. — É melhor voltar para a cama. Ninguém esteve aqui, exceto Sir Horace. O barulho que ouviu foi quando o agarrei, e ele e o sr. Narkom derrubaram alguma coisa quando desceram para examinar o aquecedor.

— Aquecedor? Que aquecedor? Do que você está falando? — gritou ela, nervosa. — Como assim, Sir Horace desceu até aqui?

— O próprio superintendente pode lhe dizer, senhorita, se perguntar a ele. Sir Horace desceu de pijama, alguns minutos atrás, para dizer que se lembrara de que os dutos do aquecedor no porão são grandes o bastante para acomodar um homem. Então, ele e o sr. Narkom foram lá embaixo para dar uma olhada.

Ela soltou um grito agudo e repentino, e o rosto empalideceu como o de um morto.

— Sir Horace desceu? — repetiu, recuando um passo e se recostando pesadamente no corrimão. — Sir Horace desceu para olhar o aquecedor? Não temos aquecedor!

— O quê?

— Não temos aquecedor, estou dizendo, e Sir Horace não desceu. Está quietinho lá em cima. Eu sei, podem acreditar, porque temia pela sua segurança e, quando ele entrou em seu quarto, o tranquei lá dentro!

— Superintendente! — a palavra foi dita em uníssono por todos os presentes, e seis pares de olhos se voltaram para Narkom com uma expressão de compreensão desesperada.

— Todos para o porão. Peguem o homem! É ele, o ladrão! — gritou Narkom. — Peguem o sujeito! Agarrem-no, nem que precisem virar a casa de cabeça para baixo!

Não foi necessário repetir, pois todos entenderam instantaneamente a situação, e num piscar de olhos houve um verdadeiro pandemônio. Gritando e se trombando como um bando de loucos, correram todos para a porta, que escancararam, e saíram voando escada abaixo para a cozinha e para uma descoberta que ninguém poderia ter previsto. Pois, praticamente assim que entraram, viram no chão um pijama listrado e a seu lado, amordaçado, amarrado, impotente, como um pato pronto para ir ao forno, com grilhões nos pulsos e nos tornozelos, o superintendente, sr. Maverick Narkom, desfalecido, vestindo apenas as roupas de baixo!

— Atrás dele! Atrás do demônio! Vou oferecer mil libras para o homem que o pegar! — conseguiu articular Narkom quando todos acorreram para lhe tirar a mordaça. — Ele estava aqui quando chegamos! Está na casa há horas. Peguem-no! Peguem-no!

Todos saíram correndo do cômodo e subiram a escada como uma manada de animais desembestada; dispararam pelo corredor e entraram na galeria de quadros como um só corpo. Escancarando a porta que agora estava fechada, entraram atabalhoadamente.

A luz ainda estava acesa. No extremo do aposento, uma janela se achava aberta, as cortinas balançando ao vento. Havia uma coleção de estojos e baús vazios na mesa central, mas o homem e as joias haviam sumido! Mais uma vez, o "Ladrão Invisível" cumprira sua promessa, fizera jus à sua reputação, honrando até a última letra do seu nome, e a despeito de todo o cuidado e da esperteza do sr. Maverick Narkom, o "Quarenta Caras" dera seu jeito e engambelara a Scotland Yard!

III

Durante toda a noite, os melhores homens da instituição o procuraram, seus arrastões tentaram pescá-lo, seus tentáculos vasculharam cada canto e cada esquina de Londres em busca dele, mas todo esse esforço foi em vão. Buscar algum vestígio do sujeito era o mesmo que ter a esperança de encontrar as perdizes do verão passado ou a neve do último inverno. Ele sumira tão misteriosamente como surgira, e nenhuma joia régia restou para adornar a exposição dos presentes de casamento da srta. Wyvern no dia seguinte.

Mas aquele "dia seguinte" foi frutífero em outros "presentes", frutífero em termos de uma surpresa maior ainda. Pois, pela primeira vez desde o dia em que fizera a sua promessa, nenhum suvenir foi provido pelo "Homem que Chama a Si Mesmo de Hamilton Cleek", nenhuma parcela do butim da noite anterior chegou à Scotland Yard; e foi enquanto os jornais vespertinos estampavam manchetes e faziam estardalhaço sobre mais essa façanha que a surpresa em questão deu as caras.

O casamento da srta. Wyvern terminou, o dia e a noiva se foram, e eram dez e meia da noite quando Sir Horace, atendendo um chamado apressado do quartel-general da Scotland Yard, acudiu sem demora à sala privativa do superintendente Narkom e, passando sob uma lâmpada vermelha e verde que encimava a porta, entrou e encontrou a "surpresa".

Maverick Narkom estava sozinho, de pé junto à sua mesa, com as cortinas bem fechadas e tendo junto ao cotovelo uma lâmpada apagada de vidro de cor violeta. Olhava atentamente alguma coisa diante de si. Virou-se quando a visita entrou e fez um gesto para o objeto.

— Olhe isso — falou laconicamente. — O que acha?

Sir Horace se aproximou e olhou. Então soltou uma espécie de grito de espanto. As lâmpadas elétricas no teto lançavam um brilho luminoso sobre a superfície da mesa e ali, espalhadas sobre o carvalho lustroso, jazia uma parte das joias que haviam sido roubadas da Mansão Wyvern na noite anterior.

— Narkom! Você o pegou, então. Conseguiu, afinal?

— Não, eu não o peguei. Duvido que algum homem consiga pegá-lo, se ele decidir não ser encontrado — respondeu Narkom com amargura. — Não recuperei essas joias por meio de nenhuma ação da minha parte. Ele as enviou para mim. Abriu mão delas voluntariamente.

— Abriu mão? Depois de se arriscar tanto para consegui-las? Deus me ajude, que homem! Ora, deve haver aqui a metade do que ele levou.

— A metade. A metade exata. Ele as enviou esta noite, e com elas esta carta. Leia e entenderá por que eu o chamei aqui e pedi que viesse sozinho.

— "Existe algo de bom até mesmo no diabo, suponho, basta alguém saber como alcançá-lo e despertá-lo" — leu Sir Horace. — "Vivi uma vida de crime desde que era menino porque não pude evitar, porque me atraía, porque eu me regozijava com os riscos e me deleitava no perigo. Nunca soube aonde isso me levaria, nunca pensei, nunca me importei com isso, mas ontem à noite vi a porta dos céus e não posso mais seguir a trilha que leva ao inferno. Aqui está a metade das joias da srta. Wyvern. Se você e o pai dela quiserem que eu lhes entregue a outra metade, quiserem que o 'Ladrão Invisível' desapareça para sempre e desejem ver uma vida inútil convertida numa vida útil, basta uma palavra de vocês para que isso se dê. Tudo que peço em troca é sua palavra de honra (a ser dada a mim por sinal) de que mandará chamar Sir Horace Wyvern em seu escritório às 11 horas desta noite e que vocês dois concordem em me receber privadamente sem o conhecimento de qualquer outro ser vivo. Uma lanterna vermelha e verde pendurada sobre a porta de seu escritório será o sinal de que você concorda, e uma luz violeta na janela será o sinal do compromisso de Sir Horace Wyvern. Quando esses dois sinais forem dados, chegarei e entregarei o restante das joias, e você verá pela primeira vez na vida o verdadeiro rosto do 'Homem que Chama a Si Mesmo de Hamilton Cleek'."

Sir Horace pousou a carta na mesa.

— Que Deus me abençoe! Que criatura estranha, que pedido surpreendente! Está disposto a desistir de vinte mil libras em joias em troca de um mero encontro privado! Qual será, afinal, o seu objetivo? E por que me incluir nisso?

— Não sei — respondeu Narkom. — Vale a pena, de todo jeito, nos vermos livres do "Ladrão Invisível" para todo o sempre; e ele diz que isso depende de nós. Já está perto das 11 horas. Devemos firmar com ele este compromisso, Sir Horace? O meu sinal já está lá fora; concordaremos com as condições e daremos o seu?

— Sim, decerto que sim — respondeu Sir Horace.

E, acendendo o abajur violeta, Narkom abriu as cortinas e o colocou sobre o peitoril.

Durante dez minutos nada aconteceu, e os dois, falando aos sussurros enquanto aguardavam, começaram a ficar nervosos. Então, em algum lugar a distância, um relógio começou a badalar 11 vezes, e, sem qualquer aviso, a porta se abriu, tornou a se fechar, e uma voz que indubitavelmente denotava instrução e refinamento disse em tom baixo:

— Cavalheiros, meus cumprimentos. Aqui estão os diamantes e aqui estou eu!

A figura de um homem, impecavelmente vestido, finamente educado, com a constituição esbelta, o nariz fino e as feições elegantes de um aristocrata inato, entrou no cômodo.

Podia ter entre 25 e 35 anos, o olhar era direto e claro, e o rosto, bem barbeado e inegavelmente bonito. Qualquer que fosse sua origem, qualquer que fosse sua história, havia algo nele, na aparência, no modo de falar, na sua postura, que silenciosamente atestava aquilo que chamamos de "berço".

— Deus me abençoe! — exclamou Sir Horace, espantado e abismado ao descobrir uma realidade tão imensamente diferente da imagem que elaborara. — Que brincadeira monstruosa é esta? Homem do céu, você é um cavalheiro! Quem é você? O que o levou a uma vida de cão como a que você leva?

— Uma inclinação natural, talvez; um dom sobrenatural, com certeza, Sir Horace — respondeu ele. — Veja só! Algum homem seria capaz de resistir à tentação de usá-lo quando foi dotado pela Natureza do poder de fazer isso? — Suas feições deram a impressão de se contorcer e crispar, assumindo em poucos momentos uma dúzia de aparências diferentes. — Tenho o talento para fazer isso desde que nasci. Algum homem seria capaz de "andar na linha" com um dom malfadado como esse, se as leis da Natureza lhe dissessem para fazer o oposto?

— E elas dizem isso?

— É o que desejo que o senhor me diga. Por isso pedi este encontro. Quero que o senhor me examine, Sir Horace, me submeta àqueles testes que costuma usar para determinar o estado dos que são mentalmente sãos e mentalmente insanos. Quero saber se é minha culpa ser o que sou e se é contra mim que vou precisar lutar no futuro ou contra o demônio que vive dentro de mim. Estou cansado de chafurdar na lama. Os olhos de uma mulher iluminaram o caminho do céu para mim. Quero subir até ela, conquistá-la, ser digno dela, e ficar a seu lado na luz.

— Ela? Quem é "ela"?

— Isso é assunto meu, sr. Narkom, e não confiarei em homem algum com relação a isso.

— Sim, meu amigo, mas e "Margot"...?

— Nada mais tenho a ver com ela! Terminamos ontem à noite quando voltei e ela soube... Não importa o que ela soube! Não tenho mais relacionamento algum... com nenhuma delas. Minha vida mudou para sempre.

— Em nome dos céus, homem, quem e o que é você?

— Cleek, apenas Cleek, vamos deixar como está — respondeu ele. — Se esse é ou não meu nome, não é da conta de ninguém; quem eu sou, o que eu sou, de onde venho também não é da conta de ninguém. Cleek basta, Cleek das Quarenta Caras. Não importa o passado; minha luta é com o futuro, portanto... Me examine, Sir Horace, e me diga se a culpa pelo que sou é minha ou do Destino.

Sir Horace atendeu ao pedido.

— Totalmente do Destino — concluiu, quando, depois de um longo exame, o homem lhe fez a pergunta de novo. — É um cérebro criminoso plenamente desenvolvido, horrivelmente nítido. Que Deus o ajude, pobre cavalheiro, mas um homem simplesmente não pode ser outra coisa senão um ladrão e um criminoso com um cérebro destes. Não há esperança para você de fugir à sua inclinação natural, salvo pela morte. Você não pode ser honesto. Não pode superar, jamais haverá de superar. É inútil lutar contra isso!

— Eu vou lutar! Eu vou superar! Hei de superar! — gritou ele, com veemência. — Existe uma forma de pôr esse talento e essa esperteza a serviço do bem, fazer disso uma forma de combater o demônio com suas próprias armas e esmagá-lo sob o peso de seus próprios dons, e esse é o caminho que hei de adotar! Sr. Narkom — disse, virando-se e caminhando em direção ao superintendente, o rosto ansioso radiante. — Sr. Narkom, me ajude! Me acolha sob sua asa. Me dê uma chance, me dê a mão para subir.

— Céus, homem, você... Você não está dizendo...

— Estou, estou. Se Deus me ajudar, eu consigo. Toda a minha vida lutei contra a lei, me deixe agora mudar de lado e lutar a favor dela. Estou cansado de ser Cleek, o ladrão, Cleek, o assaltante. Me transforme em Cleek, o detetive, e trabalhemos todos juntos, de mãos dadas, por uma causa comum e para o bem público. O senhor fará isso, sr. Narkom? Fará?

— Se farei? Ora, se farei! — disse Narkom, apressando-se em apertar a mão que lhe foi estendida. — Céus! Que detetive você há de ser. Garoto travesso! Garoto travesso!

— Temos um acordo, então?

— Temos um acordo... Cleek.

— Obrigado — disse Cleek com voz embargada. — Você me deu a minha chance, agora me veja fazer jus a ela. O "Ladrão Invisível" desapareceu para sempre, sr. Narkom, e daqui por diante é Cleek, o detetive, Cleek das Quarenta Caras. Agora, me dê seus enigmas, hei de resolvê-los um por um.

O MISTERIOSO PASSAGEIRO DO TREM
MAURICE LEBLANC

Nenhum personagem no mundo da ficção de mistério francesa é tão amado quanto o divertido criminoso Arsène Lupin, criado por Maurice Marie Émile Leblanc (1864-1941) para uma nova revista em 1905; os contos foram reunidos em um livro dois anos depois. Imediatamente se tornaram muitíssimo populares, tão bem-sucedidos na França quanto os contos de Sherlock Holmes na Inglaterra, e Leblanc obteve dinheiro e fama mundial e foi feito membro da Legião de Honra francesa. Embora as histórias tenham ritmo rápido, a quantidade e a intensidade da ação beira o burlesco, com situações e coincidências com frequência demasiado absurdas para serem levadas a sério.

Lupin, conhecido como o Príncipe dos Ladrões, é um menino de rua que mostra a língua — literalmente — para a polícia. Ele rouba movido pela excitação mais do que para obter ganhos pessoais ou por motivos nobres. É um tal mestre do disfarce que foi capaz de assumir a identidade do chefe da Sûreté e dirigir as investigações oficiais sobre as próprias atividades. Depois de vários anos como criminoso de sucesso, Lupin decide passar para o lado da lei por motivos pessoais e ajuda a polícia, em geral sem que ela saiba. Não é, contudo, um combatente de primeira estirpe do crime porque não consegue resistir a piadas, a mulheres e às façanhas da sua vida independente como delinquente.

"O misterioso passageiro do trem" foi publicado pela primeira vez em *Arsène Lupin, Gentleman-Cambrioleur*, em Paris em 1907. A primeira edição em língua inglesa foi *The Exploits of Arsène Lupin* (Nova York, Harper, 1907); foi reeditado como *The Seven of Hearts* (Nova York, Cassell, 1908) e como *The Extraordinary Adventures of Arsène Lupin, Gentleman Burglar* (Chicago, Donohue, 1910). O livro serviu de base para dois filmes mudos, *Lupin, the Gentleman Burglar* (1914) e *The Gentleman Burglar* (1915).

O MISTERIOSO PASSAGEIRO DO TREM

MAURICE LEBLANC

Eu mandara meu automóvel para Rouen pela estrada no dia anterior ao que iria pegar o trem, a fim de me hospedar com amigos que têm uma casa no Sena.

Poucos minutos antes de deixarmos Paris, minha cabine foi invadida por sete cavalheiros, cinco dos quais estavam fumando. Por mais rápida que fosse a viagem no trem expresso, não me agradou a ideia de fazê-la em tal companhia, ainda mais tendo em vista que o vagão antiquado não dispunha de corredor. Por esse motivo, recolhi meu sobretudo, meus jornais e meu guia ferroviário e busquei refúgio numa das cabines vizinhas.

Ocupava-a uma senhora. Ao me ver, ela fez um movimento de constrangimento, que não escapou à minha percepção, e inclinou-se para um cavalheiro de pé na plataforma — seu marido, sem dúvida, que viera despedir-se dela. O cavalheiro me avaliou e, aparentemente, o exame foi positivo, pois sussurrou para a esposa e sorriu, lançando-lhe o olhar com que costumamos tranquilizar uma criança amedrontada. Ela sorriu de volta e me lançou, por sua vez, um olhar amistoso, como se de repente se desse conta de que eu era um daqueles homens educados com quem uma mulher pode ficar trancada durante uma ou duas horas em uma pequena cabine de dois metros quadrados sem ter nada a temer.

O marido lhe disse:

— Você vai ter de me desculpar, querida, mas tenho um compromisso importante e não posso esperar.

Ele a beijou com afeto e se foi. A esposa lhe soprou alguns beijinhos discretos pela janela e acenou com o lenço.

Então, soou o apito, e o trem se pôs em marcha.

Nesse momento, e a despeito dos gritos de alerta dos funcionários da ferrovia, a porta se abriu e um homem adentrou nossa cabine. Minha companhia de viagem, que estava de pé arrumando seus pertences no compartimento de bagagem, emitiu um grito de terror e caiu sentada no banco.

Não sou covarde, longe disso, mas confesso que essas incursões repentinas no último minuto são sempre desagradáveis. Parecem tão ambíguas, tão artificiais. Deve haver algo por trás delas, ou...

A aparência do recém-chegado, porém, e sua postura foram suficientes para corrigir a má impressão causada pela forma como entrara. Estava vestido de forma correta, quase elegante; a gravata era de bom gosto, as luvas, limpas; tinha um rosto másculo... Por falar em rosto, aliás, onde eu tinha visto aquele antes? Porque eu o vira, quanto a isso não restava dúvida, ou, ao menos, para ser preciso, encontrei em mim aquele tipo de lembrança que é deixada por um retrato visto com frequência cujo original nunca esteve diante de nós. Ao mesmo tempo, percebi a inutilidade de qualquer esforço de memória de minha parte, de tão inconsistente e vaga que era tal lembrança.

Quando, contudo, meu olhar se voltou para a senhora, fiquei atônito com a sua palidez e o transtorno em suas feições. Ela encarava seu vizinho — o homem se sentara no mesmo lado do vagão — com uma expressão de genuíno terror, e vi uma de suas mãos se estender, trêmula, em direção a uma pequena maleta pousada na almofada a poucos centímetros de seu colo. Acabou por pegá-la e, com nervosismo, puxá-la para mais perto.

Nossos olhos se encontraram, e li nos dela um desconforto e uma ansiedade tão grandes que não consegui me impedir de dizer:

— Espero que a senhora não esteja indisposta, madame... Deseja que eu abra a janela?

Ela não respondeu, mas, com um gesto tímido, chamou minha atenção para o indivíduo a seu lado. Sorri, como fizera seu marido, dei de ombros e expliquei por sinais que ela nada tinha a temer, que *eu* estava lá e que, além disso, o cavalheiro em questão parecia bastante inofensivo.

Justo então, ele se virou para nós, contemplou-nos, um após o outro, da cabeça aos pés, e depois se encolheu em seu canto, sem qualquer outro movimento.

Seguiu-se um silêncio. A senhora, porém, como se tivesse invocado toda a sua energia para realizar um ato de desespero, me disse numa voz quase inaudível:

— O senhor sabe que ele está no nosso trem.

— Quem?

— Ora, ele... ele mesmo... Eu garanto.

— De quem a senhora está falando?

— Arsène Lupin!

Ela não tirara os olhos do passageiro, e foi mais para ele do que para mim que ela pronunciou as sílabas daquele nome alarmante.

O homem puxou o chapéu até quase lhe cobrir o nariz. Seria para esconder sua agitação, ou simplesmente porque pretendia dormir?

Objetei:

— Arsène Lupin foi sentenciado ontem, embora ausente, a vinte anos de serviços forçados. Não é provável que cometesse a imprudência de se exibir em público hoje. Ademais, os jornais descobriram que ele está passando o inverno na Turquia desde a sua famosa fuga da Santé.

— Ele está neste trem — repetiu a mulher, com a intenção cada vez mais clara de ser ouvida por nosso companheiro de viagem. — Meu marido é vice-diretor de um presídio, e o próprio inspetor da estação nos disse que estavam procurando Arsène Lupin.

— Não há motivo para...

— Ele foi visto no guichê. Comprou uma passagem para Rouen.

— Seria fácil pôr as mãos nele.

— Ele sumiu. O coletor de bilhetes na porta da sala de espera não o viu, mas acham que ele pode ter dado a volta pelas plataformas suburbanas e entrado no expresso que parte dez minutos depois do nosso.

— Nesse caso, ele teria sido pego lá.

— Suponhamos que, no último segundo, ele tenha pulado daquele expresso e entrado neste, no nosso trem... como provavelmente... como certamente ele fez?

— Nesse caso, eles o pegarão aqui, pois os carregadores e a polícia não podem ter deixado de vê-lo saindo de um trem para o outro, e quando chegarmos a Rouen, estarão esperando por ele.

— Ele? Jamais! Arsène Lupin encontrará um jeito de escapar novamente.

— Nesse caso, desejo que ele faça uma boa viagem.

— Mas pense em tudo que ele pode fazer nesse intervalo!

— O quê?

— Como vou saber? Precisamos estar preparados para qualquer coisa.

Ela estava extremamente agitada, e, na verdade, a situação, até certo ponto, justificava seu nervosismo. Quase contra a vontade, falei:

— É verdade que existem coincidências curiosas... Mas a senhora deve se acalmar. Admitindo-se que Arsène Lupin esteja em um desses vagões, com certeza ficará quieto, e, em lugar de criar problemas para si mesmo, sua intenção será exclusivamente evitar o perigo que o ameaça.

Minhas palavras não a tranquilizaram. No entanto, ela nada mais disse, temendo, sem dúvida, que eu a achasse uma criadora de caso.

Quanto a mim, abri os jornais e li as notícias sobre o julgamento de Arsène Lupin. Nada havia ali que já não se soubesse, e não me interessei muito. Além disso, eu estava cansado, dormira mal, sentia minhas pálpebras pesarem e minha cabeça começou a me roçar o peito.

— Com certeza o senhor não pretende dormir, não é?

A mulher arrancou o jornal das minhas mãos e me olhou, indignada.

— De forma alguma — respondi. — Não pretendo dormir.

— Seria extremamente imprudente.

— Extremamente.

E me esforcei ao máximo, fixando o olhar na paisagem, nas nuvens que riscavam o céu. E logo tudo isso se tornou confuso, a imagem da mulher agitada e do homem cochilando foi obliterada da minha mente, e eu fui tomado pelo grande e profundo silêncio do sono.

Em pouco tempo, ele se tornou agradável, leve e povoado por sonhos incoerentes, nos quais um ser que fazia o papel e levava o nome de Arsène Lupin ocupava certo lugar. Ele se virava e se movia no horizonte, carregando nas costas bens valiosos, escalando muros e esvaziando casas de campo.

Mas os contornos desse ser, que já não era mais Arsène Lupin, se tornaram mais claros. Ele se aproximou de mim, cada vez maior, e pulou dentro da cabine com uma agilidade incrível, caindo sobre meu peito.

Uma dor aguda... Um grito lancinante... Acordei. Meu companheiro de viagem, com um joelho sobre meu peito, apertava-me a garganta.

Vi tudo isso de forma nebulosa, pois meus olhos estavam injetados de sangue. Também vi a mulher num canto se contorcendo num surto violento de histeria. Nem sequer tentei resistir. Eu não teria força para tanto mesmo que quisesse: minhas têmporas latejavam... não conseguia respirar... minha garganta se fechava... Mais um minuto, e eu teria sufocado.

O homem provavelmente percebeu isso. Afrouxou a pressão das mãos no meu pescoço. Sem me largar, pegou uma corda, na qual ele preparara um nó movediço, e, com um movimento rápido, amarrou meus pulsos. Num instante, eu me vi amarrado, amordaçado — imóvel e impotente.

E ele desempenhou sua tarefa da forma mais natural do mundo, com uma facilidade que revelava o conhecimento de um mestre, de um especialista em roubo e em crimes. Sem uma palavra, sem um movimento febril. Frieza e audácia absolutas. E lá fiquei eu no banco, enrolado como uma múmia — eu, Arsène Lupin!

Foi realmente ridículo. E não obstante a seriedade das circunstâncias, eu não pude deixar de constatar e quase apreciar a ironia da situação. Arsène Lupin "dominado" como um novato, saqueado como um estreante. Pois, é claro, o calhorda me afanou a pasta e a carteira. Arsène Lupin vitimado por sua vez, ludibriado e surrado! Que aventura!

Restava a mulher. Ele não tomou conhecimento dela. Contentou--se em pegar a valise que estava caída no chão, dela extraindo as joias, a carteira e os itens de ouro e prata ali contidos. A mulher abriu os olhos, estremeceu de medo, tirou os anéis e os entregou ao homem, como se quisesse poupá-lo de qualquer esforço supérfluo. Ele pegou os anéis e olhou para ela, que desmaiou.

Então, calmo e silente como antes, sem nos perturbar mais, o cavalheiro retomou seu assento, acendeu um cigarro e se dedicou a examinar com atenção os tesouros que confiscara, inspeção essa que pareceu satisfazê-lo por completo.

Eu estava muito menos satisfeito. Não falo dos 12 mil francos que me haviam sido surrupiados indevidamente: essa era uma perda que eu aceitava apenas momentaneamente; não me restava dúvida de que aqueles 12 mil francos voltariam a ser meus após um breve intervalo, juntamente com os papéis extremamente importantes que minha pasta continha: projetos, estimativas, especificações, endereços, listas de correspondentes, cartas de natureza financeira promissora. Entretanto, no momento, uma preocupação mais imediata e séria me atormentava: o que aconteceria em seguida?

Como pode ser facilmente imaginado, a agitação causada pela minha passagem pela estação Saint-Lazare não passara despercebida. Como eu ia me hospedar com amigos que me conheciam pelo nome de Guillaume

Berlat e para os quais a minha semelhança com Arsène Lupin dava margem a muitas piadas amistosas, não pude me disfarçar como era meu costume, e minha presença fora descoberta. Ademais, um homem, indubitavelmente Arsène Lupin, havia sido visto passando de um trem para outro. Assim, era inevitável e fatal que o comissário de polícia em Rouen, avisado por telegrama, estivesse aguardando a chegada do trem, acompanhado de um número respeitável de policiais, para interrogar quaisquer passageiros suspeitos e dar início a uma inspeção minuciosa dos vagões.

Tudo isso eu previra e não me sentira muito nervoso a respeito, pois tinha certeza de que a polícia de Rouen não demonstraria maior perspicácia do que a polícia de Paris, e que eu conseguiria passar despercebido: não me bastara, para transpor o guichê, descuidadamente mostrar meu cartão de coletor substituto em Saint-Lazare com a maior confiança? Mas como tudo mudara desde então! Eu já não estava livre. Era impossível tentar um dos meus artifícios habituais. Num dos vagões o comissário descobriria *monsieur* Arsène Lupin, que um destino propício lhe enviava de pés e mãos atados, mansinho como um cordeiro, totalmente empacotado. Só lhe caberia aceitar a encomenda, assim como se recebe numa estação ferroviária um pacote que nos foi endereçado, um cesto com carne de caça ou uma cesta de verduras e frutas.

E para evitar essa catástrofe desastrosa, o que poderia eu fazer, preso pelas minhas amarras?

E o trem corria rumo a Rouen, a próxima e única parada; atravessava à toda Vernon, Saint-Pierre...

Me perturbava também um outro problema no qual eu não tinha interesse direto, mas cuja solução atiçava minha curiosidade profissional: quais eram as intenções do meu companheiro de viagem?

Caso eu estivesse sozinho, ele teria tempo à vontade para desembarcar com toda a calma em Rouen. Mas e a mulher? Assim que a porta do vagão se abrisse, ela, calada e submissa como se achava agora, gritaria e se agitaria, pedindo socorro!

Daí o meu espanto. Por que ele não a reduzira ao mesmo estado de impotência em que eu estava, o que lhe daria tempo para sumir antes que seu duplo delito fosse descoberto?

O sujeito continuava fumando, com os olhos fixos na paisagem do lado de fora da janela, que uma chuva hesitante começava a riscar com linhas compridas, diagonais. Uma vez, contudo, ele se virou, pegou meu guia ferroviário e o consultou.

Quanto à mulher, seus esforços eram no sentido de continuar desmaiada, a fim de aquietar seu inimigo. Mas um acesso de tosse, provocado pela fumaça, revelou ser fingido o seu desmaio.

Quanto a mim, eu estava desconfortável e com dores no corpo todo. E pensava... Planejava.

Pont-de-l'Arche... Oissel... O trem continuava a correr, feliz, ébrio com a velocidade... Saint-Etienne...

Nesse momento o homem ficou de pé e deu dois passos em nossa direção, ato que a mulher se apressou a responder com um novo grito e um desmaio genuíno.

Mas qual poderia ser o objetivo dele? Baixou a janela do nosso lado. A chuva agora caía torrencialmente, e ele fez um gesto de aborrecimento por não ter guarda-chuva nem sobretudo. Ergueu os olhos para o bagageiro: o *en-tout-cas* da mulher estava lá. Ele o pegou. Pegou, também, meu sobretudo e o vestiu.

Estávamos cruzando o Sena. Ele dobrou as barras da calça e então, debruçando-se na janela, abriu a tranca.

Será que pretendia se atirar do trem? Na velocidade em que estávamos, isso significaria morte instantânea. Mergulhamos no túnel sob a Cote Sainte--Catherine. O homem abriu a porta e, com um dos pés, procurou o degrau. Que maluquice! A escuridão, a fumaça, o ruído — tudo combinado para dar uma aparência fantástica a uma tentativa daquelas. Mas, de repente, o trem reduziu a marcha, os freios Westinghouse neutralizaram o movimento das rodas e ele ficou ainda mais lento. Sem dúvida, havia uma turma de operários consertando essa parte do túnel, o que exigiria uma passagem mais vagarosa dos trens durante alguns dias talvez, e o homem sabia disso.

Bastava-lhe, portanto, botar o outro pé no degrau, descer para a plataforma e se afastar tranquilamente, não sem primeiro fechar a porta e tornar a trancá-la.

Ele mal desaparecera quando a fumaça ficou mais clara à luz do dia. Saímos em um vale. Mais um túnel e estaríamos em Rouen.

A mulher imediatamente recuperou os sentidos, e sua primeira preocupação foi lamentar a perda das joias. Eu lhe lancei um olhar suplicante. Ela entendeu e me livrou da mordaça que me sufocava. Quis também desfazer as amarras, mas eu a impedi.

— Não, não. A polícia deve ver tudo como foi. Quero que eles estejam totalmente informados com relação às ações daquele gatuno.

— Devo puxar o sinal de alarme?

— Tarde demais. A senhora devia ter pensado nisso enquanto ele me atacava.

— Mas ele me mataria! Ah, meu senhor, eu não lhe disse que Arsène Lupin estava viajando neste trem? Eu soube logo, por causa do retrato dele. E agora, lá se foram as minhas joias!

— Vão pegá-lo, não se preocupe.

— Pegar Arsène Lupin! Nunca.

— Tudo depende da senhora, madame. Ouça. Quando chegarmos, vá até a janela, grite, faça barulho. A polícia e os carregadores virão. Diga-lhes o que viu em poucas palavras: a violência da qual fui vítima e a fuga de Arsène Lupin. Dê a descrição dele: chapéu macio, um guarda-chuva, o seu, um sobretudo cinzento...

— Seu — disse ela.

— Meu? Não, dele mesmo. Eu não trouxe sobretudo.

— Achei que ele não tinha nem guarda-chuva nem sobretudo quando entrou.

— Devia ter... a menos que fosse um casaco que alguém esqueceu no bagageiro. De todo jeito, ele usava um sobretudo quando desceu, e isso é o essencial... Um sobretudo cinzento, lembre-se... Ah, eu já ia me esquecendo... Dê-lhes seu nome, para começar. As funções do seu marido hão de estimular o zelo das autoridades.

Estávamos chegando. Ela já se debruçava na janela. Repeti, numa voz mais alta, quase imperiosa, de modo que minhas palavras ficassem registradas em sua mente:

— Dê meu nome também, Guillaume Berlat. Se necessário, diga que me conhece. Isso há de poupar tempo... Precisamos apressar as inquirições preliminares... O importante é pegar Arsène Lupin... recuperar suas joias... A senhora entendeu, não? Guillaume Berlat, amigo do seu marido.

— Entendi. Guillaume Berlat.

Ela já começara a gritar e gesticular. Antes que o trem parasse, um cavalheiro subiu a bordo, seguido por vários outros homens. A hora crucial havia chegado.

Quase sem fôlego, a mulher exclamou:

— Arsène Lupin... ele nos atacou... roubou minhas joias... *Madame* Renaud é meu nome... Meu marido é vice-diretor de um presídio... Ah, aí está o meu irmão, Georges Andelle, gerente do Credit Rouennais... O que eu quero dizer é...

Ela beijou um jovem que acabara de subir a bordo, e que trocou cumprimentos com o comissário. E prosseguiu, aos prantos:

— Sim, Arsène Lupin... Ele atacou este cavalheiro enquanto ele dormia... *monsieur* Berlat, um amigo do meu marido.

— Mas onde está Arsène Lupin?

— Pulou do trem dentro do túnel, depois de cruzarmos o Sena.

— Tem certeza de que era ele?

— Absoluta. Eu o reconheci de imediato. Além disso, foi visto na estação Saint-Lazare. Usava um chapéu macio...

— Não, um chapéu de feltro duro, como este — disse o comissário, apontando para o meu chapéu.

— Um chapéu mole, eu lhe garanto — repetiu *madame* Renaud —, e um sobretudo cinzento.

— Sim — murmurou o comissário. — O telegrama menciona um sobretudo cinzento com uma gola de veludo preto.

— Uma gola de veludo preto, isso mesmo! — exclamou, triunfante, *madame* Renaud.

Respirei de novo. Que amiga boa, excelente, eu tivera a sorte de encontrar!

Enquanto isso, a polícia me libertara das amarras. Mordi o lábio com violência até o sangue jorrar. Dobrado em dois, com o lenço tapando a boca, como parece adequado a um homem que passou muito tempo sentado numa posição confinada, e que leva no rosto as marcas manchadas de sangue da mordaça, eu disse ao comissário, com voz débil:

— Meu senhor, era Arsène Lupin, sem dúvida! Podem pegá-lo se correrem... Acho que posso lhes ser útil...

O vagão, onde seria necessário realizar uma perícia, foi desatrelado. O restante do trem foi para Le Havre. Fomos levados ao escritório do chefe da estação, passando por uma multidão de curiosos que lotava a plataforma.

Nesse momento, senti certa hesitação. Precisava apresentar uma desculpa para me ausentar, encontrar meu automóvel e ir embora. Era perigoso esperar. Se algo acontecesse, se um telegrama chegasse de Paris, eu estaria perdido.

Sim, mas e quanto ao meu ladrão? Sozinho, numa região que não me era familiar, eu não tinha chance alguma de encontrá-lo.

"Dane-se", disse a mim mesmo. "Vamos correr o risco e ficar. Essa é uma jogada arriscada, mas muito divertida. E a aposta vale a pena."

E enquanto nos pediam para repetir nossos depoimentos, exclamei:

— Sr. Comissário, Arsène Lupin está ganhando tempo. Meu automóvel me aguarda no pátio. Se me derem o prazer de aceitar minha carona, tentaremos...

O comissário deu um sorriso sarcástico.

— Não é uma má ideia... Na verdade, é uma ideia tão boa que já está sendo levada a cabo.

— Ah!

— Sim, dois dos meus policiais já saíram de bicicleta faz algum tempo.

— Mas para onde?

— Para a entrada do túnel. Lá eles coletarão as pistas e as provas e seguirão o rastro de Arsène Lupin.

Não consegui evitar um dar de ombros.

— Seus policiais não conseguirão pistas nem provas.

— Não diga!

— Arsène Lupin terá se certificado de que ninguém o viu sair do túnel. Terá pegado a estrada mais próxima, e de lá...

— De lá seguido para Rouen, onde o pegaremos.

— Ele não irá para Rouen.

— Nesse caso, ele permanecerá na vizinhança, onde é mais garantido ainda que nós...

— Ele não permanecerá na vizinhança.

— Não? E onde haverá de se esconder, então?

Tirei meu relógio.

— Neste momento, Arsène Lupin está por perto da estação em Darnetal. Às dez e cinquenta, ou seja, daqui a 22 minutos, ele tomará o trem que parte de Rouen na Gare du Nord para Amiens.

— O senhor tem certeza? E como sabe disso?

— Ora, é muito simples. No vagão Arsène Lupin consultou meu guia ferroviário. Para quê? Para ver se havia outra linha próxima ao local onde ele sumiu, uma estação nessa linha, e um trem que parasse em tal estação. Acabei de olhar o guia e descobri o que queria saber.

— Creia em mim, cavalheiro — disse o comissário —, o senhor possui poderes fantásticos de dedução. Que grande especialista deve ser!

Levado pela minha certeza, eu acabara tropeçando, exibindo esperteza demasiada. Ele me olhou atônito, e vi que uma suspeita lampejou em sua mente. Um lampejo apenas, é verdade, pois as fotos despachadas para todas as direções eram tão diferentes, mostravam um Arsène Lupin tão distinto daquele que o comissário tinha diante dos olhos, que não lhe seria possível reconhecer em mim o original. Ainda assim, o homem estava confuso, inquieto, perplexo.

Fez-se um momento de silêncio. Uma certa ambiguidade e dúvida aparentemente interromperam nossas palavras. Um tremor de ansiedade me assaltou.

Será que a sorte estava prestes a me virar as costas? Readquirindo o controle, comecei a rir.

— Ora, nada melhor para aguçar os sentidos de alguém do que a perda de uma pasta e o desejo de recuperá-la. E me parece que, se o senhor me der dois de seus homens, nós três talvez possamos...

— Por favor, sr. Comissário — exclamou *madame* Renaud —, faça o que sugere *monsieur* Berlat!

A intervenção da minha cara amiga pesou na balança a meu favor. Pronunciado por ela, esposa de uma pessoa influente, o nome Berlat tornou-se meu de verdade, me conferindo uma identidade imune a qualquer suspeita. O comissário se levantou.

— Acredite, *monsieur* Berlat, ficarei imensamente feliz em ver o seu sucesso. Estou tão ansioso quanto o senhor para prender Arsène Lupin.

Ele me acompanhou até o meu carro. Apresentou-me dois de seus homens: Honoré Massol e Gaston Delivet, que ocuparam seus assentos. Eu me posicionei ao volante. O *chauffeur* deu a partida no motor. Segundos depois saímos da estação. Eu estava salvo.

Confesso que enquanto atravessávamos no meu possante Moreau-Lepton de 35 cavalos as avenidas que circundam a antiga cidade normanda, senti certo orgulho. O motor soltava um zumbido harmonioso. E agora, livre e a salvo do perigo, nada me restava fazer senão solucionar minhas pequenas questões com a cooperação de dois dignos representantes da lei. Arsène Lupin iria atrás de Arsène Lupin!

Humildes pilares da ordem social das coisas, Gaston Delivet e Honoré Massol, quão preciosa me é a ajuda de vocês! Onde eu estaria sem os dois? Não fossem vocês, em quantos cruzamentos eu não teria escolhido o caminho errado? Não fossem vocês, Arsène Lupin teria se perdido e o outro escaparia!

Mas não estava tudo acabado ainda. Longe disso. Primeiro eu precisava capturar o sujeito e depois recuperar a posse, eu mesmo, dos papéis que ele roubara de mim. Em nenhuma hipótese meus dois satélites poderiam pôr os olhos em tais documentos, muito menos as mãos. Formar um time com eles, mas agir independentemente era o que eu pretendia. E não seria fácil.

Chegamos a Darnetal, três minutos após a partida do trem. Tive o consolo de descobrir que um homem vestindo um sobretudo cinzento com uma gola de veludo preto embarcara no vagão da segunda classe com uma passagem para Amiens. Não restava dúvida: minha primeira investida como detetive estava promissora.

Delivet disse:

— O trem é um expresso e só para em Monterolier-Buchy, daqui a 19 minutos. Se não estivermos lá antes de Arsène Lupin, ele poderá prosseguir para Amiens, baldear para Cleres e, de lá, tomar o rumo de Dieppe ou Paris.

— Qual a distância até Monterolier?

— Cerca de 23 quilômetros.

— Vinte e três quilômetros em 19 minutos... Devemos chegar antes dele.

Foi uma corrida frenética. Jamais meu confiável Moreau-Lepton satisfizera minha impaciência com maior ardor e regularidade. Tive a impressão de que meus desejos eram comunicados diretamente a ele, sem a intermediação de alavancas de câmbio ou volantes. Ele partilhava meus desejos. Aprovava a minha determinação. Entendia a minha animosidade contra aquele canalha Arsène Lupin. O canalha! O gatuno! Acaso eu ganharia dele? Ou será que, mais uma vez, ele driblaria a autoridade, a autoridade da qual eu era a encarnação?

— Direita! — gritava Delivet. — Esquerda!... Em frente!...

Deslizávamos pela estrada. Os marcadores de distância pareciam tímidos animaizinhos que fugiam quando nos aproximávamos.

E, de repente, em uma curva, uma nuvem de fumaça — o expresso do norte!

Durante quase um quilômetro, foi uma luta lado a lado — uma luta desigual, em que o resultado era previsível — ganhamos do trem com uma boa vantagem.

Em três segundos, estávamos na plataforma diante do vagão da segunda classe. As portas se abriram. Um punhado de passageiros desceu. Meu ladrão não estava entre eles. Examinamos os vagões. Nada de Arsène Lupin.

— Arre! — exclamei. — Ele deve ter me reconhecido no automóvel enquanto ladeávamos o trem e pulado!

O guarda do trem confirmou minha suspeita. Vira um homem descer por um barranco a cerca de duzentos metros da estação.

— Lá está ele! Vejam! No cruzamento de nível!

Saí em perseguição, seguido pelos meus dois satélites, ou melhor, por um deles, pois o outro, Massol, mostrou-se um corredor extraordinariamente rápido, dotado tanto de velocidade quanto de resistência física. Em poucos segundos, a distância entre ele e o fugitivo diminuiu bastante. O homem o viu, pulou uma cerca viva e correu em direção a uma elevação, que escalou. Nós o vimos, mais longe ainda, entrando numa pequena mata.

Quando alcançamos a mata, encontramos Massol a nos aguardar. Achara inútil continuar correndo, pois correria o risco de se perder de nós.

— Você fez muito bem, meu caro — falei. — Depois de uma corrida dessas nosso amigo deve estar exausto. Já o pegamos.

Examinei as fímbrias da mata enquanto pensava na melhor maneira de continuar sozinho e prender o fugitivo, a fim de levar a cabo alguns resgates que a lei, sem dúvida, somente permitiria após vários inquéritos desagradáveis. Então retornei até onde estavam meus colegas.

— Vejam só, é muito fácil. Você, Massol, se posiciona à esquerda. Você, Delivet, à direita. Dessas posições poderão vigiar os fundos da mata, e ele não poderá sair sem ser visto por vocês, exceto por esse buraco, onde ficarei. Se não sair, eu entro e o obrigo a retroceder em direção a um de vocês dois. Não há nada que possam fazer, portanto, a não ser aguardar. Ah, eu ia me esquecendo: em caso de alarme, dispararei um tiro.

Massoè e Delivet se afastaram, cada qual para seu posto. Assim que ficaram fora de vista, entrei na mata com precauções infinitas, de modo a não ser visto nem ouvido. O lugar consistia de mato fechado, concebido para caçadas e cruzado por trilhas muito estreitas, nas quais só era possível andar quase agachado, como num túnel de folhas.

Uma delas terminava numa clareira, onde a grama úmida mostrava marcas de pegadas. Eu as segui, tomando cuidado para me esquivar pelo matagal. As pegadas me levaram ao pé de um pequeno morrinho, coroado por um casebre caindo aos pedaços.

"Ele deve estar ali", pensei. "Escolheu um bom posto de observação."

Fui rastejando até bem perto da construção. Um leve ruído me alertou sobre sua presença, e, de fato, eu o vi através de uma abertura; estava de costas para mim.

Dois saltos bastaram para cair-lhe em cima. Ele tentou apontar o revólver na minha direção. Não lhe dei tempo, derrubando-o no chão de tal forma que os dois braços ficaram torcidos e presos sob seu corpo, enquanto eu o mantinha deitado com meu joelho sobre seu peito.

— Escute aqui, amigão — sussurrei em seu ouvido. — Eu sou Arsène Lupin. Você vai me dar agorinha e sem criar problemas a minha pasta e a valise da senhora, e em troca vou salvá-lo das garras da polícia e incluí-lo entre os meus amigos. O que vai ser: sim ou não?

— Sim... — murmurou ele.

— Ótimo. Seu plano desta manhã foi pensado com esperteza. Seremos bons amigos.

Fiquei de pé. Ele remexeu no bolso, tirou dele um facão e tentou me golpear.

— Seu idiota! — gritei.

Com uma das mãos, impedi o ataque. Com a outra, acertei um violento golpe na sua artéria carótida. Ele caiu de costas, atônito.

Na minha pasta encontrei meus documentos e meu dinheiro. Peguei a dele por mera curiosidade. Num envelope que lhe fora endereçado, li seu nome: Pierre Onfrey.

Levei um susto. Pierre Onfrey, o autor do assassinato na Rue Lafontaine em Auteuil! Pierre Onfrey, o homem que cortara a garganta de *madame* Delbois e de suas duas filhas. Me inclinei sobre ele. Sim, esse era o rosto que, no vagão do trem, me atiçara a lembrança.

Mas o tempo passava. Coloquei duzentos francos dentro de um envelope, com um cartão de visitas com os seguintes dizeres:

"De Arsène Lupin para seus valorosos assistentes, Honoré Massol e Gaston Delivet, com seu fervoroso obrigado."

Deixei o envelope onde pudesse ser visto, no meio do cômodo. Ao lado, pus a valise de *madame* Renaud. Por que não devolvê-la à amiga gentil que me salvara? Confesso, porém, que tirei dela tudo que me pareceu de alguma forma interessante, deixando apenas um pente de tartaruga, um potinho de bálsamo labial e uma carteira vazia. Negócio é negócio, no fim das contas! Além disso, o marido tinha um emprego tão infame...!

Restava o homem, que começava a despertar. O que fazer agora? Eu não era qualificado nem para salvá-lo nem para condená-lo.

Removi suas armas e atirei para o alto com meu revólver.

"Isso trará os outros dois", pensei. "Ele que encontre uma forma de se safar das próprias dificuldades. Que o destino siga seu curso."

E desci correndo a estrada em declive.

Vinte minutos depois, um cruzamento que eu notara durante a perseguição me levou de volta ao meu carro.

Às quatro horas telegrafei aos meus amigos de Rouen dizendo que um incidente inesperado me forçara a adiar a visita. Cá entre nós, temo seriamente que, em vista do que eles agora já devem ter descoberto, eu seja obrigado a postergá-la indefinidamente. Será uma decepção cruel para eles!

Às seis horas, voltei para Paris através de L'Isle-Adam, Enghien e Porte Bineau.

Concluí pela leitura dos jornais vespertinos que a polícia havia finalmente conseguido capturar Pierre Onfrey.

Na manhã seguinte — por que eu desprezaria as vantagens da propaganda inteligente? —, o *Echo de France* continha o seguinte parágrafo:

"Ontem, perto de Buchy, após vários incidentes, Arsène Lupin efetuou a prisão de Pierre Onfrey. O assassino de Auteuil roubara uma senhora de nome Renaud, esposa do vice-diretor de um presídio, no trem entre Paris e Le Havre. Arsène Lupin devolveu à *madame* Renaud a valise que continha suas joias e generosamente recompensou os dois detetives que o ajudaram nessa dramática prisão."

VIGARISTA: SIX-EYE

UMA CARTA NÃO POSTADA
NEWTON MACTAVISH

Este conto estranho traz a assinatura de um autor improvável: Newton McFaul MacTavish (1875-1941), um crítico de arte e historiador de arte antiga canadense de grande prestígio. Nascido em Staffa, Ontário, começou sua carreira como jornalista aos 21 anos, quando assumiu o posto de repórter no *The Toronto Globe*, e foi editor-assistente da seção de finanças do jornal até 1900. Naquela época, começou a estudar literatura inglesa na Universidade McGill enquanto trabalhava como correspondente e representante comercial do *The Globe* em Montreal. Em 1906, MacTavish se tornou o editor da *The Canadian Magazine* em Toronto, cargo que exerceu durante vinte anos. Atuou como *trustee* da National Gallery do Canadá em Ottawa entre 1922 e 1933. Recebeu títulos honoríficos em 1924 (M.A.) e 1928 (D. Litt.) da Acadia University, em Nova Escócia. Foi membro da Civil Service Commission do Canadá de 1926 a 1932. Um dos fundadores do Clube de Artes e Letras (Toronto), atuou no conselho editorial da *Enciclopédia do Canadá* (1932-1935), da qual também foi colaborador. Além de artigos, ensaios e contos, MacTavish é autor de *Thrown In* (1923), uma coletânea de ensaios sobre a vida rural no século XIX em Ontário; *The Fine Arts in Canada* (1925), a primeira história integral da arte canadense; e *Ars Longa* (1938), histórias sobre a arte e os artistas canadenses, com reminiscências pessoais do próprio autor. Uma quarta obra, *Newton MacTavish's Canada: Selected Essays* (1963), foi publicada postumamente.

"Uma carta não postada" foi originalmente publicado em 1901, no número de fevereiro da *The Canadian Magazine*.

UMA CARTA NÃO POSTADA

NEWTON MACTAVISH

Lá fora, uma machadinha golpeava de forma zombeteira; o patíbulo estava em construção. Pelas grades de ferro da janela da prisão passavam umas poucas nesgas de luz do sol. Meu cliente, apoiado nos cotovelos, tinha o queixo entre as mãos. A luz brilhava no cabelo sujo. Ele ouvia o barulho lá fora.

— Acho que devo escrever umas linhas para Bill — falou, sem erguer a cabeça. — Você me consegue lápis e papel?

Consegui os dois e em seguida esperei até que ele escrevesse:

"Querido Bill, ao que parece, suponho que vou ter que dar uma guinada nessa viagem. O tempo todo tive a esperança de que eles farejassem a trilha certa, mas vejo que Six-Eye será forçado a chutar o balde com a cabeça erguida — o patíbulo está subindo um bocado depressa.

Eu lhe digo, Bill, roubar não presta. Jurei uma vez largar disso, e me arrependo de não ter mantido o juramento. Mas um cara nem sempre faz o que deseja; acho que não consegue, não é, Bill? Você nunca soube como me meti nessa enrascada, soube?

Um dia, eu estava ali parado, só parado, sem fazer nada, quando vi uma dupla de cavalos fugitivos descendo a rua que nem loucos. Dei um pulo e agarrei o primeiro pela rédea. Puxei os dois com grande precisão, mas alguma coisa me fez perder o equilíbrio e bati a cabeça contra a canga do pescoço e apaguei.

Quando recuperei os sentidos, estava sentado na carruagem com a moça de rosto mais doce que já vi passando um pano úmido no meu rosto. Ela me perguntou onde ficava minha casa para me levar até lá, e, sabe, Bill, pela primeira vez senti vergonha de dizer. Mas acabei dizendo, e, imagine, ela me levou para casa e fez Emily me pôr na cama. Deixou dinheiro também, e todo dia, até eu ficar bom, ela aparecia, se sentava e lia a Bíblia e tudo o mais. Sabe, não demorou para as coisas parecerem diferentes. Eu não podia olhar para aquele rosto puro e meigo e planejar um golpe. No último dia que a vi, resolvi tentar outra coisa — abandonar a vida de ladrão.

Saí para procurar emprego. Um homem me perguntou o que eu já fizera na vida. Respondi que passara a maior parte dela na cadeia, e então ele não quis mais conversa comigo. Um sujeito me contratou para quebrar pedras num porão, durante uns dois dias. Falou que eu era tão bom naquilo que ele achava que eu tinha cumprido pena na prisão. Depois disso, não consegui encontrar coisa alguma para fazer, porque ninguém queria ter nada a ver com um presidiário, e eu decidira contar a verdade.

No final Emily começou a perder a paciência, e o pequeno Bob, a chorar de fome. Cansei de procurar trabalho e tive a sensação de que todo mundo estava me empurrando de volta para o meu antigo ofício. Perdi o ânimo. Precisava fazer alguma coisa, por isso planejei roubar uma mansão nos subúrbios. Eu já a conhecia.

A lua estava alta naquela noite, por isso esperei para que baixasse, bem depois da meia-noite. Encontrei a porta dos fundos já aberta, então foi fácil entrar.

Subi e arrombei a fechadura do quarto lateral próximo à frente da casa. Empurrei a porta e dei uma espiada. Uma vela estava acesa, e as chamas na lareira pareciam dançar sobre a lenha.

Entrei sem fazer barulho.

Havia uma cadeira de espaldar alto em frente à lareira. Subi nela e olhei por cima do espaldar. Uma jovem, toda de branco, num vestido decotado e sem mangas, dormia. O cabelo lhe descia pelos ombros, e ela parecia ter chegado em casa de um baile e simplesmente se atirado na cama, exausta.

Justo quando eu já ia me virando para sair, as chamas na lareira se atiçaram e vi o brilho de rubis no pescoço dela. Como brilhavam e lançavam faíscas de fogo das profundezas de seu vermelho-sangue! A vela estremeceu e se apagou, mas os carvões na lareira luziam, os rubis cintilavam, e a moça respirava tranquilamente em seu sono.

'É um trabalho fácil', disse a mim mesmo, e me debrucei nas costas da cadeira, minha respiração como uma brisa no cabelo louro sobre aqueles ombros de mármore. Peguei a faca e estendi a mão. Justo então, o fogo se atiçou de leve. Quando me inclinei, vi o rosto doce e juvenil e, Deus me guarde, Bill, era ela, aquela para quem eu não podia olhar e planejar um golpe.

Quase sem me dar conta, tirei a touca e fiquei lá, segurando a faca, o sangue me corando o rosto, meus sentimentos lutando contra mim.

Olhei para ela e devagar guardei a faca e abandonei aquela posição de um cara prestes a dar o bote. Lembrei-me de um versículo que ela costumava ler para mim: 'quando partirdes, não ireis com as mãos vazias.' Então, disse a mim mesmo que tentaria de novo. Mas justo quando eu já ia me virando para sair, ouvi um tiro no quarto vizinho e depois um baque surdo. Fiquei ali, imóvel um instante, e depois corri a tempo de ver alguém descer a escada em disparada. Ouvi um baque ao pé da escada. Eu me apressei para atravessar o corredor e caí nos braços do mordomo.

Acho que outra pessoa estava aplicando um golpe naquela noite. Mas eles foram logo me pegando como culpado. Nada adiantou, tudo estava contra mim. Eu levava comigo meu revólver grande, o que faz par com o que você tem. Na verdade, no meu também faltava uma bala, e a bala que extraíram da cabeça do homem era do mesmo calibre. Meu histórico era ruim; tudo conspirou contra mim. A única coisa que levantaram a meu favor no julgamento foi o pedaço de uma orelha encontrado no corredor, onde alguém deve ter batido contra algo afiado. Mas não deram ouvidos ao meu advogado.

Abandone os roubos, Bill; veja aonde cheguei. Mas espero que você ajude Emily, caso ela passe necessidade, e não deixe que o menino, Bob, aprenda a roubar. Faça isso por seu velho amigo, Bill."

O condenado parou de escrever quando o último raio de sol atravessou as grades de ferro da janela da prisão. Lá fora, o barulho cessara; o patíbulo estava pronto.

— Você vai encontrar Emily, minha esposa, no quarto dos fundos do porão da River Street, 126 — disse meu cliente, me entregando a carta. — Ela vai lhe dar o paradeiro de Bill.

Peguei a carta, mas não conhecia, então, seu conteúdo. Me preparei para sair, mas ele me chamou de volta.

— Você tem uma flor na lapela — disse. — Eu gostaria de mandá-la, embrulhada, para Emily.

No dia seguinte, depois de executada a sentença, fui procurar Emily. Desci a escada velha e mofada da River Street, 126, onde tudo era sujeira e miséria. No quarto dos fundos, parei e bati. Uma cabeça meio desgrenhada surgiu na porta vizinha entreaberta.

— Foram embora — disse.

— Para onde?

— Não sei. A mulher foi com um homem.

— Conhecido seu?

— Vi por aqui algumas vezes, mas na época não tinha um pedaço faltando na orelha. Chamam o sujeito de Bill. Acho que era amigo deles.

— E o garotinho?

— Foi para o abrigo.

Saí para o ar puro e, de pé na calçada, li a carta:

"A única coisa que levantaram a meu favor no julgamento foi o pedaço de uma orelha..."

Quando acabei, me lembrei da flor. Não a joguei fora. Levei-a para o meu escritório e a tenho lá ainda, embrulhada no papel conforme ele me entregou.

A AVENTURA DE "O CÉREBRO"

BERTRAM ATKEY

Mais lembrado, se é que é lembrado, pela criação de Smiler Bunn, um pilantra-não-exatamente-cavalheiro, Bertram Atkey (1880-1952) também inventou um amplo leque de personagens excêntricos e originais para suas muitas obras de ficção, especialmente Winnie O'Wynn, uma charmosa interesseira; Prosper Fair, um detetive amador, que na verdade é o Duque de Devizes; Hercules, um esportista; Nelson Chiddenham, um garoto-detetive aleijado que tem um vasto conhecimento de cães e do campo; o Capitão Cormorant, um mercenário aventureiro extremamente viajado; e Sebastian Hope, um marido dominado pela esposa com um talento peculiar para desconcertá-la fornecendo-lhe álibis de grande verossimilhança.

São os vários contos sobre Smiler Bunn que continuam a ter charme nos dias de hoje. Também conhecido como sr. Wilton Flood, Bunn é um vigarista engenhoso, dotado de grande coragem, artimanhas e humor, que "vive às custas da sociedade de um jeito sempre malandro e às vezes sinistro, porém nunca malévolo". Bunn e seu amigo Lorde Fortworth vivem numa parceria de solteirões há anos, especializando-se em surrupiar bens de valor (como dinheiro e joias) dos que não têm direito a eles, evitando, desse modo, embates com a polícia.

Nascido em Wiltshire, Atkey se mudou para Londres na adolescência para escrever contos. Publicou seu primeiro livro, *Folk of the Wild*, uma coletânea de histórias da natureza, em 1905. Dois anos depois, criou Smiler Bunn, mais tarde reunindo os contos sobre ele em *The Amazing Mr. Bunn* (1912), o primeiro de nove livros sobre o salafrário genial. "A aventura de 'O Cérebro'" faz parte deste primeiro livro, mas foi publicado pela primeira vez em 1910, no número de janeiro da *The Grand Magazine*.

A AVENTURA DE "O CÉREBRO"

BERTRAM ATKEY

"Passarei agora a apresentar minha afamada imitação de um cavalheiro beliscando uma laranja vermelha", conjeturou o sr. "Smiler" Bunn, o talentoso batedor de carteiras da Garraty Street, em King's Cross, parado, pensativo, diante de uma loja de frutas numa pequena rua próxima a Oxford Street. "Um genuíno cavalheiro pescando a maior laranja vermelha do cesto!"

Com essa intenção louvável, direcionou o olhar para um belo abacaxi que repousava aristocraticamente sobre papel cor-de-rosa do outro lado da vitrine, quando o dono da loja saiu e ficou por um instante perto da porta, encostado à extensão da fachada da loja abarrotada de frutas — em especial laranjas, vermelhas ou não. Essa parte da loja ficava em frente à vitrine e não tinha proteção, salvo o olhar vigilante do dono.

— Belo abacaxi, aquele — comentou, casualmente, o sr. Bunn.

— Belíssimo para esta época do ano — reagiu o lojista. — Vai levá-lo?

— Quanto custa?

— Meio guinéu — respondeu o vendedor.

O sr. Bunn balançou a cabeça. Seus recursos naquele momento totalizavam apenas sete pence.

— Caro demais — concluiu, ambas as mãos afundadas nos bolsos do casaco. — O que é aquela coisinha preta que não para de correr em volta do abacaxi? Não é um camundongo, é?

O lojista entrou apressado, com uma ameaça aterradora contra todos os ratos e — a mão direita do sr. Bunn estremeceu. Estremeceu apenas. Poucos dos que o observassem diriam que aquela mão saíra do bolso. Então, ele se afastou tranquilamente, e a maior laranja vermelha do cesto foi junto. A imitação afamada terminara, e o artista havia calmamente virado uma esquina adjacente antes que o dono da loja desistisse da perseguição ao camundongo.

— Muito bem feito, meu velho — resmungou o sr. Bunn. — Chego a achar que você está melhorando. Sua mão não perdeu sua astúcia, nem seu olho, a rapidez.

Pegou a Oxford Street, sentindo-se claramente encorajado por esse pequeno sucesso, e se misturou discretamente com a multidão de mulheres que olhavam vitrines e se perguntavam por que seus maridos não ganhavam tanto quanto os maridos das outras.

O sr. Bunn tinha habilmente aberto caminho em meio à aglomeração mais densa por mais de cem metros quando concentrou o olhar numa mulher que parecia suficientemente despreocupada com a própria bolsa para fazê-lo redobrar a atenção. Aproximou-se rapidamente dela, uma mulher bonita de meia-idade, com um rosto decidido e um queixo demasiado forte. Extremamente bem-vestida, levava a bolsa pendurada em dois dedos. A princípio não pareceu interessada nas lojas, mas um chapéu vistosamente exibido numa vitrine de esquina subitamente a atraiu, e ela decidiu examiná-lo. O sr. Bunn parou durante uma fração de segundo imediatamente atrás da mulher, então calmamente virou a esquina (esquinas eram uma especialidade de Smiler Bunn). Não olhou para trás — não era bobo. Simplesmente moveu-se bem devagar em frente, torcendo para que a bolsa não estivesse criando uma protuberância exagerada em seu bolso. Parecia o sujeito mais despreocupado de Londres até ouvir um repentino farfalhar de saias às suas costas e sentir um aperto rápido e firme em seu braço.

— Você é muito burro! — disse uma voz aguda.

Ele se virou e viu a mulher bem-vestida que carregava com descuido a própria bolsa.

— Trate de me dar imediatamente o que você tem no bolso direito do seu casaco — exigiu ela com frieza.

— Não sei do que a senhora está falando. Não a conheço. Qual é o problema? — indagou Smiler, bastante nervoso.

— Não vamos fazer nenhuma bobagem, por favor — foi o comentário gélido da mulher. — Me dê o que tem aí imediatamente.

Smiler pôs a mão no bolso com uma calma desesperada e tirou dele... uma belezura de laranja.

— É a única que tenho, mas a senhora pode ficar com ela... — começou, mas ela o interrompeu.

— Quer que eu chame a polícia? Passe a minha bolsa já.

Smiler deu um sorriso doentio, pôs a mão no outro bolso e, com um mal fingido espanto, produziu a bolsa.

— Ora, o que é isto? Como foi que veio parar aqui? Não é minha, não me pertence! — começou, tirando o melhor proveito possível de um trabalho malfeito.

Mas ela o interrompeu secamente. Pegou a bolsa, com os olhos cinzentos envolvendo o sujeito num exame singularmente abrangente. O que viu foi um homem bem barbeado, bastante troncudo, com aparência de mordomo e cerca de 38 anos, uma boca sorridente e um queixo sólido. Estava extremamente malvestido, mas limpo, e obviamente num estado de considerável constrangimento. Ela estava prestes a falar quando o sr. Bunn empurrou o chapéu para trás e passou a mão no cenho — um gesto evidentemente inconsciente e derivado do estresse mental do momento. Mas os olhos dela brilharam de repente quando pousaram na testa dele, e os lábios ficaram menos crispados. Pois, inquestionavelmente, tratava-se de um belíssimo exemplar de fronte — uma Testa entre todas as Testas. Ajudada de alguma forma por uma leve calvície prematura, a testa do sr. Bunn era uma característica da qual seu dono tinha dolorosa consciência. Em sua opinião, era grande demais. Jamais lhe servira para muita coisa, e de hábito ele considerava sua vastidão mais uma deformidade do que um sinal de intelecto. Estava ciente de que ela impedia que suas feições fossem triviais, mas servia apenas para torná-las ridículas, e não especiais. Evidentemente, porém, a mulher da bolsa não pensava assim. Ela estava, com feito, sorrindo para ele.

— Eu gostaria de lhe fazer algumas perguntas — falou —, se o senhor não se importar.

O sr. Bunn não respondeu.

— O senhor *se importa*? — indagou a mulher com meiguice, olhando para o outro lado da rua, onde uma dúzia de policiais andava solenemente em fila indiana em suas rondas. Smiler os observou por um instante — uma visão das mais desagradáveis, pensou.

— Não, não me importo, em absoluto, de jeito nenhum.

— Faça a gentileza, então, de me acompanhar — prosseguiu a mulher, num tom curiosamente profissional.

Ela começou a caminhar devagar com o sr. Bunn a seu lado.

— Por que o senhor é batedor de carteiras? — perguntou, sem rodeios.

O sr. Bunn resmungou que não era — que um raio o atingisse se estivesse mentindo. Mas a mulher ignorou a resposta negativa.

— É tão tolo — disse. — Obviamente uma profissão tão inapropriada para um homem com seu intelecto. Ora, com a sua testa, o senhor deveria estar forjando um grande futuro, uma carreira, uma reputação.

Smiler olhou-a com desconfiança.

— Deixe a minha testa fora disso — pediu. — Não é culpa minha ter uma coisa que mais parece um balão do que uma cabeça sobre os ombros, é?

— Mas, meu bom homem, você não vê que maravilha é ter um cérebro desses, e que coisa terrível seria um intelecto como o seu assim inativo? Se todos os homens tivessem um intelecto incrível como o que a sua testa me diz claramente que você possui, não acha que nós, mulheres, jamais teríamos exigido votar? Decerto que não. É porque nem um homem em cem mil possui um cérebro assim como o seu que decidimos lutar por nossos direitos. E quando penso nas suas possibilidades, quando penso no poder latente em sua gloriosa cabeça, que só precisa ser treinado e moldado à Ideia... Quando penso que aqui tenho praticamente em estado bruto um Cérebro dos Cérebros, que pertence a mim e a mim cabe moldar como me aprouver, a menos que seu dono prefira ser mandado para a cadeia durante seis meses para fazer trabalhos forçados, acaso é espantoso que todo o meu espírito se incendeie e grite em voz alta, mais uma vez, "votos para as mulheres!"?

Foi um grito genuinamente vigoroso, e o sr. Bunn ficou desagradavelmente chocado. Todos à volta se viraram para olhar a mulher, mas ela parecia alheia a essa atenção. Agarrou o braço de Smiler, que estava nervoso, e novamente retomou o tom profissional.

— Entenda — disse. — Eu o considero um Achado, e me proponho a adotá-lo, a menos, claro, que você prefira ser entregue à polícia. Vejo que é um homem com imensas possibilidades, e essas possibilidades eu pretendo desenvolver com o objetivo final de devotá-las à Causa. Está me entendendo? Proponho educá-lo. Você se tornará um palestrante, um defensor dos direitos das mulheres, um promotor do Voto. Será pago enquanto estiver em treinamento, e bem pago, e quando, com o tempo, eu tiver despertado esse grande Cérebro de sua atual inatividade, ele será dedicado a nos servir e recompensado na mesma proporção. Não! Não diga nada. Venha comigo. Sou Lilian Carroway.

O sr. Bunn sentiu-se zonzo. Lilian Carroway! Ele sabia agora com quem estava lidando. A sufragista que entendia mais de jiu-jitsu do que qualquer europeu e a maioria dos japoneses. A mulher que alguns meses antes havia invadido a Casa dos Comuns passando por cima dos corpos de muitos policiais meio surpresos e totalmente atônitos e ameaçado aplicar um "mata leão" no próprio primeiro-ministro caso ele não prometesse responder uma pergunta simples. Pego de surpresa, ele prometera, e Lilian, bastante transtornada, lhe fizera a seguinte pergunta:

— VOTOS PARA AS MULHERES?

"Preciso ser notificado sobre tal pergunta", havia sido a resposta tranquila, evasiva do primeiro-ministro, e, antes que a sufragista se desse conta, a polícia a levara à força para fora do recinto.

Smiler Bunn se lembrava bem do incidente e agradeceu aos céus por não ter contrariado a mulher.

Ela chamou um táxi e ordenou que Bunn entrasse. Deu ao motorista o endereço do quartel-general do ramo específico do movimento a que pertencia e se sentou ao lado do desconcertado batedor de carteiras.

— Sua sorte está lançada — comentou ela brevemente.

O sr. Bunn resmungou "Com certeza", numa voz bastante incerta, e mergulhou num silêncio sombrio.

— Não tenho dúvidas de que você acha que está numa posição desafortunada, sr... Como é mesmo seu nome?

— Connaught — respondeu Smiler, distraidamente lendo o primeiro nome que viu numa vitrine de loja. — Louisy Connaught.

— Louise Connaught! Que nome extraordinário! Como se soletra? Louise é nome de mulher.

— Bom, alguns escrevem de um jeito, outros de outro. Não me incomoda muito.

— Mas é um nome de mulher.

— Nascemos gêmeos — mentiu o sr. Bunn, com desconforto, desejando ter assumido o nome de alguma outra loja. — Fomos confundidos no batismo, e o nome da minha irmã é Thomas.

— Entendi. Que falta de sorte! — disse a sufragista. Então, repetiu o nome para si mesma várias vezes: — Louise Connaught, *Louis* Connaught. Ora, é um nome esplêndido: Louis Connaught. Tem um certo quê de realeza. Sr. Louis Connaught, eu lhe dou os parabéns pelo seu nome.

"Louis" sorriu sem jeito e evitou encará-la.

Então o táxi virou de repente, entrou num pátio ao lado de um grande prédio de apartamentos próximo de Whitehall e parou.

— Cá estamos, sr. Connaught — disse a sufragista, que pagou ao motorista e gentilmente empurrou seu cativo para dentro do prédio.

Ele já não estava tão ansioso para fugir quanto antes. Aquela menção a pagamento o deixara interessado, e, de todo modo, parecia haver um número desconfortavelmente grande de policiais na vizinhança. O sr. Bunn reconheceu dois à paisana na entrada para o pátio lateral.

Passivamente seguiu a sra. Carroway até o elevador e do elevador para um grande aposento no segundo andar. O apartamento era mobiliado como a sala do conselho de uma grande empresa, mas sua aparência profissional era amenizada por um ou dois pequenos toques femininos aqui e acolá — um punhado de flores, um ou dois espelhos e alguns quadros de bastante bom gosto. Havia cerca de uma dúzia de mulheres de diferentes idades espalhadas pelo cômodo.

A sra. Carroway as cumprimentou impulsivamente:

— Minhas caras, descobri um Cérebro! — exclamou.

O Cérebro corou quando tirou o chapéu, pois sabia o que estava por vir.

— Olhem a testa dele — comandou Lilian com entusiasmo. — Não é linda?

— Ora, tudo bem no que tange à quantidade, temos aí um ótimo tamanho, se for proporcional à qualidade — respondeu uma inegável solteirona de idade indeterminada, com um rosto escocês e sotaque da Nova Inglaterra. — Qual é o nome do Cérebro?

— Louis Connaught — anunciou a sra. Carroway com imponência, e várias das sufragistas mais moças e menos arestadas se mostraram interessadas. Sem dúvida, o nome soava imponente.

— Bom, Louis, fico feliz por você estar aqui — disse a americana —, e o próprio fato de você estar aqui mostra que existe *algo* por trás dessa sua plataforma frontal. A maioria dos homens evita este lugar como se fosse um local de culto. Você há de desculpar minha sinceridade; essa luta extenuante pelo Voto torna uma garota franca.

O Cérebro fez uma reverência sem jeito. Uma das suas poucas vantagens era não ter medo de mulheres. Nem mesmo ficava nervoso na presença delas, salvo quando estavam numa posição propensa e pareciam inclinadas a entregá-lo à polícia. Algum instinto profundamente enraizado atrás daquilo que a "garota" tivera o prazer de chamar de sua "plataforma frontal" lhe disse que a sra. Carroway não explicaria às outras as circunstâncias em que haviam, contra a vontade dele, sido apresentados.

Uma jovem bonita se adiantou, sorrindo, e lhe ofereceu a mão. Era difícil crer que tal pedacinho encantador de delicadeza feminina tivesse cumprido, para usar uma expressão popular, "seus dois meses na segunda divisão" com os melhores. Ela era Lady Mary de Vott.

— Estamos muito felizes por tê-lo na luta pela nossa Causa, sr. Connaught — disse ela, com muito charme.

Smiler apertou-lhe a mão como se não pretendesse jamais soltá-la.

— Feliz... Orgulhoso! — falou com veemência. — Feliz por ajudar. Qualquer coisinha dessas... a qualquer hora.

A sra. Carroway interveio:

— Existe uma historinha um bocado curiosa a contar sobre o sr. Connaught, e caso alguém repare e interprete mal algum pequeno maneirismo que ele por acaso possua, eu gostaria de contar a sua história, que explicará tudo. O sr. Connaught provavelmente há de preferir não estar presente. Se assim for — disse, virando-se para Smiler —, poderia passar para a sala de espera?

Ela tocou, então, uma campainha, e uma datilógrafa esbelta apareceu.

— Leve o cavalheiro até a sala de espera — ordenou Lilian, e Smiler saiu, sentindo que, de maneira geral, caminhava na direção de um rico golpe de sorte.

Ele se acomodou em uma sala de estar grande e luxuosa e graciosamente, deitado de costas, começou, com vários sons de deleite, a atacar a enorme laranja vermelha que com tanta destreza adquirira uma hora antes. Então, tirou um cochilo e, quando acordou, totalmente descansado, encontrou a sra. Carroway na lateral da sala, contemplando com uma expressão de fascínio e curiosidade sua testa majestosa.

— Ah, isso é esplêndido! — exclamou ela. — Vejo que em comum com vários outros grandes cérebros, você tem o hábito de tirar uma horinha de repouso em momentos estranhos. Napoleão também fazia isso, acredito.

— Que Napoleão? — indagou o sr. Bunn, que poderia ganhar de qualquer cérebro no mundo no quesito repouso.

— Bonaparte, meu caro! — respondeu a sra. Carroway, de bom humor. — Nunca ouviu falar de Napoleão Bonaparte?

O sr. Bunn refletiu.

— Ouvi o nome em algum lugar. Ele não tem uma loja lá pelos lados da Shaftesbury Avenue, de peixe frito e batata frita? Um baixinho moreno?

A sra. Carroway arregalou os olhos.

— Acho que não...

— Deve ser algum parente, então! — rebateu Smiler com desenvoltura, e abandonou o assunto.

Ficou de pé. Depois de ter sido recebido no grande salão de reuniões, perdera boa parte do nervosismo quanto ao resultado do seu infeliz *contretemps* com a bolsa da líder sufragista.

— Bem, e quanto a isto aqui? — indagou, dando um tapinha significativo na testa. — Alguma oferta foi feita?

— Ah, esse assunto está decidido. Concordamos unanimemente que, após um exame superficial por um frenologista tarimbado, você será incorporado de imediato como um Organizador Especial. Ora, o senhor está decepcionado, sr. Connaught?

Ela notara a expressão desapontada dele.

— Não, apenas não entendo nada de música. Não sei distinguir uma melodia de outra. Admito que não é preciso pensar muito, só girar uma manivela, mas mesmo um organista...

A sra. Carroway riu.

— Ah, entendi! — exclamou, sorrindo. — Eu falei "Organizador".

— Ah! — disse Smiler, num tom de imenso alívio, perguntando-se o que seria um organizador.

— Claro — prosseguiu a sufragista — que não hei de esperar grandes coisas da sua parte no início. Acho que seria melhor começar pela leitura da questão do Sufrágio Feminino. Toda manhã o senhor se encontrará comigo, digamos, às dez horas, e conversaremos sobre os capítulos que você leu. Você terá de me dizer a que conclusões chegou e que opiniões tem sobre o assunto, e eu corrigirei quaisquer falsas impressões que você possa ter tido, e, sem dúvida, o seu intelecto, quando se familiarizar com a questão, logo irá descobrir novas e valiosas interpretações de velhas ideias e apresentará novas ideias e planos para o avanço da Causa. Depois de algumas semanas de leitura cuidadosa, você começará a praticar falar em público, e todas esperamos que à essa altura seus próprios dons naturais se manifestem e que de, digamos, novato, você se torne um líder tanto em ideias quanto em ações. Durante as primeiras semanas, sua remuneração será de três libras semanais (a Liga tem um fundo polpudo), se você estiver de acordo.

Ela deu a impressão de esperar uma resposta, e Smiler conseguiu recuperar o fôlego a tempo de dizer que achava que três libras semanais bastariam "para começar".

— Bem, isso acertado, voltemos à sala de reuniões. Já mandamos chamar um frenologista e ele o espera lá. Aliás, expliquei às companheiras que você tem origem nobre, mas, devido a uma série de infortúnios, sua educação, tanto social quanto... hum... acadêmica, foi ligeiramente negligenciada. E agora, sr. Connaught, antes de nos juntarmos às outras, deixe-me dizer que acredito em você e acho que você há de se revelar uma tremenda aquisição para a Causa. Não vejo como alguém com uma testa tão nobre quanto a sua possa se revelar outra coisa.

O sr. Bunn ficou quase emocionado.

— Minha senhora — falou, com uma ênfase singular —, a senhora me deixa orgulhoso, me faz enrubescer. A senhora é uma lady, e eu sei quando estou lidando com uma lady e a trato *como* uma lady. A senhora vai ver. Não se preocupe comigo. Vou acertar, quando começar. Quando estou só ensaiando uma corridinha ao meu jeito tranquilo, a garotada pode implicar comigo, mas quando dou a partida, sou um campeão. Não se esqueça disso. Só quero dar a partida. — Estendendo a mão, concluiu: — Estou de acordo, sra. Carroway!

A líder sufragista pôs a mão na dele, e o cumprimento foi trocado em silêncio.

Havia cerca de trinta sufragistas na sala de reuniões quando os dois voltaram, além de um homem esbelto usando um paletó comprido e camisa de flanela, que fazia uma espécie de palestra sobre frenologia. Smiler, com o instinto de um "trapaceiro" reconhecendo outro, viu aqueles olhos sagazes e famintos e o rotulou de imediato de charlatão — só que "charlatão" não foi a palavra exata que ocorreu ao novo Organizador.

A sra. Carroway apresentou os dois homens, e o frenologista indicou uma cadeira, na qual Smiler se sentou. Numa conversa de cinco minutos com as senhoras, o frenologista percebera precisamente o que elas queriam em troca do seu dinheiro, e foi isso o que ele lhes deu com liberalidade.

Pegou a cabeça de Smiler em suas mãos de aparência faminta e a pressionou, dizendo:

— Este é, com efeito, um cérebro, um cérebro extremamente incomum, um cérebro incrível. Não é com frequência que manuseio um cérebro como este. Esta cabeça que seguro nas mãos é uma cabeça surpreendente! — Passou a mão úmida na testa do agradecido sr. Bunn. — Eu diria que esta é uma cabeça fenomenal, de causar perplexidade; é o que chamamos de Cabeça Inesperada. Tem todos os indícios de estar extremamente subdesenvolvida, apesar de sua força natural ser estupenda. Me causa perplexidade. É um crânio muito difícil! — Franziu a testa, ficou pensativo e deixou as mãos caírem de repente. — Senhoras, eu realmente não posso interpretar esta cabeça por um guinéu. Ela é uma cabeça para três guinéus, se é que jamais tive uma igual em minha mão. Esta cabeça deveria ser adequadamente mapeada. Em geral, cobro um guinéu extra por um mapa nº 1, mas se as senhoras aceitarem o exame de três guinéus, farei também o mapa, em duas cores e emoldurado em carvalho negro, com arremate verde-claro e um certificado assinado no verso, completo, com uma leitura de meia hora, respostas a quaisquer perguntas, por três libras e dez, em dinheiro vivo, sendo que o preço habitual é de cinco guinéus. Quando se trata de cabeças coroadas são vinte guinéus, fora as despesas. E isso é uma pechincha.

Naturalmente, por ser uma pechincha, todas as mulheres presentes concordaram com "o mapeamento de três libras e dez", que acharam barato.

Então, para seu intenso espanto e profunda gratidão, o sr. Bunn descobriu, entre outras coisas, que, com um pouco de prática, se tornaria um orador cujo brilhantismo superaria o do falecido sr. W. E. Gladstone e se rivalizaria com o de Marco Antônio, um estadista cuja habilidade política seria tão férrea quanto a de Bismarck, sutil como a de Abdul, o Maldito, tão destemida quanto a de Nero e tão esplendorosa quanto a do Imperador alemão; um legislador tão imparcial e cuidadoso quanto Moisés, um diplomata tão rematado quanto Talleyrand, um pensador tão profundo quanto Isaac Walton (o frenologista provavelmente quis dizer Isaac Newton), um defensor de direitos tão persuasivo quanto Oliver Cromwell e, finalmente, um político tão honesto quanto — aqui, o frenologista hesitou por um instante — um político tão honesto quanto... quanto... os melhores políticos. Um grande volume de informações úteis e igualmente valiosas tendo sido fornecido, o frenologista anunciou que a sessão chegara ao fim, embolsou o pagamento, prometeu enviar o mapa e o certificado, ofereceu-se para ler a mão das senhoras presentes por cinco xelins cada palma, bem como para se pôr em transe e se comunicar com o espírito de qualquer parente morto de qualquer uma das presentes por dois guinéus, distribuiu cartões de visita com a expressão de um jogador de pôquer bem treinado e, finalmente, partiu.

O curioso foi que todas as mulheres — e havia muitas mulheres inteligentes ali — aparentemente acreditavam naquele mentiroso reles de camisa de flanela e o respeitavam. As congratulações ao Cérebro, quando o cercaram, foram indubitavelmente genuínas. Então, de repente, o telefone soou estridente, e uma mensagem foi recebida informando que o primeiro-ministro fora visto se dirigindo para Walton Heath com uma bolsa de tacos de golfe no carro. A sra. Carroway deu um punhado de instruções rápidas, e a sala se esvaziou como num passe de mágica. Em dez minutos, o sr. Bunn estava sozinho com a líder sufragista. Smiler estava meio zonzo.

— Para onde todas foram? — indagou.

— Para Walton Heath, em táxis.

— Por quê?

— Para perguntar ao primeiro-ministro quando ele dará às mulheres o direito ao voto, é claro.

— Ora, mas aquela americana levou uma baita machadinha — disse Smiler. — Sem dúvida, ela não vai perguntar com aquilo!

— Nunca se sabe — respondeu a sra. Carroway, em tom sombrio.

O sr. Bunn pareceu agoniado.

— Pobre coitado! — exclamou, com uma sinceridade extraordinária. — Pobre, *pobre* coitado! Ser primeiro-ministro não é só cerveja e golfe, certo?

— Fazemos o possível para garantir que não seja! — respondeu a sra. Carroway modestamente. — Agora, sobre seus livros. Separei alguns para começarmos. Aqui estão.

Ela indicou uma pilha de enormes volumes no chão ao pé de uma grande estante. O queixo de Smiler caiu.

— Bom — disse ele, sem entusiasmo —, com ou sem cérebro, aquela pilha vai me dar uma dor de cabeça dos diabos antes que eu termine de ler. Talvez fosse melhor mandá-los num caminhão de mudança, não?

A sra. Carroway achou que um táxi seria melhor e mandou pedir um. Então, pegou a bolsa, e Smiler ficou mais interessado.

— Não me leve a mal por tocar neste assunto, sr. Connaught, mas acabou de me ocorrer que o senhor provavelmente está com pouco dinheiro. Estou certa?

— Sim — respondeu Smiler, com simplicidade viril. — Estou, muitíssimo pouco.

— Nesse caso, então — disse a sra. Carroway, abrindo a bolsa —, talvez queira levar duas libras adiantadas do salário da primeira semana. Quer?

— Sim — respondeu Smiler, sem rodeios nem falso orgulho.

— Muito bem, então — disse ela lhe entregando dois soberanos. — Pode escrever seu endereço neste envelope, e eu incluirei seu nome no livro da Liga.

Smiler assim fez.

— Garraty Street. Que pitoresco nome antiquado! — comentou a mulher ao ler o endereço.

— Não é mesmo? — concordou Smiler. — E a rua é mesmo pitoresca e antiquada — continuou —, lá todos vivem à base de peixe frito, e o senhorio põe cadeados nos peitoris para impedir o povo de usá-los como lenha. Pretendo sair de lá logo, assim que desenvolver meu cérebro um pouquinho. E agora vou puxar o barco. A que horas a senhora vai me receber amanhã?

— Acho que às duas. É melhor começar com este livro — aconselhou, entregando-lhe um livro grosso intitulado *O voto: O que significa e por que o queremos*, de Lilian Carroway. — O senhor deve fazer anotações enquanto lê, e podemos discuti-las amanhã.

Smiler pegou o livro e avaliou seu peso.

— Cer... Certo — disse, debilmente, e se virou para ajudar o taxista a levar o restante dos livros até o carro.

Assim, o sr. Smiler Bunn, *vulgo* Louis Connaught, *vulgo* O Cérebro, se tornou um sufragista, e apenas o frenologista aparentemente sabia que ele nunca seria mais que um *sufrachiste*, no máximo.

Trocou um aperto de mãos com a sra. Carroway e se dirigiu para o táxi. Esperando na calçada próximo à entrada da mansão, estava um homem cuja aparência pareceu familiar ao sr. Bunn. Esse homem se aproximou quando Smiler entrou no táxi. Era o frenologista.

— Com licença, Cérebro — disse, alegremente. — Vou pegar uma carona — acrescentou, entrando no carro junto com Smiler e fechando a porta.

Smiler ficou perplexo, depois se lembrou do endereço elaboradamente impresso que o homem lhe dera meia hora antes e riu.

— Tudo bem — disse.

O frenologista o examinou com seus olhos negros e alertas que o observaram como faróis. Era jovem, dolorosamente magro, com nariz aquilino. Seus movimentos eram curiosamente ágeis e rápidos. Tirou do bolso superior do casaco dois charutos longos, finos, pretos e com aparência de couro, entregando um deles ao sr. Bunn.

— Esconda-se atrás disso — instruiu —, se você aprecia um charuto com sabor.

Assim fez Smiler, e aguardou que o outro falasse. O frenologista não perdeu tempo.

— Isso tem que ser orquestrado de forma adequada, sr. Connaught. Há um bocado de dinheiro ali — disse, apontando com o polegar por sobre o ombro para indicar o quartel-general das sufragistas. — E você e eu temos que enfeitiçá-las antes que algum dos outros vivaldinos desta cidade nos passe a perna. Agora, vou jogar limpo com você, sr. Connaught. Sabe-se lá por quê, você conquistou aquela turma. Graças a mim, elas acham que você será capaz de botar o Rei Salomão e toda a sua sabedoria no bolso depois de uma ou duas semanas de estudo. Devido ao formato da sua cabeça, pelo que entendi. Bom, você e eu somos homens do mundo, e podemos ser francos onde outros são evasivos. E como um homem do mundo, posso ir logo lhe dizendo, sr. Connaught, que a ideia do Cérebro é um sonho. Ora, no instante que senti sua cabeça nas minhas mãos, me vi dizendo: "Bom, esta é uma Grande Testa, sem dúvida, mas é oca por dentro. Não há nada aqui, nadinha, vazio." Não pretendo ofender. Claro que há um cérebro aí dentro, um cérebro mediano. Bem próximo da média, digamos. Mas você não é nenhum Homero, não é nada superior a mim ou a qualquer outro bobalhão. A velhota parece se achar uma fisionomista, mas escorregou numa casca de banana ao arriscar dinheiro de verdade no seu taco. Mas quero ser amistoso com você. Esta cidade nos deve uma subsistência, e a única regra do jogo é que temos de correr atrás dela. Vamos pôr as cartas na mesa. Sou leitor de mãos e frenologista no momento, mas estou de olho em grandes negócios, logo, logo. E você? Qual é a sua?

— Bom, a velhota *achou* que eu estava roubando a bolsa dela — respondeu Smiler, rindo, e os olhos do outro salafrário brilharam de satisfação.

— Ora, isso é ótimo. Não há dúvida de que você é um "mão-leve". De cara, vi que era um trapaceiro, e quando olhei suas mãos me perguntei se era um falsário ou um batedor de carteiras. Muito bem, tudo resolvido. Tenho um cantinho logo ali, perto da Strand. Mande o táxi com seus livros seguir adiante e venha ao meu escritório. Teremos uma conversa.

Smiler estava disposto. Ficara fascinado com esse novo conhecido, e, em cinco minutos, a dupla já estava trancada no escritório do frenologista numa viela atrás da Strand.

O leitor de mãos levou precisamente dez minutos para esboçar a ideia de um *coup* que ele e Smiler poderiam aplicar como parceiros.

— Olha só, meu irmão — começou —, o que você precisa entender é que não vai durar com aquela turma de sufragistas mais que uns 15 dias, se tanto. Elas são inteligentes, e a velhota é mais inteligente do que as outras. Só que por acaso ela se encantou com a sua testa e com a ilusão do próprio talento como fisionomista. Mas depois que você tiver lido um ou dois daqueles livros, ela há de perder o interesse. Você vai se trair, sem dúvida, e aí irá parar na rua, e o salário vai se mandar e sumir sem deixar rastro, viu? Você já entendeu, certo?

Smiler assentiu. Soubera disso o tempo todo.

— Bom, o que você conseguir, tem de conseguir rápido. Agora me escute...

A voz do leitor de mãos se transformou num sussurro seco e apressado.

— Meu nome é Mesmer La Touche, e meu título é Professor. Sou um homem em quem você pode confiar — começou ele e sem rodeios apresentou seu esquema.

Precisamente uma semana depois, o grupo sufragista, sob o comando da sra. Carroway, fez um tremendo protesto no King James's Hall. O protesto havia sido amplamente anunciado. A entrada era gratuita para todos com uma aparência razoavelmente respeitável, e prometia ser um sucesso, quando menos não fosse devido ao fato de que o programa não envolveria discursos, mas basicamente uma série de quadros vivos iluminados por holofotes. A ideia dos quadros era reencenar no palco várias cenas que haviam marcado o progresso do Movimento pelo Sufrágio Feminino, cenas às quais as sufragistas estavam associadas na mente do público.

Por exemplo, o Quadro nº 1 do programa mostraria cerca de trinta sufragistas vestidas com uniformes de prisioneiras com mamadeiras sendo enfiadas em suas bocas por homens de aspecto selvagem, e com os braços imobilizados por carcereiras brutais. A cortina subiria, revelando a "atrocidade" em plena ação, tendo como pano de fundo uma pintura reproduzindo alvenaria e grades de cadeia. O Quadro nº 2 novamente mostraria as trinta mulheres dedicadas, acorrentadas e presas por cadeados a uma fileira de gradis de ferro, encarando em desafio um pano de fundo retratando a casa de um ministro, enquanto a plateia ouviria, a se aproximar rapidamente, o som pesado de passadas de um grande agrupamento de policiais destemidos — graças à energia de um cenarista em mangas de camisa nos bastidores, cuja função era manipular vários instrumentos e engenhocas destinados a imitar a marcha de muitos homens. E daí por diante, por meio de uma série de vinte quadros similares. O primeiro item do programa seria a interpretação da famosa canção sufragista,

Mulheres da Inglaterra, assumam seu poder
Pois o tirano queimou suas pontes;
O homem já errou por tempo demais, deixem-no agora acertar
E dar às mulheres o direito de votar,

pelas trinta sufragistas, que nessa cena usariam seus melhores vestidos de noite e suas joias, a fim de que o público visse que, a despeito de seus atos extremados, eram mulheres responsáveis, ricas e bem posicionadas socialmente.

Era um plano de entretenimento e propaganda bem concebido, e os idiotas de Londres — e Londres é praticamente habitada por idiotas — rumaram para esse evento noturno e gratuito com uma unanimidade indiferente a elogios ou críticas. As portas se abriram às sete horas, e, às 7h15 não havia mais espaço sequer em pé. Estava previsto que a cortina subiria às 7h30.

Nos bastidores se ouvia o farfalhar de muitas saias de seda, sentia-se o aroma de perfumes caros, o odor de flores, além dos sussurros excitados de vozes femininas, o faiscar de diamantes, risos e gritinhos e muita alegria. O lugar fervilhava com mulheres. Aqui e ali um cenarista entrava e saía encurvado de ângulos e cantos escuros, ocupado com cordas e molduras. Num grande camarim nos fundos, se encontrava um homem contrafeito em roupas de gala: o sr. Smiler Bunn. Parecia ser o único homem presente.

É preciso explicar que O Cérebro não tivera resultados frutíferos nos estudos durante a semana anterior, e o desenvolvimento do seu intelecto parecia menor do que a melhoria de suas maneiras e modo de falar. Suas ideias sobre o Movimento pelo Sufrágio Feminino eram mais ou menos as mesmas de antes de se transformar em O Cérebro; a bem da verdade, haviam ficado mais confusas e não mais claras. Ele decepcionara um pouco a sra. Carroway, mas, graças a alguns comentários elogiosos ao seu livro, que lhe tinham sido ensinados pelo frenologista, ela continuava a esperar grandes coisas dele.

Smiler, contudo, sabia muito bem que mais uma ou duas semanas bastariam para sua associação com as sufragistas chegar ao fim. Ele era um bom batedor de carteiras, mas nada tinha de organizador político, e sabia disso. O "Professor" La Touche o alertara para tanto com frequência para que ele não esquecesse. Mas Smiler não ligava; ele e o frenologista haviam feito um acordo, e, muito antes dos quadros vivos terminarem, o plano deles seria posto em execução.

A missão do sr. Bunn naquela noite era atuar como uma espécie de assistente de palco para as trinta sufragistas. Ele as acorrentaria ao gradil, por exemplo, ajudaria na cena das mamadeiras na prisão e daí por diante. A sra. Carroway o treinara bem e não tinha dúvidas de que ele cumpriria seu papel direitinho.

Ora, existem cerca de quatro entradas nos fundos do King James's Hall, três das quais dão em ruas diferentes, e, conforme se aproximava a hora marcada para a cortina subir, chegou discretamente a uma dessas entradas uma carroça puxada por um só cavalo. Ninguém dela desceu, nem mesmo o cocheiro, que apenas parou ali e esperou. Um policial passou e comentou sobre a "noite fria de matar". O cocheiro, numa voz curiosamente parecida com a de Mesmer La Touche, leitor de mãos e frenologista, concordou, e voluntariou a informação de que ali estava para transportar uma enorme cesta de roupas pertencente a uma sufragista da nobreza que se encontrava dentro do auditório. O guarda inteligente concluiu que, se alguém por acaso estivesse por perto para dar uma mãozinha quando a cesta chegasse, provavelmente haveria algum "agrado" para recompensar a gentileza (Mesmer acreditava em audácia). O policial resolveu permanecer por ali. Foi essa uma das razões pelas quais nem o oficial eficiente nem Mesmer La Touche viram um furgão de lavanderia — dirigido por um homem pequeno e de aparência curiosamente irrelevante — estacionar diante de uma das entradas dos fundos mais adiante e ali esperar de forma basicamente similar à da carroça.

Dentro do auditório, a canção de abertura já terminara, e as sufragistas agora atuavam na cena da prisão, deleitando uma plateia solidária. Smiler Bunn, com uma braçada de correntes curtas, aguardava nos bastidores com um grupo de cenaristas carregando pedaços de grossos gradis de ferro. A cortina baixou ao fim do primeiro quadro, e as mulheres surgiram vindas do palco, correndo para os camarins a fim de trocar de roupa para a grande cena das correntes. Em três minutos, os gradis foram fixados, e Smiler Bunn começou a acorrentar as sufragistas às grades. E era perceptível que, embora ao longo de toda a noite ele tivesse exibido uma expressão nitidamente preocupada, essa expressão, conforme os cadeados eram fechados um a um, fora substituída por um sorriso cada vez maior. A sra. Carroway percebeu a mudança e se perguntou por que O Cérebro estaria sorrindo.

Tendo acorrentado a última sufragista, o sr. Bunn correu para os fundos. Tinha cerca de três minutos para agir e um bocado a fazer nesses poucos minutos. Entrou e saiu correndo dos camarins, como uma doninha numa toca de coelho. Toda vez que saía de um deles, vinha carregado de peles. Em um minuto e meio percorrera todos os camarins e andava literalmente encurvado sob o enorme fardo de peles. Jogou-as todas dentro de uma enorme cesta de roupas no extremo do corredor. Imediatamente um homem — o motorista do furgão da lavanderia — surgiu, correndo em silêncio até Smiler, e pegou uma ponta da cesta, enquanto Smiler carregava a outra. A dupla sumiu. Em vinte segundos, a cesta estava dentro do furgão.

— Ande logo, pelo amor de Deus! — gritou o sr. Bunn, enquanto se acomodava ao lado do cúmplice. — Quase a metade delas deixou os diamantes nas penteadeiras dos camarins — disse com uma voz entrecortada de excitação — *e, caramba, peguei todos!*

O furgão avançou pela rua de trás e dobrou uma esquina — esquinas, como já foi explicado, eram uma especialidade do sr. Smiler Bunn. Ele deu uma olhada por sobre o ombro, enquanto o furgão fazia a curva, e teve um vislumbre rápido de uma carroça de um cavalo só aguardando pacientemente junto a uma outra entrada dos fundos. E abriu um amplo sorriso.

— Coitado do velho Mesmer! — disse, estalando a língua. — Ele é um cara esperto, mas se não sair dali junto com a sua carroça corre o sério risco de ser preso. Ele é bom com ideias, mas não é bom em executá-las. Certo, vire a esquina, amigão. Quanto antes levarmos isso aqui para o Israelstein, melhor para mim. Fico imaginando o que Lilian há de dizer. Vai levar uns vinte minutos para limar aquelas correntes!

Ouviu-se, então, um repentino ruído de cascos de cavalo. Smiler se virou, justo a tempo de ver a carroça sair em disparada pela rua que acabavam de deixar e, alguns metros atrás, meia dúzia de policiais correndo como lebres.

— Lá se vai Mesmer, pobre coitado! A cidade certamente lhe deve um sustento, como ele disse, mas acho que não há de ser esta noite que irá recebê-lo. Acho que *não* será esta noite — murmurou O Cérebro.

E o furgão da lavanderia seguiu tranquilamente em direção ao escritório comercial daquele genial receptador de bens roubados, o sr. Israelstein.

O ROMANCE KAILYARD
CLIFFORD ASHDOWN

Um dos mais aclamados praticantes do conto puramente detetivesco é Richard Austin Freeman (1862-1943), um gigante da Idade do Ouro, embora suas primeiras obras sejam anteriores à época entre as duas Guerras Mundiais, que mais ou menos delimitam essa era; seu primeiro mistério foi *The Red Thumb Mark* (1907), no qual ele apresentou um dos detetives mais populares de todos os tempos, o dr. John Thorndyke. Freeman também inventou o conto de detetive invertido, com a publicação de *The Singing Bone* (1912), uma coletânea de contos em que o leitor descobre quem são os assassinos num estágio inicial da história. O suspense deriva não da perseguição, como acontece no mistério tradicional, mas da descoberta da forma como o detetive vai desvendar as pistas e capturar o criminoso.

Antes que seu ilustre detetive surgisse em cena, porém, Freeman escreveu sob o pseudônimo de Clifford Ashdown, em colaboração com John James Pitcairn (1860-1936), um obscuro funcionário médico de presídio, uma série de contos interligados sobre um cavalheiro pilantra chamado Romney Pringle.

Pringle é oficialmente um agente literário com escritório em Londres, mas esse emprego é apenas uma fachada para suas atividades criminosas. Como estudioso da natureza humana e dotado de poderes de observação altamente sintonizados, Pringle age com inteligência, jamais recorrendo à força ou à violência. Quando percebe um comportamento curioso, ele segue o indivíduo a fim de determinar se existe ali uma oportunidade de autoenriquecimento. "O Romance Kailyard" apresenta Pringle diante de seu maior desafio: o que fazer quando um manuscrito de verdade aparece em seu escritório.

"O Romance Kailyard" foi originalmente publicado no número de novembro de 1902 do *Cassell's*, e incluído na coletânea *The Adventures of Romney Pringle* (Londres, Ward, Lock, 1902).

O ROMANCE KAILYARD

CLIFFORD ASHDOWN

O carteiro com uma batida forte introduziu meia dúzia de pacotes pela fenda na porta externa. Resfolegava, pois era uma baita subida até o segundo andar. Então, com passadas pesadas, tornou a descer pelos degraus de pedra que levavam à Estalagem Furnival. Enquanto a catarata descia entre as duas portas, o sr. Pringle largou o jornal e se espreguiçou com um bocejo; depois, levantando-se da cadeira com letargia, abriu a porta interna e recolheu o correio, que consistia em sua maioria de circulares, as quais jogou em cima da mesa descuidadamente, voltando a atenção para a única carta ali presente. Estava endereçada com precisão profissional: *Romney Pringle, Esq., Agente Literário, 33 Estalagem Furnival, Londres, E.C.*

Um endereçamento desse tipo era uma grande novidade na experiência de Pringle. Será que sua inexistente agência literária estaria prestes a ganhar vida? Curioso, ele abriu o envelope.

Chapel Street, Wurzleford,
25 de agosto.

Prezado Senhor,

Tendo recentemente visitado um advogado no mesmo quarteirão sobre questões relativas a um amigo falecido, reparei no seu endereço e, em resumo, proponho me valer de seus préstimos na publicação de um romance sobre a questão da temperança. Pretendo chamá-lo de Drouthy Neebors, *já que adotei o dialeto escocês que parece ser tão popular e, ao que tudo indica, lucrativo. Por não ter conhecimento prático do mesmo, penso estudá-lo no local durante o meu mês de férias que se aproxima — muito provavelmente na Ilha de Skye, onde suponho que a língua seja um guia seguro para aquilo que tanto agrada hoje em dia. Farei isso assim que encontrar um substituto e, se não for pedir demais, agradeceria muitíssimo se o senhor publicasse para mim o anúncio que lhe envio sob a rubrica Não Confessionais. Sua gentileza em me atender talvez leve a uma solução mais rápida do que a que eu conseguiria através do agente local e assim evite a demora de uma semana. Agradecendo-lhe de antemão, considero-me grato e em débito com o senhor.*

Adolphus Honeyby (Pastor).

Embora o título "Agente Literário" pudesse ser ostensivamente visto em sua porta, este jamais até então levara qualquer autor aspirante a perturbar a privacidade de seus aposentos, e foi com uma sensação de prazer diante da perfeição de seu disfarce que ele acendeu um cigarro e se sentou para refletir a respeito da proposta do sr. Honeyby.

Wurzleford... Wurzleford? Parecia haver algo familiar quanto a esse nome. Sem dúvida o lera em algum lugar. Recorreu ao jornal que estava lendo quando o carteiro bateu à porta.

Desde que partiu de Sandringham, o marajá de Satpura vem fazendo uma série de visitas de despedida antes da sua volta à Índia em outubro. Sua Alteza é famosa por ser dona do famoso diamante Harabadi, que, dizem, cintila em vermelho e violeta a cada movimento de quem o usa, e suas joias foram a sensação das várias recepções oficiais a que compareceu em seu figurino nativo na última temporada.

Soube que o marajá é esperado no final da próxima semana em Eastlingbury, a magnífica propriedade em Sussex de Lorde Wurzleford, e, como um homem de cultura ampla e liberal, Sua Alteza sem dúvida haverá de ter grande interesse nessa morada ancestral de uma de nossas famílias nobres mais antigas.

"O sr. Honeyby não deverá ter dificuldade em conseguir um *locum tenens*", pensou Pringle, largando o jornal. Perguntou-se como seria se... Era arriscado, mas valia a tentativa! Por que deixar passar uma oportunidade dessas? Ele pretendia o posto para si mesmo! Wurzleford parecia ser um lugarzinho atraente. Bem, sua atratividade decerto não diminuiria para ele quando lá chegasse o marajá! No mínimo, seriam umas férias agradáveis, e, de todo modo, geraria uma nova e provavelmente interessante experiência da natureza humana. Sorrindo ante a audácia absurda da ideia, Pringle foi até a lareira e examinou a si mesmo no espelho veneziano que a encimava.

Descontada a mancha vermelha de nascença, passível de ser camuflada, um par de *pince-nez*, uma tintura mais escura no cabelo e uma pequena costeleta falsa facilmente aplicável seriam disfarce suficiente. Pensativo, acendeu outro cigarro.

Mas a necessidade de recomendações lhe ocorreu. Por que não dizer que enviara os originais das recomendações para concorrer a um cargo permanente e simplesmente mostrar a Honeyby as cópias datilografadas? O sujeito parecia um velho e inocente bobalhão, e Pringle apostaria na audácia para engambelá-lo. Podia escrever para Wurzleford de qualquer endereço em Bloomsbury e seguir a carta antes que Honeyby tivesse tempo para responder. Pouca dúvida lhe restava de que era capaz de obter o que queria em um encontro cara a cara; sobretudo porque Honeyby parecia muito ansioso para partir. Continuava, porém, a existir a questão espinhosa da doutrina. Ora, nos cemitérios da Farringdon Street, o túmulo da literatura teológica, ele conseguiria tantos volumes de sermões quanto fossem necessários e provavelmente uma bateria muito eficiente de argumentos controversos. Nesse ínterim, ele poderia obter os fundamentos para suas opiniões "Não Confessionais" na Enciclopédia. Pegando um volume da *Britânica*, em pouco tempo a pesquisa o absorveu.

O anúncio do sr. Honeyby apareceu, como solicitado, no *Banner*, e foi respondido por um telegrama anunciando a candidatura ao posto do "Rev. Charles Courtley", que seguiu na cola da própria mensagem. Embora surpreso com o efeito fantasticamente rápido do anúncio, o pastor não se sentiu disposto a questionar sua boa sorte, e estava demasiado ansioso para perder muito tempo com inquirições preliminares. Com efeito, em nada pensava salvo na coleta de material para seu romance, e estava louco para dar início a ela. Os modos e a aparência do "sr. Courtley", sem falar nas recomendações muito elogiosas, eram tudo que o pastor podia querer; seu conhecimento da doutrina controversa era profundo, e o pastor, inocentemente se perguntando por que tal brilhantismo não lhe granjeara um posto mais eminente na congregação, rapidamente lhe entregou o posto.

— Bom, devo dizer, sr. Courtley, que o senhor parece saber tão bem o que se espera que se faça que na verdade acho que não preciso aguardar até amanhã — observou o sr. Honeyby já no finalzinho da entrevista.

— Suponho que não haverá objeção a que eu use a bicicleta que trouxe comigo, certo? — indagou Pringle, imbuído de seu novo personagem.

— De forma alguma, imagine! Várias vezes pensei em adotar uma. Alguns membros da igreja moram longe, sabe? Além disso, nada há de censurável nisso. Lorde Wurzleford, por exemplo, costuma andar de bicicleta por aí, bem como alguns de seus convidados para a caçada. Acho que há entre eles um príncipe indiano ou algo do gênero.

— O marajá de Satpura? — sugeriu Pringle.

— Sim, acho que é esse o seu nome; o senhor o conhece? — perguntou o sr. Honeyby, impressionado com a sofisticação do outro.

— Não, apenas vi seu nome mencionado no *Park Lane Review* — respondeu Pringle com simplicidade.

Assim, o sr. Honeyby partiu para Londres, a caminho do norte, num trem anterior àquele em que esperara embarcar.

Cerca de uma hora depois, Pringle descansava à margem do caminho, exaurido após subir de bicicleta um dos antigos morros dos Downs que podem ser vistos por quase todo lado no horizonte de Wurzleford. Ele seguira pela estrada pública, sem cercas ao longo de quilômetros, até o Parque Eastlingbury, e agora se deitara ocioso na grama. As campânulas se agitavam com um farfalhar seco na brisa imperceptível, e à sua volta se ouvia a música dos desajeitados sininhos de ferro, chacoalhando ritmicamente a cada movimento dos carneirinhos castrados aparando a vegetação com mais eficiência do que qualquer foice. Enquanto Pringle absorvia a beleza da paisagem, um ciclista surgiu contornando o morro à frente. De repente, ele derrapou de um lado para outro; sua marcha ficou mais errática, e o zigue-zague, mais amplo: estava claro que ele perdera o controle do veículo. Quando disparou com uma velocidade cada vez maior morro abaixo, uma figura branca subiu correndo atrás dele, perseguindo-o com acenos ensandecidos dos braços e gritos que o vento levava suavemente.

No vale, atrás dos dois morros, corria o rio Wurzle, e a estrada, fazendo uma curva acentuada, o cruzava por meio de uma pequena ponte com parapeito de tijolos; sem um controle cuidadoso, um ciclista desgovernado sem dúvida atingiria um ou outro lado da ponte, com o risco de um mergulho, se não uma catástrofe maior. Rapidamente avaliando a situação, Pringle subiu em sua bicicleta, disparou até a ponte e a alcançou a tempo de agarrar o ciclista desgarrado pelo guidão da bicicleta. O sujeito era um cavalheiro avantajado de pele escura, envergando um terno elegante, que se agarrou desesperadamente a Pringle quando, juntos, os dois rolaram para uma vala.

A essa altura, a figura branca, um criado nativo, alcançara o patrão, a quem ajudou a ficar de pé com uma profusão de *salaams*, recolhendo depois os fragmentos espatifados da bicicleta.

— Peço desculpas por tê-lo arrancado do seu veículo — disse Pringle, quando também ficou de pé. — Mas acho que o senhor iria sofrer um sério acidente.

— Não precisa se desculpar por salvar a minha vida — protestou o cavalheiro robusto em um inglês impecável. — Meu pneu furou e por isso o freio se recusou a funcionar. Posso lhe perguntar seu nome?

Quando Pringle lhe deu um cartão onde se lia "Rev. Charles Courtley", o outro prosseguiu:

— Sou o marajá de Satpura, e espero ter o prazer de lhe agradecer mais condignamente numa ocasião menos animada — disse, fazendo uma reverência cortês, com um sorriso que exibiu um conjunto brilhante de dentes alvos, e, apoiando-se no braço do criado, se dirigiu até um grupo de ciclistas que descia com cuidado até a cena do desastre.

Na rotina tranquila do lugarejo sonolento, onde um dia era muito semelhante ao outro, e no estudo das pessoas pitorescas entre as quais Pringle se descobriu uma espécie de deidade, os dias passavam rapidamente. Para alguns dos membros da igreja, sua bicicleta representara uma inovação bastante espantosa, mas seu tato amenizara todas as dificuldades, enquanto a ala feminina da congregação Não Confessional perdoaria um bocado a uma personalidade tão envolvente, pois Pringle sabia muito bem como se fazer querido pela metade mais influente da humanidade. Acreditava-se que a sua eloquência, em si, havia sido o meio de recuperar vários dissidentes para o rebanho e chegava-se a sussurrar que em várias ocasiões moedas de ouro agraciavam as bandejas da coleta — evento inédito na história da associação!

Setembro tinha sido um mês excepcionalmente quente, mas houve um dia especialmente opressivo. O pôr do sol trouxera um ligeiro alívio, e em Eastlingbury naquela noite o calor era enfaticamente tropical. As janelas escancaradas em nada ajudavam a refrescar o cômodo. As próprias velas envergavam como luas crescentes e chamuscavam as mangas que as protegiam. Embora as nuvens se movessem lá em cima e projetassem sombras passageiras sobre o gramado, nenhuma folha se mexia no parque. Já era tarde, e as mulheres há muito tinham se retirado, mas os homens continuavam sentados escutando. Era uma história sobre a selva — sobre a luta entre um leopardo e um sambar, e o pulso de todos se acelerara e a vontade geral era de que a história se alongasse.

— O senhor sem dúvida é um explorador intrépido, sr. Courtley — comentou o lorde, quando o convidado concluiu o relato.

— E um observador sagaz — acrescentou o marajá. — Nunca ouvi uma descrição mais realista de uma luta. Não tive a sorte do sr. Courtley de ver algo desse tipo na selva, embora com frequência eu promova lutas de animais selvagens, que chamamos de *satmaris*, para entretenimento dos bons cidadãos de Satpura.

O marajá tivera certa dificuldade para convencer Lorde Wurzleford a estender sua hospitalidade ao "sr. Courtley". Para começar, esse último era um Não Confessional e, para culminar, um substituto apenas! Ainda por cima, o marajá o conhecera de forma nada convencional. Mesmo assim, para contentar Sua Alteza...

Pringle, por isso, precisou usar seus recursos de sedução no curso da noite, e pode ser dito a seu favor que as senhoras foram unânimes em lamentar a necessidade de se retirarem da mesa de jantar. Com efeito, desde o instante em que chegou, Pringle granjeou cada vez mais simpatia. Não só falou brilhantemente, como também deu oportunidade aos demais de exibirem o próprio brilhantismo, ou, ao menos, aquilo que passa por brilhantismo nos círculos sofisticados. Suas histórias pareciam saídas de um estoque inexaurível. Ele literalmente estivera em todos os lugares e vira de tudo. Quanto ao marajá, que ultimamente vinha se entediando profundamente com as idiotices dos outros hóspedes sofisticados, o convidado recente representou um indizível alívio. Já no finalzinho do jantar, um jovem observara confidencialmente para a senhora a seu lado que "esse sujeito 'de fora' parece ser um homem de bem", no que expressou a opinião geral.

Enquanto Pringle, com a ajuda de uma lavanda e algumas facas de sobremesa, demonstrava o problema da *Barrage* do Nilo para uma plateia interessada, uma confabulação solene ocorria na cabeceira da mesa. O marajá, Lorde Wurzleford e o mordomo estavam reunidos num solene conclave, e logo o primeiro se levantou abruptamente e se retirou numa agitação ostensiva. De forma tão óbvia o anfitrião partilhou sua emoção que a conversa murchou e morreu. Em meio a uma pausa desconfortável, muitos olhares inquiridores, que a boa educação não foi totalmente capaz de reprimir, foram dirigidos à cabeceira da mesa, onde o mordomo, pálido, ainda trocava uma ou outra palavra com o amo.

Com a finalidade de quebrar o silêncio opressivo, Pringle já ia retomando a demonstração quando Lorde Wurzleford se adiantou.

— Antes de deixarmos a mesa — disse o anfitrião num tom constrangido —, quero lhes contar uma coisa das mais desagradáveis que aconteceu sob este teto. Os aposentos do marajá de Satpura foram invadidos e uma boa quantidade de joias está desaparecida. Eu soube que ouviram alguém se movimentar no aposento há meia hora, e um homem estranho foi visto atravessando o parque em direção a Bleakdown não muito depois. Estou mandando chamarem a polícia em Eastlingbury e, enquanto isso, os criados estão revistando o parque. Façamos o possível para que esse fato não chegue aos ouvidos das senhoras durante o maior tempo possível.

A consternação era visível em todos os rostos, e, em meio a um alarido de comentários, a mesa rapidamente se esvaziou.

— O senhor me dá licença? — indagou Pringle, aproximando-se de Lorde Wurzleford, cujo autocontrole parecia temporariamente ausente. — Conheço bem a estrada para Bleakdown e já andei por lá de bicicleta várias vezes. Inclusive, vim com ela para cá e talvez consiga pegar o ladrão. Cada momento é precioso, e a polícia pode levar algum tempo para chegar.

— Fico muito agradecido pela sua sugestão! — exclamou o lorde, acrescentando com uma débil tentativa de leveza: — Talvez o senhor seja capaz de prestar mais um favor à Sua Alteza com a sua bicicleta.

Entre seis e oito quilômetros de distância de Eastlingbury, a estrada sai do parque e cruza o Great Southern Canal. A ponte tem uma envergadura comparativamente pequena, e uma ladeira desce da estrada até ela. Quando o declive se aproximou da ponte, Pringle reduziu a velocidade e, desviando para a trilha, desceu do veículo para a grama e apoiou a bicicleta de encontro à cerca viva. Vira a figura de um homem de pé, a cerca de oitenta metros adiante, imóvel no lado de cá da ponte, aparentemente alerta a sons de perseguição. No silêncio, um relógio distante badalava 11 vezes, e a figura virou as costas e desapareceu. Quando Pringle alcançou a ponte, o ruído de passos no cascalho ecoou sob o arco, e, descendo a ladeira para a trilha, olhou além da curva.

O céu estava agora totalmente livre de nuvens, e a lua refletida na água iluminava moderadamente o vão sob a ponte. De joelhos, à beira d'água, um homem se ocupava amarrando uma trouxa com uma corda. Em uma e outra direção, foi entrelaçando a corda e depois atravessou essa trouxa com o que parecia ser uma régua de ébano, que tirou do bolso. Um pedaço de corda pendia da trouxa, e, segurando-o com uma das mãos, com a outra ele tateou ao longo da madeira que margeava a trilha naquele ponto. Acabou encontrando um local onde amarrar a corda antes de mergulhar a trouxa no canal.

Já fazia algum tempo que o som de passos se aproximando na estrada acima havia sido claramente ouvido por Pringle, embora não tivesse sido percebido pelo outro, absorto como estava em sua tarefa; agora, quando se levantou da sua posição agachada e alongou o corpo, ele parou para escutar. Nesse momento, Pringle mudou ligeiramente de posição e desalojou uma pedra que caiu na água. O homem ergueu os olhos e, vendo Pringle, recuou com um palavrão abafado para o extremo do arco da ponte. Durante um segundo, examinou o intruso, antes de se virar e começar a correr, descendo a trilha sob a sombra da margem.

— Lá vai ele! Vejam! Pela trilha! — gritou Pringle, enquanto subia para a estrada, onde encontrou dois membros da polícia do condado que discutiam o significado da bicicleta abandonada.

Percebendo ser inútil continuar se escondendo, o fugitivo agora se apressara e corria a toda velocidade ao longo do canal com os dois policiais e Pringle em seu encalço.

Mas Pringle logo ficou para trás e, quando o ruído da perseguição se perdeu na distância, tornou a voltar para a estrada. Pondo a bicicleta sobre o ombro, levou-a ladeira abaixo e acomodou-a sob a ponte. Tateando ao longo da madeira, sua mão logo encontrou a corda e, puxando-a com ambas as mãos, pois o peso não era pouco, pousou a trouxa na margem. O que parecera ser uma régua revelou-se agora um pé de cabra dobrado ao meio. Admirando-o com o interesse de um especialista, jogou-o na água e rasgou a toalha que era o embrulho da trouxa. Embora imaginasse seu conteúdo, não estava preparado para o espetáculo glorioso que o saudou, e, quando passou as mãos sobre o monte intricado de ouro e joias, eles cintilaram como uma via láctea de estrelas mesmo à palidez do luar.

A badalada da meia-hora o alertou para a exiguidade do tempo, e, tirando uma chave inglesa da sacola da bicicleta, desatarraxou o guidão e com destreza encheu-o e também o tubo frontal com o tesouro. Alguns dos itens mais volumosos e talvez também menos valiosos precisaram ser deixados; assim, enrolando-os novamente na toalha, jogou tudo de volta para onde estava o pé de cabra dobrável. Tornando a aparafusar tudo, levou a bicicleta novamente para a estrada acima e pedalou rapidamente em direção a Eastlingbury.

— Ei! Pare aí!

Esquecera-se de acender o farol da bicicleta e, quando uma lanterna o iluminou e um policial troncudo agarrou seu guidão, Pringle mentalmente começou a avaliar o possível preço dessa violação das leis locais. Mas um lacaio semiexcitado acorreu e, iluminando-o com outra lanterna, imediatamente o saudou com respeito.

— Está tudo bem, sr. Parker — disse o lacaio. — Este homem é amigo do meu patrão.

O policial largou a bicicleta e também cumprimentou Pringle.

— Lamento que o tenham parado, meu senhor — desculpou-se o lacaio —, mas nossa ordem é vigiar todas as estradas em busca do ladrão.

— Ainda não o pegaram?

— Não, senhor! Ele tornou a entrar no parque, e os policiais o perderam de vista. Um dos cavalariços, que foi mandado a cavalo, encontrou os policiais, que disseram que tinham visto o senhor, mas não sabiam para onde o senhor havia ido depois que eles perderam o ladrão. Temiam que ele tivesse voltado para a estrada e escapado na sua bicicleta, que o senhor deixara lá, e mandaram o cavalariço voltar e nos dizer para ficar de olho em um homem numa bicicleta.

— Aí vocês pensaram que eu fosse o ladrão! Mas como ele conseguiu entrar na casa?

— Ora, meu senhor, o criado do rei indiano subiu por volta das dez horas para preparar o quarto real. Quando tentou abrir a porta, não conseguiu. Então chamou os outros indianos, que também não conseguiram, mas descobriram que a porta não estava trancada, mas sim, enfeitiçada.

Aqui o policial riu e depois passou a olhar fixamente para a lua, como se imaginando se aquela era a fonte da hilaridade. O lacaio olhou-o com expressão de censura e prosseguiu:

— Eles desceram para a ala dos empregados e o que fala inglês nos contou o que tinha acontecido. Então eu disse: "Vamos entrar pela janela." Aí demos a volta pela quadra de tênis, que fica embaixo dos aposentos do rei.

Todas as janelas estavam escancaradas, como haviam sido deixadas antes do jantar, por causa do calor. Tem um velho pé de hera ali, com galhos grandes que sobem pela parede, grossos o bastante para aguentar um homem. Assim, o sr. Strong, o mordomo, subiu e nós fomos atrás dele. Não conseguimos ver nada de estranho de início, mas o criado do rei caiu de joelhos, revirou os olhos e bateu no próprio peito, dizendo que era um homem morto! E quando perguntamos por quê, ele disse que todas as joias do rei tinham sumido. E, com efeito, algumas caixas que continham broches de diamantes e rubis, e colares, e coisas assim, tinham sido arrombadas e esvaziadas, e um bocado de outras contendo anéis e pequenos itens estavam espalhadas por todo lado e vazias. E descobrimos que o ladrão tinha providenciado calços e bloqueado as portas, e o sr. Strong desceu e contou tudo ao lorde e ao rei. Mas o criado disse que seu amo ficou furioso e tinha medo de que o rei mandasse um elefante pisar em sua cabeça e matá-lo quando voltassem para a Índia!

Aqui o lacaio fez uma pausa para respirar, e o policial aproveitou a oportunidade para intervir.

— Então o senhor há de reconhecer o homem, se o vir — interrompeu.

— Sim, senhor — garantiu Pringle.

— Um cavalheiro dos mais agradáveis para se conversar! — observou o lacaio quando Pringle se afastou pedalando, e o policial grunhiu um assentimento enfático.

Descendo a North Street, a principal via do vilarejo na manhã seguinte, Pringle foi abordado por um estranho. O sujeito era baixinho, mas empertigado, muito bem-vestido e tinha a postura de criado de um cavalheiro, apesar de estar sem uniforme.

— O senhor é o sr. Courtley? — indagou, tocando respeitosamente a aba do chapéu.

— Sim, posso ajudá-lo?

— Eu gostaria de ter uma conversa discreta com o senhor, se puder ir vê-lo em sua casa.

— Às seis da tarde de hoje, então?

— Se lhe convier, senhor.

Supondo que ali estava um possível recruta para a associação, atraído pela sua eloquência, Pringle seguiu seu caminho. Acabara de receber uma carta do sr. Honeyby anunciando seu retorno, e não estava insatisfeito ante a perspectiva de aquela noite ser o fim da sua farsa. Não que estivesse se aborrecendo, mas tendo exaurido os recursos predatórios de Wurzleford, começava a ansiar pelo concreto de Londres. O pastor escreveu que, depois de concluir seus estudos filológicos na Ilha de Skye, decidira voltar para o sul imediatamente. Mas o motivo principal para a redução da sua estadia era a extrema monotonia do clima, no qual, segundo a opinião local, a neve é a única variante à chuva permanente. Além disso, ele temia que a atmosfera prevalente de defumação de arenque houvesse seriamente afetado sua digestão! No todo, portanto, ele achava melhor voltar, e sua chegada deveria acontecer 12 horas após a da carta. Esperava, porém, que o sr. Pringle fosse continuar seu hóspede, de toda forma, até o final do mês.

O estúdio do sr. Honeyby era um apartamento térreo com vista, por cima de um reservatório de água, para o jardim. Lembrava um pouco uma fortaleza, sendo a porta particularmente sólida, e as janelas, protegidas — algo raro numa cidade do campo — por grades de ferro. Essas precauções se deviam aos temores do sr. Honeyby de que acontecessem roubos depois dos "dias de coleta", quando o dinheiro em espécie precisava permanecer lá durante a noite. Ainda assim, eram aposentos agradáveis, e Pringle passava a maior parte do seu tempo ali. Estava ocupado separando alguns papéis para a volta do pastor quando, pontualmente às seis da tarde, a governanta bateu em sua porta.

— Tem um jovem que diz que o senhor o aguarda — anunciou.

— Ah, sim! Mande-o entrar — disse Pringle.

O conhecido acidental que fizera pela manhã entrou e, depositando o chapéu em uma cadeira, tocou a testa e se sentou. Mas, mal a porta se fechou atrás da mulher, seu comportamento mudou da água para o vinho.

— Estou vendo que não se lembra de mim — disse, inclinando-se para a frente e olhando fixamente para Pringle.

— Não, confesso que estou em desvantagem em relação a você — respondeu Pringle, com frieza.

— No entanto *já* nos encontramos antes. E nem faz tanto tempo assim!

— Não tenho a menor lembrança de tê-lo visto antes dessa manhã — insistiu Pringle teimosamente. Começava a se irritar com a persistência do homem, e se sentiu inclinado a ficar aborrecido com a maneira familiar com que o sujeito falava.

— Preciso ajudar sua memória, então. A primeira vez em que tive o prazer de vê-lo foi na noite passada.

— Eu gostaria de saber onde.

— Com certeza! — Então, bem devagar e distintamente: — Foi sob uma ponte no Grand Southern Canal.

Pringle, a despeito da sua habitual compostura, foi incapaz de reprimir um pequeno sobressalto.

— Vejo que o senhor não esqueceu as circunstâncias. O horário, acho eu, foi por volta das 11 da noite, certo? Bem, isso não importa; a lua me permitiu ter uma visão melhor do senhor do que o senhor teve de mim.

Pringle se refugiou num silêncio diplomático, e o outro atravessou o aposento, escolheu a cadeira mais confortável e tranquilamente produziu uma cigarreira. Pringle observou, quase subconscientemente, que era uma elegante cigarreira de ouro, com um monograma num dos cantos cravejado de brilhantes.

— Gostaria de fumar? — indagou o homem. — Não? Então, com licença. — E, com grande calma, acendeu um cigarro, examinando Pringle detalhadamente enquanto o fazia.

— Agora, seria muito bom nos entendermos — prosseguiu, enquanto se acomodava na cadeira. — Meu nome não interessa, embora eu seja conhecido por meus associados como "Toff"; pobres coitados, têm tanto respeito pela educação! Os que me conhecem lhe dirão que não sou homem em que se possa passar a perna e sair ileso. Quem o senhor é, não sei exatamente e não acho que importe muito. É bastante curioso, aliás, que ninguém mais pareça ter percebido algo errado! Mas o que eu sei — aqui o sujeito se aprumou na cadeira e apontou um punho ameaçador para Pringle — e o que seria muito saudável para o senhor entender é que não vou partir daqui esta noite sem as joias!

— Meu caro, do que diabos está falando? — indagou, com indulgência, Pringle, que a essa altura já recobrara a sua fleuma.

— Não percamos tempo! Você não parece um idiota! — "Toff" tirou um revólver do bolso e despreocupadamente contou as câmaras do tambor, todas carregadas com munição. — Um, dois, três, quatro, cinco, seis! Tenho seis motivos para o que acabei de dizer. Vejamos: primeiro, você me viu esconder as joias; segundo, ninguém mais viu; terceiro, elas não estão mais lá; quarto, o marajá não conseguiu recuperá-las; quinto, não há notícia de que tenham sido encontradas por mais ninguém; sexto, e último: por conseguinte, está com você! — Ele foi marcando os vários pontos do próprio raciocínio, um por um, nas câmaras do tambor do revólver, como se costuma fazer usando os dedos.

— Muito bom seu embasamento lógico! — observou Pringle calmamente. — Mas posso indagar por que motivo você está tão convencido do que diz?

— Não sou homem que deixa a grama crescer debaixo dos pés — disse "Toff", se vangloriando. — Andei fazendo perguntas a manhã toda! Soube que o pobre marajá recorreu à Scotland Yard para pedir ajudar. Mas algo me diz que o caso permanecerá um mistério "para todo o sempre", como dizem por aí. E, como eu acabei de dizer, você parece ser um mistério para a maioria das pessoas. Vi você direitinho ontem à noite, mas quis saber tudo quanto possível pelo seu rebanho amistoso antes de abordá-lo pessoalmente. Bom, acho que tenho bons fundamentos para crer que você é um impostor. Isso não me diz respeito, claro, mas suponho que tenha tido seus motivos para vir até aqui. Ora, uma palavrinha ao pastor e uma ou duas sugestões cuidadosamente passadas para um punhado de gente dessa região e logo a coisa toda vai ficar difícil para você, e o seu joguinho, qualquer que ele seja, será estragado.

— Mas suponha que eu seja incapaz de ajudá-lo, e aí?

— Não posso supor tal coisa! Vou grudar em você como asfalto, meu caro reverendo, e, se você pensa que vai se escafeder — disse ele, olhando para o revólver antes de devolvê-lo ao bolso —, ouça o meu conselho e não faça mais do que *pensar* nisso!

— É tudo que o senhor tem a dizer? — indagou Pringle.

— Ainda não. Olhe bem! Venho planejando esse golpe há mais de quatro meses, e não vou assumir todo o risco e deixar que você ou outro qualquer fique com todo o lucro. Caramba, você se enganou quanto a mim, se acha isso! Estou disposto a chegar ao ponto de reconhecê-lo como parceiro e lhe dar dez por cento pelo trabalho de recolher o roubo e levá-lo para um lugar seguro e tudo o mais, mas agora você vai ter de entregar!

— Muito bem — disse Pringle, pondo-se de pé. — Deixe-me primeiro tirar a governanta do caminho.

— Sem gracinhas! — rosnou "Toff", acrescentando peremptoriamente: — Vou lhe dar dois minutos apenas. E deixe a porta aberta!

Sem responder, Pringle foi até a porta e, ao sair, fechou-a e trancou-a duas vezes por fora antes que "Toff" tivesse tempo sequer para se levantar da cadeira.

— Seu vira-lata de uma figa! Seu.. seu safado infernal! — vociferou o visitante enquanto Pringle atravessava o corredor.

Por ser verão, os atiçadores de lareira não se encontravam no estúdio. Não havia nenhuma outra arma letal a ser utilizada. Escapar pelas janelas era impossível por conta das grades. No momento, portanto, "Toff" não era motivo de preocupação. Pringle desceu correndo a escada da cozinha. Lá embaixo havia um bico de gás e, estendendo a mão, ele ligou o gás ao passar. Na pequena cozinha, ouvia-se um bocado de barulho de panelas e pratos. A governanta estava ocupada em preparativos culinários para a chegada do sr. Honeyby.

— Sra. Johnson! — berrou Pringle, enquanto batidas furiosas vinham do estúdio.

— Qual é o problema, senhor?! — gritou a mulher, assustada.

— Gás escapando! Estávamos procurando o foco do vazamento lá em cima! Não está sentindo o cheiro? A senhora precisa desligar no central! — ele falou rapidamente, alarmado, numa excitação muito bem simulada.

— É gás mesmo! — exclamou a mulher, nervosa, quando o odor familiar lhe assaltou as narinas.

Como é de costume, o medidor ficava no porão onde o carvão era estocado, e, quando a fiel criatura abriu a porta e entrou cambaleando, se viu de repente estendida no chão e tudo mergulhou na escuridão. Parecia mesmo que ela havia sido empurrada, e, de cabeça zonza por causa do choque inesperado, ela se levantou com esforço do chão pedregoso e lentamente foi em direção à porta. Por mais que puxasse e empurrasse, porém, a porta não se mexia um centímetro. Desistindo, ao registrar a verdade de que de alguma forma misteriosa ela se tornara uma prisioneira, chamou por socorro e começou a esmurrar a porta com uma pedra de carvão.

Subindo novamente a escada, Pringle olhou para a porta do corredor, depois passou a tranca de cima e a de baixo e pôs a corrente. "Toff" aparentemente passara a usar móveis como um aríete. Golpes trovejantes e o ruído de madeira se quebrando denunciavam que, a despeito da falta de ferramentas, ele estava (embora atabalhoadamente) ocupado no exercício vigoroso de sua profissão, e a porta estremecia e chacoalhava de forma preocupante sob o massacre.

Pringle subiu correndo a escada e numa pressa ensandecida arrancou suas vestes clericais. *Bang, bang, crash!* Que pena que a porta não era de ferro! Como "Toff" produzia ecos enquanto com selvageria labutava pela liberdade! E, toda vez que parava, um débil diapasão subia do porão. A porta do estúdio logo cederia nesse ritmo. Felizmente a casa ficava no extremo da cidade, senão toda a vizinhança estaria agitada a essa altura. Pringle foi atrás da bicicleta. Onde aquela maldita mulher enfiara o veículo? Maldita seja sua competência! Ele quase pensou em correr ao porão e soltá-la de modo a descobrir o paradeiro da bicicleta. Cada segundo era precioso. Ah, finalmente! Onde terá ido parar aquele abotoador agora? Como o tecido estava rígido. Ele não notara isso antes. Agora o paletó. Paletó e gravata? Sim, com efeito, ele quase se esquecera de que ainda estava usando o colarinho clerical. Não fazia mal, um cachecol esconderia tudo. Boné — só isso! Podia passar sem as luvas, para variar.

Bang, crash, craque!

Com um último olhar à volta, Pringle se virou para deixar o aposento e olhou pela janela. Um pouquinho distante na estrada, uma figura se aproximava. Algo nela lhe pareceu familiar; parecia vir da estação ferroviária, também. Ele aguçou o olhar. Era o próprio! Não havia dúvida! Envergando uma manta escocesa e portando uma valise, o Rev. Adolphus Honeyby avançava alegremente sob o crepúsculo outonal.

Pringle disparou escada abaixo, três degraus de cada vez. "Toff" podia ouvi-lo, mas não vê-lo, ainda. A porta do estúdio já estava cedendo, uma dobradiça já se fora. Exatamente quando ele aterrissou ao pé da escada, a mão e o braço de "Toff" apareceram por trás da porta.

— Eu teria explodido a fechadura se não fosse para evitar chamar a atenção — rosnou "Toff" entredentes, no tom mais alto que a respiração arfante lhe permitiu. — Logo vou sair, e aí acertaremos nossas contas! — O que ele disse foi um tantinho mais colorido, mas isso basta.

Crash! Bang!! Craque!!!, fazia a porta do estúdio.

Toc-toc-toc!, foi a resposta repentina da porta do corredor. Era o sr. Honeyby batendo! Assustado ao ouvir o barulho, "Toff" fez uma pausa momentânea em sua tarefa.

De volta ao porão. Os murros da sra. Johnson pareciam mais altos com o cessar dos esforços viris dos outros dois. Ferozmente, "Toff" retomou seu trabalho. Que barulheira! A curiosidade do sr. Honeyby não suportaria muito mais daquilo. Ele daria a volta pelos fundos sem demora. A bicicleta estava junto à porta do jardim. Pringle balançou-a de leve e algo chacoalhou; o conteúdo precioso da barra da bicicleta e do guidão estava seguro. Ele abriu a porta e conduziu a bicicleta pelo jardim dos fundos e pela ruela atrás da casa.

Cada vez mais alto batia na porta da frente o dono da casa. Mas enquanto um triunfante barulho de madeira espatifada ressoou pela casa, Pringle desaparecia pedalando para a escuridão da noite que caía.

VILÃO: DON Q.

A PALAVRA DE GEVIL-HAY
K. & HESKETH PRICHARD

O notável Hesketh Vernon Prichard (mais tarde Hesketh-Prichard) (1876-1922) foi um aventureiro, caçador de animais de grande porte (reputado, a certa altura, como o melhor atirador do mundo) e escritor. Foi rejeitado pelas Forças Armadas na Primeira Guerra Mundial por ser velho demais (tinha 37 anos), mas recebeu uma comissão e treinou atiradores, sendo condecorado com a Ordem de Serviços Distintos.

Aos vinte anos, resolveu abandonar o estudo do Direito para se tornar escritor, produzindo seu primeiro conto, que a mãe (Katherine O'Brien Prichard, 1851-1935) editou. Os dois embarcaram juntos numa carreira literária sob os *noms de plume* de H. Heron e E. Heron, atingindo sucesso com uma série de histórias de fantasmas sobre o personagem Flaxman Low, o primeiro detetive mediúnico da ficção de mistério. Curiosamente, a *Pearson's Magazine* promoveu tais histórias como sendo reais. Foram reunidas numa coletânea em 1899, sob o título *Ghosts: Being the Experiences of Flaxman Low*. Exemplares desta primeira edição hoje são famosos por sua raridade.

K. e Hesketh Prichard criaram Don Q., um espanhol soturno que não é uma figura amável como o Robin Hood da fábula, mas um bandido carismático, que é cruel com os ricos e os maus, porém (relativamente) generoso com os pobres e os bons. Os contos foram reunidos nas coletâneas *The Chronicles of Don Q.* (1904) e *New Chronicles of Don Q.* (1906; publicado nos Estados Unidos como *Don Q. in the Sierra*). Os autores também escreveram um romance, *Don Q.'s Love Story* (1909), que serviu de base para o filme mudo *Don Q., Son of Zorro* (1925), estrelado por Douglas Fairbanks. Sozinho, Hesketh Prichard escreveu *November Joe: The Detective of the Woods* (1913), no qual utilizou seu passado de caçador e suas experiências ao ar livre.

"A Palavra de Gevil-Hay", o primeiro conto de Don Q., foi originalmente publicado em 1898, no número de janeiro da *Badminton Magazine*; e a primeira coletânea da qual fez parte foi *The Chronicles of Don Q.* (Londres, Chapman & Hall, 1904).

A PALAVRA DE GEVIL-HAY

K. & HESKETH PRICHARD

CAPÍTULO I

Quando se pega um mapa da Espanha e se segue a costa mediterrânea, onde, ao redor dos mares estreitos, as montanhas da Europa e as montanhas da África se erguem para sempre uma em oposição à outra, é possível encontrar no lado espanhol a ampla linha das terras altas da Andaluzia se estendendo desde Jerez até Almeria e além. Ali fica um campo selvagem e desabitado de floresta silenciosa e arvoredos sempre verdejantes que sobem em direção a planaltos áridos e torturados pelo sol, com superfícies de rochas lisas e barrancos cobertos por pedregulhos escorregadios, riscados por trilhas quase invisíveis de mulas. Aqui e acolá veem-se as *chozas* em forma de garrafa dos queimadores de carvão e dos pastores.

O dono dessa desolação magnífica era reconhecido localmente, embora não oficialmente, como sendo um certo chefe de rufiões, amplamente conhecido como Don Q., uma abreviação do apelido Quebranta-Huesos, que é, na tradução, o quebrador de ossos, nome pelo qual o *neophron* ou abutre quebra-ossos é chamado na região. Em resposta a qualquer indagação sobre de onde veio o bandoleiro ou quando começou a atormentar os habitantes da região, o curioso ouvia que ele sempre estivera ali, algo que, embora evidentemente falso, era, não obstante, uma afirmação tão próxima da realidade histórica quanto muitas que se encontram em páginas impressas.

Porque Don Q., a despeito talvez de não possuir natureza sempiterna, tinha vários outros atributos de magnitude misteriosa. Poucos o tinham visto, mas todos o conheciam e o temiam, e a maioria sentira seu poder; ele estava ciente de tudo que era dito ou feito ou, na verdade, sequer pensado em toda a extensão da região selvagem sobre a qual mantinha seu domínio.

Distribuía recompensa e castigo com a mesma mão firme. Se um pastor de cabras lhe agradava, o sujeito ficava rico para o resto da vida, mas quem lhe trazia uma informação falsa não sobrevivia para repetir o erro.

De seu esconderijo permanente na rocha negra, trinta metros acima do acampamento de seus seguidores, ele era para a terra que o cercava como um falcão vigiando uma ninhada de perdizes.

Os relatos de suas selvagerias chegavam às planícies pela boca de montanhistas vestidos de couro, e vez ou outra autoridades nas aldeias enviavam expedições montanha acima para localizá-lo. Todas as tentativas, porém, falhavam, e os grupos de *guardias civiles* voltavam em número menor, depois de sepultar sob pedras seus mortos, deixando-os perto de santuários solitários, entre os corvos e as aves de grande porte da *sierra*.

Por conta de tudo isso ver-se-á que o chefe bandoleiro não era um tipo corriqueiro de corta-gargantas; com efeito, pertencia àquela classe mais alta conhecida como sequestradores, ou ladrões que fazem reféns em troca de resgate. E, embora seus métodos fossem considerados desagradáveis, ele levava a cabo a maioria de suas empreitadas com satisfação, pois era um homem de negócios excepcionalmente bom.

Sem dúvida, se qualquer indivíduo pretendesse se estabelecer no mesmo ramo num raio de trinta quilômetros de uma cidade inglesa ou americana de bom porte, a probabilidade era de que sua carreira se encerrasse de forma meio repentina. Na Espanha, contudo, é sempre amanhã, e a conveniência do sistema reside no fato de que sempre haverá um outro amanhã aguardando para assumir as responsabilidades postergadas. Se a Providência optasse por remover aquele fatídico *mañana* do vocabulário e da mente espanhola, o mapa poderia ter uma coloração bem diferente hoje em dia.

Um grupo de *civiles* acabara de voltar de uma excursão especialmente desafortunada às montanhas e havia, portanto, menos desculpa para a insensatez de Gevil-Hay, que se recusou a acatar os alertas do cônsul britânico no litoral, bem como as sugestões veementes do seu anfitrião na pequena estalagem ao pé das montanhas, e continuou a empreender sua jornada para cruzar a *sierra*. Não conseguiram fazê-lo ver que a vontade de um ladrão de montanha podia se interpor entre ele e seu desejo de vagar aonde lhe aprouvesse.

A obstinação de Gevil-Hay derivava de uma variedade de motivos. Sua saúde era ruim, e seu ânimo, pior ainda, e ele havia durante toda a idade adulta governado um pequeno reino de montanheses selvagens e traiçoeiros em nome do Governo Britânico, apoiado apenas por um punhado de membros da polícia nativa e, mais que isso, exercera tal governo com sucesso notável.

Ademais, por baixo de uma aparente tranquilidade, Gevil-Hay era tão inamovível quanto um moinho de pedra. Somados todos esses fatos, não será difícil ver que quando começou sua cavalgada longa e solitária pela *Boca de Jabili*, ele fez apenas o que um homem em suas condições e com seu temperamento e experiência provavelmente faria.

Levava um revólver, é verdade, mas não encontrou uso para ele numa noite escura quando algo lhe agarrou o pescoço por trás. Na verdade, demorou um pouco para que entendesse vagamente como acabara no centro de um grupo sinistro de homens calados que cheiravam obscenamente a alho e couro. Foi amarrado ao próprio cavalo, e o bando rumou em direção ao majestoso pico da *sierra* mais alta.

No entanto, para variar dessa vez, as aranhas de Don Q. haviam capturado em sua teia alguém sobre quem nada conseguiam entender. Próximo ao raiar do dia, quando o tiraram da choupana feita de cana na qual haviam passado o final da noite, viram que ele era alto e magro e bastante encurvado, com um rosto impassível de palidez extrema. Até aí nada de muito fora do comum. Mas os bandoleiros estavam habituados a ver os prisioneiros mostrarem fibra em circunstâncias similares, e Gevil-Hay, ao contrário, não fez perguntas, não demonstrou a menor curiosidade quanto ao local para onde o estavam levando. Nada mostrou senão uma fria indiferença. Um homem em sua posição que não fazia perguntas era algo inédito. Ele confundiu seus sequestradores.

A verdade era que Gevil-Hay desdenhara os alertas e encarou sua falta de sorte com o mesmo espírito de fatalismo. Havia sido um funcionário civil atuando na Índia com futuro promissor e saúde ruim. No final, a má saúde provou ser mais forte, e seu país o aposentou com uma renda modesta. Impassivelmente teve o coração partido. Havia uma mulher em algum lugar do seu passado, uma mulher à qual seu coração solitário se apegara fielmente ao longo dos anos durante os quais a saúde lenta e incansavelmente o desertou. "Que o teu amor por mim seja pouco, mas duradouro" encontrava o eco correspondente firmemente enraizado em seu caráter, e se era incapaz de uma paixão de amor ou remorso, Gevil-Hay não ignorava a dor de uma renúncia longa e de um remorso duradouro.

Os homens de Don Q. não eram respeitosos. O comportamento reservado do prisioneiro, eles afinal atribuíram ao fato de ele ser pobre, provavelmente miserável, pois a pobreza é o mal mais comum na Espanha, e o trataram como tal.

Os empurrões e os ventos fortes do alto da *sierra* não são saudáveis para uma compleição febril, mas Gevil-Hay ocupou-se de si mesmo até ser levado à presença de Don Q.

No final da tarde, foi dado um basta, o prisioneiro teve os olhos vendados e o levaram através da mata; então o vento soprou de forma mais aguda em seu rosto, e Gevil-Hay percebeu que caminhava numa grama dura, que, por sua vez, foi substituída por uma superfície de pedras nuas onde ecoavam seus passos. Saindo desse túnel, ele foi imobilizado, teve as mãos amarradas e, quando lhe tiraram a venda, ele se viu em um pequeno vale incrustado entre precipícios. O chão era coberto de grama áspera, mas havia arbustos de botões de flores nos pontos mais altos e, ao longe, pinheiros ondulavam ao vento.

Um punhado de homens forçou-o a subir uma trilha sinuosa, aberta na parede do penhasco, até a boca de uma caverna, em frente à qual havia um pequeno terraço natural.

Ali encontraram Don Q., sentado ao sol, com um grande chapéu de feltro que lhe chegava às sobrancelhas. Gevil-Hay nada viu que lembrasse um abutre, mas, sim, a mão esbelta como uma garra delicada e amarelada aconchegando a capa ao pescoço.

— A quem tenho o prazer de me dirigir? — indagou o bandoleiro, com uma polidez extrema e inesperada.

As mãos de Gevil-Hay haviam sido desamarradas, e ele aguçou a visão com seu monóculo e examinou o que o cercava antes de responder.

— Talvez o senhor seja gentil o bastante para me dar uma ideia da sua carreira, e poderemos abordar a questão do resgate no final da conversa — prosseguiu Don Q. em sua maneira cortês, quando o outro terminou de falar.

Gevil-Hay respondeu brevemente em bom espanhol, pois espera-se de um funcionário civil indiano que comece a vida equipado do conhecimento de todas as línguas da Terra.

— Ah, então o senhor se aposentou, ou melhor, foi obrigado a se aposentar, mas com uma pensão?

— Sim.

Don Q., como todos os demais estrangeiros, nutria ideias extravagantes quanto à generosidade do governo inglês. Talvez em comparação com os demais ele *seja* generoso.

— Quanto? — perguntou.

— Trezentas libras por ano.

— Ah — hesitou o bandoleiro, enquanto fazia um cálculo mental. — Seu resgate, *señor*... — Parou, então. Sabia como fazer bom uso do suspense.

Durante a pausa, um tiro ecoou pela ravina, seguido pelo barulho de uma briga repentina e ruidosa logo abaixo.

O espanhol arrancou o chapéu e olhou por cima do parapeito do terraço. Sua capa tinha a aparência da plumagem de um abutre quando ele virou o rosto por sobre o ombro para ouvir com o pescoço esticado.

Foi quando Gevil-Hay viu seu rosto claramente pela primeira vez, as pálpebras lívidas, enrugadas, a cabeça branca e careca e em forma de cunha, o nariz adunco, o pescoço esbelto, o aspecto cruel: todas as feições típicas do *quebranta-huesos* transmutadas em uma aparência humana.

Um punhado de palavras duras foram sibiladas em direção à parte mais baixa do penhasco, e os dois brigões morenos lá embaixo se separaram com um olhar simultâneo de apreensão.

— O castigo os aguarda, crianças — o chefe falou com delicadeza. — Vão!

Os rufiões se afastaram, intimidados. Ficaram curiosamente acovardados por uma palavra. Foi uma lição objetiva para Gevil-Hay, e talvez o bandoleiro o observasse disfarçadamente para ver como ele a encararia. Mas o rosto calmo do prisioneiro não esboçou qualquer emoção.

— *Señor* — disse Don Q. —, o senhor me disse que é um homem pobre e tem sorte porque acredito. Vou estipular uma soma modesta, e depois desta conversa não falaremos mais nisso. Não tocaremos no assunto enquanto o senhor permanecer aqui como meu hóspede. — O tom suave ficou mais suave ainda.

— Não é preciso dar à minha posição um nome falso — respondeu Gevil-Hay. — Sou seu prisioneiro. O infortúnio apresentou-nos um ao outro.

Acima de todas as coisas, um homem que o desafiasse era abominável para o bandoleiro, mas agora ele tinha diante de si um que o olhava nos olhos sem sentir medo nem curiosidade. Gevil-Hay o interessava, mas de forma similar à que um sapo interessa a um dissecador.

— De uma coisa me orgulho, *señor* — disse, afinal. — Quando falo, o que digo é inalterável. Estou prestes a lhe dar o valor do seu resgate. Providenciarei para que sua mensagem seja enviada lá para baixo.

— Vai precisar me dar tempo se quiser conseguir o dinheiro — disse o outro. — Só disponho da minha pensão, e tenho de ver se eles irão pagá-la toda de uma vez.

— Seu governo há de pagar — afirmou Don Q. com tranquilidade. — Não vão querer perder um funcionário tão valioso.

— O senhor se importa com um casaco surrado? — indagou Gevil-Hay com um riso triste. — Ademais, eu vim até aqui a despeito dos avisos de que as estradas não eram seguras. Preciso aguentar as consequências.

As pálpebras enrugadas de Don Q. estremeceram.

— O que acha de vinte mil dólares? — perguntou, como se pedisse a opinião do prisioneiro.

— O senhor estipulou, e isso basta — retrucou Gevil-Hay —, embora eu ache que jamais porá os olhos nessa quantia. Vão pagar a minha pensão integral na proporção da provável duração da minha vida, e o resultado não será satisfatório, acredito. Suponho que o senhor consiga 15 mil dólares. Duvido que chegue a mais que isso.

— Para o seu bem, espero conseguir vinte — rebateu o espanhol. — Do contrário, uma decepção pode ter consequências... Consequências lastimáveis.

Balançou a cabeça e piscou quando se recolheu à caverna.

Enquanto isso, Gevil-Hay redigia seu apelo e pedia a Ingham, o cônsul no litoral ao pé das montanhas, para se incumbir da questão. Depois sentou-se e com desânimo contemplou o vento noturno nos pinheiros acima do despenhadeiro e desejou em vão que pudesse fazer alguma coisa, qualquer coisa além de contemplar e aguardar.

É um mau momento aquele em que um homem acredita que seus dias de ação ficaram no passado, enquanto seu cérebro funciona a todo vapor como sempre! Ele ansiava por vencer o bandoleiro em seu próprio jogo, pois imaginava que fosse um homem do qual valesse a pena vencer.

Já tendo escurecido, quando a fogueira foi acesa do lado de fora da caverna, Don Q. voltou. Pegou a carta fechada de Gevil-Hay, pronta para o envio.

— E agora, *señor*, eu o considero meu hóspede — falou —, e dentre todas as coisas, menos uma, o senhor pode me pedir o que quiser. Garanto-

-lhe que farei o possível para ser um bom anfitrião e tornar sua estadia entre nós o mais agradável possível. Tenho sua palavra, *señor*?

Gevil-Hay hesitou. A febre o pegara, ele tremia de pé sob a brisa, e as juntas de seus joelhos estremeciam com uma fraqueza assustadora. Não fazia muitos anos, o mundo parecia estar a seus pés; ele lutara muito pela posição que viria a ocupar e a obteve — obteve mais que isso. Provara um bocado da doçura da vida e da satisfação do poder e do sucesso crescente, mas hoje...

— Sim — respondeu.

Com o passar dos dias, Gevil-Hay descobriu que tinha muita coisa em comum com o bandoleiro, que provou ser um anfitrião atencioso. Havia entre os dois homens algo semelhante a um parentesco, mas, ao mesmo tempo, Gevil-Hay se sentia, alternadamente, atraído e repelido.

Cedendo ao charme da cortesia delicada de Don Q., ele foi levado a falar de muitos assuntos, e falava bem, enquanto o ouvinte magricela e enregelado, de cócoras e envolvido em seu manto junto ao fogo, escutava com interesse as impressões mais recentes de um grande mundo que residia em sua própria lembrança. O inglês também havia sido um andarilho em países distantes; era um homem que falava com autoridade, que entendia a arte da administração e dos altos negócios, de modo que era capaz de conversar no mesmo nível de conhecimento e experiência genuínos com alguém que também se considerava um governante e um legislador para uma porção não desprezível da humanidade.

Para Gevil-Hay, Don Q. era um estudo. Ele observava o bandoleiro como um coelho curioso observaria uma cobra. Estava sempre seguindo os olhos cobertos por pálpebras lívidas, sempre especulando sobre que ideias ocupavam aquele cérebro desequilibrado. Pois Don Q. era um espanhol dos espanhóis, possuindo em excesso as qualidades dessa raça. Era bastante destemido, orgulhoso, insuperável na cortesia gentil de uma nação de aristocratas e cruel além do imaginável. Conforme essa impressão se desenvolvia, Gevil-Hay, como praticamente qualquer homem que se imaginava cansado da vida, se apegava às possibilidades de fuga à medida que essas se tornavam menores a cada hora. Porque uma coisa era evidente: as peculiaridades de Don Q. não incluíam uma inclinação para a piedade.

Passados alguns dias de sua chegada ao vale, Gevil-Hay perguntou ao chefe dos bandoleiros o que havia sido feito com os dois jovens que desembainharam suas facas e brigaram debaixo do terraço.

Don Q. tirou da boca o cigarro para responder:

— Eles não vão mais aborrecê-lo, *señor* — disse, com a ansiedade da hospitalidade —, nunca mais.

— Como assim? Por acaso mandou-os embora para um dos seus destacamentos nas cercanias? — indagou Gevil-Hay, pois descobrira a essa altura que os ladrões ocupavam vários pontos nas montanhas.

Don Q. riu, um riso venenoso e sibilante.

— Ele se foram. Sim, com outra carniça. Só os abutres sabem para onde!

O chefe vivenciava um de seus momentos lúgubres de intensa e pensativa melancolia. Eram comuns, no caso dele, mas Gevil-Hay testemunhava um deles pela primeira vez.

De repente lhe ocorreu que algum fermento de insanidade podia espreitar por trás daquela aparência feroz de ave selvagem. Não era de espantar que seus seguidores lhe obedecessem cegamente. Sua generosidade e sua vingança eram totalmente desproporcionais ao merecimento.

— Algum dia — falou, abruptamente, Gevil-Hay — eles acabarão se ressentindo desse tipo de coisa. Há muitas maneiras... Poderão traí-lo, e então...

Don Q. lhe lançou um olhar venenoso.

— Já tomei providências nesse sentido também; mas não, *señor*, quando eu morrer, será do meu jeito e por vontade própria — disse, voltando a refletir.

Foi então que Gevil-Hay se viu desejando que seu resgate chegasse na íntegra, e o desejando ardentemente. Poucos minutos depois, Don Q. tornou a falar:

— Se você tem um cão, talvez ele goste de você, mas um bando de lobos é mantido na linha com o chicote. Eles — prosseguiu, acenando com a mão na direção das fogueiras que reluziam a distância — *são* lobos. Existem, também, muitos homens que desejam juntar-se a nós, muitos mais do que posso me dar ao luxo de acolher. É por isso, *señor*, como vê, que posso me arriscar a perder uns poucos que me ofendam.

Levantou-se enquanto falava e, voltando à caverna, trouxe de lá seu violão.

— Afinal, o que é a vida, para lhe darmos tanto valor? — perguntou, enquanto os dedos finos dedilhavam as cordas. — Vivo aqui em cima, temido e obedecido à saciedade. Às vezes tenho a honra de desfrutar da companhia de um cavalheiro, como acontece agora com a sua, *señor*. Outras vezes, me vejo cansado da vida, e minha inquietude me obriga a descer a montanha. Mas, em todos os momentos, adoro a música da Espanha.

Gevil-Hay olhou de soslaio para o violão. Música não era uma coisa pela qual ele pudesse declarar um apreço especial.

Don Q. pousou a mão aberta sobre as cordas vibrantes.

— Se lhe desagrada... — falou, como se pedisse desculpas.

Gevil-Hay se apressou a garantir o contrário. E, com efeito, se o ouvinte acaso tivesse o poder de apreciar a música, decerto ficaria tocado e fascinado, pois Don Q. era um mestre no instrumento. Ele se deteve em melodias andaluzas melancólicas e chegou mesmo a cantar com sua voz estranha e sibilante várias canções tristes e longas da velha Espanha sobre homens e feitos esquecidos.

CAPÍTULO II

Assim os dias passavam, mas uma noite trouxe uma novidade.

Gevil-Hay, detido apenas pela sua palavra, teve permissão para vagar como lhe aprouvesse pelo vale estreito e, nessa ocasião, após uma subida íngreme, chegou ao topo de uma fenda profunda e estreita nas rochas mais altas ao longo de cujo pé era possível discernir uma leve trilha. Enquanto estava ali a avaliá-la com uma ideia involuntária de fuga, ouviu chamarem seu nome. Claro que era alguma sentinela escondida, mas ele se surpreendeu quando o homem repetiu o chamado, na mesma voz baixa, pois os homens de Don Q. eram em geral circunspectos. A seus olhos, um prisioneiro tinha apenas duas utilidades: primeiro, era vendável; segundo, caso não fosse vendável, constituía uma diversão vê-lo morrer.

— O que você quer? — indagou Gevil-Hay, após alguma hesitação.

— O que vou dizer precisa ficar para sempre só entre nós dois. Você pode nos ajudar e nós podemos ajudar você. Esse é o motivo para eu falar. Não, *señor*, fique onde está. Se prometer isso, eu lhe mostro meu rosto.

— Não prometo nada.

— Isso é porque ainda não ouviu! Não é verdade que o meu senhor da *sierra* está lhe tirando toda a sua riqueza?

— Sim.

— E que você, como o restante de nós, faria alguma coisa para salvá-la? Isso também não é verdade?

— Pode ser.

— Então faça isso. É coisa pequena e fazê-la terá sabor doce. Você não vai me trair?

— Como não o vi, não posso traí-lo.

— Mas não vai me trair?

— Não.

— Então pegue, *señor*. Olhe na direção da aroeira.

Sob o cálido brilho do arbusto de aroeira, algo frio e sinistro passou de mão para mão e os dedos de Gevil-Hay se fecharam sobre o cabo de um revólver.

— Está me dizendo para matá-lo? — indagou, devagar.

Uma gargalhada foi a resposta, seguida por palavras.

— Sim, porque você tem a oportunidade. Então estará livre, pois nós o odiamos.

— E você?

Mais uma gargalhada.

— Uma anistia e o dinheiro sujo dividido entre nós. Agora vá.

E não se pode negar que no suave crepúsculo sulista Charles Gerald Gevil-Hay ficou terrivelmente tentado. Permaneceu ali em silêncio e lutou contra a tentação. Os argumentos lhe ocorriam livremente. Ao dar aquele tiro ele estaria servindo o próximo, bem como a si mesmo. Atormentado por pensamentos, ele voltou devagar para o vale estreito e atravessou o gramado áspero e curto em direção ao terraço. Passou pelas fogueiras em torno das quais os homens jogavam. Colunas finas de fumaça subiam lentamente para o céu, gritos estranhos enchiam o vale, pois os sequestradores apostavam alto, e cada voz subia e descia de acordo com a sorte de seu dono.

Ele subiu a trilha íngreme que levava ao terraço. Don Q., sem suspeitar de nada, estava dentro da caverna lendo cartas junto a um lampião barato. Que facilidade... Gevil-Hay ficou do lado de fora na escuridão com odor de erva e o observou. Por um lado, o prisioneiro poderia aspirar a uma vida de conforto, no mínimo, e quem poderia dizer o que mais lhe guardaria o futuro? Por outro, uma terrível vida de esmolar em locais cheirando a peixe, uma existência pior que a morte! E naquela noite, a honra de um homem lutou contra as tentações de oportunismo.

Afinal, ele entrou. Don Q. lhe fez cara feia e jogou para ele um jornal inglês. Era de 14 dias antes, e Gevil-Hay não o teria comprado se estivesse em casa, mas com a cabeça em efervescência, recorreu à leitura como refúgio. Estava prestes a abri-lo, segurando-o com os braços estendidos com essa finalidade, quando seu olhar bateu numa notícia na coluna de obituário.

"Hertford. Em 10 de março, subitamente, em Frane Hall, Franebridge, George Chigwell Aberstone Hertford, filho mais velho do falecido..."

Dobrou o jornal com precisão matemática e leu duas colunas de anúncios sem ver uma palavra.

Então, George Hertford estava morto finalmente! E Helen... livre.

Don Q. olhou furtivamente para o prisioneiro sob a sombra de seu amplo chapéu, e viu que *El Palido*, como seus homens o chamavam, estava sentado ali mais pálido e mais desprovido de expressão que nunca. Seu olhar era vago e fixo. Por essa atitude tensa, Don Q. viu que alguma luta estava sendo travada na mente do inglês, e seu próprio rosto se iluminou de forma sinistra quando se voltou para uma das cartas.

— *Señor* — falou alto, numa voz alterada. — Notícias sobre o seu resgate chegaram. Dezoito mil dólares. Eu disse vinte.

Gevil-Hay levou um pequeno susto, controlou-se e disse despreocupadamente:

— E então?

— Então, *señor*, estou preparado para cumprir minha parte no trato — respondeu o chefe com uma polidez venenosa. — Ao nascer da lua, nove décimos do senhor descerão livres do alto do nosso penhasco!

Fez-se um silêncio, perturbado apenas pelos ruídos do lado de fora.

Livre? Os pensamentos de Gevil-Hay fervilhavam. Sim, livre e... Helen estava livre! O marido morrera. Então, registrou a força das palavras de Don Q. e, ficando de pé, encostou-se ao muro rochoso.

— Devo me mostrar agradecido? — indagou, friamente.

Don Q. sorriu com uma aquiescência suave.

— E porque nossa conversa me interessou, *señor*, lhe será dado o privilégio de escolher que décimo de si ficará para trás.

— Ou seja, não satisfeito em me transformar num pedinte, você ainda me tira qualquer chance de recuperar minhas perdas?

Don Q. concordou de novo e falou com excessiva delicadeza:

— É assim que é. Lamento, mas é assim que é. Extremamente lastimável, admito, mas não vejo como possa ser evitado. Mas você é um homem relativamente pesado. Eu aconselharia a deixar uma perna. Pode-se viver sem uma perna.

A insensibilidade do bandoleiro surpreendeu Gevil-Hay, ainda que ele achasse que conhecia o sujeito. E no peito do homem de movimentos restritos e respiração irregular, a tentação surgiu novamente com força acumulada. Um revólver carregado estava ao alcance de sua mão, a impunidade prática seria a reação a seu feito e, além daquela vida — e Helen! O que se interpunha entre ele e tudo isso? Ora, um escrúpulo, um escrúpulo que não deveria se impor por um momento sequer diante de motivos tão fortes. Ocorreu-lhe com veemência que o déspota magro, calvo e malévolo à sua frente seria mais digno de contemplação se seus lábios fossem calados para sempre.

Mas ele dera sua palavra, e um homem vez por outra descobre que a honra é um bem inconveniente para seu dono.

Caso fosse uma questão da vida ou da integridade de outro homem, Gevil-Hay não hesitaria em mandar Don Q. para seu lugar de direito. Ademais, teria ficado encantado com a desculpa para fazer isso. Apesar disso, se conteve.

Mais uma hora e ele seria entregue ao bando para ser mutilado, e sua conversa no escuro com a sentinela, acoplada ao seu fracasso em aproveitar a oportunidade que lhe fora oferecida, sem dúvida não amenizaria a forma de sofrer o castigo.

Durante todo esse tempo, o bandoleiro permaneceu sentado e a observá-lo com as pálpebras piscando sob a luz do lampião. A visão de Don Q. não parecia muito boa, mas servia para lhe mostrar o que ele desejava ver. Ele quebrara a indiferença de Gevil-Hay.

Mas Gevil-Hay não havia se controlado tão bem durante tantos anos da vida à toa. Vencera agora a batalha mais aterradora que jamais enfrentara. Mas sua alma se rebelou contra o homem à sua frente.

— Sem dúvida, eu o aconselharia a deixar uma perna — repetiu Don Q., afinal.

— Seu vilão! Seu vilão miserável!

A mão de Don Q. caiu sobre sua faca e num salto ele se pôs de pé para encarar o prisioneiro.

— O único fato que realmente lamento neste momento — prosseguiu Gevil-Hay — é eu ter permitido que você se comunicasse comigo de igual para igual! Se tivesse adivinhado a que espécie você pertence eu jamais teria conversado com você ou permanecido a seu lado, salvo se obrigado por força! Agora você sabe o que penso a seu respeito, e lhe garanto, embora possa imaginar o preço que terei de pagar pelo prazer de dizê-lo, que valeu a pena!

O rosto anguloso de Don Q. estava amarelo. Seu corpo tremia. É preciso recordar que Gevil-Hay tinha um vocabulário exaustivo de termos em espanhol e conhecia o valor exato de cada palavra que usara para transmitir a indignação que ardia dentro dele. Igualmente, ele desferira bem o ataque e cada palavra dita.

As pálpebras lívidas do chefe estavam tremendo.

— O *señor* falou comigo como nenhum homem jamais ousou falar! — disse, finalmente, Don Q. — Existem muitas formas de conduzir essas pequenas cenas que separam este momento da sua partida. Quando a lua se erguer no céu será difícil reconhecer *El Palido*!

O feroz significado das últimas palavras em qualquer outro momento talvez tivesse congelado o coração de Gevil-Hay. Mas agora, com o sangue fervendo e a inevitabilidade da sua posição aparente, ele apenas virou as costas com um gesto de repulsa ofensivo.

— Sua besta abominável! — repetiu. — Desde que eu não seja incomodado pela visão da sua pessoa, sou capaz de aguentar qualquer coisa!

Então, Gevil-Hay contemplou a noite. Os ruídos lá embaixo cessaram. O acampamento o aguardava, e pela terceira vez a tentação o assaltou. E foi o pior espasmo de todos. Quando o abandonou, deixou-o exausto. Sentiu a boca seca e a testa suada.

Continuava a encarar a abertura da caverna, e, após uma pausa, uma voz rompeu o silêncio.

— Como você tem um revólver no bolso, por que não usá-lo? Por que não me mata com um tiro, *señor*?

— Você sabe que eu não poderia — respondeu Gevil-Hay, com desânimo.

— Não tem medo do que o espera?

Gevil-Hay se virou e estendeu a mão com o revólver. O rosto de Don Q. era uma máscara. Não pareceu notar o gesto do outro, mas perguntou:

— É porque deu sua palavra?

A resposta foi outra pergunta:

— Como sabia sobre o revólver?

— Instruí o homem que o deu a você. Queria ver se tinha interpretado corretamente sua postura. No entanto, a sua incapacidade de me matar lhe faz mal, não é verdade?

— Eu gostaria de conseguir fazer isso agora! Ao menos não há necessidade de termos mais conversas. Me mutile e me deixe ir, ou me mate! Só tome esse revólver de mim antes que eu...

Don Q. pegou a arma e a pousou com firmeza na mesa a seu lado. Depois disse:

— *Señor*, quando encontro alguém como você, não estrago a obra de Deus nessa pessoa. Você não é o tipo de homem para sofrer algum mal em minhas mãos. Um homem que é capaz de manter a própria honra como você fez merece viver. Se tivesse atirado em mim, ou melhor, se tivesse tentado fazer isso, pois sou daqueles que não se importam se vivem ou morrem, a história da sua morte seria relatada nas *posadas* de Andaluzia durante gerações. Mas agora, leve a sua vida, sim, leve-a das minhas mãos.

"Depois desta noite não nos veremos mais, porém, quando você olhar para trás e contemplar a sua vida, há de sempre se lembrar de um homem que, como você, não temia nada; um homem digno de estar a seu lado, Don Q., no passado alguém com o sangue mais nobre da Espanha. Um homem..."

O bandoleiro refreou sua ladainha de floreios e sentimentalismo espanhóis.

— *Adios, señor.*

Duas horas depois, Gevil-Hay estava sozinho nas *sierras*. Quando chegou a Gibraltar, o que aconteceu em seu devido tempo, ficou surpreso de se descobrir quase pesaroso ao ouvir que o governo espanhol, pressionado por representantes britânicos de peso, determinara que se desse fim à presença de Don Q.

Desde então, a vida de Gevil-Hay não tem sido um fracasso. E às vezes, em meio ao trabalho, uma lembrança lhe ocorre do orgulhoso, inescrupuloso e galante bandoleiro, cujo respeito ele teve a sorte de um dia granjear.

O ROUBO DO PARQUE HAMMERPOND
H.G. WELLS

Embora Herbert George Wells (1866-1946) tenha sido um dos primeiros e maiores autores de ficção científica, e continue conhecido como tal até hoje, ele não gostava de ser assim considerado, dizendo que essas obras não passavam de um condutor para suas ideias sociais. Começara sua vida adulta como cientista e poderia, com um tantinho mais de estímulo, ter tido uma carreira de sucesso como biólogo, mas em vez disso recebeu uma oferta de emprego como jornalista e logo começou a escrever ficção. Sua carreira prolífica de escritor pode ser mais ou menos dividida em três eras, mas são apenas os romances e contos da primeira, quando ele produziu ficção fantástica e especulativa, que continuam na memória do público. Títulos do início de sua carreira como *A Máquina do Tempo* (1895), *A Ilha do Doutor Moreau* (1896), *O Homem Invisível* (1897) e *A Guerra dos Mundos* (1898) são marcos do gênero, embora todas mostrem a visão pessimista de Wells sobre a humanidade e a sociedade, o que o levou à socialista Sociedade Fabian. Ele se voltou para a ficção mais realista depois da virada do século com romances altamente apreciados na época, como *Kipps* (1905), *Ann Veronica* (1909), *Tono-Bungay* (1909) e *Marriage* (1912). A maioria de suas obras ao longo das últimas três décadas de vida são livros tanto de ficção como de não ficção refletindo suas ideias políticas e sociais, e são tão datados, desinteressantes e insignificantes quanto misantrópicos.

Mais de cem filmes se basearam nos romances de Wells, com inúmeros outros fazendo uso deles sem mencionar a fonte. Entre os mais famosos estão os clássicos *O Homem Invisível* (1933), *Things to Come* (1936), *Os Primeiros Homens na Lua* (1919 e 1964), *A Ilha do Dr. Moreau* (1966 e 1977, mais habilmente filmado como *A Ilha das Almas Selvagens*, lançado em 1932), *A Guerra dos Mundos* (1953 e 2005) e *A Máquina do Tempo* (1960 e 2002), entre muitos outros.

"O Roubo do Parque Hammerpond" foi originalmente publicado no número de 5 de julho de 1894 da *Pall Mall Budget* e a primeira coletânea da qual fez parte foi *The Short Stories of H.G. Wells* (Londres, Benn, 1927).

O ROUBO DO PARQUE HAMMERPOND

H.G. WELLS

Não há resposta satisfatória para a questão de se o roubo deve ser considerado um esporte, uma profissão ou uma arte. Como profissão, a técnica não chega a ser rígida o suficiente, e os argumentos que o consideram uma arte ficam viciados por conta do elemento mercenário que qualifica seus triunfos. No todo, aparentemente o roubo parece ser melhor classificado como esporte, um esporte para o qual no momento não há regras formuladas e cujos prêmios são distribuídos de maneira extremamente informal. Foi essa informalidade do roubo que levou à lamentável extinção de dois promissores iniciantes no Parque Hammerpond.

Os prêmios oferecidos nesse caso consistiam basicamente de diamantes e outros itens pessoais do gênero pertencentes à recém-casada Lady Aveling. Lady Aveling, como se lembrará o leitor, era a filha única da sra. Montague Pangs, a famosa anfitriã. Seu matrimônio com Lorde Aveling foi amplamente anunciado nos jornais, bem como a quantidade e qualidade dos presentes de casamento e o fato de que a lua de mel teria lugar em Hammerpond. A divulgação desses prêmios valiosos causou uma considerável sensação no pequeno círculo em que o sr. Teddy Watkins era o líder inquestionável, e decidiu-se que, acompanhado por um assistente devidamente qualificado, ele visitaria a cidadezinha de Hammerpond em sua condição profissional.

Sendo um homem de natureza reservada e modesta, o sr. Watkins resolveu fazer essa visita incógnito e, após refletir bastante sobre as condições de tal empreitada, escolheu o papel de um pintor de paisagens e o modesto sobrenome Smith. Chegou antes do assistente, que, ficou acertado, se juntaria a ele na última tarde de sua estadia em Hammerpond. Ora, a cidadezinha de Hammerpond talvez seja um dos cantinhos mais bonitos de Sussex; muitas casas de telhado de sapê ainda sobrevivem, a igreja construída em pedra com sua alta torre é uma das mais bonitas e menos restauradas do país, e os bosques de faias e florestas de samambaias através das quais a estrada segue em direção à mansão são especialmente ricas naquilo que o artista e o fotógrafo vulgar chamam de "elementos de informação". Assim é que o sr. Watkins, ao chegar com duas telas virgens, um cavalete novinho em folha, uma caixa de tintas, uma valise, uma engenhosa escadinha segmentada (seguindo o padrão do falecido e pranteado mestre Charles Peace), um pé de cabra e rolos de arame, se viu recebido com efusão e uma certa curiosidade por meia dúzia de outros colegas de ofício, o que tornou o disfarce que escolhera inesperadamente plausível, mas lhe impôs um volume considerável de conversas sobre estética para as quais ele não se encontrava bem preparado.

— Você já expôs muito? — indagou um jovem no bar do "Coach and Horses", onde o sr. Watkins buscava, com destreza, acumular informações locais na noite da sua chegada.

— Muito pouco — respondeu o sr. Watkins —, só uma coisinha aqui e acolá.

— Academia de artes?

— Em breve. E no Crystal Palace.

— Penduraram você bem? — indagou Porson.

— Não diga bobagens — rebateu o sr. Watkins —, eu não gosto.

— Perguntei se puseram você num lugar bom.

— Como assim? — quis saber o sr. Watkins, desconfiado. — Tive a impressão de que você estava tentando descobrir se eu havia sido defenestrado.

Porson havia sido criado pelas tias, e era um jovem cavalheiresco até mesmo para um artista; não sabia o que significava ser "defenestrado", mas achou melhor explicar que não tivera a intenção de dizer nada desse tipo. Como a questão do "pendurar" pareceu delicada com o sr. Watkins, tentou desviar um pouco a conversa.

— Você de entender muito de teoria cromática.

— Não, nunca tive cabeça para matemática — respondeu o sr. Watkins —, mas minha patroa, quer dizer, a sra. Smith, se ocupa disso.

— Ela também pinta! — exclamou Porson. — Que coisa boa!

— Muito! — disse o sr. Watkins, embora não pensasse exatamente assim. Sentindo que a conversa começava a se afastar um pouco da sua compreensão, acrescentou: — Vim até aqui para pintar a Mansão Hammerpond sob o luar.

— Não diga! — comentou Porson. — Essa ideia é inovadora.

— Sim. Achei ótima quando me ocorreu. Espero começar amanhã à noite.

— Sério? Não quer dizer que vai pintar ao ar livre à noite, quer?

— Sim, isso mesmo.

— Mas como vai enxergar a tela?

— Tenho um baita... — começou o sr. Watkins, reagindo rápido demais à pergunta, e, depois, dando-se conta disso, gritou para a srta. Durgan que lhe trouxesse outro copo de bebida. — Tenho uma coisa chamada lampião fechado — explicou a Porson.

— Mas estamos agora na lua nova — interveio Porson. — Não haverá lua alguma.

— Mas tem a casa, de todo jeito. Veja, vou pintar a casa primeiro e, depois, a lua.

— Ah! — exclamou Porson, demasiado espantado para continuar a conversa.

— Dizem — falou o velho Durgan, o dono do lugar, que mantivera um silêncio respeitoso durante a conversa técnica — que ficam não menos que três policiais de Azelworth de plantão toda noite na casa, por causa dessa Lady Aveling e suas joias. Ontem à noite, um deles arrancou quase cinco xelins de um dos criados, jogando.

Próximo ao pôr do sol no dia seguinte, o sr. Watkins, com a tela virgem, cavalete e uma caixa de tamanho considerável de outras ferramentas em mãos, subiu por uma trilha agradável que atravessava o bosque de faias para ir dar no Parque Hammerpond, e armou seu aparato numa posição estratégica em relação à casa, sendo observado pelo sr. Raphael Sant, que voltava pelo parque de um estudo das minas de greda. Como sua curiosidade fora atiçada pelo relato de Porson sobre o recém-chegado, deu meia-volta com a intenção de falar sobre a arte noturna.

O sr. Watkins aparentemente não notou sua aproximação. Uma conversa amistosa com o mordomo de Lady Hammerpond acabara de ser concluída, e aquele indivíduo, cercado pelos três cãezinhos de estimação, os quais era seu dever levar para um passeio depois de servido o jantar, se afastava a distância. O sr. Watkins misturava tintas com ar de grande empenho. Sant, aproximando-se mais, ficou surpreso ao ver que a cor em questão era um verde esmeralda tão forte e brilhante quanto é possível imaginar.

Tendo cultivado uma extrema sensibilidade para cores nos seus primeiros anos de pintura, inspirou o ar de forma sibilante por entre os dentes assim que vislumbrou tal mistura. O sr. Watkins se virou. Parecia aborrecido.

— Que diabos você vai fazer com esse verde bestial? — indagou Sant.

O sr. Watkins percebeu que seu cuidado para parecer ocupado aos olhos do mordomo evidentemente o traíra, levando-o a cometer algum erro técnico. Olhou para Sant e hesitou.

— Desculpe-me a grosseria — disse Sant —, mas, com efeito, esse verde é realmente espantoso. Causou-me um choque. O que pretende fazer com ele?

O sr. Watkins refletiu sobre como responder. Nada poderia remediar a situação, salvo convicção.

— Se o senhor veio aqui interromper meu trabalho, vou pintar seu rosto com ele.

Sant se foi, pois era um humorista e um sujeito pacífico. Descendo o morro, encontrou Porson e Wainwright.

— Ou o homem é um gênio ou um lunático perigoso — falou. — Subam lá e vejam o verde dele.

E seguiu seu caminho, o semblante se iluminando ante a agradável expectativa de uma animada altercação em torno de um cavalete sob o crepúsculo e um grande derramamento de tinta verde.

Mas com Porson e Wainwright, o sr. Watkins foi menos agressivo e explicou que sua intenção era usar o verde como primeira camada da sua pintura. Era, admitiu em resposta a uma observação, um método totalmente novo, inventado por ele mesmo. Em seguida, porém, tornou-se mais reticente; explicou que não iria contar a qualquer um que passasse o segredo de seu estilo particular, acrescentando um punhado de comentários mordazes sobre a mesquinharia de gente "que fica xeretando" para aprender tantos truques dos mestres quanto possível, o que imediatamente o livrou dos curiosos.

O crepúsculo foi virando noite, e uma e depois outra estrela apareceram. As torres entre as árvores altas à esquerda da casa há muito haviam mergulhado num silêncio sonolento, a casa em si perdera todos os detalhes de sua arquitetura e se tornara uma silhueta cinza-escuro. Então as janelas do salão brilharam com nitidez, o conservatório foi aceso e aqui e ali uma janela de quarto cintilava amarela. Se alguém se aproximasse do cavalete no parque o encontraria deserto. Uma palavra breve e rude em verde brilhante maculava a pureza da tela. O sr. Watkins estava ocupado no arvoredo com o assistente, que discretamente chegara a bordo de uma charrete.

O sr. Watkins se sentia digno de congratulações por conta do disfarce engenhoso graças ao qual havia carregado todo o seu aparato ostensivamente e à vista de todos até o local das operações.

— Aquele é o quarto de vestir — explicou ao assistente —, e, assim que a criada levar embora a vela e descer para jantar, entramos. Nossa! Como a casa fica linda sob a luz das estrelas, com todas as suas janelas e a iluminação! Nossa, Jim, eu quase me arrependo de não ser pintor. Você fixou o arame atravessando o caminho que sai da lavanderia?

Com cuidado, aproximou-se da casa até ficar sob a janela do quarto de vestir e começou a armar sua escada dobrável. Tinha demasiada experiência para sentir qualquer nervosismo. Jim estava avaliando a sala de fumar. De repente, bem perto do sr. Watkins, nos arbustos, houve um baque violento e um palavrão reprimido. Alguém tropeçara no arame que o seu assistente acabara de estender. Watkins ouviu o ruído de pés correndo na trilha de cascalho. Como todos os artistas genuínos, Watkins era um homem tímido e imediatamente largou a escada dobrável e começou a correr, circunspecto, em meio ao arvoredo. Estava vagamente ciente de duas pessoas em seu encalço, e imaginou distinguir a figura de seu assistente à frente. Mais um instante e já se viu pulando o muro baixo de pedra que delimitava o arvoredo e entrou em pleno parque aberto. Dois baques na grama seguiram seu próprio salto.

Foi uma corrida acirrada no escuro e em meio às árvores. O sr. Watkins era um homem ágil e em boa forma e ganhou da figura ofegante que o precedia. Nenhum dos dois disse uma palavra, mas quando o sr. Watkins o alcançou, uma pontada de dúvida terrível o assaltou. O outro virou a cabeça ao mesmo tempo e soltou uma exclamação de surpresa. "Não é o Jim", pensou o sr. Watkins, enquanto simultaneamente o estranho se jogava contra os joelhos de Watkins, e ambos se atracaram no chão.

— Me ajude aqui, Bill! — gritou o estranho, quando o terceiro homem surgiu. E Bill obedeceu, oferecendo duas mãos e também os pés possantes. O quarto homem, presumivelmente Jim, parecia ter dado meia-volta e tomado uma direção diferente. De todo modo, não se uniu ao trio.

A lembrança do sr. Watkins dos incidentes ocorridos nos dois minutos seguintes é extremamente vaga. Ele se recorda ligeiramente do seu polegar no canto da boca do primeiro homem e da sensação de ansiedade quanto à própria segurança, e de durante alguns segundos, no mínimo, ter segurado a cabeça do cavalheiro chamado Bill contra o chão pelos cabelos. Também foi chutado em várias partes distintas, aparentemente por um vasto número de pessoas. Então, o cavalheiro que não era Bill enfiou o joelho no peito do sr. Watkins e tentou imobilizá-lo no chão.

Quando as sensações se tornaram menos mescladas, Watkins se viu sentado na grama e oito ou dez homens — a noite estava escura, e ele, demasiado confuso para contar — o cercavam, aparentemente aguardando sua recuperação. Com tristeza presumiu ter sido capturado, e provavelmente teria feito algumas reflexões filosóficas sobre a inconstância da sorte, não fosse o fato de que suas sensações internas o desmotivaram a falar.

Percebeu muito rapidamente que não estava algemado e então uma garrafa de conhaque foi posta em suas mãos. Isso o emocionou um pouco — era uma gentileza tão inesperada...

— Ele está recuperando os sentidos — falou uma voz que Watkins imaginou reconhecer como pertencente ao segundo lacaio de Hammerpond.

— Nós os pegamos, senhor, pegamos os dois — interveio o mordomo de Hammerpond, o homem que lhe entregara a garrafa. — Graças ao senhor.

Ninguém reagiu a tal observação, que, no entanto, ele não viu como podia se aplicar a si mesmo.

— Ele está um bocado zonzo — falou uma terceira voz. — Os vilões quase o mataram.

O sr. Teddy Watkins resolveu permanecer um bocado zonzo até conseguir entender melhor a situação. Notou que duas das figuras escuras que o cercavam estavam lado a lado com uma expressão enojada, e havia alguma coisa na postura de seus ombros que sugeria a seus olhos experientes que suas mãos se encontravam atadas. Dois! Num segundo ele se aprumou. Esvaziou a garrava e cambaleou — mãos prestativas o ajudaram — ao ficar de pé. Houve um murmúrio de solidariedade.

— Um aperto de mãos, senhor — falou uma figura próxima. — Permita que eu me apresente. Devo-lhe muito. Foram as joias da minha esposa, Lady Aveling, que atraíram esses canalhas à casa.

— Muito prazer em conhecê-lo, lorde — disse Teddy Watkins.

— Suponho que o senhor tenha visto os rufiões se dirigirem ao arvoredo e caiu em cima deles, não?

— Foi precisamente o que aconteceu — respondeu o sr. Watkins.

— Deveria ter esperado até que alcançassem a janela — disse Lorde Aveling. — Eles teriam maiores problemas caso cometessem efetivamente o roubo. E foi sorte sua dois policiais estarem junto aos portões e seguirem vocês três. Duvido que o senhor tivesse dado conta dos dois sozinho, embora sem dúvida demonstrasse um bocado de destemor, mesmo assim.

— Sim, eu deveria ter pensado nisso tudo — disse o sr. Watkins —, mas não se pode pensar em tudo.

— Decerto que não — concordou Lorde Aveling. — Acho que o machucaram um pouco — acrescentou. O grupo agora se encaminhava para a casa. — O senhor está caminhando com dificuldade. Posso lhe oferecer o meu braço?

E em lugar de entrar na Mansão Hammerpond pela janela do quarto de vestir, o sr. Watkins entrou — levemente bêbado e agora propenso novamente à animação — no braço de um nobre de verdade, pela porta da frente. "Isso", pensou o sr. Watkins, "é roubar com estilo!" Os "canalhas", vistos sob a luz, se mostraram meros amadores locais, desconhecidos do sr. Watkins, e foram levados para a despensa e ali vigiados pelos três policiais, dois guardas florestais com armas carregadas, o mordomo, um cavalariço e um motorista, até que o raiar do dia permitisse que fossem removidos para a delegacia de Hazelhurst.

O sr. Watkins foi muito bem recebido no salão. Ofereceram-lhe um lugar no sofá e sequer quiseram ouvi-lo falar de voltar à cidade naquela noite. Lady Aveling estava convencida de que ele era brilhantemente original e disse que considerava Turner simplesmente mais um homem corajoso, inteligente, rude e meio ébrio. Alguém surgiu com uma notável escadinha dobrável que fora recolhida no arvoredo e mostrou a ele como armá-la. Também relatou-se que arames haviam sido achados no terreno, naturalmente com a finalidade de fazer tropeçar perseguidores ingênuos. Por sorte, ele escapara daquelas armadilhas. E lhe mostraram as joias. O sr. Watkins teve o bom senso de não falar em demasia e, diante de qualquer dificuldade na conversa, reclamava de dores. Finalmente, assaltaram-no câimbras nas costas, e ele bocejou. Todos, de repente, despertaram para o fato de que era vergonhoso mantê-lo falando depois da briga que enfrentara, e por isso ele se recolheu a seu quarto, o pequeno quarto vermelho contíguo à suíte de Lorde Aveling.

A aurora encontrou um cavalete abandonado com uma tela contendo uma inscrição em verde no Parque Hammerpond, e a Mansão Hammerpond em comoção. Mas, se encontrou o sr. Teddy Watkins e os diamantes Aveling, a aurora não comunicou tal informação à polícia.

VILÃO: DR. FU-MANCHU

O BEIJO ZAYAT

SAX ROHMER

Conforme foi descrito por Arthur Henry Sarsfield Ward (1883-1959), mais conhecido pelo pseudônimo Sax Rohmer, uma investigação jornalística o enviou a Limehouse, a Chinatown de Londres, uma zona tão perigosa na época que pouca gente branca ali se aventurava, mesmo à luz do dia. Durante meses, ele buscou um misterioso "sr. King", que diziam governar todos os criminosos do distrito, inspirando Rohmer a criar o insidioso dr. Fu-Manchu. Ele mencionou King nominalmente em *Yellow Shadows* (1925), que, juntamente com *Dope* (1919), ajudou a limpar Limehouse e implementar ações do governo contra o tráfico de drogas. A Rebelião dos Boxers, na virada do século, despertara o medo de um "Perigo Amarelo" e convenceu Rohmer de que um arquivilão "oriental" seria um sucesso. Por isso, ele começou a escrever contos sobre um chinês sinistro, o memorável Doutor Demônio. O primeiro de 14 romances sobre o sinistro Fu-Manchu foi *The Mystery of Dr. Fu-Manchu* (1913; publicado nos Estados Unidos como *The Insidious Dr. Fu-Manchu*). Rohmer deliberadamente deu a seu personagem um nome impossível, já que tanto "Fu" quanto "Manchu" são sobrenomes chineses; o hífen só aparece nos primeiros três livros.

Rohmer escreveu mais de cinquenta livros, porém é mais conhecido pelo personagem Fu-Manchu, um dos maiores vilões da literatura. Seu interesse antigo pelo ocultismo e por egiptologia influenciou sua escrita e o levou a entrar para sociedades como a Hermetic Order of the Golden Dawn, juntamente com outras figuras literárias, inclusive Arthur Machen, Aleister Crowley e W.B. Yeats. Muitos de seus livros e contos são ambientados no misterioso Oriente, inclusive *Brood of the Witch Queen* (1918), *Tales of Secret Egypt* (1918), *The Golden Scorpion* (1919) e *Tales of East and West* (1932).

Em suas publicações em revistas, as primeiras aventuras eram simplesmente intituladas *Fu-Manchu*, seguidas pelo título do conto. Para a publicação em livro, foram apresentadas como um romance ao qual faltam títulos nos capítulos.

"O Beijo Zayat", o primeiro conto de Fu-Manchu, foi originalmente publicado no número de outubro de 1912 do *The Story-Teller* e a primeira coletânea da qual fez parte foi *O Mistério do Dr. Fu-Manchu* (Londres, Methuen, 1913); a primeira edição americana se intitulou *O Insidioso Dr. Fu-Manchu* (Nova York, McBride, Nast & Co., 1913).

O BEIJO ZAYAT

SAX ROHMER

Afundei-me numa poltrona nos meus aposentos e engoli uma dose forte de conhaque.

— Fomos seguidos até aqui — falei. — Por que você não tentou despistar os perseguidores, interceptá-los?

Smith riu.

— Inútil, para começar. Aonde quer que fôssemos, *ele* nos encontraria. E de que serviria prender suas criaturas? Não provaríamos nada contra elas. Além disso, é evidente que uma tentativa de assassinato será feita contra mim esta noite, e com os mesmos meios que se revelaram tão bem-sucedidos no caso do pobre Sir Crichton.

Seu queixo quadrado ficou truculentamente proeminente, e ele se pôs de pé num salto, balançando os punhos cerrados em direção à janela.

— O vilão! — gritou. — O vilão satanicamente inteligente! Desconfiei de que Sir Crichton seria o próximo e acertei. Mas cheguei tarde demais, Petrie! Aquilo foi um golpe para mim, velho. Pensar que eu sabia e mesmo assim não consegui salvá-lo.

Voltou a se sentar, fumando com vigor.

— Fu-Manchu cometeu o equívoco comum a todos os homens de genialidade rara — falou. — Ele subestimou seu adversário. Não me deu o crédito de entender o significado de suas mensagens aromáticas. Jogou fora uma arma poderosa ao botar tal mensagem em minhas mãos, e pensa que, seguro entre quatro paredes, eu dormirei, ingenuamente, e morrerei como Sir Crichton morreu. Mas, sem a indiscrição de sua charmosa amiga, eu deveria saber o que esperar quando recebi a "informação" dela, que, aliás, consiste de uma folha de papel em branco.

— Smith — interrompi —, quem é ela?

— Ou é filha de Fu-Manchu ou esposa ou escrava. Tendo a crer na última hipótese, pois ela não tem vontade própria, age segundo a dele, salvo — acrescentou com um olhar sarcástico — numa determinada circunstância.

— Como você pode brincar com uma coisa tão pavorosa, Deus sabe qual, pairando sobre a sua cabeça? Qual o significado desses envelopes perfumados? Como morreu Sir Crichton?

— Morreu do Beijo Zayat. Pergunte o que é isso e eu responderei: "Não sei." Os *zayats* são os caravançarais de Burma, ou estalagens. Ao longo de um certo caminho, no qual pus os olhos, pela primeira e única vez, no dr. Fu-Manchu, os viajantes que vez por outra fazem uso delas às vezes morrem como morreu Sir Crichton, com coisa alguma para definir a causa da morte, exceto uma pequena marca no pescoço, no rosto ou na perna, o que ganhou, nesses lugares, o nome de "Beijo Zayat". As estalagens ao longo dessa estrada já não existem mais. Tenho a minha teoria, e espero comprová-la esta noite, se continuar vivo. Será mais uma fenda em sua armadura satânica, e dessa forma, dessa forma apenas, posso almejar esmagá-lo. Foi o meu principal motivo para não informar o dr. Cleeve. Até as paredes têm ouvidos no que tange a Fu-Manchu, por isso fingir ignorar o significado da marca, sabendo que seria quase certo que ele voltasse a empregar os mesmos métodos em alguma outra vítima. Queria uma oportunidade para estudar o Beijo Zayat em funcionamento, e a terei.

— Mas e os envelopes perfumados?

— Na floresta pantanosa do distrito a que me referi, uma espécie rara de orquídea, quase verde e com um aroma peculiar, pode ser vista às vezes. Reconheci seu cheiro marcante de imediato. Imagino que a coisa que mata os viajantes seja atraída por essa orquídea. Você vai perceber que o perfume fica em qualquer coisa que a toca. Duvido que possa ser lavado da maneira usual. Depois de no mínimo uma tentativa malsucedida de matar sir Crichton, você se lembra de que ele achou que havia algo escondido em seu estúdio numa ocasião anterior?, Fu-Manchu achou os envelopes perfumados. Ele pode estar de posse de várias dessas orquídeas verdes, possivelmente para alimentar a criatura.

— Que criatura? Como poderia alguma criatura ter entrado no quarto de sir Crichton durante a noite?

— Sem dúvida você observou que examinei a lareira do estúdio. Encontrei uma boa quantidade de fuligem. Imediatamente supus, já que se trata aparentemente do único meio de entrada, que algo tinha sido jogado lá de cima e tive certeza de que a coisa, o que quer que seja, continua escondida ou no estúdio ou na biblioteca. Mas quando obtive a prova do cavalariço, Wills, entendi que o grito vindo da via ou do parque era um sinal. Notei que os movimentos de qualquer um sentado à mesa do estúdio eram visíveis, através da sombra na persiana, e que o estúdio ocupava o canto de uma ala de dois andares e, logo, tinha uma chaminé pequena. O que significava o sinal? Que sir Crichton dera um pulo de sua cadeira e ou recebera o Beijo Zayat, ou vira a coisa que alguém no telhado fizera descer pela chaminé. Era o sinal para retirar aquela coisa letal. Por meio da escada de ferro nos fundos da casa do major-general Platt-Houston, consegui facilmente ter acesso ao telhado acima do estúdio de sir Crichton... e encontrei isto.

Nayland Smith tirou do bolso um pedaço de seda emaranhado, em meio ao qual havia um anel de cobre e vários pesos para linha de pesca bem maiores que o normal, arrumados do jeito habitual como se faz num anzol.

— Minha teoria foi comprovada — prosseguiu. — Sem prever uma busca no telhado, eles haviam sido descuidados. Isso era para tornar a linha pesada e impedir que a criatura se grudasse às paredes da chaminé, caindo diretamente na lareira, porém, por meio deste anel, suponho que a linha pesada tenha sido retirada e a coisa tenha ficado pendurada apenas por uma linha fina, que bastou, contudo, para que fosse puxada depois de fazer seu trabalho. Pode ter se emaranhado, claro, mas eles contaram que a coisa iria direto até o pé da escrivaninha e para o envelope preparado. Dali para a mão de sir Crichton, que, por ter tocado no envelope também estaria cheirando ao perfume, era um tiro certeiro.

— Meu Deus! Que horror! — exclamei, contemplando com apreensão as sombras do crepúsculo na sala. — Qual é a sua teoria a respeito dessa criatura? Sua forma, cor...?

— É algo que se move rápida e silenciosamente. Não me atrevo a acrescentar nada mais no momento, mas acho que age no escuro. O estúdio estava escuro, lembre-se, exceto pelo ponto iluminado debaixo do abajur de leitura. Observei que o fundo da casa é totalmente coberto por hera e, acima, fica o seu quarto. Façamos preparativos ostensivos para nos recolhermos, e acho que podemos contar com os criados de Fu-Manchu para tentarem me despachar e talvez até mesmo você.

— Mas, meu caro amigo, é uma escalada de, no mínimo, nove metros.

— Você se lembra do grito na ruela dos fundos? Ele me sugeriu alguma coisa, e eu testei a minha teoria. Com sucesso. Foi o grito de um *dacoit*, um membro de um bando oriental de ladrões armados. Esses grupos, embora quase inativos, de forma alguma foram extintos. Fu-Manchu tem *dacoits* a seu serviço, e provavelmente é um deles que administra o Beijo Zayat, já que era um *dacoit* que vigiava a janela do estúdio esta noite. Para um homem desses, um muro coberto de hera é uma escada e tanto.

Os acontecimentos horríveis que se seguiram se acham pontuados, em minha mente, pelo badalar de um relógio distante. É curioso como as trivialidades assim se manifestam em momentos de alta tensão. Continuarei, então, através dessas pontuações, até a chegada do horror que estava escrito que iríamos enfrentar.

O relógio do outro lado da praça deu duas horas.

Tendo removido todos os resquícios do aroma da orquídea de nossas mãos com uma solução de amônia, Smith e eu seguimos a programação agendada. Era fácil alcançar os fundos da casa, bastava pular uma cerca, e não tínhamos dúvidas de que, vendo a luz se apagar na frente da casa, nosso vigilante invisível iria até os fundos.

O quarto era grande, e havíamos montado minha cama de armar num extremo, enfiando coisas sob as cobertas para dar a impressão de um indivíduo adormecido, artifício esse que também usamos no caso da cama maior. O envelope perfumado estava sobre uma pequena mesa de centro no meio do aposento, e Smith, com uma lanterna elétrica, um revólver e um taco revestido de metal a seu lado, sentou-se nas almofadas na sombra do guarda-roupa. Eu ocupei um posto entre as janelas.

Nenhum barulho incomum, até então, perturbara o silêncio da noite. Com exceção dos sons abafados dos raros carros de ronda passando diante da casa, nossa vigília era silenciosa. A lua cheia pintara no chão sombras estranhas da hera em cachos, espalhando o desenho, aos poucos, até a porta, de um lado ao outro do quarto e, finalmente, até o pé da cama.

O relógio distante marcou 2h15.

Uma brisa ligeira balançava a hera, e uma nova sombra foi acrescentada à beirada extrema do desenho da lua.

Alguma coisa subia, centímetro por centímetro, até o parapeito da janela esquerda. Só consegui ver sua sombra, mas a respiração áspera, sibilante de Smith me disse que ele, de seu posto, podia ver o dono da sombra.

Cada nervo em meu corpo parecia tenso a ponto de arrebentar. Eu estava gelado, ansioso e preparado para qualquer horror que sobre nós se abatesse.

A sombra ficou parada. O *dacoit* estudava o interior do quarto.

Então, de repente, a sombra se alongou e, esticando minha cabeça para a esquerda, vi uma forma flexível, envolta em negro, arrematada por um rosto amarelo, visível à luz da lua, encostado ao vidro da janela!

Uma mão magra, marrom, apareceu no canto da cortina baixada, à qual se agarrou... Depois outra. O homem não fazia barulho algum. A segunda mão sumiu. E reapareceu. Segurava uma pequena caixa quadrada.

Houve um discretíssimo *clique*.

O *dacoit* se dependurou abaixo da janela com a agilidade de um macaco enquanto, com um baque surdo, perturbador, *algo* caiu no tapete!

— Fique imóvel para salvar sua vida! — ouvi de Smith num tom estridente.

Um raio de luz branca atravessou o cômodo e iluminou por completo a mesinha de centro no meio do quarto.

Por mais preparado que eu estivesse para algo horrível, sei que empalideci ao ver a coisa que corria em torno das beiradas do envelope.

Era um inseto com 15 centímetros e de um vermelho-vivo, venenoso! De certa forma se parecia com uma grande formiga, com suas antenas longas e trêmulas e sua vitalidade febril, terrível, mas tinha o corpo proporcionalmente mais comprido e a cabeça menor, além de inúmeras pernas que se moviam rapidamente. Em resumo, uma centopeia gigante, ao que parece do grupo *scolopendra*, mas de uma espécie inédita para mim.

Dessas coisas me dei conta num instante em que fiquei sem fôlego; no seguinte, Smith tirou a vida venenosa da criatura com um golpe certeiro do taco de golfe!

Corri para a janela e a escancarei, sentindo um fio de seda roçar minha mão quando o fiz. Uma forma escura descia, com uma agilidade incrível, galho a galho da hera e, sem sequer uma vez se tornar alvo para um tiro de revólver, misturou-se às sombras sob as árvores do jardim.

Quando me virei e acendi a luz, Nayland Smith caiu sem forças sobre uma cadeira segurando a cabeça entre as mãos. Até mesmo aquela coragem toda havia sido intensamente testada.

— Não se preocupe com o *dacoit*, Petrie — disse ele. — Nemesis saberá onde achá-lo. Descobrimos agora o que causa a marca do Beijo Zayat. Portanto a ciência está mais rica devido ao nosso primeiro encontro com o inimigo, e o inimigo, mais pobre. A menos que ele tenha mais centopeias raras. Entendo agora algo que vinha me incomodando desde que o ouvi: o grito abafado de sir Crichton. Se nos lembrarmos de que ele mal conseguia falar, é razoável supor que seu grito não tenha sido "Mãozona vermelha", mas sim "*Formigona* vermelha"! E pensar, Petrie, que por menos de uma hora não consegui salvá-lo de um fim desses!

NORTE-
-AMERICANOS
DO INÍCIO DO
SÉCULO XX

GODAHL, O INFALÍVEL
FREDERICK IRVING ANDERSON

Assim como o assassino perfeito é aquele que comete o crime sem levantar suspeitas, talvez até fazendo com que a morte pareça acidental ou natural, Godahl, o Infalível, nunca sequer foi *suspeito* de um crime, muito menos pego ou condenado. Ele pode muito bem ser o melhor criminoso da história da ficção de mistério. Diferentemente de outros ladrões mais conhecidos, como A. J. Raffles, Arsène Lupin e Simon Templar (o Santo), que contam com sua astúcia, charme, intuição e sorte para realizar um golpe, Godahl aborda os roubos de uma maneira puramente científica. Sua mente, que parece um computador, avalia todas as possibilidades usando lógica e probabilidade; seus sucessos são triunfos da razão pura — a vitória inevitável do intelecto superior. Sua série ininterrupta de sucessos o tornou rico o bastante para ingressar no Clube Pegasus, o qual limita seu número de membros a cinquenta milionários.

O Departamento de Polícia de Nova York é constantemente frustrado pelos crimes perfeitos cometidos por Godahl, cujas atividades são conhecidas somente por Oliver Armiston, um escritor que registrou algumas de suas façanhas. Godahl teme apenas pessoas cegas ou surdas, pois acredita que a perda de um sentido amplifica a sensibilidade dos remanescentes.

As façanhas de Godahl são produto de um escritor de mistério norte-americano que não tem o reconhecimento que merece, Frederick Irving Anderson (1877-1947), que também criou a ligeiramente mais conhecida ladra de joias Sophie Lang. Nascido em Aurora, Illinois, Anderson se mudou para o leste e se tornou um repórter bem-sucedido do *New York World* entre 1898 e 1908, e depois virou um autor de ficção de sucesso e muito bem remunerado para as principais revistas americanas e inglesas, principalmente a *The Saturday Evening Post*, na qual a maioria de seus contos de mistério, inclusive todos os seis contos com Godahl, foi publicada pela primeira vez.

Os contos de Anderson são escritos em um estilo lento e tortuoso que pode desestimular o leitor impaciente, mas contêm uma riqueza sutil que compensa o leitor atento que apreciará os acontecimentos que transcorrem nas entrelinhas.

"Godahl, o Infalível" foi publicado pela primeira vez em 1913, na edição de 15 de fevereiro da *The Saturday Evening Post*; a primeira antologia da qual o conto fez parte foi *The Adventures of the Infallible Godahl* (Nova York, Thomas Y. Cromwell, 1914).

GODAHL, O INFALÍVEL

FREDERICK IRVING ANDERSON

Oliver Armiston nunca foi um grande esportista com uma vara ou uma arma — apesar de conseguir fazer um belo trabalho com uma pistola em uma galeria de tiros. No entanto, havia um jogo do qual ele obtinha grande satisfação. Sempre que viajava, o que acontecia com frequência, ele invariavelmente pegava os trens pela ponta da cauda, por assim dizer, e permanecia pendurado até conseguir subir a bordo. Ele tinha uma teoria de que o indivíduo desperdiça mais tempo valioso, medido em dólares e centavos, e calor animal, aquecendo os assentos das estações, aguardando trens do que os perdendo. O ápice de prazer para sua mente metódica era impedir o fechamento dos portões na última fração do último segundo com uma mão erguida majestosamente e embarcar no vagão de primeira classe com deliberação calculada, enquanto a tripulação do trem rangia os dentes de raiva e prometia se vingar do guarda do portão por deixá-lo passar.

No entanto, o sr. Armiston nunca perdia um trem. Muitos tentaram perdê-lo, mas nenhum jamais conseguiu. Ele calculava o tempo e a distância tão bem que realmente parecia que seus trens não tinham nada nem parcialmente tão importante a fazer quanto aguardar até que o sr. Oliver Armiston embarcasse.

Naquele dia específico de junho, ele deveria chegar a New Haven às duas horas. Se não conseguisse estar lá às duas, poderia chegar muito bem às três. Mas uma hora são sessenta minutos, e um minuto são sessenta segundos; e, além disso, o sr. Armiston, tendo dado sua palavra de que estaria lá às duas, com certeza estaria.

Naquele dia específico, quando Armiston finalmente chegou à Grand Central, o trem parecia o grande favorito para ganhar a corrida. Em primeiro lugar, ele ainda estava na cama na hora que outro viajante menos experiente já estaria atento ao relógio na sala de espera da estação. Em segundo lugar, depois de beijar a esposa daquela maneira ausente característica do amor verdadeiro, ficou preso em um engarrafamento na primeira esquina da Broadway. Ele mal se desvencilhara do trânsito quando se deparou com uma enorme reunião socialista na Union Square. Foi somente graças à astúcia do motorista que o táxi se desvencilhou com pouquíssimos danos ao cenário humano que o cercava. Mas nosso homem metódico não se afligiu. Em vez disso, mergulhou em seu livro, um tratado sobre Causa e Efeito, o qual, naquele momento, o tranquilizava com esta ideia relaxante:

"Não existem acidentes. Os ditos acidentes da vida cotidiana devem-se à ação predeterminada de causas correlacionadas, a qual é inevitável e sobre a qual o homem não tem nenhum controle."

Aquilo era reconfortante, mas não vinha muito ao caso quando Oliver Armiston levantou os olhos e descobriu que chegara à rua Vinte e Três e estava parado. Um caminhão de vinte metros, com uma carga suspensa consistindo de uma viga mestra de aço de sessenta toneladas, desenvolvera repentinamente, naquele local, uma fraqueza em sua roda traseira externa e acomodara-se como um elefante cansado no asfalto atravessando a preferencial. Aquilo, é claro, não era um acidente. Era resultado de uma fraqueza na construção da roda — uma fraqueza destinada desde o princípio a impedir a passagem de carros e táxis naquele local específico naquele horário específico.

O sr. Armiston saltou do táxi e caminhou um quarteirão. Ele pegou um segundo táxi e logo estava novamente seguindo para o norte em uma velocidade decente, apesar de as construções na Quarta Avenida terem tornado a rua praticamente intransitável.

A aspereza do asfalto apenas sacudiu seu sistema digestivo e o estimulou para o belo almoço que estava prometendo a si mesmo no instante em que embarcasse no trem. O novo motorista se perdeu três vezes no labirinto do trânsito nos entornos da Grand Central Station. Isso, no entanto, era natural, levando em conta que a companhia ferroviária mudava o mapa da rua Quarenta e Dois a cada 24 horas durante a construção do novo terminal.

Finalmente, o sr. Armiston saltou do táxi, entregou sua bolsa de viagem a um carregador e pagou o motorista com dinheiro retirado de um rolo de notas enorme. Este mesmo rolo mal fora transferido de volta para seu bolso quando um batedor de carteiras com dedos ágeis o roubou. Isso, mais uma vez, não era um acidente. Aquele batedor de carteiras passara a última hora ali esperando aquele rolo de notas. Era predeterminado, inevitável. E Oliver Armiston tinha somente trinta segundos para pegar o trem pela cauda e embarcar. Ele sorriu alegremente.

Ele só descobriu sua perda quando foi pegar a passagem no guichê. Durante um precioso segundo inteiro, ele olhou para a mão que saiu vazia do bolso no qual guardara o dinheiro, e então:

— Acabo de perceber que deixei minha carteira em casa — disse ele, com um ar de grandiosidade que sabia adotar ocasionalmente. — Meu nome é sr. Oliver Armiston.

Oliver Armiston era um nome famoso.

— Não duvido — disse o bilheteiro secamente. — O sr. Andrew Carnegie esteve aqui ontem implorando uma passagem para a rua Cento e Vinte e Cinco, e o sr. John D. Rockefeller aparece aqui com frequência e penhora seu relógio de um dólar. Próximo!

E o bilheteiro fez cara feia para o homem impedindo o avanço da fila impaciente e mandou-o ir embora.

Armiston ficou vermelho. Ele olhou para o relógio. Pela primeira vez na vida, estava prestes a experimentar aquela sensação terrível de perder o trem. Pela primeira vez na vida, seria privado daquela sensação deliciosa de hipnotizar o guarda do portão e caminhar majestosamente pela plataforma que se estende para o norte sob o telhado da estação por uma parte considerável da distância até Yonkers. Vinte segundos! Armiston virou-se, sem ter saído do lugar, e lançou um olhar com malícia concentrada para o próximo homem na fila. O homem estava com pressa. Ele tinha um maço de notas na mão. Por um segundo, o instinto de ladrão latente em todos nós se insinuou dentro de Armiston. Ali, ao alcance de sua mão, estava o dinheiro, as preciosas notas irrisórias que se interpunham entre ele e seu trem. Armiston ficou assustado ao descobrir que ele, um cidadão correto e honrado, estava quase cometendo o ato de agarrá-las como um batedor de carteiras ordinário.

Foi quando algo realmente notável aconteceu. O homem ofereceu o punhado de notas a Armiston.

— A única maneira que tenho de remover esta obstrução é subornar você — disse ele, retribuindo o olhar feroz de Armiston. — Aqui, pegue o quanto quiser. E dê uma chance para o resto de nós.

Com a vivacidade de um mendigo cego curado milagrosamente pela visão de tanto dinheiro, Armiston pegou o punhado de notas, retirou o quanto precisava para a passagem e colocou o resto de volta na mão impaciente de seu benfeitor desconhecido. Ele conseguiu passar pelo portão por um triz, assim como seu amigo desconhecido. Juntos, caminharam pela plataforma, seus passos lentos sincronizados. Eles poderiam ser dois potentados, de tão deliberadamente que pegaram o trem. Armiston gostaria muito de agradecer àquela pessoa, mas o outro exteriorizava um ar tão proibitivo que era difícil encontrar uma brecha. Por força do hábito, Armiston embarcou no vagão de primeira classe, esquecendo totalmente de que não tinha dinheiro para um assento. O outro fez o mesmo. O desconhecido ofereceu uma nota ao cabineiro.

— Providencie duas cadeiras — disse ele. — Uma é para este cavalheiro.

Depois de entrar e se acomodar, Armiston renovou os esforços para agradecer àquele estranho. A pessoa retirou um cartão do bolso e o entregou a Armiston.

— Não creia na ideia tola — disse ele com sarcasmo — de que lhe prestei um serviço voluntariamente. Você estava me fazendo perder o trem, e recorri a subornar você para tirá-lo do meu caminho. Isso é tudo, senhor. Quando lhe for mais conveniente, pode me enviar um cheque pela ninharia.

"Mas que pessoa mais extraordinária!", disse Armiston para si mesmo.

— Deixe-me lhe dar meu cartão — disse ele para o outro. — Quanto ao serviço prestado, você é bem-vindo para ter suas próprias ideias. De minha parte, estou muito grato.

O desconhecido pegou o cartão que lhe fora oferecido e o enfiou no bolso do colete sem olhar para ele. O homem girou sua cadeira e abriu uma revista, exibindo um par de ombros largos e nada amigáveis. Aquilo foi bastante desconcertante para Armiston, que estava habituado a ver seu cartão funcionar como uma chave que abre todas as portas.

"Para o inferno com a insolência dele!", disse para si mesmo. "Ele me considera um mendigo. Vou usá-lo como material para um conto!"

Aquele era o jeito do popular escritor de ficar quite com aqueles que feriam sua sensibilidade delicada.

Duas coisas preocupavam Armiston: uma era seu almoço — ou melhor, a ausência dele; e a outra era seu vizinho. O vizinho, agora que Armiston tivera a oportunidade de estudá-lo, era um homem jovem, bem-vestido. Tinha um belo rosto bronzeado que não era nem parcialmente tão rabugento quanto seus modos. Ele estava agora imerso em uma revista, alheio a tudo à sua volta, até mesmo ao cabineiro do vagão-restaurante, que passou pelo corredor e anunciou a primeira chamada para o almoço.

"O que será que o sujeito está lendo?", disse Armiston a si mesmo. Ele espiou sobre o ombro do homem e ficou interessado no mesmo instante, pois o estranho estava lendo uma cópia de uma revista chamada popularmente de *O Sepulcro Branco*. O orgulho dessa revista era que nenhum homem na Terra conseguia lê-la sem o auxílio de um dicionário. No entanto, aquela pessoa parecia fascinada. E o mais relevante, algo muito agradável para Armiston, era que o homem, naquele momento, estava absorto em uma das efusões do próprio Armiston. Era um de seus contos criminais que haviam lhe proporcionado elogios e lucro. O conto era sobre Godahl, o Infalível.

Aqueles contos eram a razão pura encarnada na pessoa de um ladrão científico. A trama era invariavelmente tão lógica que parecia mais o produto de uma máquina do que de uma mente humana. Obviamente, as tramas eram impossíveis, pois o ladrão fictício precisava ser um gênio incrível para executar os detalhes. Mas, ainda assim, eram ao mesmo tempo profundamente divertidas, fascinantes e dramáticas.

E aquele indivíduo leu o conto inteiro sem piscar uma única vez — como se, para ele, o esforço mental não fosse nada — e depois, para o deleite de Armiston, voltou para o começo e reiniciou a leitura. O escritor inflou o peito e se empertigou. Não era com frequência que lhe prestavam uma homenagem tão inconsciente. Ele pegou o cartão do benfeitor desconhecido. Ele dizia:

Sr. J. Borden Benson

THE TOWERS NOVA YORK

— Humpf! — bufou Armiston. — Um aristocrata... E esnobe, também.

Naquele instante, o aristocrata se virou na cadeira e entregou a revista ao companheiro. Todo seu mau humor tinha desaparecido.

— Você está familiarizado — perguntou ele — com a obra deste Armiston? Refiro-me a estes contos sobre o ladrão científico que estão sendo publicadas.

— Si-sim. Ah, sim — gaguejou Armiston, guardando apressadamente o cartão do outro homem. — Eu... Na verdade, você sabe... Leio-os todas as manhãs antes do café.

De certo modo, era verdade, pois Armiston sempre começava a escrever antes do café da manhã.

O sr. Benson sorriu — um sorriso muito bonito, ao mesmo tempo infantil e sofisticado.

— É uma dieta matinal bastante pesada, eu diria — respondeu ele. — Quer dizer que leu este último conto?

— Ah, sim — disse o escritor, deleitado.

— O que acha dele? — perguntou Benson.

O autor crispou os lábios.

— É do mesmo nível que os outros — disse ele.

— Sim — disse Benson pensativamente. — Eu diria o mesmo. E depois de dizermos isso, não há mais nada a dizer. São realmente um produto notável. Bastante únicos, você sabe. Mas ainda assim — disse ele, franzindo a testa para Armiston — acredito que este tal de Armiston deve ser classificado como o homem mais perigoso do mundo hoje.

— Ah, digo que... — começou Armiston.

Mas ele se conteve, rindo. Estava muito feliz que o sr. Benson não tinha olhado para seu cartão.

— Falo sério — disse o outro com determinação. — E você também pensa o mesmo, acredito plenamente. Nenhum homem pensante poderia achar outra coisa.

— Mas de que modo, exatamente? Devo confessar que nunca pensei na obra dele como nada além de pura invenção.

Era realmente delicioso. Armiston certamente usaria aquela pessoa como material.

— Admito — disse Benson — que não há hoje no mundo um ladrão esperto o bastante... inteligente o bastante... para tirar vantagem das sugestões propostas nesses contos. Mas, algum dia, surgirá um homem para quem eles serão tão simples quanto uma planta arquitetônica comum, e ele lucrará de acordo. Esta revista, ao imprimir esses contos, está simplesmente lhe fornecendo suas ferramentas, mostrando a ele como trabalhar. E o pior disso é que...

— Espere um minuto — disse o escritor. — Concordando por enquanto que estes contos serão, algum dia, as ferramentas do herói de Armiston na vida real, e quanto às revistas populares? Elas publicam dez contos deste tipo para cada um dos de Armiston.

— Ah, meu amigo — disse Benson —, você está se esquecendo de uma coisa: as revistas populares lidam com a vida real... o possível, o habitual. E, justamente por isso, protegem o público de vigaristas, revelando os métodos deles. Mas com Armiston... não. Por mais que goste dele como um estímulo intelectual, receio que...

Ele não terminou a frase. Em vez disso, abanou a cabeça, como que impressionado com a engenhosidade diabólica do autor que discutiam.

"Sem dúvida estou feliz", pensou o autor em questão, "que meu benfeitor desagradável não tenha tido a elegância de olhar para o meu cartão. Isso é realmente muito divertido." E depois, em voz alta, arriscou-se:

— Ficarei muito feliz de contar a Oliver o que você disse e de ouvir o que ele tem a dizer a respeito.

O rosto de Benson se contorceu em uma infinidade de rugas.

— Você o conhece? Que surpresa! Isso é um privilégio. Desejo profundamente que diga a ele.

— Gostaria de conhecê-lo? Estou em dívida com você. Posso providenciar um pequeno jantar para alguns de nós.

— Não — disse Benson, abanando a cabeça. — Prefiro continuar lendo sem conhecê-lo. Escritores são decepcionantes na vida real. Ele pode ser um baixinho fracote e anêmico, com unhas sujas e todo o resto que acompanha um gênio. Sem ofensa ao seu amigo! Além disso, receio que discutiria com ele.

— Última chamada para o almoço no vagão-restaurante — cantou o cabineiro. Armiston olhava para suas unhas quando o cabineiro passou. Eram feitas todos os dias.

— Venha almoçar comigo — disse Benson animadamente. — Será um prazer ter você como convidado. Desculpe-me por ter sido rude com você na bilheteria, mas queria muito pegar este trem.

Armiston riu.

— Bem, você pagou minha passagem — disse ele —, e não negarei que estou faminto o bastante para comer um trilho de 55 quilos. Deixarei você me pagar uma refeição, já que não tenho um centavo.

Benson se levantou e, ao pegar seu lenço, o cartão que Armiston lhe dera flutuou para o colo do distinto escritor. Armiston fechou a mão em torno dele, rindo outra vez. O destino concedera-lhe a oportunidade de permanecer incógnito para aquela pessoa pelo tempo que desejasse. Seria uma rara delícia fazê-lo recomeçar a vociferar sobre Armiston, o escritor.

Mas o anfitrião de Armiston não vociferou contra seu escritor favorito. Na verdade, estava tão entusiasmado com o gênio do homem que as mesmas qualidades que vituperava como um perigo à sociedade, na sua opinião, apenas acrescentavam brilho à obra. Benson fez inúmeras perguntas ao convidado sobre as qualidades pessoais de seu ídolo, e Armiston, ousadamente, construiu uma pessoa verdadeiramente notável. O outro escutou fascinado.

— Não, não quero conhecê-lo — disse ele. — Em primeiro lugar, não tenho tempo, e em segundo, eu com certeza iniciaria uma briga. E há mais uma coisa: se o sujeito for metade do homem que presumo pelo que você diz, ele não suportaria pessoas o bajulando e dizendo o quanto é maravilhoso. Receio que eu acabaria fazendo isso.

— Ah — disse Armiston —, ele não é tão ruim assim. Ele é um... bem, um sujeito sensato, com unhas limpas e tudo o mais, você sabe, e corta o cabelo a cada três semanas, assim como o resto de nós.

— Fico feliz em ouvi-lo dizer isso, senhor... Hummm...

Benson começou a rir.

— Por Deus — disse ele. — Estamos conversando há uma hora, e sequer dei uma olhada no seu cartão para ver quem você é!

Ele procurou o cartão que Armiston lhe dera.

— Pode me chamar de Brown — disse Armiston, mentindo lindamente e com uma sensação de absoluta retidão. — Martin Brown, solteiro, alfabetizado, branco, sapatos com cadarço e chapéu-coco, como diz a polícia.

— Muito bem, sr. Brown; prazer em conhecê-lo. Ainda temos alguns charutos. Você não tem ideia do quanto desperta meu interesse, sr. Brown. Quanto Armiston recebe pelos contos?

— Cada palavra que ele escreve lhe paga o valor de um bom charuto. Eu diria que recebe quarenta mil por ano.

— Humpf! Isso é mais do que Godahl, sua criação estelar, conseguiria faturar como ladrão, imagino, sem falar no perigo de levar um tiro em uma empreitada.

Armiston inflou o peito e se empertigou outra vez.

— De onde ele tira as tramas?

Armiston franziu suas sobrancelhas pesadas.

— Aí é que está o problema — disse ele. — Você pode falar quantas palavras quiser até ficar surdo, mudo e cego. Mas, afinal de contas, não é o número de palavras ou como elas são combinadas que fazem uma história. São as ideias. E ideias são escassas.

— Tenho uma ideia que sempre quis que Armiston aproveitasse, só para ver o que faria com ela. Se me perdoar, penso que o que realmente importa não são as ideias, e sim como os detalhes são elaborados.

— Qual é sua ideia? — Armiston perguntou apressadamente. Ele não se opunha a se apropriar de nada que encontrasse na vida real e embelezá-lo de acordo com seu gosto. — Vou transmiti-la a Armiston se você quiser.

— Você fará isso? Excelente. Para começar — disse o sr. Benson enquanto girava sua taça de conhaque com dedos longos, magros e sedosos; tinha uma mão que Armiston não gostaria que se voltasse contra ele em um acesso de fúria. — Para começar, Godahl, o ladrão, não é um ladrão comum, é um intelectual. Ele realizou alguns roubos grandes. Deve estar rico agora... não é? Você pode ver que ele é bastante real para mim. Eu diria que, nesta altura, Godahl acumulou tamanha fortuna que roubar apenas pelo dinheiro não o atrai. O que ele faz? Fica sentado e vivendo de renda? Acredito que não. Ele é uma pessoa de gosto refinado, com um bom olho para questões estéticas. Ele deseja objetos de arte, porcelanas raras, uma gema de lapidação ou cor rara trabalhada por Benvenuto Cellini, um quadro de Leonardo da Vinci... Godahl roubou a *Mona Lisa*, por acaso? Ele é a pessoa mais provável que consigo imaginar... Ou talvez uma Bíblia de Gutenberg. Tesouros, coisas de beleza única para olhar, para desfrutar em segredo, que não seriam mostradas a outras pessoas. Este é o desenvolvimento natural deste tal de Godahl, não é?

— Esplêndido! — exclamou Armiston, sendo dominado pelo entusiasmo.

— Já ouviu falar na sra. Billy Wentworth? — perguntou Benson.

— Sim, conheço-a bem — disse Armiston, baixando a guarda.

— Então certamente já viu seu rubi branco, não?

— Rubi branco! Nunca ouvi falar em algo assim. Um rubi branco?

— Exatamente. É justamente aí que está a questão. Nem eu. Mas se Godahl ouvisse a respeito de um rubi branco, é provável que o roubasse... Especialmente se fosse o único existente no mundo.

— Meu Deus! Acredito que ele faria isso, pelo que sei dele.

— E especialmente — continuou Benson — sob tais circunstâncias. Você sabe que os Wentworths são muito viajados. Não foram muito escrupulosos em obter as coisas que desejavam. Bem, a sra. Wentworth... Mas, antes de continuar com essa história estranha, quero que me compreenda. É pura ficção... Uma ideia para Armiston e seu maravilhoso Godahl. Estou apenas sugerindo os Wentworths como personagens fictícios.

— Compreendo — disse Armiston.

— A sra. Wentworth poderia muito bem possuir este rubi branco. Digamos que o tenha roubado da propriedade de um potentado nos Estabelecimentos dos Estreitos. Ela conseguiu entrar por conta da posição oficial do marido. Eles não podem acusá-la de roubo. Tudo que podem fazer é roubar a pedra de volta. É uma pedra sagrada, é claro. Sempre são em histórias fictícias. E o grupo habitual de malabaristas, vendedores de tapetes, e daí em diante... todos disfarçados, veja bem... seguiram-na até os Estados Unidos, em busca de uma oportunidade, não de matá-la, não de cometer qualquer tipo de violência, mas de roubar a pedra. Ela não pode usá-la. Tudo que pode fazer é escondê-la em algum local seguro. O que é um local seguro? Não um banco. Godahl conseguiria arrombar um banco com o dedo mindinho. Assim como os sujeitos da Índia trabalhando sob o chamado da religião. Não em um cofre. Seria tolice.

— Como, então? — perguntou Armiston ansiosamente.

— Ah, aí é que está! Cabe a Godahl descobrir. Ele sabe, digamos, que os estrangeiros reviraram a casa da sra. Wentworth. Não encontraram nada. Ele sabe que ela guarda o rubi branco naquela casa. Onde ele está? Pergunte a Godahl. Está entendendo? Godahl já solucionou um enigma como esse? Não. Aqui, ele precisa ser ao mesmo tempo o detetive mais esperto do mundo e o ladrão mais esperto. Antes que possa começar a roubar, precisa elaborar um plano. Quando leio Armiston, este é o tipo de problema que me ocorre. Estou sempre tentando imaginar algum nó que este maravilhoso ladrão precise empregar seus melhores poderes para desatar. Penso em alguma situação estranha como esta. Digo a mim mesmo: "Ótimo! Escreverei isso. Serei tão famoso quanto Armiston. Criarei um outro Godahl." Mas — disse ele, abanando as mãos — qual é o resultado? Ato o nó, mas não consigo desatá-lo. O problema é que não sou um Godahl. E este homem, Armiston, pelo que leio em seus contos, é Godahl. Ele precisa ser, do contrário Godahl não poderia ser levado a fazer as coisas maravilhosas que faz. Nossa! Já estamos em New Haven? Lamento muito que tenha que ir, meu amigo. Foi um prazer enorme. Quando voltar para a cidade, me informe. Talvez eu aceite conhecer Armiston.

A primeira preocupação de Armiston ao chegar de volta a Nova York foi se lembrar do empréstimo providencial por meio do qual conseguira manter impecável seu histórico de nunca ter perdido um trem. Ele separou o dinheiro, escreveu um bilhete educado, assinou-o como "Martin Brown" e o enviou por um mensageiro para J. Borden Benson, The Towers. The Towers, o endereço que constava no cartão do sr. Benson, é um hotel residencial extremamente chique na porção sul da Quinta Avenida. Ele preserva toda a pompa e solenidade de um castelo ducal inglês. Armiston lembrava-se de que, em uma ocasião remota, jantara lá com um amigo, e a lembrança sempre lhe provocava um arrepio. Fora como jantar em meio a fantasmas de reis, tão grandioso e fúnebre era o ar que permeava tudo.

Armiston, incapaz de conter a curiosidade quanto ao seu estranho benfeitor, aproveitou para procurá-lo no Registro Social e no Diretório de Clubes, e descobriu que J. Borden Benson era um personagem e tanto, com várias linhas dedicadas a ele. Aquilo era extremamente agradável. Armiston estivera pensando naquela história sobre o rubi branco. Ela ia de encontro ao seu gosto pelo dramático. Ele a escreveria em seu melhor estilo e, quando fosse publicada, daria boas risadas à custa de Benson enviando a ele uma cópia autografada, despertando desta forma o cavalheiro para o fato de que fora realmente o grande Armiston que ele conhecera e com quem conversara. Que peça ele pregaria em Benson, pensou o autor; não sem uma dose de vaidade pessoal, pois mesmo um gênio como ele não era imune a elogios dados adequadamente, e Benson, inconscientemente, fizera-lhe um elogio enorme.

"E, por Deus!", pensou o autor. "Usarei os Wentworths como personagens principais, como as vítimas de Godahl. São as pessoas perfeitas para este tipo de romance. Benson colocou dinheiro no meu bolso, apesar de não suspeitar disso. Que sorte que ele não conhecia os artifícios aos quais nós, autores populares, recorremos em busca de tramas."

Adequando as ações às palavras, Armiston e a esposa aceitaram o próximo convite que receberam dos Wentworths.

A sra. Wentworth, que fique claro, era uma caçadora de celebridades. Estava sempre tentando reunir ao seu redor pessoas famosas como Armiston, o escritor, Brackens, o pintor, Johanssen, o explorador, e outros. Armiston sempre resistira aos truques dela. Ele sempre tinha alguma desculpa para permanecer longe de sua belíssima mesa, na qual ela exibia suas celebridades para os amigos afetados.

Havia muitas pessoas indesejáveis à mesa, jovens ricos e ociosos, garotas libertinas, e daí em diante, e todos apertaram gravemente a mão do grande escritor e disseram-lhe o quanto ele era maravilhoso. Quanto à sra. Wentworth, estava exultante demais com o sucesso em laçá-lo para falar com sensatez, e alvoroçava-se em torno dele como uma dama de honra histérica. Mas, Armiston reparou com alívio, um de seus amigos estava lá — Johanssen. Fumando charutos e tomando conhaque, ele conseguiu abordar o explorador.

— Johanssen — disse ele —, você esteve em todos os lugares.

— Está enganado — disse Johanssen. — Até hoje à noite, eu nunca estivera ao norte da rua Cinquenta e Nove em Nova York.

— Sim, mas esteve em Java, no Ceilão e nos assentamentos. Diga-me, alguma vez ouviu falar em um rubi branco?

O explorador estreitou os olhos e olhou de forma esquisita para o inquiridor.

— É uma pergunta estranha — disse ele em voz baixa — de se fazer nesta casa.

Armiston sentiu seu pulso acelerar.

— Por quê? — perguntou ele, adotando um ar de inocência e surpresa.

— Se você não sabe — disse o explorador com rispidez —, com certeza não o elucidarei.

— Tudo bem; como quiser. Mas ainda não respondeu à minha pergunta. Já ouviu falar em um rubi branco?

— Não me importo em lhe dizer que já ouvi falar de algo assim. Sim, ouvi dizer que existe um rubi que chamam de rubi branco. Ele não é realmente branco, veja bem; tem uma matiz arroxeada. Mas o velho bárbaro que é seu dono por direito gosta de dizer que é branco, assim como gosta de chamar seus elefantes azuis e cinzentos de brancos.

— Quem é o dono? — perguntou Armiston, esforçando-se ao máximo para soar natural. Descobrir daquela maneira que havia algum paralelo para o rubi branco místico sobre o qual Benson lhe contara atiçara intensamente seu gosto superdesenvolvido pelo dramático. Ele estava agora tão interessado pelo rastro quanto um cão de caça.

Johanssen começou a tamborilar na toalha de mesa. Sorriu consigo mesmo e seus olhos brilharam. Depois, virou-se e olhou abruptamente para o inquiridor.

— Suponho — disse ele — que tudo seja útil para um homem do seu ramo. Se está pensando em criar uma história em torno de um rubi branco, não consigo pensar em nada mais fascinante. Mas, Armiston — disse ele, alterando de repente o tom de voz e quase sussurrando —, se estiver no rastro do rubi branco, permita-me aconselhá-lo a recolher seus cães e preservar sua garganta. Considero-me um homem corajoso. Atirei em tigres a dez passos de distância... Retardei o tiro de propósito para ver que vida encantada eu realmente tinha. Fui perseguido por rinocerontes furiosos e búfalos feridos. Atravessei uma clareira na qual o ar estava totalmente perfurado por balas enormes. Mas — disse ele, pousando a mão no braço de Armiston — nunca tive coragem de caçar o rubi branco.

— Excelente! — exclamou o escritor.

— Excelente, sim, para um homem que ganha a vida e se diverte sentado diante de uma máquina de escrever e sonhando sobre essas coisas. Mas ouça o que digo, não é nada excelente para um homem que se diverte fazendo isso. Fique longe, meu amigo!

— Quer dizer que ele realmente existe?

Johanssen franziu os lábios.

— É o que dizem.

— Qual é o valor dele?

— Valor? O que quer dizer por valor? Dólares e centavos? Quanto seu filho vale para você? Um milhão, um bilhão... quanto? Diga-me. Não, você não consegue. Bem, é justamente este o valor desta pedra miserável para seu dono por direito. Agora, vamos parar de falar besteiras. Ali está Billy Wentworth enxotando os homens para a sala de estar. Suponho que seremos entretidos esta noite por uma daquelas cantoras que custam cem dólares por minuto, como de costume. É impressionante o quanto essas pessoas estão dispostas a gastar apenas para se exibir enquanto há centenas de famílias morrendo de fome a menos de dois quilômetros daqui!

Duas cantoras famosas se apresentaram naquela noite. Armiston não teve oportunidade de analisar a casa. Agora, estava totalmente determinado a situar ali o cenário de sua história. Ao se despedir, a melosa sra. Billy Wentworth chamou Armiston para um canto e disse:

— É pedir muito a você que aguente uma noite com estas pessoas. Vou me redimir convidando-o para me visitar alguma noite em que possamos ficar a sós. Você se interessa por objetos curiosos e raros? Sim, todos nos interessamos. Tenho algumas coisas realmente maravilhosas que quero que veja. Marquemos para a próxima terça-feira, com um pequeno jantar informal, somente para nós.

Imediatamente, Armiston deixou a caçadora de celebridades radiante ao aceitar o convite para sentar-se à sua mesa como um amigo da família em vez de como uma presa.

Enquanto acomodava a esposa em seu carro, ele se virou e olhou para a casa. Ela ficava de frente para o Central Park. Era uma cópia de algum castelo francês, de arenito cinza, com uma barbacã, torres proeminentes e tudo o mais. As janelas no nível da rua espreitavam para fora através de vãos profundos e eram fortemente protegidas por treliças de ferro.

"Godahl terá uma dificuldade infernal para invadir este lugar", ele riu para si mesmo. De madrugada, sua esposa o acordou para descobrir por que ele se debatia tanto.

— Aquele rubi branco abalou os meus nervos — disse ele enigmaticamente, e ela, achando que o marido estava sonhando, convenceu-o a tentar dormir de novo.

Grandes escritores realmente precisam viver na carne, pelo menos ocasionalmente, as vidas de seus grandes personagens. Do contrário, os grandes personagens não seriam tão reais. Ali estava Armiston, que criara um super-homem na pessoa de Godahl, o ladrão. Por dez anos, não escrevera mais nada. Ele desenhara toda a vida de Godahl, pensara por ele, sonhara com ele, mandara-o realizar novas façanhas, vivera todo tipo de aventuras estranhas com ele. E este mesmo Godahl o retribuíra generosamente. Ele elevara o escritor da categoria de amador tentando construir um nome para uma posição entre os escritores de ficção mais bem pagos dos Estados Unidos. Proporcionara-lhe tranquilidade e luxo. Armiston não precisava mais do dinheiro. Os direitos pelas séries que narravam as façanhas de Godahl tinham-no remunerado muito bem. Os livros com as aventuras de Godahl tinham lhe pagado ainda mais, e fornecido anualmente uma renda que nunca falhava, como títulos do governo, mas com uma taxa de lucro muito mais alta. Apesar dos crimes de Godahl existirem apenas no papel e serem quase impossíveis, ainda assim Godahl era um ser vivo para seu criador. Mais do que isso — ele era Armiston, e Armiston era Godahl.

Não foi de surpreender, portanto, que, quando chegou terça-feira, Armiston aguardou a hora com uma impaciência febril. Ali, como seu estranho amigo lhe contara de modo tão casual e descuidado, estava uma oportunidade para Godahl superar até mesmo a si próprio. Ali estava uma oportunidade para Godahl ser o maior detetive do mundo, em primeiro lugar, antes que pudesse realizar um de seus roubos sensacionais.

Portanto, foi Godahl, e não Armiston, quem ajudou a esposa a sair do automóvel naquela noite e subiu os degraus esplêndidos da mansão Wentworth. Ele olhou para o alto, registrando cada centímetro da fachada.

"Não", pensou ele. "Godahl não tem como invadir pela frente. Preciso dar uma olhada nos fundos da casa."

Ele olhou para as treliças de ferro que protegiam as janelas profundas que davam para a rua.

Não era ferro, afinal, e sim aço resfriado cravado em concreto armado. Os postos avançados daquela casa eram tão bem protegidos quanto o cofre da Casa da Moeda dos Estados Unidos.

"Precisa ser por dentro", pensou ele, registrando mentalmente este fato.

O mordomo era surdo como uma porta. Aquilo era bastante singular. Por que uma família da posição dos Wentworths empregaria um homem surdo como uma porta como chefe de sua residência na cidade? Armiston olhou para o homem com curiosidade. Ele ainda estava na meia-idade. Certamente, portanto, não era mantido por causa dos anos de serviço. Não, havia algo além de caridade por trás daquilo. Ele dirigiu uma palavra casual para o homem enquanto lhe entregava o chapéu e a bengala. Estava de costas para o mordomo, e o homem não respondeu. Armiston virou-se e repetiu a frase no mesmo tom de voz. O homem observou seus lábios sob a luz forte do saguão.

"Um leitor de lábios, e um dândi", pensou Armiston, pois o mordomo pareceu captar cada palavra que disse.

"Fato número dois!", pensou o criador de Godahl, o ladrão. Ele não sentiu nenhum pudor ao reparar desta maneira nos detalhes mais íntimos da residência dos Wentworths. Um acidente o colocara no rastro de uma trama boa e rara, e tudo servia como material. Além disso, falou para si mesmo, quando escrevesse a história, ele a disfarçaria de tal modo que ninguém que a lesse saberia que se tratava dos Wentworths. Se a residência deles possuísse o cenário necessário para uma ótima história, com certeza não havia motivo para não tirar proveito daquilo.

O grande ladrão — Armiston foi objetivo consigo mesmo quanto ao fato de que viera para ajudar Godahl — aceitou o cumprimento elogioso da anfitriã com o ar grandioso que lhe caía tão bem. Armiston era alto e magro, com dedos finos e alguns fios grisalhos em seu cabelo ondulado, apesar de ainda ser jovem, e sabia se vestir bem. A sra. Wentworth estava orgulhosa dele como um ornamento social, além de sua fama brilhante como escritor. E a sra. Armiston era bem-nascida, portanto não havia nada inadequado em serem recebidos na melhor casa da cidade.

O jantar foi realmente delicioso. Foi quando Armiston viu, ou imaginou ter visto, um dos motivos para o mordomo surdo. A anfitriã treinara-o de modo que pudesse captar o olhar do criado e instruí-lo a fazer uma ou outra coisa sem importância apenas movendo os lábios. Era quase assombrosa, pensou o escritor, aquela conversa silenciosa que o surdo e sua patroa eram capazes de travar sem serem percebidos pelos outros.

"Por Deus, é maravilhoso! Godahl, meu amigo, sublinhe aquela sua anotação sobre o mordomo surdo. Não a perca. Precisaremos de muita malícia."

Armiston dedicou toda a atenção à anfitriã assim que viu Wentworth entretendo a sra. Armiston, separando o grupo apropriadamente desta maneira. Ele a convenceu-a falar fazendo perguntas inteligentemente específicas aqui e ali; e, enquanto ela falava, ele a estudava.

"Vamos roubar de você seu precioso rubi branco, minha amiga", pensou ele humoristicamente; "e enquanto estamos fazendo os preparativos do plano, não há nada a seu respeito que seja insignificante demais a ponto de não ser digno da nossa atenção."

Será que ela realmente possuía o rubi branco? Será que aquele tal de Benson sabia qualquer coisa sobre o rubi branco? E qual era o motivo das reações estranhas de seu amigo Johanssen quando fora abordado sobre o assunto naquela casa? A anfitriã passou a sentir um fascínio maravilhoso por Armiston. Ele imaginou aquela bela criatura tão ávida em seu desejo por pedras raras que realmente penetrara na residência de algum potentado bárbaro nos Estreitos somente com o propósito de roubar a pedra mística.

— Por acaso você já esteve nos Estreitos? — perguntou ele com indiferença.

— Espere — disse a sra. Wentworth com uma gargalhada enquanto tocava levemente na mão dele. — Tenho algumas raridades dos Estreitos e arriscarei dizer que nunca viu nada parecido.

Meia hora depois, todos estavam sentados tomando café e fumando cigarros no *boudoir* da sra. Wentworth. Era realmente um lugar estranho. Não havia praticamente nenhum canto do mundo que não tivesse contribuído com algo para a decoração. Esculturas de teca e marfim, fibras vegetais de aroma doce penduradas, abajures de jade, pequenos deuses estranhos, todos sentados como Buda com as pernas cruzadas, entalhados em jade ou sárdonix, echarpes com pérolas barrocas, turquesas de Darjeeling — Armiston nunca vira uma coleção como aquela. E cada item tinha sua história. Ele começou a ver aquela mulher pequena e frágil com outros olhos. Ela fora, vira e fizera, e a história da sua vida, a qual realmente vivera, ofuscava até mesmo a do brilhante vilão Godahl, que estava naquele momento de pé ao lado dele e orientando suas perguntas intermináveis.

— Você tem algum rubi? — perguntou ele.

A sra. Wentworth curvou-se diante de um cofre na parede. Com dedos ágeis, ela girou a combinação. Os olhos aguçados de Armiston acompanharam o botão como um gato.

"Fato número três!" disse o Godahl dentro dele enquanto ele registrava mentalmente os números. "Cinco-oito-sete-quatro-seis. Esta é a combinação."

A sra. Wentworth mostrou a ele seis rubis vermelhos, da cor chamada "sangue de pombo".

— Este é claro — disse ele despreocupadamente, erguendo uma pedra particularmente grande contra a luz. — É verdade que ocasionalmente encontram rubis brancos?

A anfitriã olhou para ele antes de responder. Ele estava examinado atentamente uma pedra vermelho-escura que segurava na palma da mão. Ela parecia ter mil quilômetros de profundidade.

— Que ideia fantástica! — disse a sra. Wentworth. Ela olhou para o marido, que pegara sua mão de uma maneira naturalmente afetuosa.

"Fato número quatro!", Armiston registrou mentalmente.

— Você não sente um medo mortal de ser roubada com tamanha riqueza?

A sra. Wentworth riu com leveza.

— É por isso que moramos em uma fortaleza — disse ela.

— Quer dizer que nunca foram visitados por ladrões? — perguntou o escritor ousadamente.

— Nunca! — disse ela.

"Mentira", pensou Armiston. "Fato número cinco! Estamos nos saindo maravilhosamente bem."

— Acredito que nem mesmo seu Godahl, o Infalível, conseguiria entrar aqui — disse a sra. Wentworth. — Nem os criados entram neste quarto. Aquela porta não é trancada por uma chave; mas ela tranca. Não sou muito boa dona de casa — disse ela preguiçosamente —, mas toda a arrumação neste quarto é feita por minhas pobres mãos.

— Não! Que impressionante! Posso olhar a porta?

— Sim, sr. Godahl — disse a mulher, que vivera mais vidas do que o próprio Godahl.

Armiston examinou a porta, aquele dispositivo estranho que trancava sem chave, aparentemente de fato sem uma fechadura, e voltou decepcionado.

— E então, sr. Godahl? — perguntou debochadamente a anfitriã.

Ele abanou a cabeça, perplexo.

— Muito engenhoso — disse ele; e depois, de repente: — Ainda assim, arrisco-me a dizer que se colocasse Godahl para trabalhar neste problema, ele o solucionaria.

— Que divertido! — exclamou ela, batendo palmas.

— Você o desafia? — perguntou Armiston.

— Que baboseira! — exclamou Wentworth, aproximando-se.

— Baboseira nenhuma — disse a sra. Wentworth. — O sr. Armiston acaba de dizer que seu Godahl conseguiria me roubar. Deixe-o tentar. Se ele conseguir... se algum mortal conseguir obter o segredo de como entrar e sair deste quarto... quero saber. Não acredito que um mortal consiga entrar neste quarto.

Armiston reparou em um brilho estranho nos olhos dela.

“Meu Deus! Ela nasceu para ser uma personagem! Que mulher!”, pensou ele. E depois, em voz alta:

— Vou colocá-lo para trabalhar. Situarei a façanha dele... digamos... na Hungria, onde este quarto pode muito bem existir em algum castelo feudal. Quantas pessoas entraram neste quarto desde quando ele se tornou o depósito de toda essa riqueza?

— Não mais do que seis, além de você — respondeu a sra. Wentworth.

— Então ninguém vai reconhecê-lo se eu o descrever em um conto... Na verdade, mudarei os detalhes essenciais. Diremos que não são joias que Godahl está procurando. Diremos que é um...

A mão da sra. Wentworth tocou a dele. As pontas dos dedos dela estavam frias.

— Um rubi branco — disse ela.

“Meu Deus! Mas que mulher formidável!”, ele exclamou para si mesmo... ou para Godahl. E depois, em voz alta:

— Excelente! Enviarei para você uma cópia autografada do conto.

No dia seguinte, Armiston foi até The Towers e enviou seu cartão para o apartamento do sr. Benson. Com certeza, um homem da posição de Benson poderia ser confiado com tal segredo. Na verdade, estava evidente que não era um segredo para Benson, que muito provavelmente era uma das seis pessoas que a sra. Wentworth dissera que entraram no quarto. Armiston queria discutir a questão com Benson. Ele desistira da ideia de lhe pregar uma peça enviando uma cópia autografada da revista contendo o conto. A história de Benson deixara Armiston totalmente possuído, como sempre ocorria quando trabalhava enviando Godahl em suas aventuras.

“Se aquele rubi realmente existir”, pensou Armiston, “não sei se devo escrever o conto ou roubar o rubi eu mesmo. Benson está certo. Godahl não deveria roubar mais apenas por dinheiro. Ele agora está atrás de coisas raras, únicas. E eu sou Godahl. Sinto-me da mesma maneira.”

Um camareiro apareceu, vestindo um lindo uniforme. Armiston perguntou-se por que qualquer americano com respeito próprio aceitaria vestir tal traje, ainda que fosse o uniforme da grande família Benson.

— Sr. Armiston — disse o camareiro, olhando para o cartão do escritor que tinha na mão. — O sr. Benson zarpou para a Europa ontem de manhã. Passará o verão na Noruega. Vou segui-lo no próximo navio a vapor. Posso transmitir alguma mensagem a ele, senhor? Ouvi-o falar do senhor.

Armiston pegou o cartão e escreveu a lápis nele:

"Vim me desculpar. Sou Martin Brown. A oportunidade era boa demais para ser perdida. Você vai me perdoar, não vai?"

Durante as duas semanas seguintes, Armiston entregou-se aos seus excessos, os quais se tratavam de acompanhar Godahl naquela aventura. Foi uma tarefa formidável. Ele situou o quarto secreto em um castelo húngaro, como prometera. Uma linda condessa era a heroína. Ela viajara pelo mundo, geralmente vestida de homem, e suas aventuras tinham proporcionado uma leitura estimulante ao longo de dois continentes. Não era possível que qualquer pessoa a ligasse à sra. Wentworth. Até então, estava fácil. Mas como Godahl entraria naquele quarto maravilhoso no qual a condessa escondera o maravilhoso e raro rubi branco? O quarto era revestido de aço resfriado. Até a porta — ele reparara nisso enquanto examinava aquele portal peculiar — era revestida com camadas de aço. Era capaz de resistir a qualquer ferramenta conhecida.

No entanto, Armiston era Armiston, e Godahl era Godahl. Ele entrou no quarto. Ele pegou o rubi branco!

O manuscrito foi para a gráfica, e os editores disseram que Armiston nunca fizera nada parecido desde quando lançara Godahl em sua carreira impressionante.

Ele depositou o cheque que recebeu pelo conto e, ao fazê-lo, pensou:

"Meu Deus! Eu gostaria cem vezes mais de possuir o rubi branco. Droga! Sinto que essa história ainda não acabou."

Armiston e a esposa foram passar o verão no Maine sem informar aos conhecidos em que endereço estariam. No início do outono, ele recebeu por encomenda registrada, encaminhado por seu criado de confiança da casa na cidade, um pacote contendo o envelope que endereçara a J. Borden Benson, The Towers. Além do envelope, continha o dinheiro que ele enviara para o sujeito, junto com o bilhete que assinara como "Martin Brown". E, no outro lado do bilhete, da maneira mais insultante, estava escrito em traços oleosos de lápis azul:*

* Um lápis azul costumava ser tradicionalmente usado por um editor ou sub-editor para mostrar correções em um texto. (N. do T.)

Maldita impertinência. Vou lhe dar uma surra com uma vara assim que o vir.

E nada mais. Aquilo bastava, é claro — era mais do que suficiente.

Na mesma entrega do correio, chegou um bilhete dos editores de Armiston, dizendo que seu conto, "O Rubi Branco", seria publicado na edição de outubro, que seria lançada no dia 25 de setembro. Aquilo o animou. Estava ansioso para vê-lo impresso. No final de setembro, partiram de volta para a cidade.

"Aha!", pensou ele enquanto lia o jornal no vagão de primeira classe — ele pegara aquele trem pela pontinha do rabo e, com isso, atrapalhara o horário das paradas — "Ah! Vejo que meu amigo genial, J. Borden Benson, está na cidade, contrário ao hábito nesta época do ano. A vida deve ser muito tediosa para aquele esnobe."

Alguns dias depois de chegar na cidade, ele recebeu um pacote de exemplares da revista que continha seu conto e leu a história "O Rubi Branco" como se nunca a tivesse visto. Na capa de uma das revistas, a qual enviaria para seu benfeitor rabugento, J. Borden Benson, escreveu:

> *Ficarei encantado em levar uma surra com uma vara. Visite-me quando quiser. Veja o conteúdo.*
>
> *Oliver Armiston.*

Em outro exemplar, escreveu:

> *Querida sra. Wentworth: Veja como é simples burlar sua segurança sofisticada!*

Ele enviou as duas revistas com uma sensação de contentamento. No entanto, mal fizera isso quando descobriu que os Wentworths ainda não tinham voltado de Newport. A revista seria encaminha para eles, sem dúvida. A ausência dos Wentworths tornava a história ainda melhor, pois no conto Armiston insistira que Godahl invadisse o castelo e solucionasse o mistério da porta sem chave na temporada em que o lugar estivesse fechado e equipado com uma rede perfeita de alarmes antirroubo conectados à *gendarmerie* na aldeia próxima.

Era o dia 25 de setembro. A revista foi colocada à venda naquela manhã.

No dia 26 de setembro, Armiston comprou a última edição de um jornal vespertino de um garoto com fôlego impressionante que gritava "Extra!" na rua. Na primeira página, a manchete chamou sua atenção:

> **ROUBO E ASSASSINATO NA MANSÃO WENTWORTH!**
>
> Vigias particulares, chamados por um alarme antirroubo às dez horas da manhã de hoje, encontraram um criado com o crânio esmagado no chão de um misterioso quarto com uma porta de aço. Os bolsos do homem morto estavam cheios de joias raras. A polícia acredita que ele tenha sido morto por um comparsa que escapou.
>
> O mordomo dos Wentworths, totalmente surdo, acabara de voltar de Newport para abrir a casa no momento do assassinato.

Eram dez da noite quando um automóvel parou na porta de Armiston, do qual saltou um homem alto de queixo quadrado, sapatos quadrados e bigode quadrado. Era o vice-comissário de polícia Byrnes, um detetive profissional que a nova administração recrutara do serviço secreto do governo para a polícia da cidade.

Byrnes foi recebido e, enquanto avançava até o centro da sala de estar, sem nem mesmo menear a cabeça para o empalidecido Armiston, que estremecia diante dele, tirou um pacote de jornais do bolso.

— Presumo que tenha visto todos os jornais da tarde — disse ele, cuspindo as palavras entre seus dentes semicerrados, demonstrando tamanha malícia pessoal que Armiston, que nunca fora um homem corajoso, apesar de seu Godahl, acovardou-se diante dele.

Armiston abanou a cabeça silenciosamente a princípio, mas finalmente conseguiu dizer:

— Não todos... não.

O vice-comissário, muito deliberadamente, pegou a última edição extra e a entregou a Armiston sem dizer uma palavra.

Era o *Evening News*. A primeira página estava dividida de cima a baixo por uma linha preta. Em um lado, ocupando quatro colunas, havia uma reimpressão do conto de Armiston, "O Rubi Branco".

No outro lado, com os fatos em um paralelo fatal, havia um relato explícito do roubo e do assassinato no lar de Billy Wentworth. O paralelo era evidente e fazia uma acusação muda e feroz. Em um lado, estava o hipotético Godahl, realizando o crime em seu estilo magistral, passo a passo; e no outro estava o plágio do conto de Armiston, que havia seguido os meandros do mentor do crime com uma precisão absoluta.

O editor, que deveria ser um gênio à própria maneira, não fazia acusações. Ele simplesmente colocou a ficção e o fato lado a lado e deixou o leitor tirar as próprias conclusões. Foi magistral. Se, como diz a lei, a mente que concebe, a inteligência que orienta um crime é mais culpada do que as mãos que o cometem, então Armiston, neste caso, era tanto ladrão quanto assassino. Ladrão, pois o rubi branco fora realmente roubado. A sra. Billy Wentworth, levada às pressas para a cidade em um trem especial, atendida por médicos e enfermeiras, confirmava agora a história do roubo do rubi. Assassino, pois no conto, pela primeira vez em sua carreira, Godahl rebaixara-se a cometer um assassinato como meio de realizar o roubo, e triunfara sobre o cadáver de seu comparsa, desprezando, em seu prazer de possuir o rubi branco, os diamantes, as pérolas e os rubis vermelhos insignificantes com os quais o comparsa enchera os bolsos.

Armiston agarrou o policial pela lapela.

— O mordomo! — gritou ele. — O mordomo! Sim, o mordomo. Rápido, ou ele terá fugido!

Byrnes retirou delicadamente as mãos que o tinham agarrado.

— Tarde demais — disse ele. — Ele já se foi. Sente-se e acalme-se. Precisamos da sua ajuda. Você é o único homem no mundo que pode nos ajudar agora.

Quando se recompôs, Armiston contou toda a história, começando pelo estranho encontro com J. Borden Benson no trem e terminando com seu consentimento a encarar o desafio da sra. Wentworth para fazer Godahl invadir o quarto e roubar o rubi branco. Byrnes assentiu ao ouvir a última parte. Ele já a ouvira da sra. Wentworth, e ali estava o exemplar autografado da revista para provar.

— Você diz que, em primeiro lugar, J. Borden Benson contou-lhe sobre o rubi branco.

Armiston recontou detalhadamente as circunstâncias, todo humor transformado agora em uma tragédia sombria.

— Isso é estranho — disse o ex-chefe do serviço secreto. — Você deixou sua carteira em casa ou ela foi furtada?

— A princípio, achei que, por descuido, deixara-a em casa. Depois, lembrei-me de ter pagado o motorista do táxi com o dinheiro do rolo de notas, portanto deve ter sido furtada.

— Como lhe pareceu esse tal de Benson?

— Você deve conhecê-lo — disse Armiston.

— Sim, conheço. Mas quero saber como ele lhe pareceu. Quero descobrir como ele, por acaso, foi tão prestativo quando você precisava de dinheiro.

Armiston descreveu o homem detalhadamente.

O vice-comissário levantou-se rapidamente.

— Venha comigo — disse ele. E os dois entraram às pressas no automóvel e, em pouco tempo, estacionaram diante do The Towers.

Cinco minutos depois, foram conduzidos para o apartamento magnífico de J. Borden Benson. O homem respeitável estava no banho, preparando-se para se recolher.

— Não entendi o nome — Armiston e o vice-comissário ouviram-no gritar para seu camareiro do outro lado da porta do banheiro.

— Sr. Oliver Armiston, senhor.

— Ah, ele veio receber a surra de vara, imagino. Irei prontamente.

Ele não esperou terminar o banho, de tão ansioso que estava para ver o escritor. Foi até a sala a passos largos trajando um belo roupão e carregando um bordão de alpinista. Seus olhos cintilavam de raiva. Mas a visão de Byrnes supreendeu-o e o fez parar.

— Quer dizer que este é J. Borden Benson?! — gritou Armiston para Byrnes, levantando-se e apontando para o homem.

— Ele mesmo — disse o vice-comissário. — Dou minha palavra. Conheço-o bem! Presumo que não seja o homem que pagou sua passagem para New Haven.

— Não, há uma diferença de cinquenta quilos! — exclamou Armiston enquanto estudava o tamanho do paquidérmico cavalheiro.

A compreensão forçada de que o estranho que até então considerara um benfeitor não era de forma alguma J. Borden Benson, e sim alguém que assumira o nome daquele homem respeitável para enganar o conceituado autor como um trouxa, acalmou mais os nervos de Armiston do que todos os sedativos que seu médico lhe dera. Foi um escritor popular muito abatido que se sentou com o vice-comissário em sua biblioteca uma hora depois. Ele teria de bom grado lançado Godahl no fundo do mar; mas era tarde demais. Godahl fora enganado.

— Como explica isso? — perguntou Armiston, virando-se para o vice-comissário.

— O começo é bastante simples. É o final que me incomoda — disse o policial. — Seu J. Borden Benson falso é, obviamente, o cérebro por trás de toda a operação. Seu Godahl infernal nos contou exatamente como o crime foi cometido. Agora, seu Godahl infernal deve levar os culpados à justiça.

Estava claro que o oficial da polícia odiava Godahl mais do que veneno e também o temia.

— E por que não procura este homem que fez amizade comigo no trem no álbum de fotos de criminosos?

O chefe de polícia riu.

— Pelo amor de Deus, Armiston, você, que finge saber tudo sobre roubos científicos, acha por um instante que o homem que avaliou você com tanta facilidade é o tipo de bandido que tem sua foto no álbum de criminosos? Seja sensato!

— Não consigo acreditar quando você diz que ele furtou minha carteira.

— Não me importa se você acredita ou não; ele fez isso, ou um de seus comparsas. Dá tudo no mesmo, não percebe? Primeiro, ele queria conhecer você. Agora, a melhor maneira de cair nas suas boas graças era colocá-lo, inconscientemente, em débito com ele. Portanto, ele rouba seu dinheiro. Pelo que vi de você nas últimas horas, deve ter sido como roubar doce de criança. Depois, ele se posiciona atrás de você na fila. Ele finge que você é apenas um sapo incômodo em seu caminho. Ele lhe dá o dinheiro da passagem para tirá-lo da frente e não perder o trem. Perder o trem! Claro que o trem dele é o mesmo que o seu. Ele coloca você em uma posição na qual precisa abordá-lo. E depois, rindo consigo mesmo o tempo todo da sua arrogância e ingenuidade, engana você através do seu orgulho, seu Godahl. Imagine o criador do grande Godahl caindo em um truque como esse!

As últimas palavras de Byrnes foram o ápice do sarcasmo mordaz.

— Você mesmo admite que ele é esperto demais para que consiga capturá-lo.

— E depois — prosseguiu Byrnes, sem dar ouvidos à interrupção — ele convida você para almoçar e lhe diz o que quer que faça para ele. E você seguiu o rastro dele como uma ovelha na cauda do carneiro guia! Santo Deus, Armiston! Eu daria um ano de salário por uma hora de conversa com este homem.

Armiston começava a ver o papel que aquele personagem estranho desempenhara; mas estava em um estado semi-histérico e, como uma mulher em tal condição, queria que uma mente tranquila lhe explicasse a coisa toda palavra por palavra, para confirmar sua terrível suspeita.

— O que quer dizer? — perguntou. — Não estou entendendo. Você diz que ele me contou o que queria que eu fizesse.

Byrnes encolheu os ombros com nojo; então, como que resignado com a tarefa à sua frente, iniciou a explicação:

— Aqui, homem, desenharei um diagrama para você. Este cavalheiro, seu amigo (vamos chamá-lo de John Smith, por conveniência), quer roubar o rubi branco. Ele sabe que a pedra está em posse da sra. Billy Wentworth. Sabe que você conhece a sra. Wentworth e tem acesso à casa dela. Sabe que ela roubou aquela bugiganga e está morta de medo o tempo todo. Agora, John Smith é um sujeito muito esperto. Ele manipulou o grande Armiston como uma marionete. Ele tinha exaurido seus recursos. Está desorientado e precisa de ajuda. O que ele faz? Lê os contos sobre o grande Godahl. Confidencialmente, sr. Armiston, direi a você que acho seu grande Godahl uma bobagem. Mas isso é irrelevante. Se você consegue vendê-lo como um lingote de ouro, tudo bem. Mas o sr. John Smith está impressionado com a engenhosidade maravilhosa deste Godahl. Ele diz: "Ha! Farei Godahl me contar como conseguir esta pedra!" Então, entra em contato com o senhor e o convence de que você está pregando uma peça nele fazendo-o vociferar furiosamente sobre o grande Godahl. Depois (e aqui o vilão entra em cena) ele diz: "Há uma coisa que o grande Godahl não consegue fazer. Desafio-o a fazê-lo." Ele conta a você sobre a pedra, cuja própria existência já é fantástica o bastante para atiçar a imaginação do maravilhoso Armiston. E, por meio de uma sugestão astuta, convence você a situar a trama na casa da sra. Wentworth. E, durante todo este tempo, você está rindo para si mesmo, pensando que peça rara pregará em J. Borden Benson quando lhe enviar uma cópia autografada e lhe mostrar que estava o tempo todo falando com o eminente gênio sem saber. Esta é a história inteira, senhor. Agora, acorde!

Byrnes recostou-se na cadeira e olhou para Armiston com o sorriso que um pedagogo dá para um garoto insubmisso em quem acaba de dar um belo açoite.

— Explicarei mais — continuou ele. — Você ainda não visitou a casa. Não pode. A sra. Wentworth, que está de cama com quatro dúzias de garrafas de água quente, faria você em pedaços se fosse lá. E não pense sequer por um minuto que ela não seja capaz disso. Aquela mulher é uma megera.

Armiston assentiu com tristeza. O mero pensamento dela o fazia suar frio agora.

— Sr. Godahl, o obsequioso — continuou o vice-comissário —, repara em uma coisa com a qual pode começar: não é possível invadir a casa. Portanto, deve ser um trabalho interno. Como isso pode ser realizado? Bem, há o mordomo surdo. Por que ele é surdo? Godahl pensa a respeito. Ha! Ele sabe! Os Wentworths dependem tanto dos criados que precisam deles por perto o tempo todo. Este mordomo é quem está constantemente ao lado deles. Eles estão morrendo de preocupação por estarem em posse do rubi branco. A casa deles foi revirada uma dúzia de vezes. Nada foi roubado, veja bem. Eles suspeitam dos criados. Aquele objeto os assombra, mas a mulher não quer abrir mão da bugiganga idiota. Portanto, ela tem como mordomo um homem incapaz de compreender uma única palavra em qualquer língua a menos que esteja olhando para quem fala em um local bem iluminado. Ele só consegue compreender os lábios. Conveniente, não é? Sob uma luz fraca ou de costas para ele, podem falar sobre o que quiserem. Aquele mordomo é uma joia. Mas, um dia, um homem aparece na casa. É um advogado. Ele conta ao mordomo que ele herdou de uma fortuna, cinquenta mil dólares. Ele precisa ir para a Irlanda para reclamá-la. Seu amigo do trem (o homem é ele, é claro) envia o mordomo para a Irlanda. Portanto, perderam o precioso mordomo. Eles precisam de outro. Somente um surdo servirá. E encontram justamente o homem que procuram... Muito acidentalmente, veja bem. É claro que é Godahl, com cartas falsas dizendo que trabalhou em lares respeitáveis. Pronto! O grande Godahl é o mordomo agora. É muito simples se fingir de surdo. Você diz que isso é ficção. Deixe-me lhe contar o seguinte: há seis semanas, os Wentworths realmente trocaram de mordomo. Isso ainda não foi publicado nos jornais.

Armiston, que escutara passivamente o relato do vice-comissário, aprumou-se na cadeira com um sobressalto. De repente, exclamou exultante:

— Mas meu conto só foi publicado há dois dias!

— Ah, sim. Mas você se esquece que ele está nas mãos dos seus editores há três meses. Um homem que foi esperto o bastante para enganar o grande Armiston não se esquivaria da tarefa de conseguir uma prova do conto.

Armiston afundou ainda mais na cadeira.

— Depois que Godahl entrou na casa, o resto foi simples. Ele corrompeu um dos criados. Abriu a porta revestida com aço com a chama de um maçarico de oxiacetileno. Como você diz no conto, esta chama corta aço como se fosse cera; ele não precisou se preocupar com a fechadura. Simplesmente cortou a porta. Depois, deixou o comparsa de bom humor dizendo-lhe para encher os bolsos com os diamantes e outras tralhas de dentro do cofre, o qual abre solicitamente. Uma coisa me incomoda, Armiston. Como descobriu sobre aquele dispositivo infernal que matou o comparsa?

Armiston cobriu o rosto com as mãos. Byrnes sacudiu-o rudemente.

— Vamos lá — disse ele. — Você matou o homem, apesar de ser inocente. Conte-me como.

— Isto é um interrogatório? — perguntou Armiston.

— Parece que sim — disse sombriamente o vice-comissário enquanto mordia seu bigode volumoso.

Armiston respirou fundo, como alguém que percebe o quanto sua situação é irremediável. Ele começou a falar em um tom baixo. O tempo todo, o vice-comissário encarava o criador de Godahl com um olhar acusador.

— Quando estava sentado no quarto do tesouro com os Wentworths e minha esposa, jogando bridge, descartei o problema da porta como facilmente solucionável com o uso do maçarico. O problema não era entrar na casa ou no quarto, e sim encontrar o rubi. Ele não estava no cofre.

— Não, é claro que não. Suponho que seu amigo do trem tenha sido gentil o bastante para lhe dizer isso. Ele provavelmente procurara lá por conta própria.

— Meu Deus! Ele realmente me disse isso, pensando bem. Enfim, estudei o quarto. Tinha certeza de que o rubi branco, caso existisse mesmo, estava a menos de três metros de mim. Examinei o chão, o teto, as paredes.

Nenhum resultado. Mas — disse ele, estremecendo como se houvesse uma corrente de ar frio — havia no quarto um baú de carvalho da Lombardia. — O autor atormentado escondeu o rosto nas mãos. — Oh, isso é terrível! — gemeu ele.

— Prossiga — disse o vice-comissário em sua voz monotônica.

— Não consigo. Digo tudo no conto, que Deus me ajude!

— Sei que diz tudo no conto — disse Byrnes com voz áspera —, mas quero que diga para mim. Quero ouvir dos seus próprios lábios... como Armiston, veja bem, cujo diabolismo acaba de matar um homem; e não como seu maldito Godahl.

— O baú não era de carvalho — prosseguiu Armiston. — Era de aço, coberto de carvalho para disfarçar.

— Como sabia disso?

— Eu já o vira antes.

— Onde?

— Na Itália, há quinze anos, em um castelo decrépito, depois do desfiladeiro de Soldini, nos arredores de Lugano. Era propriedade de um velho nobre, amigo de um amigo meu.

— Humpf! — grunhiu o vice-comissário. E depois: — Bem, como sabia que era o mesmo?

— Por causa da inscrição entalhada na frente. Era... Mas já contei tudo isso no papel. Por que preciso contar de novo?

— Quero ouvir outra vez dos seus próprios lábios. Talvez haja alguns pontos que não tenha colocado no papel. Prossiga!

— A inscrição era "*Sanctus Dominus*".

O vice-comissário sorriu soturnamente.

— Muito apropriado, eu diria. O Senhor seja louvado com o mecanismo de destruição mais diabólico que já vi.

— E também — disse Armiston — havia o nome do proprietário: "Arno Petronii". Que nome estranho.

— Sim — disse secamente o vice-comissário. — Como deduziu que este era o receptáculo do rubi branco?

— Se fosse o mesmo que vi em Lugano (e tinha certeza de que era) tentar abri-lo significava a morte certa para quem não soubesse o jeito certo de fazê-lo. Estas máquinas eram bastante comuns na Idade Média. Havia uma maneira óbvia de abri-lo. Era óbvio de propósito. Abri-lo desta maneira era a morte certa. Fazê-lo soltava molas enormes que esmagavam qualquer coisa em um raio de quase dois metros. Você viu?

— Vi — disse o vice-comissário, estremecendo. Depois, colocando seu rosto feroz a dois centímetros do apavorado Armiston, disse: — Você conhecia a mola secreta por meio da qual o cofre poderia ser aberto tão facilmente quanto uma caixa de sapatos, não?

Armiston assentiu.

— Mas não Godahl — disse ele. — Tendo reconhecido o baú terrível — prosseguiu o escritor —, imaginei que deveria ser o esconderijo da joia por dois motivos: em primeiro lugar, a sra. Wentworth evitara mostrá-lo para nós. Ela passou por ele como uma mera mobília curiosa. Em segundo, ele era grande demais para passar pela porta ou por qualquer janela. Eles devem ter se dado ao trabalho de derrubar a parede para colocá-lo lá dentro. Um trabalho e tanto, além disso, considerando que ele pesa cerca de duas toneladas.

— Você não colocou isto no conto.

— Não? Eu pretendia, com certeza.

— Talvez — disse o vice-comissário, observando atentamente seu homem — isto tenha impressionado tanto seu amigo que pagou sua passagem de trem para New Haven que ele o tenha cortado do manuscrito quando o pegou emprestado.

— Não há graça nenhuma neste caso, senhor, se me permite dizer — disse Armiston.

— É bem verdade. Prossiga.

— O resto você sabe. Godahl, no meu conto, e o ladrão, na vida real. precisava sacrificar uma vida para abrir o baú. Portanto, corrompeu um criado da cozinha, enchendo os bolsos dele com as outras joias, e mandou-o tocar na mola.

— Você matou aquele homem a sangue-frio — disse o vice-comissário, levantando-se e andando de um lado para o outro. — O pobre-diabo iludido, ao que parece, não deu um gemido sequer, nunca soube o que o atingiu. Aqui, tome mais um pouco de conhaque. Você não está bem dos nervos.

— O que não consigo entender é o seguinte — disse Armiston, depois de algum tempo. — Havia um milhão de dólares em coisas naquele quarto que poderiam ser colocadas em um recipiente de um litro. Por que este ladrão, que estava disposto a ter tanto trabalho para obter o rubi branco, não levou algumas joias? Nada está faltando além do rubi branco, pelo que entendi. Ou está?

— Não — disse o vice-comissário. — Nada. Está chegando um mensageiro. Para o sr. Armiston? Sim — disse ele para a empregada que acabara de entrar. O garoto entregou-lhe um pacote e o vice-comissário assinou o recibo.

— Isto é para você — disse ele, virando-se para Armiston ao fechar a porta. — Abra.

Quando o pacote foi aberto, o primeiro objeto a saudar os olhos deles foi um rolo de notas.

— Está ficando interessante — disse Byrnes. Ele contou o dinheiro. — Trinta e nove dólares. Evidentemente, seu amigo está devolvendo o dinheiro que roubou de você na estação. O que ele tem a dizer? Vejo que há um bilhete.

Ele estendeu a mão e tirou o papel das mãos de Armiston. Era papel de carta comum, sem marcas que o identificassem. O bilhete estava escrito em tinta bronze, em uma caligrafia cuidadosamente burilada, muito pequena e precisa. Ele dizia:

"*Excelentíssimo Senhor:* Por meio deste, efetuo envio dólares muito honrados. Lamento extremamente triste não ter evitado sangue. Aceite bagatela de amigo verdadeiro."

Era tudo.

— Há uma caixa de joalheria — disse Byrnes. — Abra.

Dentro da caixa, havia um diamante em forma de losango do tamanho de uma unha pequena. Ele pendia de uma pequena barra de prata, muito bem polida e sem ornamentos. No verso da fivela, havia vários caracteres microscópicos.

Havia várias pistas óbvias a serem seguidas — o mensageiro, os advogados que induziram o mordomo surdo a ir para a Irlanda no que se provou mais tarde ser uma empreitada infrutífera, a agência de empregos por meio da qual o novo mordomo fora contratado, e daí em diante. Mas todas estas vias provaram-se respeitáveis demais para fornecer resultados. O vice-comissário Byrnes chegara logo às próprias conclusões, em virtude do conhecimento adquirido como agente do governo, mas, para aplacar a indignação popular, manteve uma busca infrutífera pelo criminoso.

Era natural que Armiston pensasse em seu amigo Johanssen naquela conjuntura. Johanssen possuía aquela capacidade oriental de permanecer alheio que nós, ocidentais, consideramos tão prontamente como indiferença ou falta de curiosidade.

— Não, muito obrigado — disse Johanssen. — Prefiro não me envolver.

As súplicas do escritor foram em vão. Suas palavras não surtiram nenhum efeito.

— Se você não está disposto a mover um dedo por causa da amizade comigo — disse Armiston amargamente —, então pense na lei. Com certeza há alguma justiça a ser feita quando tanto um roubo quanto um assassinato foram cometidos!

— Justiça! — exclamou Johanssen com desdém. — Justiça, você diz! Meu amigo, se você rouba de mim e recupero à força o que é meu, isso é injustiça? Se você não consegue entender a ideia por trás disso, então não posso explicá-la a você.

— Responda a uma pergunta — disse Armiston. — Você tem alguma ideia de quem era o homem que conheci no trem?

— Para sua paz de espírito... Sim. Quanto a uma pista para levá-lo ao que você tão loquazmente chama de justiça... Bah! Seria mais fácil capturar o pôr do sol de hoje do que este homem se o conheço bem. Veja bem, Armiston, não o conheço. Mas acredito. Isso é o que acredito: em uma dúzia de cortes de reis e pequenos príncipes que conheço no oriente, há ocidentais contratados como conselheiros... agentes fiscais, é como costumam ser chamados. Geralmente, são americanos ou ingleses, ou, às vezes, alemães. Agora, faço-lhe uma pergunta. Digamos que você esteja a serviço de um príncipe bárbaro, e um grave mal tenha sido feito a este príncipe, digamos que por uma mulher desatenciosa que não tinha a menor noção da beleza de ideia que ela ultrajara. Apenas pela posse de uma bugiganga, sem qualquer valor para ela exceto o de aplacar a vaidade, ela pisoteou impiedosamente uma superstição que era tão sagrada para este príncipe quanto a crença em Cristo é para você. O que você faria?

Sem esperar pela resposta de Armiston, Johanssen prosseguiu:

— Conheço um homem... Você disse que o homem que conheceu no trem tinha mãos maravilhosas, não tinha? Sim, foi o que pensei. Armiston, conheço um homem que não ficaria sentado sem fazer nada sorrindo consigo mesmo da confusão ridícula causada pela perda de uma pedra imperfeita... Com a cor errada, mal lapidada e tudo o mais. Ele tampouco riria da superstição por trás dela. Ele diria para si mesmo: "Esta superstição é milhares de anos mais velha do que eu ou meu povo." E este homem, a quem conheço, é corajoso o bastante para corrigir este erro por conta própria se seus subalternos fracassaram.

— Compreendo — disse Armiston fastidiosamente.

— Mas — disse Johanssen, inclinando-se para a frente e dando um tapinha no joelho do escritor — a tarefa acaba sendo grande demais para ele. O que ele fez? Ele pediu ao homem mais inteligente do mundo para ajudá-lo. E Godahl o ajudou. Esta — disse Johanssen, interrompendo Armiston com um dedo erguido — é a história do rubi branco. "A História do Rubi Branco", veja bem, é algo infinitamente mais belo do que apenas um roubo e um assassinato vulgares, como concebeu o autor de Godahl, o Infalível.

Johanssen falou muito mais. No final, pegou o pingente de diamante em forma de losango e colocou uma lupa sobre a barra de ferro para que o amigo conseguisse ver a inscrição no verso. Ele disse a Armiston o que a inscrição significava — "Irmão de um Rei" — e, além disso, como eram poucos os homens vivos dignos do mérito de tal irmandade.

— Creio — disse Armiston quando estava prestes a se despedir — que viajarei pelos Estreitos neste inverno.

— Se o fizer — disse Johanssen —, aconselho-o honestamente a deixar seu Godahl e a condecoração dele em casa.

VILÃO: CISCO KID

O MODO DO CABALLERO
O. HENRY

Em *O modo do Caballero*, O. Henry, pseudônimo de William Sydney Porter (1862-1910), criou um personagem que veio a se tornar uma figura amada nos filmes, no rádio, na televisão, nas revistas em quadrinhos e nas tirinhas, sofrendo uma grande mudança em relação à sua encarnação original. Cisco Kid não é uma figura heroica neste conto, mas exatamente o oposto, um assassino que é transformado no primeiro filme, *No velho Arizona* (1929), em um herói mexicano da virada do século, estiloso, vestido todo de preto, que captura foras da lei e resgata damas em perigo. Warner Baxter recebeu o Oscar de melhor ator, o segundo da história, por sua interpretação de Cisco Kid. Houve diversos filmes sobre ele, e também 156 programas de televisão de meia hora (que estiveram entre os primeiros a serem filmados a cores) entre 1950 e 1956. Ele era interpretado por Duncan Renaldo; seu braço direito, Pancho (um personagem que não existia na história original) era interpretado de forma cômica por Leo Carrillo.

Como O. Henry, Porter escreveu cerca de seiscentos contos que um dia foram aclamados tanto pela crítica quanto pelo público. Frequentemente desvalorizados hoje por causa do sentimentalismo, ainda assim vários deles permanecem icônicos e familiares, principalmente clássicos como "O presente dos reis magos", "O quarto mobiliado", "A reabilitação de Jimmy Valentine" (mais conhecido por suas várias versões teatrais e cinematográficas como *Um larápio encantador*), e "The Ransom of Red Chief". *The O. Henry Prize Stories*, uma prestigiosa antologia anual dos melhores contos do ano intitulada em sua homenagem, é publicada desde 1919.

"O modo do *Caballero*" foi publicado originalmente em 1907, na edição de julho de *Everybody's*; foi publicado em um livro pela primeira vez em *Heart of the West*, de O. Henry (Nova York, McClure, 1907).

O MODO DO CABALLERO

O. HENRY

Cisco Kid matara seis homens em escaramuças mais ou menos justas, matara o dobro (em sua maioria mexicanos) e ferira um grande número, o qual modestamente se abstivera de contar. Portanto, uma mulher o amava.

Kid tinha 25 anos, mas aparentava vinte; e uma companhia de seguros minuciosa teria estimado o momento provável de seu falecimento aos, digamos, 26. Seu habitat era em qualquer lugar entre os rios Frio e Grande. Ele matava pelo amor por matar — porque tinha o pavio curto — para evitar a prisão — por diversão — qualquer motivo que lhe ocorresse bastava. Ele escapara de ser capturado porque conseguia disparar cinco sextos de segundo mais rápido do que qualquer xerife ou patrulheiro em serviço e porque cavalgava um ruão malhado que conhecia todas as trilhas de vacas nos matagais de algarobeiras e opúncias de San Antonio até Matamoras.

Tonia Perez, a garota que amava Cisco Kid, era metade Carmen, metade Madonna, e o resto — ah, sim, uma mulher que é metade Carmen e metade Madonna sempre pode ser algo mais —, digamos, era colibri. Ela morava em uma *jacal* com telhado de grama perto de um pequeno assentamento mexicano na Travessia Lobo Solitário do Frio. Com ela, vivia um pai ou avô, um descendente direto dos astecas, com pouco menos de mil anos de idade, que arrebanhava cem bodes e vivia em um delírio permanente de tanto beber *mescal*. Atrás da *jacal*, uma enorme floresta de opúncias carregadas, as mais baixas com sete metros de altura, chegava quase até a porta. Era através do labirinto impressionante daquele matagal espinhoso que o ruão malhado levava Kid para ver sua garota. E uma vez, pendurado como um lagarto na viga sob o telhado pontudo de grama, ele ouvira Tonia, com seu rosto de Madonna, beleza de Carmen e alma de colibri, discutir com o bando do xerife, negando conhecer seu homem em sua suave *melange* de espanhol e inglês.

Um dia, o adjunto-geral do Estado, que é, *ex officio*, comandante das tropas de patrulheiros, redigiu algumas linhas sarcásticas para o capitão Duval, da Companhia X, aquartelada em Laredo, relativas à vida serena e imperturbada levada por assassinos e *desperados* no território do capitão.

O capitão ficou vermelho como um tijolo sob sua pele bronzeada e encaminhou a carta, depois de acrescentar alguns comentários, através do patrulheiro recruta Bill Adamson, para o tenente patrulheiro Sandridge, acampado com uma tropa de cinco homens ao lado de um fosso nos Nueces para preservar a lei e a ordem.

O tenente Sandridge adquiriu uma bela *couleur de rose* em sua pele normalmente cor de morango, enfiou a carta no bolso e mastigou as pontas de seu bigode amarelo.

Na manhã seguinte, ele selou seu cavalo e cavalgou sozinho até o assentamento mexicano na Travessia Lobo Solitário do Frio, a 35 quilômetros de distância.

Com 1,85 metro de altura, louro como um viking, silencioso como um diácono, perigoso como uma metralhadora, Sandridge circulou pelas *jacales*, procurando pacientemente por notícias de Cisco Kid.

Muito mais do que a lei, os mexicanos temiam a vingança fria e certa do cavaleiro solitário que o patrulheiro procurava. Um dos passatempos de Kid era atirar em mexicanos "para vê-los darem chutes": se ele exigia deles façanhas terpsicóricas moribundas simplesmente para se divertir, que punições terríveis e extremas certamente seriam impostas caso eles o enfurecessem! Todos eles enrolaram com as palmas das mãos voltadas para cima e ombros encolhidos, enchendo o ar com "*quien sabes*" e negações de que conheciam Kid.

Mas havia um homem chamado Fink que tinha uma loja na Travessia — um homem de muitas nacionalidades, línguas, interesses e modos de pensar.

— Não adianta perguntar aos mexicanos — disse ele a Sandridge. — Eles têm medo de contar. Este *hombre* a quem chamam de Kid... o nome dele é Goodall, não é?... esteve na minha loja uma ou duas vezes. Imagino que possa se deparar com ele em... Mas acho que não gostaria de dizer. Demoro mais dois segundos para sacar uma arma do que costumava, e vale levar em conta esta diferença. Mas o Kid vê uma garota metade mexicana na Travessia. Ela mora naquela *jacal* a cem metros do arroio, onde terminam as opúncias. Talvez ela... não, não creio que ela faria isso, mas, de todo modo, aquela *jacal* seria um bom lugar para vigiar.

Sandridge cavalgou até a *jacal* de Perez. O sol estava baixo, e a sombra vasta do grande matagal de opúncias já cobria a cabana com telhado de grama. Os bodes estavam guardados para a noite em um curral de galhos próximo. Algumas crianças caminhavam sobre ela, mordiscando as folhas do chaparral. O velho mexicano estava deitado em um cobertor na grama, já em um estupor de mescal e sonhando, talvez, com as noites em que ele e Pizarro brindaram às sua sortes no Novo Mundo — de tão velho que seu rosto enrugado parecia dizer que era. E, na porta da *jacal*, estava Tonia. E o tenente Sandridge ficou sentado em sua sela olhando para ela como um ganso-patola pasmado com um marinheiro.

Cisco Kid era vaidoso, assim como todos os assassinos eminentes e bem-sucedidos, e teria sentido um incômodo no peito se soubesse que, com uma mera troca de olhares, duas pessoas, em cujas mentes ele pairava intensamente, abandonaram de repente (pelo menos por enquanto) todo pensamento a seu respeito.

Tonia nunca vira um homem como aquele. Ele parecia feito de luz do sol e pele vermelho-sangue e tempo bom. Parecia iluminar a sombra das opúncias quando sorria, como se o sol estivesse nascendo outra vez. Os homens que ela conhecera eram pequenos e escuros. Até Kid, apesar de suas façanhas, era um jovem do tamanho dela, com cabelo preto liso e um rosto frio, marmóreo, que gelava o meio-dia.

Quanto a Tonia, embora mais parecesse saída de um abrigo, digamos que fosse um grande partido, para despertar o seu interesse. O cabelo preto-azulado, dividido delicadamente ao meio e preso rente à cabeça, e os olhos cheios de melancolia latina davam-lhe o toque de Madonna. Seus movimentos e ar revelavam o fogo oculto e o desejo de encantar que herdara das *gitanas* da província basca. Quanto à sua parte colibri, ela vivia em seu coração; o que não se percebia a menos que a saia vermelho-vivo e a blusa azul-escura lhe oferecessem um vislumbre do pássaro errante.

O recém-iluminado deus-sol pediu um pouco de água. Tonia a trouxe em uma jarra vermelha que pendia sob o abrigo de galhos. Sandridge achou necessário desmontar para dar menos trabalho a ela.

Não pretendo ser um espião; tampouco presumo conhecer o interior de qualquer coração humano; mas afirmo, por direito de narrador, que antes que 15 minutos tivessem se passado Sandridge estava ensinando a ela como trançar uma corda para amarrar animais com seis tiras de couro cru, e Tonia explicara a ele que, se não fosse pelo pequeno livro de inglês que o *padre* itinerante lhe dera e o pequeno *chivo* aleijado, ao qual alimentava com uma mamadeira, ela seria realmente muito, muito solitária.

O que leva a uma suspeita de que as cercas de Kid precisavam de conserto, e que o sarcasmo do adjunto-geral caíra em solo infértil.

Em seu acampamento ao lado do fosso, o tenente Sandridge anunciou e reiterou sua intenção de ou fazer Cisco Kid morder a argila negra das pradarias do Frio ou de colocá-lo diante de um juiz e um júri. Aquilo soava profissional. Duas vezes por semana, ele cavalgava até a Travessia Lobo Solitário do Frio e orientava os dedos finos com tom de lima de Tonia pelas minúcias da corda, que crescia aos poucos. Uma trança de seis tiras é difícil de aprender e fácil de ensinar.

O patrulheiro sabia que poderia encontrar Kid ali em qualquer visita. Ele mantinha seu armamento pronto, e olhava com frequência para o matagal de opúncias atrás da *jacal*. Assim, poderia derrubar a pipa e o colibri com uma única pedra.

Enquanto o ornitólogo de cabelo claro se empenhava nos estudos, Cisco Kid também cumpria suas obrigações profissionais. Melancolicamente, disparou contra um *saloon* em uma pequena aldeia de criadores de vacas em Quintana Creek, matou o delegado da cidade (atingindo-o com precisão no centro de seu distintivo de latão) e depois fugira a cavalo, taciturno e insatisfeito. Nenhum artista verdadeiro fica animado atirando em um homem idoso portando um *bulldog* .38 antiquado.

Ao partir, Kid sentiu de repente aquela ânsia que todos os homens sentem quando fazer o mal perde seu toque de prazer. Ele ansiava por ouvir a mulher amada lhe assegurar que era dele, apesar daquilo. Ele queria que ela chamasse sua sede de sangue de coragem e sua crueldade de devoção. Queria que Tonia lhe trouxesse água da jarra vermelha sob o abrigo de galhos e lhe dissesse como o *chivo* estava se fortalecendo com a mamadeira.

Kid voltou a cabeça do ruão malhado para a planície de 16 quilômetros de opúncias que se estende ao longo do arroio Hondo até chegar na Travessia Lobo Solitário do Frio. O ruão relinchou, pois tinha um senso de localização e de direção igual ao de um cavalo puxador de bonde e sabia que em breve estaria mordiscando a saborosa grama da *mesquite* amarrado a uma corda de 13 metros enquanto Ulisses descansava no casebre com telhado de grama de Circe.

Mais estranha e solitária do que a jornada de um explorador amazônico é a cavalgada através de uma planície de opúncias no Texas. Com uma monotonia desanimadora e uma variedade impressionante, as diversas formas dos cactos erguiam seus troncos retorcidos e mãos gordas e ouriçadas para dificultar o caminho. A planta demoníaca, que aparentemente sobrevive sem solo ou chuva, parece caçoar do viajante sedento com seu verde cinzento viçoso. Ela se retorce mil vezes em torno do que parecem ser trilhas abertas e convidativas, somente para atrair o cavaleiro para "finais de linha" intransponíveis, protegidos por espinhos, obrigando-o a retornar, se conseguir, com o ponteiro da bússola girando na sua cabeça.

Ficar perdido no meio das opúncias é morrer uma morte quase igual à do ladrão na cruz, perfurado por pregos e com as formas grotescas de todas as aves de rapina planando sobre você.

Mas foi assim com Kid e seu cavalo. Fazendo curvas, girando, contornando, seguindo pela trilha mais fantástica e impressionante jamais escolhida, o bom ruão diminuía a distância até a Travessia Lobo Solitário a cada espiral e curva que fazia.

Enquanto avançavam, Kid cantava. Ele só conhecia uma canção e a cantava, só conhecia um código e o seguia, e somente uma garota e a amava. Era um homem simples, de ideias convencionais. Sua voz era como a de um coiote com bronquite, mas sempre que decidia cantar a canção, cantava. Era uma canção convencional dos acampamentos e trilhas, começando de modo bem parecido com estas palavras:

Não brinque com minha garota Lulu
Ou direi a você o que farei —

e daí em diante. O ruão estava habituado a ela e não se importava.

Mas até mesmo o pior dos cantores, depois de algum tempo, obtém o próprio consentimento para se abster de contribuir para os barulhos do mundo. Portanto, quando estava a cerca de dois ou três quilômetros da *jacal* de Tonia, Kid permitiu com relutância que sua canção morresse — não porque seu desempenho vocal tivesse perdido qualquer charme para os próprios ouvidos, mas porque seus músculos da laringe estavam cansados.

Como se estivesse no picadeiro de um circo, o ruão malhado girou e dançou pelo labirinto de opúncias até que, finalmente, seu cavaleiro soube por certos marcos na paisagem que a Travessia Lobo Solitário estava perto. Depois, onde as opúncias eram mais esparsas, ele viu o telhado de grama da *jacal* e o almez americano na beira do arroio. Alguns metros depois, Kid parou o ruão e olhou atentamente através das frestas ouriçadas. Depois, desmontou, largou as rédeas do ruão e seguiu a pé em silêncio, com o corpo curvado, como um índio. O ruão, sabendo seu papel, ficou parado, sem fazer barulho.

Kid se espreitou silenciosamente até a beira do emaranhado de opúncias e fez um reconhecimento entre as folhas de um aglomerado de cactos.

A três metros do esconderijo, sob a sombra da *jacal*, sua Tonia estava sentada trançando uma corda de couro cru. Até aquele ponto, ela poderia muito bem escapar de qualquer condenação; sabe-se que as mulheres, de vez em quando, se entregam a ocupações mais maliciosas. Mas, se tudo deve ser dito, é necessário acrescentar que sua cabeça repousava sobre o peito largo e confortável de um homem alto, vermelho e amarelo, e que o braço dele estava em torno dela, orientando seus dedos ágeis que precisavam de muitas aulas para fazer a trança de seis tiras.

Sandridge olhou rapidamente para a massa escura de opúncias quando ouviu um leve estalido que não lhe era totalmente estranho. Um coldre faz este som quando alguém segura de repente o cabo de um revólver. Mas o som não se repetiu; e os dedos de Tonia exigiam muita atenção.

Então, sob a sombra da morte, eles começaram a falar sobre seu amor; e na tarde serena de julho cada palavra que disseram chegou aos ouvidos de Kid.

— Lembre-se, então — disse Tonia —, de que não deve voltar aqui até que eu mande lhe chamar. Ele estará aqui em breve. Um *vaquero* na *tienda* disse hoje que o viu em Guadalupe há três dias. Quando ele está tão perto, sempre vem aqui. Se chegar e o encontrar, ele matará você. Portanto, pelo meu bem, você não deve voltar até que eu lhe diga.

— Tudo bem — disse o estranho. — E depois?

— Depois — disse a garota — você deve trazer seus homens e matá-lo. Do contrário, ele matará você.

— Ele não é o tipo de homem que se rende, com certeza — disse Sandridge. — É matar ou morrer para o oficial que enfrentar o sr. Cisco Kid.

— Ele deve morrer — disse a garota. — Do contrário, não haverá paz neste mundo para nós dois. Ele matou muitos homens. Portanto, que morra desta maneira. Traga seus homens e não lhe dê a chance de escapar.

— Você costumava prezar muito ele — disse Sandridge.

Tonia largou a corda, virou-se e dobrou um braço cor de lima em torno do ombro do patrulheiro.

— Mas naquela época — murmurou ela em um espanhol suave — eu não tinha te visto, ó montanha grande e vermelha! E tu és gentil e bom, além de forte. Poderia alguém escolher ele, conhecendo-te? Deixe-o morrer, pois então não estarei mais tomada de medo dia e noite de que ele machuque a ti ou a mim.

— Como posso saber quando ele vier? — perguntou Sandridge.

— Quando ele vem — disse Tonia —, fica dois dias, às vezes três. Gregorio, o filho pequeno da velha Luisa, a *lavendera*, tem um pônei veloz. Escreverei uma carta para ti e a enviarei por ele, dizendo qual será a melhor maneira de atacá-lo. A carta será entregue por Gregorio. E traga muitos homens contigo, e tome muito cuidado, oh, querido vermelho, pois a cascavel não ataca mais rápido do que "*El Chivato*", que é como o chamam, dispara uma bala de sua *pistola*.

— Kid é habilidoso com seu revólver, com certeza — admitiu Sandridge —, mas quando vier atrás dele, virei sozinho. Pegarei-o sozinho, e de nenhuma outra maneira. O capitão escreveu uma ou duas coisas para mim que me dão vontade de realizar o feito sem nenhuma ajuda. Avise-me quando o sr. Kid chegar, e farei o resto.

— Enviarei a mensagem através do garoto, Gregorio — disse a garota. — Eu sabia que você era mais corajoso do que aquele pequeno assassino de homens que nunca sorri. Como jamais posso ter imaginado que gostava dele?

Estava na hora de o patrulheiro cavalgar de volta para o acampamento ao lado do fosso. Antes de montar no cavalo, ele ergueu alto a silhueta esguia de Tonia com um braço para se despedir. A serenidade soporífera do ar letárgico de verão ainda pairava espessa sobre a tarde sonolenta. A fumaça do fogo dentro da *jacal*, onde os *frijoles* borbulhavam na panela de ferro, subia reta como um fio de prumo acima da chaminé coberta de barro. Nenhum som ou movimento perturbou a serenidade do denso emaranhado de opúncias a três metros dali.

Quando a silhueta de Sandridge desapareceu, descendo as margens íngremes da travessia do Frio em seu grande cavalo pardo, Kid espreitou-se de volta até seu cavalo, montou nele e cavalgou de volta pela trilha tortuosa na qual viera.

Mas não até muito longe. Ele parou e aguardou nas profundezas silenciosas das opúncias até que meia hora tivesse se passado. Depois, Tonia ouviu as notas agudas e desafinadas de seu cantar nada musical aproximando-se cada vez mais; e correu até a beira das opúncias para encontrá-lo.

Kid sorria raramente; mas sorriu e acenou com o chapéu quando a viu. Ele desmontou, e sua garota jogou-se em seus braços. Kid olhou para ela com carinho. O cabelo preto e espesso dele estava grudado à sua cabeça como um tapete amassado. O encontro causou uma leve ondulação em uma corrente subterrânea de sentimento em seu rosto liso e escuro que, geralmente, era tão imóvel quanto uma máscara de argila.

— Como está minha garota? — perguntou ele, abraçando-a com força.

— Cansada de esperar tanto por você, querido — respondeu ela. — Meus olhos estão fracos de sempre olhar para aquele espinheiro do demônio por onde você vem. E consigo ver tão pouco dentro dele, além disso. Mas você está aqui, meu amado, e não lhe repreenderei. *Que mal muchacho!* Não vir ver sua *alma* com mais frequência. Entre e descanse, e deixe-me dar água para seu cavalo e amarrá-lo à corda comprida. Tem água fresca na jarra para você.

Kid a beijou afetuosamente.

— Se sei ser galanteador, não deixarei uma dama amarrar meu cavalo para mim — disse ele. — Mas, se você correr lá para dentro, *chica*, e preparar um bule de café enquanto cuido do *caballo*, ficarei muito agradecido.

Além da pontaria, Kid tinha outro atributo do qual se orgulhava muito. Era *muy caballero*, como dizem os mexicanos, no que dizia respeito às damas. Para elas, ele sempre tinha palavras gentis e consideração. Não diria uma palavra rude a uma mulher. Ele poderia matar impiedosamente seus maridos e irmãos, mas seria incapaz de colocar o peso de um dedo raivoso sobre uma mulher. Por isso, muitas desta divisão interessante da humanidade que tinham caído sob os encantos de sua cortesia declaravam desacreditar nas histórias que circulavam sobre o sr. Kid. Não se deve acreditar em tudo que ouve, diziam. Quando confrontadas pelos homens em suas vidas, indignados, com provas dos feitos infames do *caballero*, diziam que ele talvez tivesse sido levado a cometê-los e que, de todo modo, sabia como tratar uma dama.

Considerando esta idiossincrasia extremamente cortês de Kid e o orgulho que ele sentia dela, pode-se perceber que a solução para o problema que lhe fora apresentado pelo que vira e ouvira de seu esconderijo nas opúncias naquela tarde (pelo menos no que dizia respeito a um dos participantes) deve ter sido complicada por dificuldades. No entanto, não era possível imaginar que Kid era de fazer vista grossa para pequenas questões como aquela.

No final do breve crepúsculo, eles se reuniram para jantar *frijoles*, filés de bode, pêssegos enlatados e café sob a luz de um lampião na *jacal*. Depois, o ancestral, seu rebanho no curral, fumou um cigarro e tornou-se uma múmia sob um cobertor cinza. Tonia lavou a pouca louça enquanto Kid a secava com a toalha de saco de farinha. Os olhos dela brilhavam; falava entusiasmada dos acontecimentos sem importância de seu pequeno mundo desde a última visita de Kid; foi como todas as outras vindas dele tinham sido.

Depois, do lado de fora da *jacal*, Tonia se balançou em uma rede de grama com seu violão e cantou tristes *canciones de amor*.

— Você ainda me ama da mesma maneira, garota? — perguntou Kid, procurando seus papéis de cigarro.

— Sempre da mesma maneira, meu pequeno — disse Tonia, seus olhos negros pairando sobre ele.

— Preciso ir até a loja do Fink — disse Kid, levantando-se — para comprar tabaco. Achava que tinha outro pacote no casaco. Volto em 15 minutos.

— Seja rápido — disse Tonia — e diga-me: por quanto tempo poderei chamar você de meu desta vez? Partirá de novo amanhã, deixando-me triste, ou ficará mais tempo com sua Tonia?

— Ah, poderei ficar dois ou três dias desta vez — disse Kid, bocejando. — Passei um mês fugindo da lei e gostaria de descansar.

Ele levou meia hora para comprar o tabaco. Quando voltou, Tonia ainda estava deitada na rede.

— É engraçado — disse Kid — como me sinto. Sinto como se houvesse alguém atrás de cada arbusto e de cada árvore esperando para atirar em mim. Nunca estive tão melancólico sem motivo. Talvez seja um pressentimento. Estou pensando em partir antes do amanhecer. O território de Guadalupe está enfurecido por causa do velho holandês que matei lá.

— Você não está com medo. Ninguém poderia deixar meu pequeno corajoso com medo.

— Bem, geralmente não me consideram um covarde quando se trata de brigas; mas não quero um bando me apagando quando estiver na sua *jacal*. Alguém que não deveria pode acabar ferido.

— Fique com sua Tonia; ninguém encontrará você aqui.

Kid olhou atentamente para as sombras acima e abaixo do arroio e na direção das luzes fracas da aldeia mexicana.

— Verei como as coisas estarão mais tarde. — Foi sua decisão.

À meia-noite, um homem chegou a cavalo no acampamento dos patrulheiros, abrindo caminho com "olás" ruidosos para indicar que se tratava de uma missão pacífica. Sandridge e mais um ou dois homens apareceram para investigar o barulho. O cavaleiro apresentou-se como Domingo Sales, da Travessia Lobo Solitário. Trazia uma carta para o Señor Sandridge. A velha Luisa, a *lavendera*, convencera-o a trazê-la, disse ele, pois seu filho, Gregorio, estava com uma febre alta demais para cavalgar.

Sandridge acendeu o lampião do acampamento e leu a carta, cujas palavras eram estas:

> *Meu querido: Ele chegou. Mal você tinha partido quando ele surgiu do meio das opúncias. Quando conversamos pela primeira vez, ele disse que ficaria três dias ou mais. Depois, à medida que entardeceu, ficou como um lobo ou uma raposa, caminhando de um lado para o outro sem descanso, procurando e escutando. Pouco depois, disse-me que precisaria partir antes do amanhecer, quando ainda estivesse escuro e mais tranquilo. Depois, pareceu suspeitar que eu não estava sendo sincera com ele. Olhou para mim de um modo tão estranho que estou com medo. Jurei para ele que o amo, que sou sua Tonia. Finalmente, ele disse que preciso provar minha sinceridade. Ele acredita que neste instante há homens aguardando para matá-lo quando deixar a minha casa. Ele diz que, para escapar, vestirá minhas roupas, minha saia vermelha e a blusa azul que costumo usar e a manta marrom sobre a cabeça, e que partirá assim a cavalo. Mas, antes disso, disse que eu deveria vestir as roupas dele, suas* pantalones, *sua camisa e chapéu, e partir da* jacal *em seu cavalo até a grande estrada depois da travessia e voltar. Isso antes dele partir, para*

que possa saber se sou sincera e se há homens escondidos para matá-lo. É terrível. Isso acontecerá uma hora antes do amanhecer. Venha, querido, e mate este homem e me tome como sua Tonia. Não tente capturá-lo vivo, mate-o rapidamente. Sabendo de tudo, você deve fazer isso. Você deve vir muito cedo e se esconder no pequeno barracão perto da jacal, *onde ficam as selas e a carroça. É escuro lá dentro. Ele estará usando minha saia vermelha, minha blusa azul e a manta marrom. Mando cem beijos para você. Venha com certeza e atire rápida e certeiramente.*

Sua Tonia.

Sandridge explicou rapidamente aos seus homens a parte oficial da mensagem. Os patrulheiros protestaram contra ele ir sozinho.

— Vou pegá-lo com facilidade — disse o tenente. — A garota armou uma armadilha. E nem pensem que ele sacará seu revólver antes de mim.

Sandridge selou seu cavalo e cavalgou até a Travessia Lobo Solitário. Ele amarrou o grande cavalo pardo em um aglomerado de arbustos no arroio, tirou sua Winchester do coldre e aproximou-se cautelosamente da *jacal* de Perez. Havia apenas metade de uma lua alta pairando sobre belas nuvens brancas irregulares.

O barracão onde a carroça ficava era um lugar excelente para a emboscada; e o patrulheiro entrou nele em segurança. Na sombra escura do abrigo de gravetos diante da *jacal*, ele via um cavalo amarrado e o ouvia pisotear impaciente a terra dura.

Ele esperou quase uma hora até que duas figuras saíssem da *jacal*. Uma, com roupas masculinas, montou rapidamente no cavalo e passou galopando pelo barracão na direção da travessia e da aldeia. Depois, outra figura, vestindo uma saia, uma camisa e com uma manta sobre a cabeça, saiu sob o fraco luar, olhando para o cavaleiro. Sandridge pensou em aproveitar a oportunidade antes que Tonia voltasse. Ele imaginou que ela não gostaria de ver.

— Mãos ao alto — ordenou ele ruidosamente, saindo do barracão com a Winchester apoiada no ombro.

A figura virou-se rapidamente, mas nenhum movimento indicou que obedeceria, então o patrulheiro disparou — uma — duas — três vezes — e depois, outras duas; pois você nunca podia ter certeza demais de que matara

Cisco Kid. Não havia nenhum perigo de errar a dez passos de distância, nem mesmo sob a luz daquela meia-lua.

O velho ancestral, adormecido sob o cobertor, foi despertado pelos tiros. Escutando mais atentamente, ouviu um forte grito de um homem em aflição ou angústia mortal e levantou-se resmungando quanto aos modos perturbadores dos modernos.

O fantasma alto e vermelho de um homem invadiu a *jacal*, estendendo uma mão, tremendo como um caule de *tule*, para pegar o lampião pendurado em um prego. A outra mão abriu uma carta sobre a mesa.

— Olhe para isso, Perez — gritou o homem. — Quem a escreveu?

— *Ah, Dios!* É o Sr. Sandridge — murmurou o velho, aproximando-se. — *Pues, señor*, esta carta foi escrita por "*El Chivato*", como é chamado... pelo homem de Tonia. Dizem que ele é um homem mau; eu não sei. Enquanto Tonia dormia, ele escreveu a carta e enviou-a por minha velha mão a Domingo Sales, para que fosse levada a você. Há algo de errado na carta? Estou muito velho, e não sabia. *Válgame Dios!* É um mundo muito tolo; e não há nada em casa para beber... nada para beber.

Naquele instante, tudo que Sandridge conseguia pensar em fazer era sair e jogar-se de cara na terra ao lado de seu colibri, do qual nenhuma pena se movia. Ele não era um *caballero* por instinto e não compreendia as delicadezas da vingança.

A dois quilômetros dali, o cavaleiro que passara pelo barracão começou a cantar uma canção rouca e desafinada, cuja letra começava assim:

Não brinque com minha garota Lulu
Ou direi a você o que farei —

CONSCIÊNCIA NA ARTE
O. HENRY

William Sydney Porter (1862-1910), sob o pseudônimo O. Henry, escreveu cerca de seiscentos contos e, com a possível exceção de Edgar Allan Poe, é o escritor de contos mais amado que os Estados Unidos produziram.

Preso por desviar dinheiro de um banco em Austin, Texas, ele cumpriu uma pena de três anos em uma penitenciária do estado de Ohio, onde ficou amigo de um guarda chamado Orrin Henry, que muito provavelmente inspirou o famoso pseudônimo.

Seus contos têm sido criticados por serem exageradamente sentimentais, mas continuam sendo marcos do cânone literário norte-americano. Mestre do final surpreendente, O. Henry escreveu clássicos como "O presente dos reis magos", "A última folha", "The Ransom of Red Chief" e "A reabilitação de Jimmy Valentine", o qual se tornou mais conhecido quando foi adaptado para o teatro e, posteriormente, para o cinema, como *Um larápio encantador*.

Sua contribuição mais importante para o gênero de crime e mistério é *The Gentle Grafter* (1908), selecionado por Ellery Queen para o *Queen's Quorum* como uma das cento e seis melhores antologias de contos de mistério de todos os tempos. Todas as histórias de Grafter apresentam Jeff Peters e Andy Tucker, uma dupla de trapaceiros que desfrutam níveis variados de sucesso. Eles costumam estar duros e ficam conflituados com a ideia de serem justos com seus alvos. Não costumam roubar, e se o alvo infeliz for simplório demais, empenham-se em lhe dar algo em troca do dinheiro que tiram dele. Os contos de Grafter são mais humorísticos do que a maioria das histórias de O. Henry, das quais tantas são tocantes ou sombrias.

"Consciência na arte" foi publicado originalmente pela McClure Syndicate, aparecendo em diversos jornais por todos os Estados Unidos em várias datas; a primeira antologia da qual fez parte foi *The Gentle Grafter* (Nova York, McClure, 1908).

CONSCIÊNCIA NA ARTE

O. HENRY

— Nunca consegui fazer meu parceiro, Andy Tucker, seguir a ética legítima da trapaça pura — disse-me Jeff Peters certo dia. — Andy tinha imaginação demais para ser honesto. Ele costumava elaborar esquemas para obter dinheiro tão fraudulentos e ambiciosos que não seriam permitidos pelas normas do sistema de reembolso de uma ferrovia. Quanto a mim, nunca acreditei em tomar os dólares de um homem a menos que lhe desse algo por eles; algo na forma de joias folheadas a ouro, sementes para o jardim, pomada para lumbago, certificados de ações, cera para fogão ou uma pancada na cabeça para compensar o dinheiro. Acho que devo ter ancestrais remotos da Nova Inglaterra e herdei um pouco de seu medo constante e intenso da polícia. Mas a árvore genealógica de Andy era diferente. Não creio que ele conseguiria rastrear seus ancestrais além de uma corporação. Certo verão, quando estávamos no Centro-Oeste, trabalhando no vale de Ohio com uma linha de álbuns de família, pós para dor de cabeça e veneno para baratas, Andy teve uma de suas ideias de financiamento alto e executável.

"'Jeff', disse ele, 'tenho pensado que deveríamos abandonar estes amantes de nabos e voltar nossa atenção para algo mais gratificante e prolífico. Se continuarmos tirando fotos desses caipiras em troca do dinheiro que ganham na fazenda, seremos classificados como falsificadores da natureza. Que tal nos embrenharmos na rapidez do mundo dos arranha-céus e morder alguns caribus grandes no peito?'

"'Bem', eu disse, 'você conhece minhas idiossincrasias. Prefiro um negócio honesto e não ilegal como o que estamos fazendo agora. Quando tomo dinheiro, quero deixar algum objeto tangível nas mãos do outro sujeito para que ele possa olhá-lo e desviar sua atenção do meu rastro, mesmo que seja apenas um Anel de Truques Komical Kuss para Borrifar

Perfume no Olho de um Amigo. Mas se você tiver uma ideia nova, Andy, vamos ouvi-la. Não sou tão comprometido com golpes pequenos a ponto de recusar algo melhor que possa servir de subsídio.'

"'Eu estava pensando', disse Andy, 'em uma pequena caça sem corneta, cachorro ou câmera entre o grande rebanho de *Midas americanus*, comumente conhecidos como os milionários de Pittsburg.'

"'Em Nova York?', perguntei.

"'Não, senhor.', disse Andy. 'Em Pittsburg. É o habitat deles. Não gostam de Nova York. Vão para lá de vez em quando só porque é o que esperam que façam.'

"Um milionário de Pittsburg em Nova York é como uma mosca em uma xícara de café: atrai atenção e comentários, mas não gosta da experiência. Nova York o ridiculariza por 'torrar' tanto dinheiro naquela cidade de pessoas dissimuladas e esnobes, e zomba dele. A verdade é que ele não gasta nada quando está lá. Vi certa vez um memorando de despesas de uma viagem de dez dias para Bunkum Town feita por um homem de Pittsburg com uma fortuna de 15 milhões de dólares. Isso foi o que ele anotou:

Passagem de ida e volta de trem	$21,00
Viagem de táxi de ida e volta do hotel	2,00
Conta do hotel / $5 por dia	50,00
Gorjetas	5.750,00
TOTAL	5.823,00

"'Esta é a voz de Nova York', continuou Andy. 'A cidade não é nada além de um *maître*. Se você der uma gorjeta alta demais, ela irá até a porta e fará graça de você com o garoto da chapelaria. Quando um homem de Pittsburg quer gastar dinheiro e se divertir, ele fica em casa. É para onde vamos pegá-lo.'

"Bem, para condensar ainda mais uma história densa, Andy e eu guardamos nosso verde-paris, os pós de antipirina e os álbuns no porão de um amigo e partimos para Pittsburg. Andy não tinha nenhum projeto especial de trapaça e violência elaborado, mas sempre tinha bastante confiança de que sua natureza imoral estaria à altura de qualquer ocasião que surgisse. Como uma concessão às minhas noções de autopreservação e retidão, ele prometeu que, caso eu participasse de modo ativo e incriminador em qualquer pequeno empreendimento que pudéssemos inventar lá, deveria haver algo real e perceptível aos sentidos do tato, da visão, do paladar ou do olfato a ser transferido para a vítima em troca do dinheiro para que minha consciência ficasse tranquila. Depois disso, senti-me melhor e entrei com mais ânimo na jogada suja."

"'Andy', eu disse, enquanto vagávamos pela fumaça no caminho de cinzas que chamam de rua Smithfield, 'você já descobriu como vamos nos aproximar desses reis do coque e negociantes de gusa? Não que eu vituperaria meu próprio valor ou meu sistema de conduta em uma sala de estar, ou meu modo de usar o garfo de azeitonas e a faca de tortas', eu disse, 'mas nosso ingresso nos salões dos fumantes de charuto não será mais difícil do que imaginou?'

"'Se houver qualquer obstáculo', disse Andy, 'será nosso próprio refinamento e cultura inerente. Os milionários de Pittsburg são um belo grupo de homens simples, sinceros, despretensiosos e democráticos. São rudes e descorteses, e apesar de seus modos serem ruidosos e impolidos, sob tudo isso eles têm uma boa dose de grosseria e descortesia. Quase todos subiram na vida a partir da obscuridade e viverão nela até que a cidade passe a usar exaustores de fumaça. Se agirmos com simplicidade e sem afetação, não nos afastarmos muito dos bares e tagarelarmos sobre coisas como o imposto de importação sobre o aço, não teremos nenhuma dificuldade em conhecer alguns deles socialmente.'

"Bem, Andy e eu vagamos pela cidade por uns três ou quatro dias, nos orientando. Passamos a conhecer de vista vários milionários. Um deles costumava estacionar seu automóvel na frente do nosso hotel e pedia que lhe trouxessem um litro de champanhe. Quando o garçom abria a garrafa, ele a levava à boca e bebia do gargalo. Aquilo mostrava que ele fora um assoprador de vidro antes de fazer fortuna. Certa noite, Andy não apareceu no hotel para jantar. Em torno das onze da noite, ele entrou no meu quarto.

"'Peguei um, Jeff', disse ele. 'Doze milhões. Petróleo, laminadores, imóveis e gás natural. É um homem agradável, sem arrogância. Fez todo o seu dinheiro nos últimos cinco anos. Está sendo educado agora por professores — arte, literatura, como se vestir bem e esse tipo de coisa. Quando o vi, ele acabara de ganhar uma aposta de dez mil dólares com um homem de uma siderúrgica de que haveria quatro suicídios hoje na fábrica dos laminadores de Allegheny. Portanto, todos os presentes precisaram se aproximar e beber com ele. Ele gostou de mim e me convidou para jantar. Fomos para um restaurante no beco Diamond e nos sentamos em banquinhos e tomamos um Moselle espumante com sopa de mariscos e bolinhos de maçã. Depois, ele quis me mostrar seu apartamento de solteiro na rua Liberty. Ele tem dez cômodos acima de um mercado de peixes com o privilégio do banheiro no andar acima. Disse-me que pagou 18 mil dólares para mobiliar o apartamento, e acredito nisso. Ele tem quarenta mil dólares em quadros em uma sala e vinte mil em curiosidades e antiguidades em outra. O nome dele é Scudder, tem 45 anos, faz aulas de piano e extrai 15 mil barris de petróleo por dia de seus poços.'

"'Certo', eu disse. 'Cavalgada preliminar satisfatória. Mas *que vulê vu*? De que nos serve esse lixo artístico? E o petróleo?'

"'Bem, este homem', disse Andy, sentando-se pensativamente na cama, 'não é o que você chamaria de um falastrão comum. Quando estava me mostrando seu armário de obras de arte curiosas, seu rosto se iluminou como a porta de um forno de coque. Ele diz que se alguns de seus grandes negócios derem certo, ele fará a coleção de tapeçaria barata de J.P. Morgan e a de bordado de contas de Augusta, no Maine, parecerem o conteúdo do papo de um avestruz projetada em uma tela por uma lanterna mágica. Depois, me mostrou uma pequena peça entalhada que qualquer um logo vê que é uma coisa maravilhosa. Ele disse que tem cerca de dois mil anos. Era uma flor de lótus com um rosto de mulher dentro, entalhada em um pedaço sólido de marfim. Scudder procurou a peça em um catálogo e a descreveu. Um entalhador egípcio chamado Khafra fez duas peças daquela para o rei Ramsés II cerca de um ano antes de Cristo. A outra nunca foi encontrada. As lojas de quinquilharias e os ratos de antiguidades vasculharam a Europa inteira atrás dela, mas parece que está fora de estoque. Scudder pagou dois mil dólares por ela.'

"'Oh, bem', eu disse, 'isso me soa como o murmúrio de um riacho. Achei que tínhamos vindo para cá para ensinar negócios aos milionários, em vez de aprender sobre arte com eles, não?'

"'Tenha paciência', disse Andy delicadamente. 'Talvez vejamos uma brecha na fumaça em pouco tempo.'

"Andy passou a manhã inteira fora. Não o vi até por volta do meio--dia. Ele veio até o hotel e me chamou para seu quarto, do outro lado do corredor. Ele tirou do bolso um volume arredondado mais ou menos do tamanho de um ovo de ganso e o desembrulhou. Era uma peça entalhada em marfim igual à do milionário que descrevera para mim.

"'Entrei em uma loja velha de produtos de segunda mão e de penhores há algum tempo', disse Andy, 'e vi isso meio escondido sob um monte de adagas velhas e quinquilharias. O penhorista disse que a tinha havia muitos anos e que imagina que foi roubada por alguns árabes ou turcos ou outros estrangeiros que costumavam morar perto do rio. Ofereci dois dólares a ele, e devo ter aparentado realmente querer a peça, pois ele disse que seria tirar o pão de centeio da boca de seus filhos fazer qualquer oferta abaixo de 35 dólares. Finalmente, consegui por 25. Jeff, esta é exatamente a contraparte da peça entalhada de Scudder. É uma réplica perfeita. Ele pagará dois mil dólares por ela tão rápido quanto enfiaria um guardanapo sob o queixo. E por que não seria esta a outra peça genuína, de todo modo, que o velho cigano entalhou?'

"'Realmente, por que não?', eu disse. 'E como devemos proceder para convencê-lo a comprá-la voluntariamente?'

"Andy tinha o plano todo pronto, e direi a você como o executamos. Peguei um par de óculos com lentes azuis, coloquei meu fraque preto, baguncei meu cabelo e tornei-me o professor Pickleman. Fui a outro hotel, aluguei um quarto e enviei um telegrama para Scudder pedindo-lhe que viesse me ver imediatamente para tratar de um importante negócio de arte. O elevador entregou-o para mim em menos de uma hora. Ele era um homem confuso com uma voz de clarim, cheirando a charutos de Connecticut e naftalina.

"'Olá, professor!', gritou ele. 'Como vai?'

"Baguncei um pouco mais meu cabelo e lancei-lhe um olhar através das lentes azuis.

"'Senhor', eu disse, 'você é Cornelius T. Scudder? De Pittsburg, Pensilvânia?'

"'Sou', disse ele. 'Venha, vamos tomar um drinque.'

"'Não tenho tempo nem vontade', eu disse, 'para divertimentos tão prejudiciais e deletérios. Vim de Nova York para tratar de negó... Para tratar de arte. Soube que você é proprietário de um entalhe egípcio da época de Ramsés II, representando a cabeça da rainha Isis em uma flor de lótus. Somente dois entalhes como este foram feitos. Um está perdido há muitos anos. Recentemente, encontrei e comprei a outra peça em uma loja de penho... Em um museu obscuro em Viena. Eu gostaria de comprar a sua. Diga seu preço.'

"'Macacos me mordam, professor!', disse Scudder. 'Você encontrou a outra? Eu, vender? Não. Não creio que Cornelius Scudder precise vender nada que não queira. Tem o entalhe com você, professor?'

"Mostrei-o a Scudder. Ele examinou-o muito cuidadosamente.

"'Este é o item', disse ele. 'É uma duplicata da minha, cada traço e curva. Vou lhe dizer o que farei. Não venderei, mas comprarei. Dou-lhe dois mil e quinhentos dólares pela sua peça.'

"'Já que não quer vender, eu vendo', eu disse. 'Notas grandes, por favor. Sou um homem de poucas palavras. Preciso voltar hoje à noite para Nova York. Dou uma palestra amanhã no aquário.'

"Scudder enviou um cheque para a recepção e o hotel o compensou. Ele foi embora com a antiguidade e corri de volta para o hotel de Andy, como combinado. Andy estava andando de um lado para o outro no quarto, olhando para o relógio.

"'E então?' perguntou ele.

"'Dois mil e quinhentos', respondi. 'Em dinheiro.'

"'Só temos onze minutos', disse Andy, 'para pegar o trem rumo ao oeste. Pegue sua bagagem.'

"'Por que a pressa?', perguntei. 'Foi um negócio honesto. E mesmo que fosse apenas uma imitação do entalhe original, ele levará algum tempo para descobrir. Ele parecia ter certeza de que era o artigo genuíno.'

"'E era', disse Andy. 'Era o dele. Quando estava olhando para as raridades dele ontem, ele saiu da sala por um momento e o roubei. Agora você pode, por favor, pegar sua bagagem e se apressar?'

"'Então', eu disse, 'o que foi aquela história sobre ter encontrado outra na loja de penho...'

"'Oh', disse Andy. 'Foi por respeito à sua consciência. Vamos.'"

VIGARISTA: ROBERT HOOKER

AS MEMÓRIAS IMPUBLICÁVEIS
A.S.W. ROSENBACH

Talvez o maior comerciante de livros raros dos Estados Unidos tenha sido Abraham Simon Wolf Rosenbach (1876-1952), que também era colecionador de livros e manuscritos raros. Como livreiro, era conhecido pela erudição excepcional e pela perspicácia para os negócios.

Ele obteve o bacharelado e o doutorado na Universidade da Pensilvânia, onde foi professor durante seis anos antes de se juntar ao irmão para fundar a Rosenbach Company; ele era especializado em livros, e o irmão em antiguidades. A firma logo se tornou a empresa de venda de livros mais lucrativa do mundo, com clientes como J. Pierpont Morgan e Henry Huntington. A Rosenbach Company adquiriu e vendeu inimagináveis oito Bíblias de Gutenberg e trinta primeiras edições de Shakespeare. Dizem que, durante sua carreira, Rosenbach gastou cerca de 75 milhões de dólares em leilões.

Entre muitas outras coisas, Rosenbach era especialmente reconhecido por sua magnífica coleção de livros infantis, que acabou sendo doada para a Philadelphia Free Library. Seu livro sobre o tema, *Early American Children's Books* (1933), ainda é considerado um livro de referência. Ele escrevia frequentemente sobre temas literários e bibliográficos, tendo produzido vários artigos e livros, dentre eles *Books and Bidders* (1927) e *A Book Hunter's Holiday* (1936). Sua única incursão na ficção, "As memórias impublicáveis" (1917), apresenta um bibliófilo que descobre métodos de acrescentar livros à sua coleção que, de outro modo, seriam impossíveis de obter.

"As memórias impublicáveis" foi publicado originalmente em *The Unpublishable Memoirs* (Nova York, Mitchell Kennerley, 1917).

AS MEMÓRIAS IMPUBLICÁVEIS
A.S.W. ROSENBACH

Era muito cruel.

Ele estava regateando por uma das coisas que desejara a vida inteira.

Aconteceu em Nova York, em uma das livrarias famosas da metrópole. O proprietário oferecera-lhe por 160 dólares — a quantia exata que ele tinha no banco — a primeira e única edição das *Memórias impublicáveis* de Beau Brummel, um pequeno volume publicado em Londres em 1790, e uma das duas cópias de que se tinha notícia, a outra estando na famosa "biblioteca secreta" do Museu Britânico.

Era uma crônica escandalosa da vida elegante no século XVIII, e muitos nomes brilhantes estavam presentes nela; famílias distintas e de boa reputação, há muito honradas na história da Inglaterra, eram retratadas impiedosamente por uma pena negra e venenosa. Ele cobiçara aquele livro durante anos, e ali estava, ao seu alcance! Ele acabara de dizer ao proprietário que o compraria.

Robert Hooker era colecionador de livros. Sem muito dinheiro, adquirira alguns dos tesouros mais procurados do mundo. Ele economizara seus centavos com muito esforço e, com a mágica do bibliófilo, transformara-os em volumes raros! Estava prestes a colocar o pequeno volume perverso no bolso quando foi interrompido.

Um homem grande e corpulento, conhecido pelos amantes de livros de todo o mundo, entrara na livraria e perguntara ao sr. Rodd se poderia examinar as memórias de Beau Brummel. Ele vira o livro antes, disse, mas naquela ocasião apenas comentara que voltaria. Ele viu o volume sobre a mesa diante de Hooker, pegou-o sem fazer cerimônia e disse ao dono da loja que o compraria.

— Com licença — disse Hooker —, mas acabei de comprá-lo.

— O quê! — exclamou o opulento John Fenn. — Vim especialmente para adquiri-lo.

— Lamento, sr. Fenn — respondeu o proprietário. — O sr. Hooker acabou de dizer que o compraria.

— Agora, escute aqui, Rodd, sempre fui um bom cliente seu. Gastei milhares de dólares nesta loja nos últimos anos. Pagarei duzentos dólares por ele.

— Não — disse Rodd.

— Trezentos! — disse Fenn.

— Não.

— Quatrocentos!

— Não.

— Pagarei quinhentos dólares pelo livro, e se você não aceitar, jamais entrarei de novo neste lugar!

Sem dizer mais nada, Rodd assentiu e Fenn pegou rapidamente o livrinho, guardando-o no bolso interno do casaco. Hooker ficou irritado e ameaçou tomá-lo à força. Houve uma briga. Dois atendentes vieram ao resgate, e Fenn partiu triunfante em posse dos segredos das famílias nobres da Grã-Bretanha.

Rodd, obsequioso, declarou a Hooker que nenhum dinheiro trocara de mãos entre eles e, portanto, nenhuma venda fora realizada. Hooker, decepcionado, furioso e derrotado, não pôde fazer nada além de se retirar.

Em casa, cercado por seus livros, a raiva dele aumentou. Era o caso antigo, muito antigo, do colecionador rico engolindo o pequeno. Era ultrajante! Ele acertaria as contas — ainda que lhe custasse tudo. Uma ideia lhe ocorreu. Por que não se aproveitar dos caprichos dos ricos! Ele os desafiaria; colocaria sua habilidade contra o dinheiro deles, seu conhecimento contra suas carteiras.

Hooker fora criado sob a tradição mística dos livros, pois era filho do filho de um colecionador. Sempre fora um estudante e passara metade do seu tempo nas livrarias, sonhando com as maravilhosas edições de Chaucer, de Shakespeare, de livros raros de Ben Jonson, os quais um dia poderia chamar de seus. Agora, ele obteria as coisas inestimáveis mais queridas pelos corações dos homens, e sem nenhum custo!

Ele não limitaria sua escolha a livros, os quais eram seu primeiro amor, mas pegaria as coisas belas que sempre deleitaram a alma — quadros, como os de Rafael e Da Vinci; joias, como as de Cellini; pequenas esculturas de bronze, como as de Donatello; gravuras de Rembrandt; as porcelanas (Mings autênticos!) da China antiga; os tapetes da Pérsia, a magnífica!

Inicialmente, a ideia lhe pareceu ridícula e impossível. Quanto mais pensava a respeito, mais viável ela parecia. Ele sempre fora um bom mímico, um bom ator amador, um linguista e um homem com muitos talentos. Tinha realizações acadêmicas da mais alta ordem. Utilizaria todos os seus recursos no jogo que estava prestes a jogar. Pois nada engana tanto quanto a educação!

E havia outro lado — um lado mais luminoso, mais fantástico. Pense na diversão que ele teria! Aquilo o atraía. Ele não apenas poderia acrescentar às suas coleções os mais belos tesouros do mundo, como também desfrutaria agora do maior dos prazeres — riria e engordaria à custa de outra pessoa. Era sempre muito engraçado observar o desconforto dos outros.

Foi com grande prazer que Hooker leu naquela noite no *Post* o seguinte parágrafo insignificante:

"John Fenn, presidente do Décimo Banco Nacional de Chicago, parte para casa hoje à noite."

Ele largou o jornal imediatamente, telefonou para o escritório da ferroviária para fazer uma reserva no trem-leito que partiria à meia-noite e se preparou para seu primeiro "banquete". Hooker raspou o bigode, mudou de roupa e sotaque e pegou o trem para Chicago.

Por sorte, John Fenn estava sentado ao lado dele no vagão de fumantes, lendo os jornais vespertinos. Hooker retirou do bolso um catálogo de livros publicado por uma das grandes casas de leilão inglesas. Ele sabia que aquela era a melhor isca! Nenhum amante de livros resistiria a mergulhar em um catálogo de vendas.

Hooker esperou uma hora — mas pareceram cinco. Fenn leu cada palavra no jornal, até os anúncios. Ele se deteve longa e amorosamente nas páginas de finanças, correndo os olhos de cima a baixo pelas colunas com as "transações de hoje". Finalmente, terminou a análise e olhou para Hooker. Por algum tempo, não disse nada e pareceu inquieto, como um homem com dinheiro pesando em sua mente. Esta, é claro, é uma sensação muito distrativa e desagradável. Várias vezes, ele pareceu prestes a abordar o companheiro de viagem, mas desistiu. Finalmente, disse:

— Estou vendo, meu amigo, que está lendo um dos catálogos da Sotheby's.

— Sim — respondeu Hooker, rispidamente.

— Você deve ter interesse por livros — insistiu Fenn.

— Sim. — Foi a resposta curta.

— Você os coleciona?

— Sim.

Fenn não disse nada por cinco minutos. O estranho não parecia muito comunicativo.

— Com sua licença, senhor... também sou colecionador de livros. Tenho uma biblioteca muito boa.

— É mesmo?

— Sim, sempre visito as livrarias quando vou a Nova York. Aqui está uma raridade que comprei hoje.

O estranho demonstrou pouco interesse até Fenn tirar do bolso as *Memórias impublicáveis*. O livro estava bem embrulhado com papel, e Fenn retirou cuidadosamente o volume do invólucro. Ele o entregou ao homem que analisava tão minuciosamente o catálogo do leilão.

— Que extraordinário! — exclamou ele. — O livro perdido do velho Brummel. Minha família conhecia Beau. Suponho que sejam representados de maneira muito divertida nele! De todos os lugares, como veio a comprá-lo nos Estados Unidos?

— É uma longa história. Foi muito estranho, como o comprei. Vi-o há alguns dias na Rodd's, na Quinta Avenida. Não o comprei logo de cara... o preço estava alto demais. Imaginei que conseguiria comprá-lo mais tarde por menos. Hoje de manhã, voltei lá para fazer uma oferta quando descobri que Rodd acabara de vendê-lo a um jovem estudante. O maldito simplório disse que o livro pertencia a ele! O que aquele leigo sabe sobre livros raros? Bem, *eu* sei como apreciá-los.

— Naturalmente! — disse o estranho.

— Tenho a melhor coleção do Oeste. Precisei pagar um depósito alto antes que o proprietário me deixasse comprá-lo. Foi por muito pouco... cerca de um minuto. O jovem idiota tentou fazer uma cena, mas ensinei-lhe uma ou duas coisas. Ele não será tão atrevido da próxima vez. Como meus amigos gostarão desta história do massacre. Mal posso esperar até chegar em casa.

O estranho com o rosto recém-barbeado, as roupas inglesas e os olhos austeros não parecia muito contente.

— Que extraordinário! — disse ele friamente, e retomou a leitura.

Fenn guardou o livro no bolso com uma expressão de júbilo, como se ainda estivesse se vangloriando da conquista. Estava muito satisfeito com seu dia, passado tão intelectualmente nos bancos e nas livrarias de Nova York!

— Diga-se de passagem, conheço este Rodd — disse o inglês, depois de uma pausa. — Ele me contou uma história muito interessante há alguns dias, mas o tiro meio que saiu pela culatra. Não gosto dos métodos daquele homem. Jamais comprarei um livro dele.

— Por que não? — perguntou o inquisitivo sr. Fenn.

— Bem, é melhor que escute a história. Parece que ele tem um cliente rico em Chicago e ocasionalmente o visita para vender-lhe parte de sua pilhagem. Ele não me disse o nome do cliente, mas, segundo Rodd, é um ignorante e não sabe absolutamente nada de livros. Ele acha que eles melhoram sua posição social. Você conhece o tipo. No inverno passado, Rodd comprou por cinquenta dólares uma cópia lindamente ilustrada da Magna Charta publicada há cerca de cem anos. É um belo volume, impresso em velino, do tipo que Dibdin tanto elogiava, mas sempre considerado um "encalhe" na Inglaterra. Vale no máximo quarenta guinéus. Conhece o livro?

Fenn assentiu.

— Bem, o sr. Rodd ficou preocupado com o quanto poderia cobrar por ele ao seu patrono do oeste. Ele partiu para Chicago via Filadélfia e, enquanto esperava o trem, pensou que poderia pedir duzentos dólares. A questão ficou na sua mente até ele chegar em Harrisburg, onde decidiu que trezentos seria justo. Em Pittsburg, subiu o preço para quinhentos, e em Canton, Ohio, estava em 750! Quanto mais Rodd pensava na beleza exótica do volume, em suas cores brilhantes e na belíssima encadernação antiga, mais o preço subia. Quando chegou em Chicago na manhã seguinte, com a imaginação a todo vapor, ele decidiu que, em nenhuma circunstância, venderia o livro por menos de dois mil dólares!

— Aquele velho ladrão! — exclamou Fenn, sentido.

— Foi uma sorte — continuou o estranho — que o cliente não morava em São Francisco!

Com isso, Fenn começou a praguejar.

— Eu sempre disse que Rodd era um maldito, inescrupuloso, um completo...

— Espere até ouvir o final, senhor — disse o inglês. — Naquela tarde, ele visitou o colecionador do oeste. Tinha um encontro com ele às duas horas. Ele fez Rodd aguardar em uma sala de espera por horas. Rodd me contou que estava simplesmente furioso. Ele fora até Chicago atendendo a um pedido especial, e aquele bruto o deixou esquentando a cadeira até as quatro horas antes de se rebaixar a atendê-lo. Ele pagaria caro por aquilo. Quando Rodd lhe mostrou o maldito livro, pediu 3.500 por ele... Não aceitaria um centavo a menos... E ele me disse, senhor, que realmente o vendeu por este preço!

— Não acredite nisso — disse Fenn, esquentado. — O velho Rodd é um mentiroso desqualificado. Ele vendeu o livro por cinco mil dólares. Foi o que ele fez, maldito pirata!

— Como sabe disso, senhor?

— Como, sei, *sei, sei*! — repetiu ele, agitado. — Eu *deveria* saber! Sou o trouxa que o comprou!

Sem dizer mais nada, Fenn se retirou para sua cabine.

Na manhã seguinte, quando Fenn chegou em seu escritório no Edifício Fenn, ele chamou um de seus parceiros de negócios que, como seu sócio, tinha interesse em comprar livros raros e incomuns.

— Escute, Ogden, tenho algo incrível para lhe mostrar. Comprei ontem. Nesta embalagem está o livrinho mais perverso jamais escrito!

— Deixe-me ver! — disse o sr. Ogden, ansioso.

Fenn removeu cuidadosamente o papel no qual o livro estava embrulhado, pois não desejava danificar o conteúdo precioso. De repente, ficou pálido. Ogden olhou rapidamente para a folha de rosto com medo de que fosse visto com aquela coisa perversa nas mãos.

Era um volume muito comum, intitulado "Um sermão sobre a cobiça, uma exposição crítica dos Dez Mandamentos pelo Reverendo Charles Wesley".

— Aquele demônio! — exclamou John Fenn.

"Como o velho truque funciona", disse Robert Hooker para si mesmo na viagem de volta para Nova York. "A embalagem duplicada, conhecida desde os tempos de Adão! E como foi fácil substituí-la bem debaixo do nariz dele! Nomearei as *Memórias impublicáveis* de Beau Brummel o número *um* da minha nova biblioteca."

O CÓDIGO DE BOSTON BLACKIE
JACK BOYLE

Jack Boyle (1881-1928) escreveu apenas um livro sobre Boston Blackie, mas o personagem teve repercussão suficiente para inspirar cerca de dez filmes mudos, seguidos por quatorze filmes B produzidos pela Columbia entre 1941 e 1949, todos estrelados por Chester Morris, que o interpretava tanto como um detetive quanto um criminoso, empregando suas habilidades únicas, à margem da lei, para fazer justiça. O sucesso dos filmes levou a duas séries radiofônicas, uma estrelada por Morris e a outra por Richard Kollmar (1944-1950), e uma série televisiva (1951-1953) estrelada por Kent Taylor.

Na introdução de *Boston Blackie* (1919), o autor escreveu sobre o ex-prisioneiro e arrombador de cofres: "Para a polícia e o mundo, ele é um bandido profissional, um arrombador de cofres habilidoso e ousado, um criminoso incorrigível duplamente perigoso por conta do seu intelecto... Mas, para mim... 'Blackie' é mais do que isso — um homem com mais do que uma mera centelha do Espírito Divino que jaz oculto no coração até mesmo dos piores homens. Formado na universidade, um acadêmico e um cavalheiro, o 'Blackie' que conheço é um homem de muitas inconsistências e um código moral estranhamente distorcido."

Blackie não se considera um criminoso; é um combatente que declarou guerra à sociedade. É casado com uma bela jovem chamada Mary, sua "amiga mais amada e única confidente", que sabe o que ele faz e participa de sua empreitadas.

"O código de Boston Blackie" foi publicado pela primeira vez em *Boston Blackie* (Nova York, H.K. Fly, 1919).

O CÓDIGO DE BOSTON BLACKIE

JACK BOYLE

A garganta dela se apertou com uma dor lancinante quando seu olhar caiu sobre o fino anel de ouro em torno de um dedo magro. Martin Wilmerding curvara-se para beijar aquela mão e o anel no dia em que o colocou ali pela primeira vez.

— Querida esposa — dissera ele —, este anel é o símbolo de um laço que jamais será rompido por mim. Durante todos os anos diante de nós, sempre que o vir, este momento retornará, trazendo de volta todo o amor e devoção que estão presentes agora no meu coração.

A lembrança daquelas palavras há tanto esquecidas encheu-a de uma repulsa repentina, e ela se levantou rapidamente. Naquele instante, ela se deu conta pela primeira vez por que começara a amar Don Lavalle. Fora porque, com sua devoção vibrante, ardente e impulsiva, ele era muito parecido com o Martin Wilmerding que beijara sua mão e seu anel com um voto de fidelidade eterna que a deixara se agarrando a ele em um êxtase choroso.

— Don — disse ela —, se realmente me ama, vá... Agora, agora.

Os braços de Lavalle, esticados ansiosamente na direção dela, caíram. Não era a resposta que ele esperava com tamanha confiança. Um vago ressentimento contra ela tingiu sua decepção com uma nova amargura.

— Isto é definitivo, Marian? — perguntou ele.

— Sim, sim. Não torne isso ainda mais difícil para mim. Por favor, vá — suplicou ela, a um passo da histeria.

Ele vestiu seu sobretudo.

— Talvez me explique por quê — sugeriu ele, com uma aspereza crescente.

— Por causa do garoto, e disso — a mulher falou com a voz entrecortada, pousando um dedo sobre a aliança.

— Besteira — gritou ele, furioso. — Que laço este anel representa que Martin Wilmerding não tenha violado cem vezes? Você tem sido fiel a ele, nós sabemos, ainda que admita gostar de mim. Mas e ele? Não tive o prazer de conhecer seu marido, mas nenhum homem negligencia uma esposa como você sem motivo.

— Vá, por favor, rápido — implorou ela, estremecendo.

— Eu vou — disse ele, evitando instintivamente o deslize de questionar a decisão dela com uma discussão.

Ele a abraçou e, curvando-se rapidamente, beijou-a nos lábios. Ela se afastou dele cambaleante, soluçando.

— Nosso primeiro e último beijo. Adeus, Marian — disse ele com delicadeza, e saiu da sala.

Ela o seguiu, apoiando-se nas paredes para se manter de pé enquanto o observava da porta. Ele ajeitou o cachecol e pegou o chapéu sem olhar para trás, e ela pressionou as duas mãos contra os lábios para sufocar um grito. Então, enquanto ele abria a porta da frente, o sofrimento esmagador da solidão tomou conta dela, derrotando o autocontrole e a determinação.

— Don, oh, Don! — implorou ela, tropeçando na direção dele com os braços esticados.

Em um segundo, ele estava ao lado dela, e ela chorava contra seu peito.

— Não consigo deixar você partir — soluçou ela. — Tentei, mas não consigo. Leve-me embora, Don. Farei o que quiser.

De seu esconderijo, Blackie viu os dois entrarem de volta na sala. A mulher parou ao lado da lareira, retirou a aliança e, depois de segurá-la por um segundo com dedos trêmulos, jogou-a nas cinzas.

— Morta e enterrada! — disse ela. — Morta como o amor do homem que a colocou no meu dedo.

— Minha aliança a substituirá — disse Lavelle ternamente, mas com triunfo nos olhos. — Wilmerding pedirá o divórcio. Ele o obterá, e então você usará a aliança de um homem que ama você e a quem você ama; a única aliança no mundo que não deve ser quebrada.

— Don, prometa-me que nunca me deixará sozinha — implorou ela, hesitante. — Jamais quero ter a oportunidade de pensar, de refletir, de me arrepender. Só quero estar com você e esquecer tudo mais no mundo. Prometa.

— Um amor como o meu não conhece a palavra separação — respondeu ele. — A partir deste momento, jamais estaremos separados. Não tema arrependimentos, Marian. Não haverá nenhum.

— Meu garoto — sugeriu ela — irá conosco. Pobre Martin! Eu não o deixaria sem pai e sem mãe.

— É claro que não — concordou ele. — E agora, você deve pegar rapidamente algumas coisas essenciais, apenas o que precisará no navio. Poderá comprar tudo que precisa quando chegarmos a Honolulu, mas não há tempo para nada agora, pois nestas circunstâncias é melhor que embarquemos no vapor antes do amanhecer. Pode estar pronta em uma hora?

— Em uma hora! — exclamou ela, surpresa. — Sim, posso, mas... mas... Como podemos embarcar no vapor hoje à noite? Não podemos, Don. Sua passagem está reservada, mas a minha não.

— Minha passagem está reservada para Don Lavalle e a esposa — informou ele com um sorriso.

Ela virou o rosto para esconder o rubor que o tingia.

— Você tinha tanta certeza assim! — murmurou ela, com uma sensação de decepção estranhamente nova.

— Sim — respondeu Lavalle —, pois sabia que um amor como o meu não fracassaria em conquistar o seu. Pode preparar apenas uma mala enquanto corro para o hotel e pego minhas coisas? Voltarei em uma hora ou menos. Estará pronta?

— Sim, estarei pronta — prometeu ela, exaurida. — Levarei apenas algumas coisas. Não quero nada que meu... marido tenha me dado. Levarei apenas algumas coisas minhas e as joias do cofre que eram da coleção da minha mãe. Elas são minhas e muito valiosas, Don. Não é seguro colocá-las na minha bagagem. Vou pegá-las agora e as entregarei a você, para que as guarde até que possamos deixá-las no cofre do comissário de bordo amanhã. Cuide muito bem delas, Don. Nem mesmo uma fortuna poderia substituí-las.

Boston Blackie a viu correr até a parede — viu a porta de correr se abrir; prendendo a respiração por um instante, ele observou a mulher nervosa se atrapalhar com o botão giratório. A porta do cofre se abriu e, rapidamente, ela selecionou meia dúzia de caixas de joias e o fechou.

— Aqui estão, Don — disse ela, entregando as pedras para Lavalle. — Só peguei as que vieram da minha própria família. E, agora, você deve me deixar. Preciso fazer a mala, e não posso chamar os criados nesta circunstância. Preciso acordar o garoto e aprontá-lo. Além disso — ela hesitou por um segundo, depois acrescentou —, preciso escrever um bilhete para o sr. Wilmerding contando-lhe o que fiz e por quê.

— Não a envie até que estejamos no porto — avisou o homem. — Onde ele está, no clube ou fora da cidade?

— Está no Hotel Del Monte, perto de Monterey, ou estava — respondeu ela. — Não receberá a carta antes de amanhã à noite.

— E amanhã à noite estaremos muito longe da costa — exclamou Lavalle. — É assim que deve ser. Fico feliz por nunca o ter conhecido, pois agora jamais precisarei.

Ele enfiou as caixas de joias nos bolsos do sobretudo.

— Voltarei com meu carro em uma hora — avisou ele. — Seja rápida, Marian, meu amor. Cada minuto até estar com você de novo será como um dia.

Ele pegou o chapéu e desceu correndo os degraus para a rua, onde seu carro estava estacionado no meio-fio.

Enquanto a porta se fechava, Marian Wilmerding afundou em uma cadeira e agarrou a garganta para sufocar seus soluços engasgados. Um medo intuitivo do que estava prestes a fazer a paralisou. Durante muitos minutos, ficou deitada tremendo convulsivamente enquanto tentava superar o pânico que gelava seu coração. Então, a atmosfera lúgubre do lar sem senhor começou a oprimi-la com uma sensação de solidão miserável.

Ela se levantou e, com olhos duros e inconsequentes brilhando com fervor atrás de cílios úmidos, correu para o segundo andar para fazer a mala.

Quando Donald Lavalle abriu a porta de seu carro vazio, um homem que o havia seguido desde a esquina da residência dos Wilmerdings parou ao seu lado.

— Lamento ter que incomodá-lo e pedir as joias da minha esposa, Lavalle — disse ele.

O sorriso triunfante no rosto de Lavalle sumiu, e ele se encolheu em uma consternação muda.

— As joias da sua esposa! — exclamou ele, tentando se recuperar do choque da interrupção absolutamente inesperada — Você é...

— Sim, sou Martin Wilmerding. E o feliz acaso que me trouxe para casa hoje à noite também me proporcionou o prazer de escutar do assento na janela da sala de estar sua conversa interessante com minha esposa.

Uma pistola reluziu na mão de Boston Blackie e golpeou com força as costelas de Lavalle.

— Dê-me as joias de Marian! — gritou o pseudomarido. — Entregue-as antes que eu dispare bem no seu coração. É o que eu deveria fazer, e pode até ser que eu o faça, de todo modo.

Lavalle entregou as caixas que continham a coleção de pedras preciosas de Wilmerding.

— Agora — continuou seu captor —, quero trocar uma palavra com você.

A pistola golpeou tão selvagemente o rosto de Lavalle que deixou um longo hematoma vermelho.

— Ouvi tudo que disseram hoje. Sei de todos os seus planos para roubar minha esposa — prosseguiu com voz inexorável — e tenho apenas um aviso para você. A partir de agora, você está lidando com um homem, e não com uma mulher. E se telefonar, escrever, enviar um telegrama ou voltar a se comunicar por qualquer meio com Marian, estourarei seus miolos imprestáveis nem que precise seguir você mundo afora. Entendido, sr. Don Lavalle?

— Entendido — disse Lavalle, impotente.

Mais uma vez, a boca da pistola feriu a carne de sua bochecha.

— E como um último aviso cordial, Lavalle — continou Blackie —, sugiro que tome todas as precauções para não perder o *Manchuria* quando ele zarpar de manhã, pois se você não estiver a bordo, não viverá para ver outro pôr do sol nem que eu tenha que matá-lo em seu próprio clube. Vai zarpar ou morrer?

— Vou zarpar — disse Lavalle.

— Muito bem. Acredito que estas sejam todas as palavras necessárias entre nós. Vá, e lembre-se de que sua vida está em suas próprias mãos. Qualquer palavra a Marian, e você abre mão da sua existência. Não sei por que não o mato agora. Mataria, se não fosse pelo escândalo que tudo isso causaria quando viesse à tona diante do júri, que com certeza me absolveria. Agora, vá.

Lavalle pressionou o botão que ligava o motor enquanto Boston Blackie começava a se afastar.

— Só quero lhe dizer uma coisa, Wilmerding — chamou Lavalle, com o pé na embreagem. — É o seguinte: você é o culpado de tudo isso. Não acuse Marian. Você a forçou a se meter na situação que descobriu hoje à noite ao negligenciar a mulher mais digna que já conheci. Admito francamente que fui forçado pelo amor. Não culpe Marian por aquilo que você próprio causou. Nunca mais a verei ou me comunicarei com ela.

— Este é o discurso mais decente que ouvi dos seus lábios esta noite — disse o homem ao lado do carro, guardando a pistola em um bolso. — Não a culpo. Aprendi muitos fatos importantes hoje à noite... Um dos quais é que o lugar certo para um homem é na própria casa com a esposa. Vou me lembrar disso; e a aliança que foi jogada nas cinzas esta noite voltará ao dedo para o qual foi feita. Boa noite.

Sem uma palavra, Lavalle soltou a embreagem; o carro disparou e foi envolvido e ocultado pela névoa.

A meio quarteirão dali, Boston Blackie foi até outro carro parado no meio-fio com uma motorista bem protegida por um cachecol atrás do volante. Enquanto embarcava, a motorista, Mary, emitiu um gemido baixo e agradecido.

— Sem problema. Estou com as joias; sinta as caixas. E muita coisa aconteceu — disse Blackie com profunda satisfação. — Tenho uma nova história para lhe contar quando chegarmos em casa, Mary. É a história de um grande ladrão chamado Blackie e de um garotinho chamado Martin Wilmerding e de um cachorro peludo chamado Rex, e de uma mulher que fez a escolha errada. Acho que lhe interessará. Vamos. Tenho várias coisas para fazer antes de irmos para casa.

Quando chegaram no centro da cidade, Blackie pediu para Mary levá-lo para o Palace Hotel, onde procurou o estenógrafo noturno.

— Por favor, poderia anotar um telegrama para mim? — disse ele. Depois, ditou: — "Para Martin Wilmerding, Hotel Del Monte, Monterey: O garoto precisa de você. Eu também. Por favor, venha para casa. Marian."

Apesar de haver um escritório de telégrafos no hotel, ele chamou um mensageiro de um saloon e enviou a mensagem.

Depois, foi para outro hotel e encontrou um segundo estenógrafo, para quem ditou uma segunda mensagem.

— "Sra. Marian Wilmerding, 3.420 Broadway, São Francisco: As caixas que você me deu eram o que eu realmente queria. Obrigado e adeus. D.L."

Chamando outro mensageiro, enviou a segunda mensagem de outro escritório de telégrafos.

"Estes telegramas, e como foram enviados, serão um mistério na casa dos Wilmerdings até o fim dos tempos", pensou ele, profundamente satisfeito.

— Vamos para casa, Mary — disse então, voltando para o carro e embarcando. — Creio que terminei meu trabalho por hoje, e tampouco acredito que tenhamos realizado um trabalho ruim.

Ele ficou em silêncio por um momento.

— Dei uma esposa para um marido — disse ele, meio que para si mesmo. — Dei um pai para uma criança; dei a uma mãe o direito de olhar no rosto do filho sem sentir vergonha; e joguei limpo com o camaradinha mais ousado que jamais gostaria de conhecer, Martin Wilmerding, Jr., e seu cachorro, Rex. E, como pagamento, tomei a coleção de joias dos Wilmerdings. Pergunto-me quem está em dívida com quem.

O SELO CINZA
FRANK L. PACKARD

Um escritor popular de histórias de aventura que nasceu no Canadá de pais americanos, Frank Lucius Packard (1877-1942) fez inúmeras viagens para o oriente e outros lugares em busca de material para suas aventuras, resultando em obras populares como *Two Stolen Idols* (1927), *Shanghai Jim* (1928) e *The Dragon's Jaws* (1937). Seu maior sucesso, no entanto, foi a série de Jimmie Dale, que vendeu mais de dois milhões de exemplares.

Dale, como seu homônimo, Jimmy Valentine, de O. Henry, é um arrombador de cofres que aprendeu seu ofício na fábrica de cofres do pai. Membro rico de um dos clubes mais exclusivos de Nova York, Dale leva uma vida quádrupla. Ele é o Selo Cinza, o ladrão misterioso que deixa sua marca, um selo cinza, na cena de seus crimes; Larry the Bat, um membro do submundo da cidade; Smarlinghue, um artista decadente; e Jimmie Dale, membro da elite social de Nova York. Seguindo a tradição de Raffles e de tantos outros arrombadores de cofres da literatura, os roubos de Dale são ilegais, é claro, mas são cometidos benevolamente para corrigir injustiças e não envolvem violência. Há cinco livros na série, começando com *As aventuras de Jimmie Dale* (1917) e terminando com *Jimmie Dale and the Missing Hour* (1935). Sete filmes foram baseados nos romances e contos de Packard, sendo o mais conhecido *O homem miraculoso* (1932), estrelado por Sylvia Sidney e Chester Morris; a história de outro personagem, um vigarista, foi lançada como um filme mudo em 1919. Vários média-metragens mudos, estrelando E.K. Lincoln como Jimmie Dale, foram baseados em contos publicados em *As aventuras de Jimmie Dale* (1917).

"O Selo Cinza" foi publicado originalmente na *People's Ideal Fiction Magazine*, em 1914; a primeira antologia da qual fez parte foi *As aventuras de Jimmie Dale* (Nova York, George H. Doran, 1917).

O SELO CINZA

FRANK L. PACKARD

Entre os clubes elegantes e ultraexclusivos de Nova York, o St. James era o líder declarado — mais homens, talvez, lançavam olhares invejosos para seus portais, de um estilo modesto e despretensioso, enquanto passavam pela Quinta Avenida do que para qualquer outro clube na longa lista ostentada pela cidade. É bem verdade que havia clubes mais caros em cujas listas de membros cintilavam mais estrelas do círculo social de Nova York, mas o St. James era distinto. Ele assegurava um homem, por assim dizer — ou seja, assegurava que um homem fosse um cavalheiro nato. Ele exigia dinheiro, é verdade, para que se continuasse sendo membro, mas havia muitos membros que não eram ricos, não segundo o modo que se mede a riqueza hoje em dia — havia muitos, inclusive, que às vezes tinham dificuldades em manter as obrigações em dia e em pagar as contas de casa, mas as mensalidades do clube, invariavelmente, eram prontamente pagas. Nenhum homem, depois de ingressar, jamais poderia se dar ao luxo de, e tampouco jamais desejaria, renunciar ao St. James Club. Sua lista de membros era cosmopolita; homens de todas as profissões entravam e saíam por suas portas, profissionais e executivos, médicos, artistas, comerciantes, escritores, engenheiros, cada um carimbado com a "marca registrada" do St. James, um cavalheiro nato. Receber um cartão de visitante de outra cidade com validade de duas semanas do St. James era algo a ser comentado, e homens de Chicago, St. Louis ou São Francisco falavam dele com uma espécie de ar de superioridade para os membros de seus próprios clubes exclusivos quando voltavam para casa.

Existe alguma dúvida de que Jimmie Dale era um cavalheiro — um cavalheiro *nato*? O pai de Jimmie Dale fora membro do St. James Club, e um dos maiores fabricantes de cofres dos Estados Unidos, um homem próspero e rico, e quando Jimmie Dale nasceu, ele sugeriu o nome do filho como membro. Levou algum tempo para ele entrar no St. James; havia uma longa lista de espera das quais nem dinheiro, influência ou pressão poderiam alterar sequer uma vírgula. Homens sugeriam os nomes dos filhos como membros assim que estes nasciam tão religiosamente quanto tiravam suas certidões de nascimento. Aos 21 anos, Jimmie Dale foi eleito como membro; e, incidentalmente, formou-se no mesmo ano em Harvard. Era o desejo do sr. Dale que o filho ingressasse em seu negócio e começasse por baixo, e Jimmie Dale, durante os quatro anos seguintes, atendera o desejo do pai. Então, o pai morreu. Jimmie Dale tinha mais inclinação para a arte do que para os negócios. Diziam que desenhava um pouco e escrevia um pouco; diziam também que recebera uma quantia muito confortável da fusão para a qual vendeu sua participação na fábrica de cofres. Levava uma vida de solteiro — a mãe morrera havia muitos anos — na casa que o pai lhe deixara em Riverside Drive, tinha um ou dois carros e criados o bastante para administrar a residência tranquilamente e também servir um jantar requintado quando ele sentia vontade de ser hospitaleiro.

Poderia haver qualquer dúvida de que Jimmie Dale era um cavalheiro nato?

Era noite, e Jimmie Dale estava sentado em uma mesa pequena no canto da sala de jantar do St. James Club. Diante dele, estava sentado Herman Carruthers, um jovem da sua idade, por volta dos 26 anos, uma figura importante no mundo jornalístico, cuja ascensão de repórter para editor-geral do matutino *News-Argus* no curto período de poucos anos fora quase meteórica.

Estavam tomando café e fumando charutos, e Jimmie Dale estava recostado na poltrona, seus olhos escuros fitando com interesse o convidado.

Carruthers, intensamente focado em aparar a cinza de seu charuto na borda do pires de porcelana Limoges de seu jogo de café, levantou os olhos com uma gargalhada abrupta.

— Não, não gostaria de me declarar publicamente um defensor do crime — disse ele caprichosamente. — Isso nunca daria certo. Mas não me importo em admitir de modo bastante privado que tenho lamentado de verdade que ele se foi.

— Era "material" bom demais para perder, imagino? — sugeriu Jimmie Dale de maneira excêntrica. — Que pena, também, depois de terem tido o trabalho de inventar um nome teatral como aquele. O Selo Cinza... Bastante único! Quem o atribuiu a ele? Foi você?

Carruthers gargalhou; depois, ficando sério, inclinou-se em direção a Jimmie Dale.

— Não está dizendo, Jimmie, que não sabe nada a respeito disso, está? — perguntou ele com incredulidade. — Pois até um ano atrás os jornais não paravam de falar dele.

— Nunca li suas terríveis colunas de conselhos aos leitores — disse Jimmie Dale, com um sorriso animado.

— Bem — disse Carruthers —, então você deve ter saltado tudo, exceto os informes da bolsas de valores.

— Admito que sim — disse Jimmie Dale. — Portanto, prossiga, Carruthers, e conte-me sobre ele... Ouso dizer que posso ter ouvido falar nele, já que está tão incomodado com isso, mas minha memória não é boa o bastante para contradizer qualquer coisa que você possa dizer sobre o estimado cavalheiro, de modo que está seguro.

Carruthers ocupou-se outra vez com o pires Limoges e a ponta do charuto.

— Ele foi o bandido mais enigmático, fascinante e charmoso na história do crime — disse Carruthers saudosamente, depois de um momento de silêncio. — Jimmie, ele era o melhor de todos. Dizer que era esperto não lhe faz justiça, tampouco que era ousado. Eu costumava pensar, às vezes, que a maior parte da sua motivação era pura perversidade; rir da polícia e pregar uma peça no resto de nós que o procurava. Eu costumava sonhar com aqueles malditos selos cinza... Foi assim que ele ganhou o nome. Ele deixou para trás em todo golpe que realizou um pequeno pedaço de papel cinza, em forma de diamante, posicionado de maneira a ser a primeira coisa que você veria quando chegasse à cena do crime, e...

— Não tão rápido — sorriu Jimmie Dale. — Não entendo bem a ligação. O que você tinha a ver com este... hummm... sujeito, o Selo Cinza? Onde você entra na história?

— Eu? Tive muito a ver com ele — disse Carruthers sombriamente. — Eu era repórter quando ele apareceu pela primeira vez, e a ambição da minha vida, depois que passei a entender realmente o que ele era, era desmascará-lo... E quase consegui, meia dúzia de vezes, só que...

— Só que nunca conseguiu, não é? — Jimmie Dale interrompeu jocosamente. — Quão perto você chegou, meu velho? Vamos lá, nada de blefes... O Selo Cinza alguma vez sequer o reconheceu como um adversário?

— Você está tocando na ferida, Jimmie — respondeu Carruthers, com uma careta amarga. — Ele me conhecia, com certeza, o maldito! Ele me agraciou com vários bilhetes sarcásticos... vou lhe mostrar algum dia... explicando onde eu tinha errado e como poderia tê-lo desmascarado se tivesse feito outra coisa. — O punho de Carruthers bateu na mesa de repente. — E eu teria conseguido, se ele tivesse sobrevivido.

— Sobrevivido! — exclamou Jimmie Dale. — Quer dizer que está morto?

— Sim — esquivou-se Carruthers —, está morto.

— Hummm — disse Jimmie Dale espirituosamente. — Espero que o tamanho da coroa de flores que você enviou tenha sido uma homenagem digna da sua admiração.

— Não enviei nenhuma coroa de flores — retrucou Carruthers — pelo simples motivo de que não saberia para onde a enviar, ou quando ele morreu. Eu disse que ele estava morto porque não move um dedo há mais de um ano.

— Que provas tênues, até mesmo para um jornal — comentou Jimmie Dale. — Por que não lhe dar crédito por, digamos... ter se emendado?

Carruthers abanou a cabeça.

— Você não entende mesmo, Jimmie — disse ele com sinceridade. — O Selo Cinza não era um bandido comum... era um clássico. Ele era um artista, a arte da coisa estava em seu sangue. Um homem como ele não conseguiria parar de roubar mais do que conseguiria parar de respirar... e sobreviver. Ele está morto. Não há nada além disso... está morto. Apostaria um ano de salário nisso.

— Mais um homem bom que se tornou mal, portanto — disse Jimmie Dale caprichosamente. — Suponho, no entanto, que você tenha ao menos descoberto a "mulher no caso"?

Carruthers levantou o olhar rapidamente, um pouco surpreso. Depois, riu rispidamente.

— Qual o problema? — perguntou Jimmie Dale.

— Problema nenhum — disse Carruthers. — Você meio que me pegou por um momento, é tudo. Era assim que os bilhetes infernais do Selo Cinza costumavam terminar: "Encontre a mulher, camarada, e me pegará." Ele era de uma intimidade condescendente que faria você se contorcer.

— Pobre Carruthers! — sorriu Jimmie Dale. — Você levou para o lado pessoal, não levou?

— Eu teria vendido minha alma para pegá-lo... E você também, se estivesse no meu lugar — disse Carruthers, mordendo com nervosismo o charuto.

— E se arrependeria depois — sugeriu Jimmie Dale.

— Por Deus, sim, você está certo! — admitiu Carruthers. — Suponho que me arrependeria. Na verdade, preciso amar o sujeito... No fundo, eu queria ganhar o *jogo*.

— Bem, e quanto à mulher? Permaneça no caminho da retidão, meu velho — provocou Jimmie Dale.

— A mulher? — Carruthers sorriu. — De forma alguma! Não acredito que houvesse uma... Ele não estaria disposto a incitar a polícia e os repórteres a encontrá-la caso houvesse, não é? Era um subterfúgio, é claro. Ele trabalhava sozinho, totalmente sozinho. Este é o segredo de seu sucesso, é o que penso. Jamais houve o menor indício de que ele teve um cúmplice em nada do que fez.

Os olhos de Jimmy viajaram em torno do salão confortável e perfeitamente mobiliado. Ele cumprimentou com a cabeça um membro aqui e outro ali, depois seus olhos pousaram de novo reflexivamente em seu convidado.

Carruthers olhava pensativamente para sua xícara de café.

— Ele era o príncipe dos bandidos e o pai da originalidade — anunciou Carruthers abruptamente, depois da pausa. — Na maior parte do tempo, era tão difícil descobrir o motivo por trás das coisas curiosas que ele fazia quanto desmascarar o próprio Selo Cinza.

— Carruthers — disse Jimmie Dale, com um rápido gesto de aprovação —, você está decididamente interessante esta noite. Mas, até agora, esteve meio que explorando o perímetro sem se embrenhar na zona de perigo. Vamos ouvir em detalhes algumas das suas experiências com o Selo Cinza; devem ser histórias absolutamente incríveis.

— Hoje não, Jimmie — disse Carruthers. — Levaria tempo demais. — Ele pegou mecanicamente seu relógio enquanto falava, olhou a hora e... empurrou a poltrona para trás. — Meu Deus! — exclamou. — Já são quase nove e meia. Não tinha ideia de que tínhamos nos demorado tanto depois do jantar. Preciso ir. Somos um jornal matutino, Jimmie, você sabe.

— O quê! É mesmo! Está realmente tarde. — Jimmie Dale levantou-se da mesa junto com Carruthers. — Bem, se você precisa...

— Preciso — disse Carruthers com uma risada.

— Muito bem, ó escravo — riu Jimmie Dale, e passou a mão, uma brincadeira da época da faculdade, em torno do braço de Carruthers enquanto deixavam o salão.

Ele acompanhou Carruthers até a porta do clube, no térreo, e colocou o convidado em um táxi. Depois, voltou para dentro, perambulou pela sala de bilhar, e de lá para uma das salas de carteado onde, pressionado a participar, jogou várias rodadas de bridge antes de ir para casa.

Portanto, era quase meia-noite quando Jimmie Dale chegou em sua casa na Riverside Drive, e foi recebido por um criado idoso.

— Olá, Jason — disse Jimmie Dale agradavelmente. — Ainda está acordado!

— Sim, senhor — respondeu Jason, que fora mordomo do pai de Jimmie Dale antes de servir ao filho. — Eu estava indo para a cama, senhor, em torno das dez, quando chegou um mensageiro com uma carta. Com seu perdão, senhor, uma jovem, e...

— Jason — Jimmie Dale interrompeu-o de repente, rápido, imperativo —, como ela era?

— Bem... bem, não sei exatamente como poderia descrevê-la, senhor — gaguejou Jason, supreso. — Muito digna, senhor, pelo vestido e aparência, e o que eu chamaria de um belo rosto, senhor.

— O cabelo e os olhos eram de que cor? — perguntou Jimmie Dale objetivamente. — Nariz, lábios, queixo eram de que formato?

— Bem, senhor — arfou Jason, olhando para o patrão —, eu... não sei bem. Não diria que tinha a pele clara ou escura, era algo intermediário. Não reparei particularmente, e não estava muito claro do lado de fora.

— Que pena que você não é um homem mais jovem — comentou Jimmie Dale, com um toque curioso de amargura na voz. — Eu daria um ano de renda pela oportunidade que você teve esta noite, Jason.

— Sim, senhor — disse Jason com impotência.

— Bem, prossiga — estimulou Jimmie Dale. — Você disse a ela que eu não estava em casa, e ela disse que sabia, não disse? E deixou a carta que de forma alguma eu deveria deixar de receber assim que chegasse, apesar de não haver necessidade de telefonar para mim no clube... Poderia ser quando eu voltasse, mas era imperativo que eu a recebesse imediatamente... não é?

— Meu Deus, senhor! — exclamou Jason, boquiaberto. — Foi exatamente o que ela disse.

— Jason — disse Jimmie Dale sombriamente —, escute-me. Se algum dia ela aparecer de novo, convença-a a entrar. Caso não consiga a convencer, use a força; capture-a, arraste-a para dentro... Faça qualquer coisa, entendeu? Apenas não a deixe escapar até que eu chegue.

Jason olhou para o patrão como se ele tivesse perdido a razão.

— Usar a força, senhor? — repetiu ele fracamente e abanou a cabeça. — Você... não pode estar falando sério, senhor.

— Não posso? — indagou Jimmie Dale, com um sorriso sem humor. — Falei sério cada palavra que disse, Jason... E se achasse que houvesse a menor chance de ela lhe dar outra oportunidade, eu seria ainda mais imperativo. Mas, na presente situação... Onde está a carta?

— Na mesa em seu escritório, senhor — disse Jason mecanicamente.

Jimmie Dale partiu na direção da escada; depois, virou-se e voltou para onde Jason, ainda abanando a cabeça com pesar, observava ansiosamente o patrão. Jimmie Dale pousou a mão no ombro do pobre velho.

— Jason — disse ele com gentileza, após uma brusca mudança de humor —, você está há muito tempo com a família... Primeiro com meu pai, e agora comigo. Faria muita coisa por mim, não faria?

— Faria qualquer coisa no mundo por você, sr. Jim — disse o velho, com sinceridade.

— Bem, então, lembre-se disso — disse Jimmie Dale lentamente, olhando nos olhos do mordomo —; lembre-se disso... Mantenha a boca fechada e os olhos abertos. É minha culpa. Eu deveria ter lhe avisado há muito tempo, mas jamais sonhei que ela viria aqui. Houve momentos nos quais, para mim, foi praticamente uma questão de vida ou morte saber quem é a mulher que você viu hoje. Isso é tudo, Jason. Agora, vá para a cama.

— Sr. Jim — disse o velho com simplicidade —, obrigado, senhor, obrigado por confiar em mim. Balancei você no meu joelho quando era um bebê, sr. Jim. Não sei de que se trata, e não cabe a mim perguntar. Imaginei, senhor, que talvez estivesse brincando um pouco comigo. Mas agora estou ciente, e pode confiar em mim, sr. Jim, caso ela volte algum dia.

— Obrigado, Jason — disse Jimmie Dale, sua mão apertando com gratidão o ombro do mordomo. — Boa noite.

Subindo a escada, no primeiro patamar, Jimmie Dale abriu uma porta, entrou e a trancou em seguida — e o interruptor estalou sob seus dedos. Um brilho caiu suavemente de um lustre no teto. Era uma sala grande, muito grande, que se estendia por todo o comprimento da casa, e o efeito da aparente desordem na arrumação da mobília parecia imbuí-la de um certo charme. Havia grandes poltronas de couro confortáveis e fundas, um enorme sofá de couro e um ou dois cavaletes com desenhos inacabados; as paredes eram apaineladas com painéis de texturas exóticas que combinavam entre si; no centro da sala havia uma escrivaninha de pau-rosa de tampa plana; no chão, havia um tapete de veludo escuro e pesado; e, talvez a parte mais convidativa do cômodo, uma grande lareira antiga em um canto da sala.

Por um instante, Jimmie Dale permaneceu em silêncio perto da porta, como que escutando. Ele tinha 1,80 metro, músculos no corpo inteiro, como um atleta bem treinado sem um grama de gordura supérflua — a graça e a tranquilidade do poder em sua postura. Seu rosto forte e bem barbeado, agora que a luz caía sobre ele, estava sério — um humor que lhe caía bem —, os lábios firmes cerrados, os olhos escuros e confiantes um pouco estreitados, a testa larga franzida, a mandíbula quadrada travada.

Então, abruptamente, ele atravessou a sala até a escrivaninha, pegou um envelope que estava sobre ela e, virando-se outra vez, afundou na poltrona mais próxima.

Não havia sombra de dúvida em sua mente, nada a dissipar. Era precisamente o que ele esperava desde que ouvira a primeira palavra dita por Jason. Era a mesma letra, a mesma textura do papel, e emanava a mesma fragrância perturbadora, rara e indefinível. As mãos de Jimmie Dale viraram o envelope para um lado, depois para outro, enquanto ele o examinava. As mãos de Jimmie Dale eram maravilhosas, com dedos longos, magros e afunilados, cujas pontas sensíveis pareciam agora se esforçar para decifrar a mensagem dentro do envelope.

Ele gargalhou de repente, com certa aspereza, e abriu o envelope com um rasgo. Cinco folhas escritas em letras pequenas caíram na sua mão. Ele as leu devagar, criticamente, releu-as; e então, olhando para o tapete aos seus pés, começou a rasgar o papel em pedacinhos minúsculos com os dedos, depositando-os, à medida que os rasgava, no braço da poltrona. Depois que as cinco folhas foram destruídas, os dedos afundaram na pilha de papel rasgado sobre o braço da cadeira e rasgaram os pedaços de novo até que ficassem pouco maiores do que confetes, rasgaram-nos distraida e mecanicamente, os olhos fixos no tapete aos seus pés.

Então, dando de ombros, como que se despertando para a realidade presente, com um sorriso curioso tremulando nos lábios, ele pegou os pedaços de papel com uma das mãos, carregou-os até a lareira vazia, fez uma pequena pilha com eles e os queimou. Acendendo um cigarro, observou-os queimar até que o último brilho sumisse do último pedaço carbonizado; depois, esmagou-os e os espalhou com a escova com punho de bronze e, refazendo seus passos até o outro lado da sala, empurrou um reposteiro pendurado diante de uma pequena alcova e ajoelhou-se diante de um cofre redondo e baixo, com formato de barril — um cofre que ele próprio desenhara e projetara nos anos que passara com o pai.

Seus dedos magros e sensíveis brincaram por um instante com os botões e discos que cravejavam a porta, orientados, aparentemente, apenas pelo tato — e a porta se abriu. Dentro, havia outra porta, com a mesma quantidade de trancas e trincos complexos que a outra. Ele também a abriu; e, de dentro, retirou um rolo de couro curto e espesso amarrado com tiras. Levantou-se, fechou o cofre e encobriu a alcova com o reposteiro outra vez. Com o rolo de couro sob o braço, olhou aguçadamente ao redor da sala, escutou atentamente e depois, destrancando a porta que dava para o corredor, apagou as luzes e foi para seu quarto de vestir, que ficava no mesmo andar. Ali, despindo-se rapidamente da roupa que usara no jantar, escolheu do armário um terno escuro de tweed com um paletó frouxo e começou a vesti-lo.

Depois de se vestir, exceto pelo paletó e colete, virou-se para o rolo de couro que colocara em cima de uma mesa, desatou as tiras e o estendeu com cuidado — e, mais uma vez, aquele sorriso curioso e enigmático apareceu em seus lábios. Aberta na direção oposta à qual fora amarrada, a faixa de couro tornava-se um cinto largo um pouco parecido com um colete salva-vidas, as tiras sendo usadas como alças para os ombros — um cinto que seria totalmente ocultado quando o colete fosse vestido e que, por ser justo, não provocava nenhum volume suspeito sob as roupas. Não era um cinto comum; era cheio de pequenos bolsos verticais com costura reforçada em toda a extensão, e nos bolsos, sombriamente, havia uma série de instrumentos delicados, de aço azul, altamente temperados — um kit compacto e poderoso de ladrão.

Os dedos magros e sensíveis percorreram com um toque quase carinhoso os pequenos instrumentos perversos e retiraram de um bolso uma caixinha chata de metal. Jimmie Dale abriu-a e olhou o interior — entre camadas de papel-manteiga, havia pequenas fileiras de *selos adesivos cinza em forma de diamante*.

Jimmie Dale fechou a caixa, recolocou-a no bolso e, de outro, retirou uma máscara de seda preta. Ele ergueu-a contra a luz para examiná-la.

— Está em ótimas condições depois de um ano — murmurou Jimmie Dale, guardando-a.

Ele colocou o cinto, e depois o colete e o paletó. Da gaveta da cômoda, pegou um revólver automático e uma lanterna, colocou-os no bolso e desceu a escada silenciosamente. Do cabideiro, escolheu um chapéu preto de abas longas, cobriu bem os olhos com ele — e saiu da casa.

Jimmie Dale caminhou por um quarteirão, depois fez sinal para um ônibus e embarcou. Era tarde, e ele era o único passageiro. Inseriu a moeda de dez centavos na pequena caixa com sino do motorista e depois se sentou no banco desconfortável, sem estofamento e que dava solavancos.

O ônibus avançou ruidosamente; atravessou a cidade, passou pelo Circle e seguiu para a Quinta Avenida — mas Jimmie Dale, ao que tudo indicava, estava bastante alheio aos movimentos do veículo.

Fazia um ano desde a última vez que ela lhe escrevera. *Ela!* Jimmie Dale não sorriu, seus lábios estavam cerrados com força. Aquela tampouco era uma denominação muito íntima ou pessoal — mas ele não a conhecia por nenhuma outra. *Era* uma mulher, com certeza — a letra era feminina, a dicção decididamente também —, e *ela* mesma fora até Jason naquela noite! Ele se lembrava da última carta, anterior à desta noite, que recebera dela. Fazia um ano — e a carta fora pouco mais do que um bilhete. A polícia estava enlouquecida por causa do Selo Cinza, os jornais tinham se tornado absolutamente piegas — e ela lhe escrevera, com seu estilo característico:

As coisas estão um pouco quentes demais, não estão, Jimmie? Vamos deixá-las esfriar por um ano.

Desde então, até a noite de hoje, Jimmie Dale não tivera qualquer notícia dela. Ele aderira a um pacto estranho — tão estranho que jamais poderia ter existido, nem jamais existiria, algo parecido —, único, perigoso, bizarro; era tudo isso e mais. A coisa começara na verdade através do negócio do pai — o negócio de fabricar cofres que deveriam desafiar os criminosos mais espertos —, quando seu cérebro, introduzido a essas questões, fora empregado contra o submundo, contra os métodos de mil bandidos diferentes do Maine à Califórnia. Recebia, naturalmente, como parte do trabalho, relatos de cada operação que realizavam, e ele estudara cada um nos mínimos detalhes. Começara assim — mas no fundo aquilo se devia a seu próprio espírito aventureiro e irrequieto.

Ele queria deixar a polícia atônita e usou o recurso do selo cinza tanto como uma farpa adicional quanto como uma indicação de que nenhum espectador inocente do submundo (inocente ao menos desta vez) pudesse estar envolvido — ele pretendia rir deles e confundi-los até a beira da loucura, pois em última análise descobririam se tratar apenas uma tentativa abortada de cometer um crime — e teve sucesso. Então, ele fora longe demais — e fora pego — por *ela*. Aquele colar de pérolas, o qual, por um desejo descabido de estudar seu efeito, ele colocara tão idioticamente em torno do pulso, e o qual, tão ironicamente, não conseguira desafivelar a tempo e fora obrigado a levar consigo em sua fuga repentina e desesperada para escapar da grande joalheria Marx's, na Maiden Lane, com cujo cofre ele brincara certa noite, fora o que, *inicialmente*, ela usara para chantageá-lo.

O ônibus estava agora na Quinta Avenida, descendo rapidamente a pista deserta. Jimmie Dale levantou os olhos para as janelas iluminadas do St. James Club quando passou por elas, sorriu caprichosamente e se ajeitou no banco, procurando uma posição mais confortável.

Ela o pegara — como, ele não sabia, pois nunca a vira, não sabia quem era, apesar de, repetidas vezes, ter dedicado toda sua energia por meses a fio para solucionar o mistério. Na manhã seguinte ao caso na Maiden Lane, antes mesmo do café da manhã, na verdade, Jason lhe trouxera a primeira carta dela. Ela começava detalhando cada movimento dele na noite anterior — e terminava com um ultimato: "A esperteza e a originalidade do Selo Cinza como bandido careciam de apenas uma coisa", escrevera ela ingenuamente, "que é a seguinte: sua delinquência exigia um fio condutor para conduzi-la a projetos que fossem dignos de sua genialidade." Em uma palavra, *ela* planejaria os golpes, e ele agiria sob as ordens dela e os executaria — do contrário, o que acharia de cumprir vinte anos em Sing Sing por aquele pequeno caso na Maiden Lane? Ele deveria responder até a manhã seguinte, um simples "sim" ou "não" nos classificados pessoais do *News-Argus* matinal.

Ameaçar um homem como Jimmie Dale era como abanar um lenço vermelho diante de um touro, e uma raiva incontrolável tomara conta dele. Então, viera a lógica fria. Ele fora pego — não havia dúvidas —, ela esforçara-se para mostrá-lo que não deveria se enganar quanto a isso. Suficientemente inocente na própria consciência no que dizia respeito a roubos de verdade, pois as pérolas, no devido tempo, seriam devolvidas de alguma maneira ao dono, ele seria incapaz de fazer o próprio pai, que ainda estava vivo, acreditar na sua inocência, muito menos um júri. Desonra, vergonha, desgraça e uma longa pena na prisão pairavam sobre ele, e só havia uma alternativa — dar as mãos àquela cúmplice invisível e misteriosa. Bem, ele poderia pelo menos temporizar, poderia "estragar" um plano de alguma maneira enganosa se fosse forçado a ir longe demais. Portanto, no *News-Argus* da manhã seguinte, Jimmie Dale respondera "sim". E, depois, seguiram-se os anos nos quais não houve *nenhuma* temporização, nos quais cada plano foi executado nos mínimos detalhes, aqueles anos de casos curiosos, inexplicáveis e fascinantes dos quais Carruthers falara, um após o outro, que abalaram as estruturas do velho quartel-general da polícia na rua Mulberry, até o Selo Cinza se tornar um nome famoso. E sim, era bem verdade, ele mergulhara naquilo tudo, fora até o limite, com uma voracidade insaciável.

O ônibus chegara à parte baixa da Quinta Avenida, passara pela Washington Square e prostrara-se no final da linha. Jimmie Dale saltou do ônibus, deu um "boa-noite" agradável para o motorista e desceu rapidamente a rua à sua frente. Um pouco depois, atravessou para a West Broadway, e seu passo desacelerou até se tornar um caminhar tranquilo.

Ali, no final da rua, havia uma área comercial de classe bastante inferior, sem dúvida para atender aos estrangeiros pobres que se reuniam ao oeste da Broadway e ao sul da Washington Square. À primeira vista, a rua estava deserta; era escura e melancólica, com lojas e apartamentos nos dois lados. Um trem elevado rugiu no alto, com um clamor trovejante e ensurdecedor. Jimmie Dale, no lado direito da rua, olhava com interesse para as vitrines escuras das lojas ao passar. Então, um quarteirão adiante, no outro lado, seus olhos se fixaram em uma figura que se aproximava. Quando ela chegou na esquina e parou, e a luz do poste cintilou em botões de latão, os olhos de Jimmie Dale se estreitaram um pouco sob o chapéu de abas largas. O policial, apesar de estar balançando despreocupadamente um cassetete, parecia estar o observando.

Jimmie Dale avançou meio quarteirão, abaixou-se na calçada para amarrar o sapato, olhou sobre o ombro — o policial não estava mais à vista — e deslizou como uma sombra para o beco ao lado do qual havia parado.

Agora, era outro Jimmie Dale — o Jimmie Dale profissional. Rápido como um gato, ativo, ágil, ele saltou em um instante uma cerca de dois metros nos fundos de um prédio e agachou-se, uma silhueta negra contra as portas dos fundos de uma loja de artigos de segunda-mão despretensiosa, malcuidada e suja que dava para a West Broadway — com certeza, o último lugar em Nova York que o editor geral do *News-Argus*, ou qualquer outra pessoa, diga-se de passagem, escolheria como o local para a segunda estreia do Selo Cinza.

Jimmie Dale pegou a máscara de seda preta do cinto e a colocou; e, também do cinto, saiu um instrumento que seus dedos habilidosos manipularam na fechadura. Um estalo curioso veio em seguida. Jimmie Dale usou gradualmente o peso do corpo contra a porta. A porta permaneceu fechada.

"Está com o trinco", disse Jimmie Dale para si mesmo.

Os dedos sensíveis percorreram lentamente a porta, para cima e para baixo, fazendo pressão para sentir a posição do trinco através de dois centímetros de tábua — depois, uma lima minúscula foi retirada do cinto, fina e pontuda na extremidade, a qual se encaixava no cabo retirado de outro receptáculo na cinta de couro sob o colete desabotoado.

A lima praticamente não fez nenhum ruído ao penetrar na porta. Meio minuto se passou — ouviu-se o som leve de um pedacinho de madeira caindo — os dedos delicados e afunilados entraram na abertura — um leve som de metal sendo raspado — e então a porta se abriu, o vulto que era Jimmie Dale desapareceu, e a porta fechou-se de novo.

Um feixe de luz branco e redondo brilhou por um instante — e desapareceu. Uma coleção variada de tranqueiras e miudezas bloqueava a entrada, deixando livre apenas espaço necessário para uma passagem apertada. Jimmie Dale moveu-se com cautela — e, mais uma vez, a lanterna em sua mão mostrou o caminho por um instante — e, em seguida, fez-se escuridão novamente.

O acúmulo bagunçado de artigos de segunda mão nos fundos deu lugar a um arranjo mais arrumado à medida que ele avançou para a frente da loja. Como um vaga-lume gigante, a lanterna piscava, apagava, piscava de novo e voltava a apagar. Ele passou por uma espécie de apartamento tosco compartimentado que servia como escritório do estabelecimento, um lugar um pouco apertado, aproximadamente no centro do piso. A lanterna de Jimmie Dale pairou sobre o cômodo por um momento, mas então Jimmie seguiu para a porta da frente sem hesitar.

Cada movimento era rápido, certeiro, preciso, sem desperdiçar um único segundo. Mal passara um minuto desde quando ele saltara a cerca nos fundos. Mal passaram quinze segundos até que a fechadura complicada da porta da frente fosse destrancada e a própria porta se entreabrisse imperceptivelmente.

Agora, ele voltou rapidamente para o escritório — e descobriu que era um lugar ainda mais precário e de má qualidade do que parecera à primeira vista; era mais um cubículo com janelas em cima do que qualquer outra coisa. As janelas, sem dúvida, serviam para permitir ao ocupante observar a loja do banquinho alto que ficava diante de uma mesa comprida, surrada e bamba. Também havia uma porta para o lugar, mas estava aberta e a chave estava na fechadura. O feixe da lanterna de Jimmie Dale varreu o interior — e parou em um cofre antigo e pesado.

Sob a máscara, os lábios de Jimmie Dale abriram um sorriso que parecia quase arrependido enquanto ele olhava para a monstruosidade indefesa de ferro que era pouco mais do que um insulto para um arrombador de cofres treinado. Então, do cinto, saíram a fina caixa de metal e uma pinça. Ele abriu a caixa e, com a pinça, pegou um dos selos cinza em forma de diamante. Segurando o selo com a pinça, ele umedeceu com os lábios o lado com cola, depois o pousou sobre um lenço que tirou do bolso e bateu com o lenço contra a frente do cofre, grudando o selo conspicuamente. A insígnia de Jimmie Dale não tinha nenhuma impressão digital. Os microscópios e lupas no quartel-general afirmaram lamentavelmente tal fato para a polícia muitas vezes.

E agora, as mãos e os dedos dele pareciam trabalhar como um raio. A broca fez uma perfuração no ferro macio — furou e atravessou — furou e atravessou outra vez. Estava escuro como breu — e silencioso. Nenhum som, exceto o raspar rápido e abafado da chave catraca — como o roer distante de um rato! Jimmie Dale trabalhou rápido — mais um buraco foi feito na frente do cofre antiquado — e depois, de repente, aprumou-se para escutar, todas as faculdades tensas, alertas e aguçadas, o corpo um pouco inclinado para a frente. *O que foi isso!*

Do beco que dava para a rua pela qual ele viera, veio o som de passos furtivos. Imóvel na escuridão completa, Jimmie Dale escutou — havia o som de algo rangendo nos fundos, alguém estava escalando a cerca que ele saltara!

Em um instante, as ferramentas nas mãos de Jimmie Dale desapareceram nos respectivos bolsos sob o colete — e os dedos sensíveis dispararam para o botão giratório do cofre.

— Que pena — murmurou lamentosamente Jimmie Dale para si mesmo. — Eu poderia ter realizado um trabalho tão artístico... Juro que poderia ter entalhado o perfil de Carruthers no buraco em um instante... Abri-lo desta maneira é realmente tirar vantagem desta pobre coisa velha.

Ele estava de joelhos agora, um ouvido perto do botão, escutando os pinos caindo, enquanto os dedos delicados giravam o botão certeiramente — o outro ouvido atento ao fundo do estabelecimento.

Um passo se aproximou — um raio de luz — um tropeço — mais perto — o recém-chegado estava dentro do lugar agora, e deveria ter visto que a porta dos fundos fora arrombada. Os passos se aproximaram — ainda mais — e então a porta do cofre se abriu sob a mão de Jimmie Dale, e Jimmie Dale, para não ficar preso como um rato em uma ratoeira, saiu em disparada do escritório — mas demorara um pouco demais.

Contornando as pilhas bagunçadas de quinquilharias e miudezas, o raio de luz varreu o lugar — e parou em cheio em cima de Jimmie Dale. Hesitar por uma fração de segundo teria sido fatal, mas hesitação era algo que Jimmie Dale nunca conhecera na vida. Rápido como o bote de uma pantera, ele saltou diretamente contra a luz e o homem atrás dela. A voz rouca, que ia emitir uma exclamação surpresa com a descoberta repentina da presa, morreu em uma arfada.

Houve um estrondo quando os dois homens colidiram — e o outro cambaleou para trás com o impacto. Jimmie Dale saltou sobre o homem, e suas mãos voaram para a garganta dele. Era um policial uniformizado! Jimmie Dale sentira os botões de cobre quando se agarraram. Na escuridão, havia um sorriso estranho nos lábios cerrados de Jimmie Dale. Sem dúvida, era *o* policial por quem ele passara no outro lado da rua.

O policial era menor que Jimmie Dale, mas forte para seu tamanho — e lutava agora com toda a força. Os dois homens giraram de um lado para o outro, cambalearam, ofegando e arfando; então — tinham se arrastado para perto da porta do escritório — com um giro repentino, todos os músculos do corpo empregados em um esforço supremo, Jimmie Dale arremessou o homem para longe, deixando-o estirado no chão do escritório, e, em um piscar de olhos, fechou a porta e girou a chave.

Houve um urro como o de um touro, o *chip-chip-chip* estridente do apito do policial e um estrondo ruidoso quando ele jogou o corpo contra a divisória — depois, o estampido de um tiro, o estilhaçar de vidro quebrando enquanto o homem atirava pela janela do escritório — e ao lado de Jimmie Dale, que agora disparava para a porta da frente, uma bala zumbiu agressivamente.

Jimmie Dale saiu correndo na rua, arrancando a máscara do rosto — e olhou ao redor como um falcão. Apesar de todo o barulho, ainda não havia começado um alvoroço na vizinhança — não havia ninguém à vista. Bem acima, veio o chocalhar de um trem elevado na direção do centro da cidade. Em uma disparada de cem metros, Jimmie Dale apostou corrida com ele por meio quarteirão até a estação, subiu os degraus aos saltos — e, um momento depois, afundou despreocupadamente em um assento e tirou um jornal vespertino do bolso.

Jimmie Dale saltou na segunda estação, atravessou a rua, subiu de novo a escada do trem elevado e pegou o trem seguinte para a parte alta da cidade. Seus movimentos pareciam um pouco erráticos — ele saltou uma estação depois daquela por onde escapara. Olhando para a rua abaixo, estava escuro demais para ver qualquer coisa, mas um barulho confuso, como o de uma multidão se aglomerando, chegou a ele dos arredores da loja de artigos de segunda-mão. Ele escutou com apreço por um momento.

"Não está uma noite perfeitamente adorável?", Jimmie Dale disse cordialmente para si mesmo. "E pensar que aquele policial imaginou que eu não o vira se esconder em uma entrada depois que dobrei a esquina! Veja só, que estranho... não é?"

Lançando mais um olhar rua abaixo, levantando os ombros com extravagância, ele seguiu para o oeste pela área de prédios residenciais que se agrupavam por um punhado de quarteirões nos arredores, logo ao sul da Washington Square. Agora, era pouco depois de uma da manhã, e havia poucos pedestres. Jimmie Dale leu as placas com os nomes das ruas nas esquinas enquanto avançava, virou abruptamente em uma transversal, contou os prédios desde a esquina ao passar por eles e — para os olhos de qualquer um que estivesse observando — abriu a porta da frente de um deles como se fosse do seu costume e tivesse todo o direito de fazê-lo, e entrou.

Era sombrio e escuro lá dentro; quente, insalubre, com cheiros persistentes de alho e comida estragada. Ele tateou até a escada e começou a subir. Subiu um andar, depois outro — e mais um até o topo. Ali, pisando delicadamente, ele examinou o patamar, evidentemente visando obter uma ideia do lugar e dos números de portas que davam para o corredor.

Ele escolheu a terceira porta a partir do alto da escada — havia quatro no total, dois apartamentos com dois quartos cada. Ele parou por um instante para ajustar a máscara de seda preta, testou a porta silenciosamente, viu que estava destrancada, abriu-a com um movimento rápido e brusco — e, entrando, recostou-se contra ela.

— Bom dia — disse Jimmy Dale agradavelmente.

Era um lugar imundo, um buraco miserável, iluminado por um único bico de gás com uma chama amarela trêmula. Quase não havia mobília; não havia nada além de um par de cadeiras baratas, uma mesa bamba — impossível de penhorar. Um garoto, pois era pouco mais do que isso, talvez com 22 anos, que estava encolhido do outro lado da mesa com a cabeça apoiada entre braços esticados, saltou de pé com um grito assustado.

— Bom dia — disse Jimmie Dale outra vez. — Seu nome é Hagan, Bert Hagan, não é? E trabalha para Issac Brolsky na loja de artigos de segunda-mão na West Broadway, não trabalha?

Os lábios do garoto estremeceram, e o rosto magro, branco, branco como um fantasma agora, era de dar pena.

— Eu... eu acho que você me pegou — vacilou ele. — Eu... suponho que você seja um policial à paisana, se bem que eu nunca soube que tiras usavam máscaras.

— Normalmente, não usam — disse Jimmie Dale friamente. — É uma mania minha, Bert Hagan.

O rapaz, apoiando-se na mesa, virou a cabeça para o lado por um momento, e fez-se silêncio.

Então, Hagan voltou a falar.

— Vou com você — disse ele apaticamente. — Não causarei nenhum problema. Você... você se importaria de não falar alto? Eu... eu não gostaria que ela ouvisse.

— Ela? — disse Jimmie Dale em voz baixa.

O garoto atravessou a sala na ponta dos pés, abriu uma fresta em uma porta, espiou para dentro, abriu-a um pouco mais — e olhou sobre o ombro para Jimmie Dale.

Jimmie Dale atravessou a sala até o garoto, olhou para dentro do quarto — e seu lábio se contorceu estranhamente quando a visão provocou uma pontada rápida e dolorida em seu coração. Uma mulher jovem, mais nova do que o garoto, estava deitada em uma cama decrépita, um trapo sobre seu corpo — seu rosto tinha uma palidez cadavérica enquanto ela jazia no que parecia um estupor. Estava doente, criticamente doente; não era necessário um olho treinado para discernir um fato tão aparente até mesmo para o observador mais casual. A sujeira, a pobreza óbvia do lugar, era ainda mais evidente do que no outro cômodo — só que ali, sobre uma cadeira ao lado da cama, havia um amontoado de garrafas de remédio e um pequeno punhado de frutas.

Jimmie Dale recuou em silêncio enquanto o garoto fechava a porta.

Hagan caminhou até a mesa e pegou seu chapéu.

— Estou... estou pronto — disse ele com a voz entrecortada. — Vamos.

— Só um minuto — disse Jimmie Dale. — Conte-me sobre isso.

— Não vai demorar muito — disse Hagan, tentando sorrir. — Ela é minha esposa. A doença tirou tudo que tínhamos. Eu... eu meio que atrasei o aluguel e outras coisas. Iam nos despejar daqui... amanhã. E não havia dinheiro para os remédios, e... e as coisas que ela precisava. Talvez você não fizesse isso... mas eu fiz. Não podia deixar ela morrer ali por falta de algo que um pouco de dinheiro poderia comprar... e... e eu não podia... — ele recuperou a voz com um pequeno soluço — eu não podia deixar ela ser jogada na rua.

— Portanto — disse Jimmie Dale —, em vez de guardar no cofre o dinheiro do velho Isaac hoje à noite quando fechou a loja, você o guardou no bolso, não foi? Não sabia que seria pego?

— De que importava? — disse o garoto. Ele estava girando seu chapéu deformado entre os dedos. — Eu sabia que, de manhã, quando o velho Isaac desse falta do dinheiro, saberiam que tinha sido eu, pois não havia ninguém mais para roubá-lo. Mas paguei quatro meses de aluguel adiantado hoje à noite e providenciei para que ela tenha remédios e comida. Eu ia fugir antes do amanhecer... eu... — ele esfregou a mão rapidamente na bochecha — eu não queria ir embora, abandoná-la, antes que o necessário.

— Ora, veja só — havia maravilhamento no tom de Jimmie Dale, e seu inglês deslizou para um estilo vulgar e agramatical — se isso não é estranho! Escuta aqui, não sou detetive. Nossa, garoto, achou que eu era? Olha só, escuta isso! Arrombei o cofre do velho Isaac faz meia hora, e imagino que ninguém vai pensar que pegou o dinheiro e eu quebrei a cara. Escuta, não sou de superstição, mas parece que a sorte queria que você tivesse outra chance, né?

O chapéu caiu das mãos de Hagan no chão, e ele cambaleou um pouco.

— Você... você não é um tira! — gaguejou ele. — Então, como sabia a meu respeito e meu nome quando encontrou o cofre vazio? Quem contou?

O rosto de Jimmie Dale se contorceu sob a máscara, e ele engoliu seco. Jimmie Dale teria dado muita coisa para ser capaz de responder àquela pergunta.

— Ah, isso! — disse Jimmie Dale. — Isso é fácil... eu sabia que você trabalha lá. Ei, é incrível, não é? Olha que sorte, tudo que você precisa fazer é ficar sentado com a boca fechada, e estará seguro como uma igreja. Só me diga, o que fará a respeito do dinheiro, agora que está com o aluguel quatro meses adiantado e meio que se reergueu?

— Fazer? — disse o garoto. — Vou devolver o dinheiro, aos poucos. Pretendia fazer isso. Não sou... — Ele parou abruptamente.

— Bandido? — sugeriu Jimmie Dale agradavelmente. — Fale de uma vez, garoto, não vai me magoar nem um pouco. Bem, vou lhe dizer... você está falando do jeito que eu gosto... devolva o dinheiro, coloque-o de volta sem que ele veja, um pouco de cada vez, sempre que puder, e jamais ouvirá um pio meu; mas se não fizer isso, parece que tenho o direito de vir até sua rua e pegar minha parte ou saber o motivo, não é?

— Então, nunca pegará sua parte — disse Hagan, com um engasgo. — Vou devolver o dinheiro o mais rápido que conseguir.

— Com certeza — disse Jimmie Dale. — Isso mesmo... Foi o que eu disse. Bem, adeus, Hagan.

E Jimmie Dale abriu a porta e saiu.

Uma hora depois, no quarto de vestir em sua casa na Riverside Drive, Jimmie Dale estava tirando o paletó quando o telefone, um instrumento de mão sobre a mesa, tocou. Jimmie Dale olhou para ele... e começou a tirar tranquilamente o colete. O telefone tocou outra vez. Jimmie Dale tirou seu curioso cinto de couro com bolsos — enquanto o telefone repetia o chamado. Ele pegou a pequena broca que usara pouco antes e a inspecionou criticamente — sentindo a ponta com o polegar, como se costuma fazer com a lâmina de uma navalha. Mais uma vez, o telefone tocou com insistência. Ele estendeu a mão lentamente para o gancho, pegou o aparelho e o levou até o ouvido.

— Alô! — disse Jimmie Dale, com um bocejo sonolento. — Alô! Alô! Por que diabos você está arrancando um homem da cama às duas da manhã... hein? Oh, é você, Carruthers?

— Sim — disse excitadamente a voz de Carruthers. — Jimmie, escute... escute! O Selo Cinza voltou à vida! Ele acaba de cometer um roubo na West Broadway!

— Meu Deus! — arfou Jimmie Dale. — Não diga!

VILÃO: LINGO DAN

A DIGNIDADE DO TRABALHO HONESTO

PERCIVAL POLLARD

Lingo Dan (1903), um dos livros mais raros do gênero de mistério, sem nenhuma cópia catalogada ou leiloada durante meio século, é uma antologia de contos sobre um personagem fictício extremamente incomum. Recebeu a alcunha *Lingo* por causa da linguagem rebuscada que usa, e é um vagabundo, ladrão, trapaceiro e assassino com um sangue-frio impressionante — coisa rara entre os bandidos do século XIX. Apesar de Lingo Dan se mostrar um americano patriótico com um profundo sentimentalismo, ele continua sendo um sujeito desagradável que, ainda assim, ocupa uma posição importante na história dos contos de mistério: o ano do primeiro conto e do livro subsequente fazem dele o primeiro criminoso em série da literatura americana.

Joseph Percival Pollard (1869-1911) foi um crítico literário importante em sua época, amigo de Ambrose Bierce e H.L. Mencken. Escreveu 12 livros antes de sua morte prematura aos 42 anos, mas *Lingo Dan* foi sua única obra de mistério. Era mais conhecido por seus trabalhos de crítica literária, dentre os quais *Their Day in Court* (1909) foi o de maior sucesso.

Em sua obra acadêmica *The Detective Short Story: A Bibliography* (1942), Ellery Queen (um colecionador e estudioso de ficção de mistério, além de romancista best-seller) cita um exemplar do livro em cuja dedicatória Pollard escreveu: "Não espero para [Lingo Dan] nem o sucesso de Sherlock Holmes, Raffles etc., nem tampouco a imunidade de ser comparado a estes cavalheiros. No entanto, pelo menos ele é algo que os outros não são: americano." Hoje, ninguém compara seu personagem àqueles que ele cita, pois Lingo Dan é uma figura absolutamente esquecida na literatura criminal.

"A dignidade do trabalho honesto" foi publicado pela primeira vez no livro *Lingo Dan* (Washington, D.C., Neale Publishing Co., 1903).

A DIGNIDADE DO TRABALHO HONESTO

PERCIVAL POLLARD

Em meio ao barulho das cascas sendo arrancadas do milho amarelo, veio a voz de Lingo Dan.

— É absolutamente maravilhoso — disse ele — o quanto seu esforço me fascina, Billy! Há algo tão raro, tão incomum, tão bizarro a respeito dele! De fato, neste último mês, como nossa vida tem sido exótica! Estamos envolvidos em um trabalho honesto...

— Você, hein? — grunhiu Billy, e enfiou tão agressivamente algumas cascas em um saco que as bordas afiadas das folhas secas cortaram sua mão como uma faca. — Sim, você tem... Que diabos! — Ele esfregou a mão machucada no cabelo.

— Meu Deus, Billy, você está se esquecendo da base ética da divisão de trabalho. É verdade que sua divisão tem sido a das mãos (aqui está um lenço, Billy, para enrolar neste corte ligeiramente desagradável aos olhos; um lenço lavado pelas belas mãos da srta. Mollie, ouso dizer), enquanto a minha tem sido a da cabeça. Ando planejando nossa libertação, Billy. Você acha que estas elaborações me ocorrem espontaneamente? Você me superestima.

Ele esticou totalmente as pernas e, com as mãos entrelaçadas atrás da cabeça, olhou para fora através de uma rachadura no antigo celeiro. Suspirou. De fora, vinha o zumbido monótono do descaroçador de algodão.

— Billy — ele continuou —, por que é que não conseguimos encontrar satisfação neste modo de vida tranquilo? Pense só, Billy: observar os tufos brancos de algodão brotando na sua terra; ouvir o vento sussurrando nos corredores do seu milharal; sentir que uma pequena quantidade de ar fresco e luz do sol pertence a você... Não seria agradável? Como disse? Ah... Realmente, Billy, sua linguagem é muito pouco acadêmica.

Mas você está certo, não somos as pessoas adequadas para este cenário. Carecemos de algum átomo do humano elementar; somos vítimas das nossas versatilidades.

Durante algum tempo, só se ouviu o som rascante de Billy descascando com ferocidade as espigas de milho. Então, o outro voltou a falar, com uma voz na qual sonhos e abstrações estavam repentinamente ausentes.

— Tem certeza de que não repararam em nós naquele domingo?

— Certeza! — disse Billy.

— E de que sabe bem sua parte no negócio?

— Muito fácil.

— Então, passa a ser apenas uma questão de quão rápido aquela coquete, Oportunidade, decidirá nos chamar. Silêncio por um momento, Billy! Sim, nosso amigo, o diácono, está vindo.

Billy entregou uma saca parcialmente cheia de cascas de milho. Quando o fazendeiro para quem os dois trabalhavam abriu a porta do celeiro e os chamou para jantar, Lingo Dan estava descascando a espiga de milho que detivera sua atenção o dia todo.

Enquanto a filha, Mollie, arrumava a mesa para o jantar naquela noite, Sam Travis, conhecido pelos companheiros da igreja como diácono Travis, veio da cozinha rindo sozinho.

— Andei fazendo umas contas — disse ele — e diabos me levem se aqueles dois fizeram uma migalha a mais do que o trabalho de um só homem descascando o milho! O trabalho de um homem, e alimentamos os dois. Mas a verdade é que meio que admito que ouvir o sujeito alto é tão bom quanto ler uma revista. Já viu alguém com este dom para falar, Mollie?

— Não. Mas ele não aprendeu isso numa fazenda!

— Também é verdade, Moll; mas não deixarei o passado de nenhum homem me conduzir ao pecado da curiosidade, Moll. Pelo menos, não no Texas. Ahh! Queria que sua mãe estivesse viva para sentir o cheio do seu pão de milho, Moll!

Mollie sorriu com prazer. Mas quando os outros entraram, e enquanto ela circulava pela sala servindo os pratos, seu rosto adquiriu uma expressão de dor. Naquele momento, o pai percebeu que ela estava apenas fingindo comer.

— Não está bem, Moll? — perguntou ele.

— Uma das minhas dores de cabeça, pai. — Foi a resposta da garota.

— Que pena! E amanhã é domingo! O primeiro domingo do mês; e não estarei lá para passar a bandeja! — O diácono Travis estendeu sua xícara para que lhe servissem mais chá e suspirou com tristeza.

— Sinto muito, pai. Não pode ir sem mim?

— Não, senhora! De jeito nenhum! Preciso colocar cânfora na sua testa agora mesmo.

Lingo Dan fez um som parecido com uma tosse.

— Caso realmente se encontre impossibilitado de ir, seria pedir demais que a carroça levasse a mim e meu companheiro para a adoração sagrada? Não é sempre — ele fez uma pausa e sorriu melancolicamente para o diácono — que temos a oportunidade.

O diácono Travis pareceu satisfeito.

— Com certeza, podem usar a carroça. Nunca achei que gostassem de ir à igreja; eu teria perguntado antes. Têm certeza de que sabem o caminho?

— Perfeitamente; é muito gentil de sua parte.

Quando estavam novamente a sós, o diácono Travis comentou com a filha que talvez tivesse sido alguma espécie de Providência especial que lhe tivesse provocado uma dor de cabeça, para que duas almas sedentas pudessem beber as águas espirituais da Palavra. No entanto, este ponto de vista filosófico não foi muito animador para a srta. Mollie.

A pequena igreja de madeirame, onde os fazendeiros da região tinham o hábito de se reunir todo domingo, ficava em uma pequena elevação na pradaria, onde uma estreita estrada secundária parte da Estrada Norte em direção às montanhas. Em nenhum outro lugar no mundo aquelas colinas seriam chamadas de montanhas; mas ali, contrastando vividamente com a planície monótona da pradaria, elas pareciam facilmente dignas do título. Cobertas de cedro, as montanhas tornavam o horizonte, pelo menos em um ponto cardeal, verde, fresco e pitoresco. Nos dias quentes, que são a norma no Texas, a sombra dos cedros tornava-se um verdadeiro oásis para viajantes cujo caminho os levava naquela direção.

E pode ser possível que boa parte do bom povo da fazenda sendo conduzido para a igreja naquela manhã luminosa e tórrida de domingo preferiria, no fundo, o frescor das montanhas de cedro aos bancos quentes da igreja. Ainda assim, se tais pensamentos lhes ocorriam enquanto a poeira branca voava ao lado e atrás das carroças, eles os deixavam de lado o mais rápido possível. Eles sentiam que tinham todo o direito de se orgulhar de ter uma igreja. Havia comunidades, no mesmo condado, e não tão distantes, que eram tanto sem Deus quanto pobres. Sentir que sua própria congregação era constituída de pessoas prósperas e viajar pelos campos que apresentavam colheitas tão abundantes era motivo para felicidade. Além disso, tinham conquistado a graça, anos atrás, de chamar para lá um clérigo do leste, de construir uma igreja e de providenciar para ela todas as coisas necessárias e, com frequência, muitas coisas mais. A boa sorte, ou o bom discernimento, ordenara que o reverendo Martin Dawson provasse ser exatamente o melhor pastor do mundo para aquela comunidade. Era um homem já de alguma idade, não muito doutrinador, um companheiro agradável pessoalmente e popular não apenas com os membros da congregação, mas também com as pessoas do leste a quem deixara quando viera para o Texas. A popularidade dele e a maneira agradável com que levava a vida influenciaram afortunadamente a congregação para uma direção diferente. Depois que seu velho amigo da faculdade, o reverendo James Langan, visitara-o havia alguns anos, relatos tão elogiosos foram feitos no leste que, depois disso, esta pequena comunidade do Texas recebia constantemente o benefício de ouvir muitos pregadores realmente admiráveis em sua pequena igreja. Quando o bom pastor se levantava na abertura da missa e apresentava a eles seu "irmão no Senhor" de, digamos, Hartford, e em seguida ouviam um sermão tão eloquente quanto os dados somente nas cidades em que o aluguel dos bancos das igrejas são baseados nas rendas de milionários, aquele povo bom não ficava mais surpreso. Escutavam com interesse e gratidão e agradeciam à boa sorte mais uma vez por ter lhes concedido um pastor tão bom. Quanto aos clérigos visitantes, para eles as visitas ao velho amigo Dawson eram uma espécie de férias. O sr. Dawson vigiava com todo o rigor que nenhum dos visitantes fosse do tipo que arriscaria um discurso típico do campo.

O reverendo Martin Dawson era solteiro. Sozinho com um velho criado que agora atuava ao mesmo tempo como sacristão, maceiro e zelador da igreja, morava em uma casa pequena a cerca de três quilômetros da igreja, na estrada que passava pela fazenda de Sam Travis. Toda manhã de domingo, os dois pegavam a carroça pequena e velha, munidos de sobrepeliz e sermões, e deixavam que uma égua cinzenta preguiçosa e tranquila os transportasse vagarosamente até a igreja. Depois, cumpriam os afazeres do dia; o reverendo rezava e pregava, o criado recolhia o dízimo. Havia alguns momentos nos quais o reverendo, deixando de lado a sobrepeliz, conversava animadamente com os membros da congregação, recusando, talvez, muitos convites para o jantar, e depois voltava para casa, atrás da égua cinzenta que os conduzia vagarosamente até a igreja. Certamente, também com frequência havia o clérigo visitante, e uma ou duas vezes o visitante viera sozinho com o velho criado para a igreja, pois o reverendo Dawson herdara uma gota que, às vezes, o deixava totalmente incapacitado.

Conforme os vários veículos de diferentes formas e capacidades seguiam pelas estradas empoeiradas que davam na igreja vindas de todas as direções, um jovem fazendeiro com olhos mais aguçados do que os da maioria das pessoas identificou uma carroça que se aproximava em um ângulo reto em relação à sua.

— Ali está a carroça de Travis — comentou ele com a esposa.

— Mollie tem me prometido uma receita por termos hospedado Alexandrias; espero que não tenha esquecido hoje.

— Imagino — continuou ele — que você precisará esperar pela receita. É a carroça de Travis, mas não são eles. Parecem mais amigos do pároco.

— Droga... Me desculpe! Uma das dores de cabeça de Molly, imagino. — E eles seguiram viagem, sacudindo.

Na carroça de Travis, Lingo Dan discursava sobre as inconsistências curiosas da natureza humana.

— Que alma bondosa, aquele pároco! Não é, Billy... Que alma bondosa! Mas ele é apenas humano, afinal de contas. Nenhuma força de urdidura espiritual pode romper os laços impostos por criaturas tão rudes quando... quanto nós. Acho muito improvável que ele consiga desatar aquela corda sem ajuda. E quanto ao parceiro daquela casa honesta, acredito que o tenha amarrado bem forte, não foi, Billy? Sim, acho que podemos ter certeza de que continuarão agrilhoados por algum tempo. O nosso ato foi muito alegórico, Billy; percebe a alegoria? Os grilhões da carne, grilhões da carne; se sua educação, Billy, não tive sido vergonhosamente negligenciada, você teria muitas memórias do catecismo ao ouvir esta frase antiga e querida: os grilhões da carne. De certo modo, lamento que tenha sido necessário recorrer ao uso da força. Afinal de contas, a força é algo rude. Se fosse possível obter suas promessas, seus juramentos sagrados... como a era da Honra seria mais bela, melhor! Mas isso... isso foi impossível. Que alma bondosa! Mas com pouco fôlego... muito pouco! E a inconsistência dele...

você reparou? Enquanto achava que tínhamos vindo apenas para roubar, ele pareceu pouco se abalar, exceto, talvez, lamentar por nossos modos equivocados; mas no instante em que coloquei as mãos em seus sermões e na sobrepeliz... Por Olimpo, que fúria poderosa, não é, Billy? Fiquei feliz que ele já estivesse amarrado naquele momento; se estivesse livre, sua fúria... Não há como saber o que aquela alma bondosa não teria feito. Que coisa mais maravilhosamente inconsistente, a natureza humana! Facetada como um brilhante; tão cheia de surpresas quanto... o clima!

Durante todo o monólogo, intercalado por silêncios e risadas, Billy permaneceu sentado impassível, amarrando um lenço em torno de uma mão.

— Ele me mordeu — rosnou ele. — Aquele animal velho!

— Calma, Billy! Um sacristão... seu antagonista recente... um sacristão, um homem cujo ofício solene é assistir materialmente ao Último, ao Grande Divórcio... o decreto de separação da alma e da carne... chamar tal homem de... um animal... ah, Billy!

À medida que se aproximavam da igreja, os olhos deles viram com alegria os diversos veículos parados ao lado da cerca e se aproximando pelas diferentes estradas.

— É um caso de "Auspice Deo" — continuou Lingo Dan. — Não é, Billy? *Nil desperandum, auspice Deo!* Observe que congregação agradável teremos. Gloriosa, gloriosa! Está com a chave da sacristia?

— Bem aqui. — Billy deu um tapinha no bolso.

— E quanto à minha parte... Como os modos e os meios da civilização moderna são maravilhosos, às vezes... O sermão daquela boa alma está datilografado! Se bem que — e, neste ponto, o orador baixou a voz, como se não quisesse manifestar o menor toque de vaidade — ouso dizer que não me sairia totalmente mal em um improviso. Conheci a época... em dias que hoje estão mortos...

— E enterrados! — Billy disse com uma reprovação virulenta. Era evidente que reportar ao passado não tinha mais nenhum charme para ele.

Lingo Dan pareceu levemente magoado.

— Verdade... é bem verdade. Como você é objetivo, Billy... nunca desvia do assunto, nunca vaga para o abstrato... Ah, às vezes, sinto inveja de você, Billy.

Mas Billy só grunhiu. Era o grunhido da descrença.

Pouco depois, eles tinham chegado à porta da sacristia. Billy amarrou a rédea à cerca. Depois, abriu a porta da sacristia e os dois entraram. Billy reparou com uma surpresa desinteressada que seu parceiro vestiu a sobrepeliz com aparente conhecimento da técnica. Então, o órgão iniciou a missa.

Quando a música cessou, uma figura alta e pálida levantou-se ao lado da mesa voltada para as grades do altar.

— Amados irmãos — disse o estranho clérigo —, minha parte nesta missa deveria ser apenas o sermão, mas uma indisposição repentina acometeu seu bom pastor, o sr. Dawson, e estou aqui para fazer o melhor possível como seu substituto.

Houve uma pausa. Os olhos do orador varreram a igreja. Todos os assentos estavam ocupados. Mas em todos os rostos não vida nada além de um encorajamento gentil. No fundo, na última fila, mergulhado nas sombras, pairava o rosto do homem chamado Billy. O clérigo viu tudo isso em um instante. Depois, ele começou, na voz convencional de um pregador.

— Amados irmãos, as Escrituras nos conduzem a diversos lugares... — Depois disso, a missa prosseguiu lenta e superficialmente. Não havia nada que demonstrasse que o oficial, naquela ocasião, não fosse versado e experiente nas funções devocionais. Às vezes, a congregação captava um tom de fervor, de ênfase amorosa em alguma frase que era mais imbuída do que de costume com a poesia característica do livro de orações; pela mera elocução do homem, sentiram que seria um sermão que os faria esquecer até mesmo o calor sufocante.

De fora, ouvia-se ocasionalmente o relinchar de um cavalo e o pisotear de patas impacientes. Além disso, somente o calor, tremulando visivelmente contra as cercas.

No assento dos fundos, Billie empenhava os últimos vestígios de autocontrole para evitar roncar.

Quando o "amém" generalizado encerrou a oração do Credo, o pregador foi até o púlpito. Com a cabeça baixa, ficou em silêncio por alguns segundos. Depois, dobrou o sermão a seu gosto. Ele ruborizou enquanto lia o texto, mas sua voz nunca vacilou. Era do evangelho de Mateus, e dizia:

"Cuidado com os falsos profetas. Eles vêm a você vestidos de peles de ovelhas."

Era uma pena que o reverendo Dawson não pudesse ouvir a leitura eloquente de seu sermão por seu *locum tenens*. O hábito embota um pouco as faculdades, e é certo que se o verdadeiro autor tivesse pregado o sermão, ele não pareceria tão poderoso. Da maneira que foi lido, por trás de cada palavra, de cada frase, havia todo o vigor nervoso de uma voz musical, uma mente em alta tensão.

Ao se voltar para a última página do sermão, uma suspeita agonizante cruzou o ouvido e a mente do pregador. Seria um ronco vindo do último banco?

Havendo a menor chance de ser tal coisa, era necessário adotar medidas de força. Afinal de contas, só era possível imbuir um entusiasmo limitado às palavras de outro homem.

Ele fechou ostensivamente o panfleto do qual lia o sermão. Com os olhos passando emocionadamente pelos rostos diante de si, levou sua voz ao seu tom mais musical e envolvente.

— Portanto, irmãos — exortou ele —, em sexto e último lugar, chegamos à lição que devemos aprender. O que é tão desenfreado no mundo hoje quanto esta hipocrisia, esta máscara que usam, a pena emprestada sobre a qual Mateus nos avisou nas palavras do texto? Muitas vezes, o rosto é dado ao homem para ocultar a alma. Novas doutrinas vêm e vão; homens falam tolamente sobre novas religiões e novas ciências; os comerciantes que se aproveitam da tendência-a-crer do mundo fazem barganhas no mercado. E quem de nós aqui ousa dizer que, em algum momento na vida, não foi hipócrita? Todos nós não vestimos nada além destas mesmas vestes, espirituais e materiais, que usamos agora? Este é o pecado que nos aflige; o câncer que está devorando a candura saudável do mundo. Aqui, ao ar livre, sob o céu claro, você pensa que o uso da máscara só acontece raramente. Estão errados; a máscara é usada, seja na cidade ou no campo. Procurem em seus corações e encontrem a resposta. Procurem... — A voz dele ressoava nas vigas, de modo que se ouviu um farfalhar rápido no banco dos fundos, e os olhos esforçados do pregador captaram o brilho do maravilhamento de Billy e, para si mesmo, de fato agradeceu a Deus! — Procurem... no fundo dos seus corações!

Com uma espécie de soluço, o pregador virou o rosto para o leste.

— E agora, para o Pai — murmurou sua voz. Com o fim do suspense, o toque eloquente não era mais necessário.

Então ele se virou para a mesa, olhando aparentemente para os céus, mas na verdade para Billy. Enquanto Billy subia a coxia, o pregador continuou falando em seu tom monótono, de pé com as mãos postas diante de si.

— Que sua luz brilhe diante dos homens, para que eles vejam suas boas obras.

Ele prosseguiu com estes textos conhecidos enquanto Billy passava com nervosismo a bandeja de madeira pelos bancos. Os envelopes contendo as contribuições caíam com o farfalhar de papel sobre papel. Não havia frequentadores casuais naquela congregação; a visão de dinheiro raramente era imposta.

Finalmente, a arrecadação foi concluída. A bandeja, com uma pilha de riquezas brancas, estava ao lado do gradil do altar. O padre apressou-se para dar as bênçãos.

Depois disso, com uma mudança no tom de voz, ele avançou um passo e disse:

— Se a congregação aguardar alguns momentos, ficarei feliz em conhecer pessoalmente cada membro.

Aqueles que o observaram atentamente sempre disseram que ele tinha o sorriso mais encantador que jamais tinham visto.

Depois, pegando rapidamente a bandeja de arrecadação, ele entrou às pressas na sacristia. A sobrepeliz foi deixada em um canto.

— Graças a Deus — ele sussurrou para si mesmo — que tudo isso está em papéis dobrados. Faz menos barulho.

Ele colocou o dinheiro em um lenço e abriu cuidadosamente a porta que dava para fora.

Um ou dois segundos depois, a carroça de Travis estava seguindo pela estrada para as montanhas, ocultada por uma nuvem de poeira.

Na igreja, a congregação aguardou o encontro com um dos pregadores mais eloquentes que tinham ouvido em muito tempo.

Muitas horas depois, após uma caminhada forçada em meio à floresta de cedros que ocultava impenetravelmente todos os rastros, Lingo Dan e Billy pararam ao lado de uma nascente na montanha.

Espalhando os envelopes com as contribuições sobre as pedras frias à sombra da colina na qual brotava a nascente, Lingo Dan começou a abri-los para contar o lucro da aventura.

Billy levantou-se com uma blasfêmia.

Lingo Dan deitou-se de costas e gargalhou ruidosamente. Quando recuperou o fôlego, disse:

— Mas Billy, você não dá nenhum valor à sensação?

Todas as contribuições eram cheques.

OS OLHOS DA CONDESSA GERDA

MAY EDGINTON

Um nome que raramente é reconhecido pelos leitores de ficção de mistério é o de May Edginton, o *nom de plume* de May Helen Edginton Bailey (1883-1957), embora ela tenha sido uma prolífica escritora de romances, com um vínculo talvez ainda mais importante com o teatro musical americano.

Como H.M. Edginton, ela escreveu o romance *Oh! James!* (1914), que inspirou a peça de teatro *My Lady Friends* (1919), jamais esquecida em Boston porque o dono dos Boston Red Sox vendeu Babe Ruth para os New York Yankees para financiar o projeto. A peça por sua vez se tornou a base do musical *No, No, Nanette* (1924), que, reaproveitando a história, foi adaptado para o cinema em 1930 e 1940, tornando-se um sucesso outra vez ao ser reencenado na Broadway em 1971.

Entre os muitos filmes baseados em suas histórias, romances e peças, incluem-se *The Prude's Fall* (1924), um filme mudo escrito por Alfred Hitchcock, que também trabalhou nele como diretor-assistente; *Secrets* (1933), baseado na peça homônima de Edginton, com Mary Pickford no papel principal; e *Aventura em Nova York* (1936), estrelando Jean Arthur, baseado em sua história “Purple and Fine Linen”.

O personagem central do livro *The Adventures of Napoleon Prince* (1912) conta com o auxílio de seu ajudante, Bunny, e, do outro lado da arena legal, está Sherlock Holmes, com Watson, na melhor tradição de Raffles . Ajudando Prince em seus planos nefastos temos a bela e devotada Mary, descrita como sua irmã, e Dapper, seu criado discreto e leal.

“Os olhos da condessa Gerda” foi publicado originalmente em *The Adventures of Napoleon Prince* (Nova York, Cassell, 1912).

OS OLHOS DA CONDESSA GERDA

MAY EDGINTON

Entre os novos residentes do novo bloco do prestigiado prédio de apartamentos próximo à Estação Victoria havia uma mulher jovem, charmosa e sozinha; um homem paralítico com idade entre trinta e quarenta anos, acompanhado de sua bela irmã; e um jovem alto e bronzeado que, pelo jeito, não tinha nada melhor a fazer do que arrumar e decorar seu apartamento de solteiro. A mulher já estava no aptartamento nº 24 havia um mês quando o inválido e sua irmã se mudaram para o nº 20, no andar de baixo; e o jovem bronzeado se mudara para o nº 23 alguns dias depois que o nº 20 fora ocupado.

O jovem, cujo nome (conforme indicado na placa do saguão de entrada) era sr. John Luck, não demorou muito para conhecer o inválido e sua irmã. Tudo fora meio acidental, como viram os porteiros — os três obviamente não se conheciam antes —, e progredira casualmente segundo os ditames da boa educação, sob o olhar dos mesmos porteiros e de um ascensorista muito observador: um "opa, bom dia!" ou "tempo bom hoje!" ou ainda "que dia infernal, hein?", coisas assim. Alguns dias de encontros fortuitos no saguão resultaram em uma discussão sobre uma câmera que o inválido estava levando até Green Park para fotografar algumas cenas de inverno. Parece que o sr. John Luck conhecia bem aquele modelo de câmera; o inválido — sr. Napoleon Prince, como a placa no saguão indicava — ainda não a tinha usado.

— Você estava de saída? — disse o paralítico, cordial. — Ia dar uma voltinha? Caminhe conosco por alguns minutos, que tal? Você pode me falar mais sobre a câmera.

Assim, o sr. John Luck saiu, andando ao lado da cadeira do sr. Napoleon Prince, que ele próprio conduzia, e ao lado da bela moça, irmã dele. E tudo isso foi visto pelos porteiros e pelo ascensorista.

— Johnnie, se nossos colegas de profissão percebessem — observou o homenzinho na cadeira, ao saírem da quadra — como dependem dessas aparentes trivialidades, haveria mais recompensas para a genialidade e menos triunfos da polícia.

— Não temos nada definitivo em vista, Nap? — perguntou o jovem.

— Não, não! — respondeu Napoleon. — E nem era para termos. Apreciamos qualidade, não quantidade. E temos o bastante para nos mantermos por agora, *n'est-ce pas, mes enfants?*

— Vamos nos comportar por algum tempo, Nap — disse a moça.

— Ouviu isso, Luck? — disse Napoleon, sorrindo. — Mary está dizendo para nos comportarmos. Vamos nos aquietar por alguns meses e então seremos cidadãos-modelo. Vamos ao teatro, e você vai levar Mary para ver as corridas, e vamos conhecer nossos vizinhos e socializar com eles inocentemente.

— Oba! — gritou Mary.

Ela usava uma jaqueta bem justa na cintura, um casaco de peles e um chapéu de aba larga, e estava linda.

Johnnie Luck caminhava com passos relaxados.

— Bom! — concordou ele. — Muito bom!

— Eu acho — disse Napoleon, olhando para eles de um lado e de outro, enquanto conduzia a cadeira diante do Palácio de Buckingham — que vocês dois são terrivelmente respeitáveis, bem lá no fundo. — Eles entraram no Green Park. — Deixem-me ficar por aqui tirando minhas fotos e filosofando sobre as vantagens de ser respeitável, e vão vocês dois se exercitar um pouco por aí e filosofar sobre... sei lá, o que vocês quiserem.

Um leve sorriso — sinistro ou melancólico — apareceu em seu grande rosto pálido quando Napoleon se afastou dos dois. Eles caminharam pelo parque por uma hora, sem ver ninguém além deles mesmos, sem ouvir nada além de sua conversa em tom baixo, esquecendo-se completamente do tamanho do mundo — que agora continha apenas eles dois — até que o som de rodas se aproximando os trouxe de volta e eles avistaram Napoleon.

— Sinto muito — disse ele —, mas usei todo o filme e quero almoçar. Johnnie, já nos conhecemos bem o bastante para que eu o convide para almoçar conosco.

O trio voltou para casa e almoçou na sala de jantar dos Prince. Depois da refeição, Napoleon disse:

— Mary vai às compras. Ela vai ver as butiques, que são muito respeitáveis. Mas você, Johnnie...

Johnnie Luck olhou cheio de esperança para Mary, que, usando um vestido leve à *la Joséphine*, aquecia um pé empantufado diante da lareira.

— Não o leve com você, Mary — continuou Napoleon, brincalhão. — Preciso de alguém para conversar. — E acrescentou: — E você também não o conhece bem o suficiente.

Ela riu, disse a Luck para ficar e saiu.

— Pegue charutos, Johnnie — disse o homenzinho —, puxe aquela cadeira, apoie os pés no lintel (deve ser tão bom poder fazer isso) e fique bem confortável.

Eles ficaram fumando à vontade, olhando para o fogo em silêncio. E então:

— Você gosta do seu apartamento, Johnnie? Me esqueci de perguntar.

— É muito bom, obrigado.

— Falei que seria melhor você ficar no nº 23 ou 24. É melhor não ficarmos no mesmo andar, percebe?

— Ah! Sim, é melhor tomar essas pequenas precauções, sim. O nº 24 já estava ocupado quando chegamos.

— Sim, foi o que eu soube — disse Napoleon, olhando para o fogo. Mais 15 minutos se passaram até que ele dissesse alguma coisa. E então, gentilmente:

— Johnnie, você está vendo alguma coisa no fogo, não está? Não tenha vergonha de ser sentimental. Orgulhe-se disso. Acho que eu mesmo estava vendo algo parecido.

John Luck estava vendo o rostinho da moça *à la Joséphine* brilhando para ele, mas...

— *Você!* — disse ele a Napoleon, perturbado — *Você*, Nap!

— Sim, eu — disse Napoleon, empertigando-se e olhando para cima. — Tenho um coração de homem, afinal, mesmo que só tenha metade do corpo. E *naquela* época eu era inteiro ainda. Já faz quase sete anos.

Luck aquiesceu e olhou para Napoleon em um silêncio solidário.

— Foi a única vez que fui vencido, Johnnie — disse o homenzinho. — Vencido, e não tive como dar o troco. Sabe, foi uma mulher. Quer ouvir? Eu quero contar. Eu estava viajando pela Itália com a gangue dos Cosmopolitas sobre a qual já falei, e tínhamos um belo alvo na mira. Eu era o membro mais inteligente do grupo, e eles deixaram a parte principal do plano comigo. Bom, eu estava no Teatro da Ópera em Florença certa noite quando vi uma mulher em meio a muitas outras. O lugar estava lotado, a realeza estava presente, mas, depois que a vi, não tive olhos para mais nada. Você sabe como é. Ela era jovem e morena, tinha lindos olhos e estava vestida de branco com um manto escarlate. Havia um homem com ela, e os dois estavam sentados perto da orquestra. Eu os segui e consegui vê-la de perto. Dou minha palavra, Johnnie, ela era magnífica! Mas me parecia triste. Ela não usava luvas e estava sem aliança — então parecia estar livre. Fui para casa e coloquei uma roupa adequada. Na manhã seguinte... você já foi à Itália, Johnnie?

Luck negou com a cabeça.

— Que manhãs! — prosseguiu Napoleon. — Era primavera, eu me lembro, meados de março... você lê poesia, Johnnie?

> "... ampla e alabastrina,
> Banhada em ouro d'água matinal,
> Jaz Florença no flanco da colina"*

A voz do homenzinho acariciou as palavras melodiosamente. Ele continuou:

— Eu a encontrei na praça, cavalgando na direção do rio. Eu a observei por toda a manhã, e a segui quando ela retornou a pé para seu hotel. Assim descobri seu endereço. Esqueci tudo a respeito dos Cosmopolitas, todos os nossos planos. Só parecia haver uma coisa que importava... Ela evidentemente estava hospedada no hotel. Descobri seu nome: condessa Gerda di Veletto. Escrevi para ela, e assinei: "Um inglês enlouquecido", informando meu endereço. Johnnie, rapaz, naquela mesma noite um valete do hotel me trouxe uma resposta. Eu a tenho aqui neste estojo. Sempre a mantive comigo. Quer ver? Eu gostaria de lhe mostrar.

A folha de papel dobrado e gasto que ele pegou estava prestes a se rasgar nas dobras. Johnnie Luck, sentindo-se meio tolo e intrometido, leu:

* "Ode a Florença", Elizabeth Barrett Browning (1806-1861). (N. do T.)

Meu caro estranho,

Seu elogio me agradou. Você achou que não agradaria? Você não sabe que uma mulher jamais recusa palavras lisonjeiras? Onde você estava sentado no Teatro da Ópera? Será que eu o vi quando você me viu? Acho que não, porque se tivesse... mas acho melhor não escrever o que pensei. Não seria sábio. Quero apenas agradecer pelo prazer de suas palavras reconfortantes, que chegaram até mim em um período problemático, repleto de angústia. E, embora eu não tenha conhecido — nem vá conhecer —, meu inglês enlouquecido, tenho prazer em me despedir subscrevendo-me,

Sua amiga,

Gerda di Veletto.

Luck devolveu a carta em silêncio, e Napoleon a pôs de volta no pequeno estojo e o colocou no bolso interno do paletó. E então continuou:

— Johnnie, a essa altura eu já estava amando como nunca tinha amado mulher alguma, como jamais amaria novamente. O que ela disse sobre "período problemático, repleto de angústia" me fez pensar. Enlouquecido, escrevi para ela. Será que eu poderia ajudá-la? Será que seu inglês enlouquecido poderia encontrá-la, onde e quando ela quisesse? Ela se dignaria a dar-lhe alguma ordem? Ela respondeu que não poderia me ver naquela noite, pois iria jantar com um amigo. Um amigo? Quem era esse "amigo"? Fiquei fora de mim com ciúmes, e passei a observar o hotel, como se pudesse identificar o convidado dela entre a multidão. E quando vi entrar o homem que estivera com ela no Teatro de Ópera, soube que tinha identificado meu alvo.

— Voltei para casa e escrevi novamente para ela. Implorei para que ela marcasse um encontro comigo e que me permitisse fazer algo por ela. Ela respondeu imediatamente, dizendo que eu poderia vê-la no dia seguinte, mas que ela não poderia receber ninguém mais até lá. Ela estava no final de suas forças, sem saber o que fazer quanto ao problema que a afligia. Li muita coisa nas entrelinhas daquela carta, como sabia que fora a intenção dela ao escrever. Ela sabia deixar muita coisa implícita, uma verdadeira arte, meu caro Johnnie, do mais alto calibre. Vi desespero e medo ali. De forma imprevidente, no final da carta ela disse que seus problemas eram apenas financeiros. No fim, quinhentas libras a libertariam, e ela pediria a quantia ao amigo naquela noite. Eu me lembro de frases como: "Não sou desse tipo de mulher, meu inglês enlouquecido… isso é muito cruel… mas aí está! Ele ficará tão ávido para me dar o dinheiro quanto eu ficarei amargurada por ter que aceitar." E então, em um súbito retorno à formalidade, ela acrescentou que ficaria feliz em me conceder alguns minutos no encontro do dia seguinte.

"Johnnie, Gerda sabia direitinho o que estava fazendo. Ela compreendeu, como poucos em nosso ramo de trabalho, a importância de estudar psicologia. De modo geral, mulheres são melhores nesse jogo que os homens. Os criminologistas estudam o crime por meio da hereditariedade, sugestão, fenômenos físicos, meio ambiente. Mas as mulheres são melhores. Elas usam as emoções; conhecem o peso de um cílio, o valor de um movimento de cabeça, de uma palavra, e ainda mais, de uma palavra não dita. E foi o que ela não disse na carta que me deixou furioso, tremendo de raiva animalesca. Pensei no sujeito na ópera — lembrei do seu rosto — seus maneirismos, sua idade, tudo a respeito dele. Era um sujeito jovem, de boa aparência, mas para mim ele me pareceu o próprio Mefistófeles. Eu o imaginei firmando um negócio com ela pelas quinhentas libras. Eu tinha bastante dinheiro comigo — dinheiro dos Cosmopolitas. Juntei cédulas e pus quinhentas libras junto com uma carta, implorando que ela aceitasse a oferta do inglês enlouquecido, que nem pediria para vê-la em retribuição, e recusasse a oferta do 'amigo'. Mas como eu ansiava pelo encontro que ela prometera! Ela enviou uma resposta repleta de significado — nas entrelinhas, obviamente. Eu deveria ir até ela para receber seu agradecimento 'pelo empréstimo'. Na noite seguinte, às sete, eu deveria jantar com ela."

— E? — perguntou Luck, depois de uma longa pausa.

Napoleon respondeu de forma sucinta:

— Fui ao hotel dela às sete em ponto, cegamente, assim como tinha agido até então, e tremendo de emoção. Saí às 19h10, totalmente são. Ela partira pela manhã com, ao que parecia, várias joias de outros hóspedes, e com minhas quinhentas libras, ou melhor, as quinhentas libras dos Cosmopolitas. O inquérito policial, instaurado pelas outras vítimas, não por mim, descobriu que ela partira de Florença com o "amigo", mas não foi possível rastreá-los. Amaldiçoei tudo e todos por algum tempo, imaginando ela rindo.

Luck aquiesceu com a cabeça.

— Deve ter sido o esquema mais tranquilo em que ela se meteu — disse Napoleon — e, no entanto, ela estava lidando com o homem mais inteligente que já devia ter conhecido.

Ele disse aquilo de forma pensativa, e sem arrogância consciente.

— Desde então — continuou ele —, passei a confiar menos na ciência e na sequência lógica em minha profissão, e reconheci que o acaso, a emoção e a aventura são contingências poderosas que devemos encarar. Os olhos dela me derreteram. Minha ciência, minha lógica, minha profunda desconfiança do mundo, joguei tudo isso fora. Como eu disse, foi tudo muito tranquilo. Ela não esperava conseguir o dinheiro antes de me conceder um encontro. Como ela deve ter gargalhado quando isso aconteceu! Ela e o amigo! Deve ter sido a coisa mais engraçada da vida deles. E quando penso bem sobre isso, Johnnie, é realmente de uma hilaridade desgraçada que eu tenha caído numa esparrela dessas! *Eu! Eu!*

Nada no rosto pálido do homenzinho indicava que ele realmente sentia o humor doloroso da situação, e por isso John Luck preferiu não rir.

— A lógica é tola diante do amor — disse Napoleon.

— É uma história interessante — comentou Luck.

— O que me fez lembrar disso — disse Napoleon, virando a cabeça e dando uma olhada rápida e incisiva para seu interlocutor — foi ver os olhos dela no fogo, assim como você via os olhos de outra pessoa ali também, não é, Johnnie? Jamais esqueci Gerda nesses sete anos.

— Nem a perdoou?

Ele evitou responder.

— E o que trouxe aqueles olhos diante de mim outra vez, Johnnie, foi ter visto um par de olhos bem parecido hoje de manhã quando saí do prédio. Uma linda mulher chamada Muswell, segundo me disse o ascensorista.

— Creio que é minha vizinha do apartamento nº 24.

— É mesmo? Você a conhece? Ela parecia triste, preocupada, como se estivesse passando por uma fase ruim, embora Mary tenha me dito que seu vestido deve ter custado exatamente dez libras, 19 *pence* e 11 *halfpenny*.

— Não, eu não a conheço. Eu a vejo frequentemente entrando e saindo do hotel, claro. E notei o ar preocupado. Talvez ela seja apenas solitária. É uma lástima que uma mulher tão bonita viva sozinha.

— Ela tem os olhos de Gerda — disse Napoleon, suavemente.

Ele olhou para o fogo novamente, com o queixo afundado no peito, seu rosto agora uma máscara pálida. Então perguntou:

— Você diria que fraqueza é um dos meus defeitos, Johnnie?

Luck sorriu tão francamente com a pergunta que uma negativa em voz alta não foi necessária.

— Mas todos os homens são fracos — disse Napoleon, respondendo ao sorriso —, e minha fraqueza, meu calcanhar de aquiles, são olhos como os de Gerda. Eu a amei, e ela me magoou. Ela nunca sequer me viu, e eu a adorei a distância. Não importa. Eu a amei, e o amor é como é, está acima de toda a lógica do mundo. Tive uma criada em Paris com olhos que pareciam os dela, e fiz o que pude para ajudá-la por causa de Gerda. Gerda não teria agido assim, mas não importa. Agora encontro essa sra. Muswell no prédio, e ela tem olhos que são idênticos aos de Gerda. Ela parece solitária, infeliz, sem sorte. A convenção social proíbe Mary de ir vê-la e oferecer um paliativo para a solidão, porque parece que ela chegou aqui antes de nós. E pelo jeito ela não vai nos visitar. E eu gostaria de fazer algo de bom por essa mulher que tem os olhos de Gerda. Você não quer arranjar isso para mim, Johnnie?

— Como?

— Apresente-se a ela, já que ela está no apartamento ao lado do seu. Faça-a falar. Faça ela confessar a você que está sozinha. Então implore para que ela venha visitar essas pessoas tão boas, os Prince, que você conheceu quando chegou aqui. E assim por diante.

— Como é que eu vou me apresentar a ela, Nap?

— Ah! Por favor, Johnnie! — disse Napoleon, bastante irritado com aquela falta de jeito. — Você é um jovem bonito, não vai se encabular! Você tem as aptidões sociais costumeiras e um par de olhos para apreciar as dádivas que os deuses lhe deram para atrair vizinhas interessantes. Você tem um apartamento elegante ao lado do dela, e vocês dois são jovens solitários. As condições são tão favoráveis que não consigo imaginar nenhum obstáculo real no seu caminho.

Mary apareceu, então, retornando das butiques, e disse que as compras tinham sido um tédio.

— Polly — disse seu irmão —, Luck aqui vai trazer a vizinha dele, a sra. Muswell, para visitar você amanhã à tarde. É uma antiga história de amor...

Mary olhou friamente de um para o outro.

— História minha, coração, não de Johnnie — continuou Napoleon, preparando-se para sair da sala. — Uma antiga história de amor que os olhos dela me lembraram. Então vamos ser muito bonzinhos com a sra. Muswell, está bem, coração?

Uma mulher muito bonita abriu a porta de seu apartamento para o sr. John Luck na manhã seguinte. Ela era alta, morena, quase magra demais, e vivaz; ela parecia ter entre 25 e trinta anos, mas mais perto dos trinta. O vestido que usava tinha um corte magistral. Seus olhos eram adoráveis — grandes, bem-feitos, inocentes e atraentes.

— Desculpe incomodar — disse o sr. John Luck, com seu sorriso magnético —, mas eu perdi minha gatinha, e acho que ela veio para cá atrás de leite ou alguma coisa assim. Será que posso dar uma olhada?

A figura adorável olhou para o sr. Luck.

— Entre — disse ela simplesmente e, fechando a porta atrás dele, levou-o a uma pequena sala de estar de decoração tão magistral quanto o corte de seu vestido, com um estilo interessante e diferente, de inspiração oriental.

Ela gesticulou para que ele se sentasse de forma francamente amistosa — a ausência de maneirismos convencionais era animadora — e quis saber o nome da gata e como era sua aparência.

— Ela responde a qualquer nome, mas geralmente eu a chamo de "Xana" — respondeu o sr. Luck, de forma admirável. — E ela é a gata mais afável que eu já vi.

— De que cor é sua gatinha fofa?

— Ela é branca — disse Luck. — Todos os espíritos são, sabia? Tenho certeza de que você a adoraria. Você gosta de gatos?

— Muito — respondeu ela, abrindo um sorrindo suave e ambíguo.

Ela olhou para ele como uma criança intrigada o faria. Então se levantaram e procuraram pela gatinha por todo o apartamento, mas não encontraram nada. Nenhuma resposta veio ao chamado de "Xana!" ou qualquer outro nome. Quando a busca se mostrou inútil, eles voltaram para a sala de estar e se sentaram novamente.

— Sou seu vizinho do apartamento ao lado, sabia? — disse ele, depois que uns dois assuntos tinham se esgotado e ela insinuara de forma delicada que ele fosse embora.

— Ah, é? — perguntou ela, parecendo duvidar.

— São apartamentos muito bons, não?

— São.

— Mas mesmo assim podem ser meio solitários, não é?

— Sim. — Ela acrescentou com simplicidade: — Eu sou bastante sozinha.

— Que pena, sra... sra...

— Muswell — disse ela, hesitando ao dizer o nome. Ele notou a hesitação. — Não tenho nenhum amigo em Londres. — E ela suspirou.

— Por que você não visita algumas das pessoas daqui? Os recém-chegados.

— Ah, você acha que eles...

— Gostariam? — disse o sr. Luck. — Sim, acho. É um casal de irmãos encantadores logo aqui no andar de baixo. Eu os conheci quando cheguei aqui. Adorariam conhecer você, tenho certeza. São os Prince.

— Ah! Você fala do pobre cavalheiro inválido, sr...?

— Meu nome é Luck. Sim, falo do inválido e de sua irmã. Diga-me, você se considera uma pessoa muito formal?

Ela sacudiu a cabeça, ainda sorrindo de forma desconfiada, meio temerosa.

— Não, receio ter perdido o contato com as formalidades inglesas. Eu... eu estive fora da Inglaterra por tanto tempo...

Um leve suspiro outra vez, e as palavras pareceram evocar das profundezas de seus olhos algo que era melhor manter esquecido.

— Então — disse ele — deixe-me levar você para conhecê-los esta tarde, sra. Muswell. Aceita?

Depois das hesitações preliminares de praxe, ela consentiu.

— Mas é que... — disse ela — tenho medo de fazer amigos. Eu...

— Por que privar os outros da sua companhia?

— Minha história... — disse ela, depois de uma pausa — é um tanto extraordinária. Eu... dificilmente poderia contar a um estranho, mas...

— Certamente que não — respondeu o sr. Luck, levantando-se para partir com rapidez. Eles apertaram as mãos com mútuo contentamento, enquanto ela o encarava e ele retribuía seu olhar de modo reconfortante. E assim o sr. Luck retornou a seus aposentos, antecipando com prazer o momento de ouvir a história extraordinária da bela mulher em algumas horas. Afinal, ele era apenas humano.

— Aqui, depois do jantar — disse ele, contemplando sua sala de estar —, tomando café, à meia-luz. Algumas almofadas servirão muito bem para compor a cena.

Ele a levou aquela tarde para visitar os Prince, como combinado.

A visita foi um sucesso. Após algum tempo, Mary disse gentilmente que ela parecia uma mulher com uma história para contar.

Luck assentiu, recalcitrante.

Napoleon, com seu sorriso misterioso, concordou com Mary. A jovem viúva certamente tinha uma história. Ele olhou para o fogo com uma expressão distante. Provavelmente via os olhos de Gerda.

A história extraordinária da jovem viúva não foi omitida a Johnnie Luck por muito tempo.

Naquela mesma noite, tendo jantado em seu apartamento, Johnnie estava sentado ao piano, tocando baixinho e cantando suavemente algumas melodias burlescas de música negra em uma voz que merecia peças melhores, quando uma dama foi levada até ele pelo criado extremamente discreto que ele próprio contratara.

Era a sra. Muswell.

Ela usava um vestido preto simples de *chiffon*, e estava bastante atraente.

— Você deve estar achando isso muito estranho — disse ela, enquanto ele se levantava manifestando óbvios sinais de prazer por vê-la. — Pelo menos acho que está... esqueci o que se deve ou não fazer na Inglaterra. Posso me sentar?

— Com toda a certeza — disse ele, sorrindo e puxando apressado uma cadeira com almofadas que combinavam com a cor da pele da moça.

Ela deixou cair um rolo de tecido negro e espesso que carregava — parecia um pequeno tapete — e se afundou na cadeira.

— Você foi *tão* bondoso comigo hoje de manhã e à tarde — disse ela, hesitando — que eu fiquei com vontade de... de lhe falar a meu respeito, mesmo sabendo que isso não é muito convencional. Mas como disse, esqueci como é ser convencional como as boas mocinhas inglesas.

Ela mordeu o lábio e seus olhos pareceram reter algumas lágrimas.

— Minha cara sra. Muswell — disse ele, interessado, sentando-se perto dela —, convenções são sempre erradas, pois indicam um estado de coisas que exige uma repressão antinatural. Mas as coisas não estão nesse estado deplorável. Por que não podemos todos agir naturalmente e dizer o que quisermos uns para os outros? Por que seguir uma cartilha para nos relacionar com os outros?

— Por que, não é mesmo? — repetiu ela, inocentemente. — Será que posso então lhe contar tudo e pedir seu conselho sobre a situação, já que não tenho nenhum amigo além de você aqui? Isso é algo que uma boa mocinha inglesa faria?

— Qualquer mocinha inglesa adoraria fazer isso — respondeu Luck, com franqueza.

Ela estava extremamente indecisa, e quase sorrindo. Era encantador.

— Cresci na Inglaterra — disse. — Minha mãe era inglesa, mas meu pai era italiano. É possível perceber meu lado italiano não é?

O criado trouxe a bandeja de café, à qual discretamente adicionara outro conjunto de xícara e pires, e se retirou em silêncio. Luck serviu a visita. Ela provou o café e exclamou:

— Que delícia! Não provo um café bom assim desde que escapei de...

Ela parou.

— Lá nós comíamos doces junto com o café — disse, baixinho. — Coisas bem adocicadas e gordurosas, como chocolate, marrom-glacê, pasta de amêndoas, violetas cristalizadas e balas de goma, tudo junto.

Uma caixa de chocolates que fora comprada para Mary estava guardada em meio a outros objetos em uma mesinha próxima. Luck pegou a caixa e, desfazendo o laço da fita, ofereceu os doces à visita.

— É o mais próximo disso que posso oferecer — disse ele, desculpando-se.

Ela se serviu de um chocolate. Tinha dentes muito brancos, sobre os quais seus lábios rubros se franziram charmosamente.

— Não que eu queira me lembrar de nada daquela época — suspirou. — É muito doloroso... muito degradante... muito...

— Prometo que lhe aconselharei da melhor forma que puder.

— Eu sei. Vou lhe contar minha história.

Ele se sentou diante dela segurando a caixa de chocolate aberta. Ela começou a falar, parando de vez em quando para pegar um bombom, como uma criança comendo enquanto narra um conto de fadas.

— Minha mãe, como eu disse, era inglesa, e meu pai, italiano. Passei a infância na Inglaterra, mas me mudei aos 18 com meus pais para Paris.

Minha mãe morreu lá, e fiquei sob os cuidados de meu pai. Ele não cuidava bem de mim. Que Deus me perdoe por falar mal de meu pai, mas ele me tratava muito mal. Mal demais para uma menina de apenas 18 anos, recém-saída de um internato de freiras na Inglaterra.

— Internato de freiras?

— Sim. Eu passava as férias e os períodos letivos lá. Era bem tranquilo e agradável; eu adorava. Vivíamos como num sonho. Quando saí daquele lugar tão bom foi realmente um despertar súbito, cruel e desorientador. Mas então me dei conta do mundo exterior e de que estava viva nele. Eu me atirei de cabeça nas atividades emocionantes que meus pais me propiciaram. Quando minha mãe morreu, meu pai continuou me proporcionando essas emoções. Eu brincava com tudo e com todos, ainda parecendo uma criança, até que, percebendo finalmente que eu não queria ou não podia compreender que já tinha crescido, e quais eram os planos dele para mim, meu pai se pronunciou. "Julie", ele disse, depois de um baile em Paris, "quando você vai se casar?".

"Essa pergunta me chocou de maneira aterrorizante. Eu não tinha pensado em casamento ainda. Estava feliz. Meu mundo era a Arcádia,* não uma versão real e sem graça em Paris, mas a Arcádia em minha mente. 'Vou ficar com o senhor pra sempre, papai', respondi. Mas ele disse, muito sério: 'Tenho outros planos para você, *ma chérie*.' No dia seguinte ele me apresentou ao príncipe Mustafá, que acabara de chegar de Constantinopla em missão diplomática, pelo que eu tinha entendido. Ele era bem jovem, charmoso e educado, como os homens ocidentais. Saí bastante com ele, e meu pai nos deixava sozinhos sempre que podia. Foi como se eu deixasse o príncipe entrar em minha Arcádia, onde ele conheceu meus outros amigos. Eu tinha pouquíssimas amigas mulheres. Mas isso, claro, era culpa do meu pai. Você acredita quando eu digo que era *mesmo* a Arcádia?"

Ela parecia uma criança com medo do que um adulto debochado poderia dizer sobre uma verdade importante sendo relatada.

— Vejo que você acredita em mim — continuou ela. — Você é bom, é decente. Mas então chegou um dia horrível; meu pai entrou de súbito e

* Terra utópica e pastoral cujos habitantes vivem em harmonia idílica com a natureza; o nome deriva de uma província grega que remonta à antiguidade. (N. do T.)

me disse que estavam falando de mim em todos os clubes e cafés de Paris; e Mustafá estava propondo casamento. Eu tinha tanto medo do meu pai e estava tão ansiosa para escapar de sua agressividade que aceitei o príncipe. Nos casamos em Paris; eu, uma moça ignorante, não questionei a validade do rito celebrado entre alguém da religião dele e alguém da minha, e nós, meu marido e eu, viajamos juntos para Constantinopla.

Uma longa pausa.

— Acho que não vou conseguir continuar — disse ela, baixinho. Mas depois de secar os olhos e comer mais alguns chocolates, ela insistiu bravamente e continuou.

— O príncipe tinha um harém...

— Santo Deus! — gritou Luck.

— Um harém. E eu era uma de suas... "esposas"... assim chamadas por cortesia. Passei 24 horas em sua residência e então descobri tudo. Eu o repreendi apaixonadamente. Disse: "Se meu pai soubesse disso...!", e ele respondeu: "Seu pai sabia direitinho. Paguei a ele 25 mil francos para ajudá-lo a quitar suas dívidas." E então compreendi que meu casamento tinha sido um contrato de compra e venda. Eu, uma moça livre com sangue inglês nas veias, tinha sido vendida! Vi que não podia confiar no meu pai, que ele era um apoio fraco e duvidoso... meu único apoio! O que eu podia fazer? Eu já estava com Mustafá havia uma semana. Eu... eu fiquei. Tornei-me mais uma no harém. Uma das mulheres, escravas de estimação, objetos decorativos que engordavam lentamente e viviam dormindo entre almofadas. Fui uma delas por oito anos, e então me revoltei a ponto de planejar minha fuga, com todas as chances contra mim. Fiz planos durante sete meses, observando todos os sinais e ouvindo todos os sons da vida lá fora que chegavam até mim apenas para me ajudar a preparar minha estratégia. Uma coisa já tinha decidido: eu não fugiria com uma mão na frente e outra atrás.

"Naquela época, a moda entre as mulheres do harém era fazer tapetinhos de seda e lã negra com uns três centímetros de espessura. Por oito anos fui a favorita de Mustafá, e ele me cobria de joias. Assim que comecei a planejar minha fuga, passei a esconder os colares e braceletes na trama do meu tapete. Uma a uma, astuciosamente, escondia minhas joias, reservando sempre a mais recente para usar quando Mustafá mandava me chamar. Briguei com as outras mulheres, que tinham me odiado desde que eu chegara ali, e por sete meses nós mal trocamos algumas palavras. Assim, pude ficar distante delas, e elas por sua vez não vinham bisbilhotar nem mexer no meu trabalho e fofocar a respeito, como faziam umas com as outras. Quando estava quase terminando o tapete, meu plano estava pronto, e a oportunidade surgiu. Nós sempre caminhávamos à vontade no jardim suspenso. Certa noite, fui até lá sozinha com meu tapete e me joguei de lá de cima na copa de uma grande árvore frutífera que ficava embaixo. A distância me deu vertigem. Fiquei na árvore olhando para a rua por sobre o muro. Era um lugar relativamente calmo, longe do mercado e das praças principais. Finalmente criei coragem para descer e pular o muro com a ajuda das árvores plantadas ao longo de sua extensão. E assim, após oito anos, caminhei livremente em uma rua. Tão livremente quanto era possível, quer dizer. E, claro, eu estava coberta por um véu. Consegui o dinheiro da passagem e a escolta particular do cônsul britânico, e assim finalmente retornei a Londres."

Ela parou para comer chocolates, e por algum tempo fez-se silêncio.

— Pobre moça! — disse Johnnie Luck, por fim.

— Você é bom, é decente — disse ela, com voz suave. — Diga-me o que fazer.

— O que fazer da sua vida? Eu não poderia responder isso.

— Não, não! O que fazer com minhas joias. Elas são o meu capital, entende? Não tenho dinheiro. Tenho que vendê-las, mas discretamente, porque não suportaria se alguém ouvisse essa história — além de você, claro, meu bom amigo. Os ingleses são tão preconceituosos. Quero começar uma nova vida entre eles de forma digna. Além disso, existe outro motivo para eu manter meu segredo.

Ela demonstrou alguma reserva.

— Sua história está perfeitamente protegida comigo, é claro.

— Eu sei. Voltando às joias, devo ter pelo menos dez mil libras no tapete.

Luck olhou com deferência para o tecido negro enrodilhado aos pés dela.

— Você confiaria nos Prince? — perguntou ele. — Napoleon Prince conhece bastante o... ah, os mercados de itens de luxo, e pode ajudar você.

Relutantemente ela consentiu em confidenciar com o sr. Prince na primeira oportunidade — no dia seguinte, se possível.

Depois que ela partiu, deixando o leve aroma de algum perfume oriental pairando entre as almofadas, Luck desceu até o nº 20. Encontrou Napoleon acordado, fumando diante do fogo insuflado na lareira, mas Mary se recolhera mais cedo.

— Alguma novidade, Johnnie? — perguntou o homenzinho, com um leve sorriso.

Luck contou a história da sra. Muswell.

— Absurda, não é verdade? — perguntou.

Napoleon tinha ouvido tudo, meramente aquiescendo com a cabeça e comentando sem demonstrar surpresa.

— Absurda a ponto de ser verdadeira — respondeu ele, enigmático. — Logo você aprenderá a não desacreditar no melodrama, Johnnie. Todos os melodramas já escritos não são nada perto dos melodramas que são vividos todos os dias.

— Ela vai ouvir seus conselhos por recomendação minha, Nap.

— É a melhor decisão que ela poderia tomar — disse Napoleon, sorrindo.

— Então você vai ajudá-la de algum modo, como um bom cidadão?

— Vou ajudar... os olhos de Gerda! — disse Napoleon, sorrindo.

— Boa noite, Nap.

— Boa noite, Johnnie.

E ele ficou sozinho, olhando para os olhos no fogo.

A moradora do nº 24 apareceu no apartamento dos Prince, conforme o combinado, na tarde seguinte. Ela carregava um pacotinho negro enrolado — o tapete que, segundo sua história, ela tecera no harém do príncipe Mustafá. Luck estava presente. Mary foi gentil e encantadora. Napoleon apertou a mão dela em sua mão esquerda e disse que esperava que a sra. Muswell não ficasse sem jeito ao saber que o sr. Luck tinha lhe contado a história. O sr. Luck achou que ela gostaria de ser poupada de relatar novamente o caso doloroso.

Não, ela não ficou constrangida. Sim, ela gostou de ser poupada e ficou grata àquelas pessoas tão bondosas. Ela desenrolou o tapete negro.

— Sinta isso! — disse ela a Napoleon.

Ele sentiu, em meio à maciez da seda e da lã, pequenos volumes maciços aqui e ali entre as camadas do tecido.

— Colares? — perguntou ele.

Ela respondeu ávida e francamente:

— Dois colares, quase uma dúzia de broches, uma cinta, uma correntinha, muitos pares de brincos, rubis, esmeraldas e topázios. Os colares são de diamantes e pérolas. Como posso vender esses itens sem levantar suspeita ou chamar atenção? Mustafá deve estar me procurando, e eu não ousaria atrair a atenção dele.

— Ele não pode encostar em você na Inglaterra, minha criança — disse o homenzinho, com ar paternal.

— Mas a história! — disse ela, sofregamente. — A história! Seria divulgada! E ninguém pode saber disso... porque eu... muita coisa depende disso... eu...

Subitamente ela levou o lenço ao rosto e soluçou, sacudindo os ombros. Napoleon a observou, pensativo. Luck estava realmente nervoso. Mary tentou confortar a visita o melhor que pôde e pediu chá.

Enquanto o chá era servido, a visita se recuperou um pouco e ergueu o rosto, exibindo um sorriso trêmulo por entre lágrimas que faziam seus olhos negros brilharem como joias.

— O que vocês não devem estar pensando de mim...? — arquejou ela. — Sinto muito, muito mesmo. Mas, como eu disse, há muita coisa em jogo. Eu... eu vou me casar.

Ela bebeu chá enquanto Mary e Luck olhavam para ela expressando compaixão e interesse.

— Sabem — disse ela, em voz baixa —, eu não sou realmente esposa de Mustafá. O casamento em Paris não foi válido. Apesar da minha... da minha degradação, eu estou livre. Eu vou contar para vocês.

Ela pegou a mão de Mary, lançando um olhar compassivo para a moça e depois para Johnnie Luck.

— Você, meu anjo, vai me dar forças. Durante minha volta para a Inglaterra conheci, na Áustria, um jovem oficial do Exército austríaco que estava de folga. Nós... nós... — Ela baixou os olhos — Nós nos amamos desde o primeiro instante — continuou, com voz embargada. — E prometi que me casaria com ele. Tentei esquecer meu passado. Então vi minha promessa em toda sua impossibilidade evidente e horrível, e decidi partir sem dizer uma palavra de adeus a ele. Eu não sabia o que faria, se tivesse que dizer adeus. Mas ele me seguiu até aqui.

— Que lindo! — gritou Mary para Luck, amorosamente. Ele olhou para ela como quem diz: "Exatamente o que *eu* faria!"

A visitante continuou:

— E ele me encontrou ontem. Renovei minhas promessas, e nós vamos nos casar assim que eu vender essas joias e conseguir algum dinheiro, comprar um enxoval, essas coisas. O que acontece é que nas aparências eu sou uma jovem viúva em circunstâncias confortáveis. Tenho tanto medo de qualquer percalço... qualquer pergunta sobre a origem do meu capital... — Ela apontou para o tapete — E sobre como consegui essas joias de feitio oriental... mesmo que Mustafá não me localize depois que eu passá-las adiante. Vocês entendem? Não é uma trapaça cruel! É a felicidade de duas pessoas... a minha e a de Friedrich, e...

— Entendemos perfeitamente — disse a moça vestida à *la Joséphine*, com ternura. Napoleon olhava para o rolo de tecido negro.

— Podemos ver alguns dos itens? — perguntou ele.

A visitante concordou e, cortando os cordões que envolviam o tapete, exibiu algumas das joias. Eram como ela tinha descrito: gemas de corte rústico, algumas em engastes notadamente orientais. Napoleon examinou-as uma por uma com o ar de um perito. Ele pegou pequenos instrumentos do bolso do colete e bateu nas pedras, olhando para elas bem de perto, enquanto a dona das joias olhava para ele atentamente. Ela empalideceu um pouco durante o exame, e falou da devoção de Mustafá, que a cobria de enfeites caros.

— Acho — disse Napoleon, finalmente — que posso obter três mil libras por essas joias em vários mercados que conheço. Como deve saber, eu sou um viajante. Ao longo dos anos comprei muitos itens em vários leilões de arte pelo mundo, e tenho o contato de vários comerciantes na Europa e na Ásia.

Ela pareceu desconsolada.

— Você acha que elas não valem mais do que isso?

— Podem valer — respondeu ele —, mas isso só saberemos quando elas forem examinadas por especialistas. Pense a respeito, minha cara, e então me avise se decidir deixar tudo por minha conta.

— Você é muito bondoso — disse ela, grata. — Vocês todos são muito gentis e bondosos. Vamos falar mais sobre isso amanhã então. Friedrich está vindo jantar comigo hoje à noite. Será que vocês... — e ela olhou para cada um deles.

— Será que você o traria para tomar um café conosco? — respondeu Mary. — Ficaríamos encantados.

O convite foi aceito com agradecimentos e sorrisos, e a sra. Muswell se retirou. Johnnie Luck a acompanhou, carregando o rolo de tecido negro para o apartamento no andar de cima. Ela louvou a bondade dele e dos seus amigos.

— Ele é rico? — perguntou ela, pensativa — O sr. Prince?

Ela obteve uma resposta cautelosa, e disse, inocente:

— Se ele for rico, talvez queira comprar as joias ele mesmo. Ele poderia vendê-las quando quisesse, e teria um grande lucro. Para mim vai ser bem difícil ter que ficar esperando. Muito, muito difícil. Não poderei me juntar a Friedrich sem o famoso dote.

Ela aceitou com um sorriso os cumprimentos devidos e entrou em seu apartamento. Eles não a viram mais até as 21h30, quando, esbanjando charme e entusiasmo, ela levou Friedrich por alguns minutos para que fosse apresentado a eles. Ele era um homem de aparência marcial, bronzeado e elegante, bastante inteligente. Depois do café ela o levou de volta ao seu apartamento.

— Que lindos eles são! — disse Mary. — Seja bonzinho com eles, Nap.

— Sim — repetiu Luck. — Seja bonzinho com eles, Nap.

— Crianças — disse o homenzinho, tomando a terceira xícara de café com ar distraído. — Já estou preparando planos extensos de benevolência e filantropia. Todos amam os amantes. Um brinde à nossa bela amiga e seu galante Friedrich! — Ele bebeu o café. — Acho que nós a veremos amanhã bem cedo.

Era bem cedo pela manhã quando a sra. Muswell visitou o nº 20. Mary saíra para comprar alguns artigos de que seu irmão precisava com urgência, segundo dissera, e para tal ela teria que se deslocar até o outro lado de Londres, não podendo retornar antes do almoço. Johnnie Luck, respondendo a uma mensagem do homenzinho paralítico, desceu até o nº 20. Quando ele chegou, Napoleon não tinha muito o que dizer, atendo-se à conversação supérflua. Ele parecia estar apurando o ouvido para captar algo. Quando o retinir da campainha soou, seu rosto se iluminou, e ele sorriu.

— Aposto cenzinho com você, Johnnie, que é nossa heroína do Melodrama do Harém.

— Você está insinuando que não acredita...?

— Meu caro Johnnie, não acredito nem desacredito de nada. Tudo que posso dizer é que ela tem os olhos de Gerda, e isso já é motivo suficiente para eu fazer o que estou prestes a fazer.

O criado conduziu a sra. Muswell até eles.

— Ah, minha cara! Estávamos agora mesmo falando de anjos. Muito bom dia para você!

A aparência dela, no entanto, demonstrava que o dia era tudo, menos bom. Ela estava angustiada e preocupada. Sob o braço trazia o tapete negro enrolado. E então, parecendo oprimida demais para saudar formalmente os dois, ela se sentou e disse, impulsivamente:

— Sr. Prince, vim pedir sua ajuda urgente. Friedrich — disse, com os olhos umedecidos — recebeu ordens de retornar para seu regimento. Ele vai deixar a Inglaterra hoje à noite.

Os dois se mostraram extremamente atenciosos, emitindo pequenos murmúrios de compreensão. Ela continuou:

— Ele me implorou ontem à noite, depois que saímos daqui, para me casar com ele antes de sua partida, e que eu retornasse à Áustria com ele. Mas primeiro quero passar essas joias adiante. Não aparecerei diante da família de Friedrich, sua família fria e orgulhosa, sem um centavo. Sr. Prince, o que devo fazer? Quem poderá comprar essas joias imediatamente?

— Pouquíssimas pessoas, infelizmente, minha cara — disse Napoleon.

Ela mordeu o lábio e tremeu. Seus olhos estavam lindos.

— Ontem eu lhe disse — continuou ele, pegando a mão da sra. Muswell, sem resistência de sua parte — que talvez fosse possível obter três mil libras por todas as joias sem necessidade de barganhar. *Provavelmente*, não com certeza. Não confio no meu julgamento para decretar com certeza. Talvez seja possível obter mais, como eu também mencionei, se você pudesse esperar e enviar suas joias aos peritos de verdade...

— Não, não! — exclamou ela, apressada. — Não posso esperar! Tem que ser agora. Quem me daria três mil por elas?

— Isso — replicou ele — eu não teria como dizer assim tão rápido. Eu teria que procurar. Mas posso lhe oferecer 2.500 libras por elas agora, se você aceitar.

— Duas mil e quinhentas?

— Sim. Não posso oferecer os três mil que sugeri porque, minha cara, sou um homem de negócios obstinado por baixo de minha aparência terna, e devo pedir um desconto pelo pagamento à vista e pelos problemas que terei em passar as joias adiante. Talvez eu não consiga muito mais do que paguei de volta, e talvez nem recupere o que paguei. *Talvez* eu possa fazer bem mais dinheiro, admito, mas as chances são tanto a favor quanto contra. Você entende?

— Entendo... entendo... — Ela começou a expressar sua gratidão em termos encantadores, mas ele a interrompeu.

— Não me agradeça. Mencionei agora há pouco minha aparência terna, e minha ternura é toda pelos seus olhos.

Ela olhou lindamente para ele. E ele retornou seu olhar, com apreço.

— Você tem os olhos — disse ele, com delicadeza — de alguém que amei um dia. Luck, faça-me um favor.

Luck se aproximou.

— Aquela é a porta do meu quarto e, na mesa ao lado da cama, você encontrará uma pequena valise. Se não se importa... É essa invalidez miserável — explicou ele à sra. Muswell enquanto Johnnie Luck saía da sala. Quando a porta se fechou, ele acrescentou: — Gostaria de lhe pedir um tremendo favor, minha cara, porque você tem os olhos da mulher que amei outrora.

— Peça — disse ela, toda ternura.

— Um beijo — disse o homenzinho.

Em um instante Johnnie estaria de volta. Ela se deu algum tempo para um murmúrio de hesitação, surpresa... então se ergueu da cadeira, aproximou-se, inclinou-se e o beijou. Ela tinha lábios muito macios, e beijou Napoleon na boca. Então se sentou novamente. O rosto pálido de Napoleon corou rapidamente e então voltou ao normal. Seu rosto estava sereno novamente quando Luck retornou com a valise.

Napoleon a destrancou com a mão esquerda e pegou três cédulas estalando de novas.

Normalmente não tenho tanto dinheiro comigo — explicou ele. — É por coincidência, um acidente feliz, que tenho essa quantia em mãos hoje. Mais tarde eu teria mandado depositar no banco. São três notas de mil libras. Pode, por favor, providenciar o troco, minha cara?

— Quinhentas libras — considerou ela.

— Se me entregar quinhentas libras, eu lhe entregarei estas aqui — disse ele, de um modo tão charmoso, como quem parece se desculpar, que nenhuma ofensa transpareceu em sua afirmativa. — Como eu disse, sou um homem de negócios, e faço as coisas de modo formal.

— Sim, acho que tenho essa quantia em dinheiro — respondeu ela. — Vou buscá-las para lhe dar. É tudo o que tenho, é claro, e não seria um dote digno da esposa de um oficial austríaco.

Luck ergueu-se para abrir a porta. A mulher passou sorrindo — mas não foi para seu apartamento; em vez disso, seguiu apressada para a rua. Seu Friedrich a esperava perto dos alojamentos do Exército e da Marinha.

Napoleon ficou esperando seu retorno, tamborilando com os dedos da mão esquerda as notas sobre a mesa, olhos fixos no espaço, ausentes. O tapete negro jazia no assoalho.

— Nap — disse Luck —, isso não é arriscado, meu velho?

— Os olhos dela, Johnnie! — disse Napoleon. — Os olhos dela!

Ele não disse mais nada. Em cerca de dez minutos a bela visita retornou, apressada. Estava corada e sem fôlego, e explicou sua condição pela busca frenética que empreendera pelas cédulas. Ela as escondera bem, trancadas a cadeado, mas esquecera onde, e tinha sofrido tanto — tanto — com medo de tê-las perdido. Mas terminara por encontrá-las a salvo. Será que o sr. Prince faria a bondade de contá-las?

O sr. Prince as contou, enfiou-as no bolso do colete e entregou as três notas de mil libras, colocando-as antes em um envelope que retirou da valise. Ele estendeu a mão esquerda e ela a tomou na sua. Ele olhou para ela, de pé, alta, vibrante, resplandecendo vitoriosa.

— Meus parabéns a Friedrich — disse ele. Desejo-lhe toda felicidade. Tenha uma boa viagem. Adeus.

— Adeus, meus caros e bondosos amigos. — Ela apertou a mão de ambos. — Agora devo partir. Adivinhem para fazer o quê?

— Para se casar? — arriscou Luck.

Ela aquiesceu.

— Para me casar. Partimos para a Áustria hoje.

— Felizardo Friedrich! — disse Luck.

— Felizardo Friedrich! — disse Napoleon.

A graciosa criatura saiu, despedindo-se emocionada. Os dois homens ficaram sozinhos, e o tapete negro ainda jazia no assoalho. O rosto de Napoleon assumiu uma expressão fatal.

— Mary vai ficar espantada — disse Luck.

— Ah! — Ele olhou para o tapete enrolado. — Tire essa tralha daqui, por favor, meu camarada?

— Tralha? Você vai reaver seu dinheiro sem problemas, não vai?

Napoleon olhou e riu sem fazer barulho.

— Isso tudo aí é falso, Johnnie, meu querido palerma.

— Como é que é, Nap? E você sabia? Mas então o palerma é você.

— Eu não, Luck. "Friedrich", talvez; e ela. As minhas cédulas também eram falsas.

Johnnie se sentou

— Ah! Eu sei forjar cédulas. Uma das coisas que aprendi. Aquelas três eram das que os Cosmopolitas usam, e estavam prontas para serem passadas.

— E as quinhentas libras dela?

— São de verdade. Não é engraçado? Uma tremenda farsa, não foi?

— Então, no fim... você levou a melhor sobre os olhos de Gerda?

— Levei a melhor sobre a astúcia de Gerda.

A compreensão de Luck começou a se iluminar. Ele olhou para o homenzinho, que agora começava a tremer em sua cadeira de rodas.

— O tempo todo estávamos lidando com Gerda, sabe, John Luck. E com o "amigo" dela. Quem você acha, Johnnie, que era o homem que ela trouxe para beber meu café e meu licor? O sujeito do Teatro da Ópera em Florença! E o que você acha que escrevi na aba interna do envelope em que pus as notas?

Luck sacudiu a cabeça.

— "Para Gerda, do seu inglesinho bastante são." Engraçado, não? Alguma pergunta, Johnnie?

— Sim, Nap. Você veio para esse apartamento porque sabia que ela estava aqui?

Napoleon assentiu com a cabeça.

— Tudo o que você fez foi para se vingar dela assim que tivesse a chance?

Napoleon aquiesceu mais uma vez.

— Você sabia a história que ela ia contar dessa vez?

Napoleon sacudiu a cabeça.

— Saber? Quem é que sabe, John Luck, os planos e estratagemas de uma mulher? As mulheres deixam os homens, e todo o resto da criação, no chinelo quando se trata de suas perfídias. Elas não trabalham usando sequências lógicas, mas usando o acaso. Não dá para fazer seguro contra isso.

Não há apólice que baste. As mulheres não conhecem a ciência humana, mas têm a mente implacável. Suas travessuras são mais ágeis que as nossas. Elas vêm com uma história digna de um romance em três volumes sobre príncipes, haréns, as dores e angústias do amor e criam toda uma realidade tecendo melodramas absurdos e acreditando que são a mais pura verdade. Elas sentem nosso pulso e sabem tudo sobre nós. E a natureza ajuda a mulher, permite que ela penetre profundamente no papel que representa. Ela ri, e chora, e estremece; seu cérebro opera em seu corpo como um arco nas cordas do violino... e ela tem lábios tão diabolicamente macios, Johnnie... e os olhos! E, sim, eu me vinguei, Johnnie. Agora quem ri sou eu . Mas faça o que eu fizer, sei que jamais vou esquecer a sensação dos lábios dela nos meus... nem vou conseguir expulsar os olhos dela do meu coração... nunca vou exorcizá-la de mim.

Johnnie Luck se levantou subitamente e em silêncio, deixando o homenzinho só, debruçado sobre a mesa com a cabeça enfiada entre os braços.

O CAMINHO DOS SALGUEIROS

SINCLAIR LEWIS

Sinclair Lewis (1885-1951) foi o primeiro americano a ganhar o Prêmio Nobel de Literatura e escreveu vários romances cujos títulos passaram a fazer parte da cultura norte-americana.

Com *Babbitt* (1922), Lewis atacou os empresários americanos, personificados em George F. Babbitt, um homem imaturo, intelectualmente vazio e de moralidade fraca. *Arrowsmith* (1925) é o nome de um jovem médico que luta para manter sua dignidade em um mundo desonesto em que a profissão médica não é poupada. Este livro foi agraciado com o Pulitzer, mas Lewis recusou a honra porque os termos do prêmio estipulavam que este deveria ser concedido não apenas para uma obra de mérito, mas uma que ilustrasse "a atmosfera salutar da Vida Americana", o que não era o caso, definitivamente. *Elmer Gantry* (1927) é um ataque à hipocrisia religiosa, exemplificada pela moralidade do personagem que dá título ao livro. O romance serviu de base para o filme vencedor do Oscar de 1960 estrelado por Burt Lancaster, Jean Simmons e Shirley Jones.

O grande primeiro sucesso de Lewis foi *Main Street* (1920), mas sua reputação logo foi superada por autores contemporâneos como Ernest Hemingway e F. Scott Fitzgerald. Suas obras posteriores não foram tão bem-sucedidas, e ele chegou a enfrentar dificuldades para encontrar um editor depois da Segunda Guerra.

"O caminho dos salgueiros", a história de um vigarista "bem-sucedido", foi publicada originalmente na edição de 10 de agosto de 1918 no *Saturday Evening Post* e foi incluída em coletânea pela primeira vez em *Selected Short Stories of Sinclair Lewis* (Nova York, Doubleday, Doran, 1935).

O CAMINHO DOS SALGUEIROS

SINCLAIR LEWIS

I

Da gaveta de sua mesa Jasper Holt retirou um painel de vidro. Pôs uma folha de papel sobre ele e escreveu: "Chegou a hora de todos os homens de bem virem ajudar seu partido." Ele analisou sua escrita arredondada, profissional, e reescreveu a frase em uma letra pequena e laboriosa, como a de um velho erudito. Ele copiou dez vezes as palavras naquela letra compacta e falsa. Depois, rasgou o papel, queimou os pedaços em um grande cinzeiro e se livrou das cinzas jogando-as na pia. Dando tapinhas satisfeitos no painel de vidro, ele o recolocou na gaveta. Uma base de vidro não guarda marcas.

Jasper Holt era quase tão respeitável quanto seu quarto, que, com as cadeiras enfeitadas com paninhos e almofadas decoradas com pinturas de violetas, era o melhor na pensão aristocrática da sra. Lyons. Ele era magro e levemente calvo. Um homem de 38 anos, de cabelos negros, que usava um terno de flanela cinzento simples com um cravo branco na lapela. Suas mãos eram particularmente compactas e ágeis. Ele tinha a aparência de um jovem advogado ou vendedor de apólices. Na verdade, era o caixa sênior no Banco Nacional Lumber, na cidade de Vernon.

Ele olhou para o relógio de pulso de ouro, caro e fino. Eram 18h30 de quarta-feira — o crepúsculo de um dia tranquilo de primavera. Ele pegou a bengala de castão recurvado, as luvas de seda cinzentas e desceu as escadas. Ao encontrar sua senhoria na sala de baixo ele inclinou a cabeça, e ela comentou com entusiasmo sobre o clima.

— Não virei para o jantar — disse ele, amistoso.

— Muito bem, sr. Holt. Minha nossa, mas o senhor vive saindo com seus amigos grã-finos, hein! Eu li no *Herald* que o senhor vai ser o astro em outra peça da sociedade lá no Teatro Comunitário. Se o senhor não fosse um bancário, seria um ator, não é, sr. Holt?

— Não, infelizmente não tenho o temperamento para isso. — Sua voz era cordial, mas seu sorriso era uma mera torção mecânica dos músculos ao redor dos lábios. — É a senhora que tem presença de palco. Aposto que seria um tipo de Ethel Barrymore se não tivesse que tomar conta de nós.

— Mas olha se não é um galanteador mesmo!

Ele fez outra mesura e saiu. Foi caminhando calmamente pela rua até uma garagem pública. Fazendo um sinal de cabeça para o atendente, mas sem dizer nada, ele ligou seu carro e saiu da garagem, afastando-se do centro de Vernon em direção ao subúrbio de Rosebank. Ele não foi diretamente até Rosebank, no entanto. Desviou seu caminho por umas sete quadras e parou na avenida Fandall — uma das ruas principais de menores proporções que, com seus cinemas, mercearias, lavanderias, funerárias e restaurantes, servem como centros locais para os distritos de residências mais pobres. Ele saiu do carro e ficou fingindo olhar para os pneus, chutando-os para verificar o nível de ar. Enquanto fazia isso, ele olhava disfarçadamente para um lado e outro da rua. Não viu ninguém conhecido. E então se dirigiu à Doceria Parthenon.

A Doceria Parthenon tem um produto especial da casa — uma caixa de bombons que parece um livro encadernado. O fundo da caixa é uma imitação de couro, com um carimbo que simula o título de um romance. Os lados são feitos como se fossem as bordas das páginas. Mas o interior do objeto é oco, recheado com bombons.

Jasper olhou para a coleção de livros falsos e escolheu dois cujos títulos não feriam demais a dignidade: *Doces para uma doçura* e *O deleite das moças*. Ele pediu ao balconista grego que enchesse as duas caixas com os chocolates sortidos mais baratos e as embrulhasse.

Da doceria ele passou à farmácia, que vendia também várias reimpressões de romances. Destes ele escolheu dois, do mesmo tipo sentimental que os títulos das caixas de bombom, e também pediu que fossem embrulhados. Ele saiu da farmácia, entrou em uma lanchonete, pediu um sanduíche de alface, rosquinhas e uma xícara de café no balcão de mármore engordurado e foi devorar tudo rapidamente nos fundos mal iluminados do restaurante, sentado em uma cadeira com a mesa acoplada. Ao sair e retornar para o carro, ele novamente lançou olhares discretos para um e outro lado da rua.

Ele achou que um homem que se aproximava era seu conhecido. Não podia ter certeza. Do peito para cima o homem parecia familiar, como era o caso com os clientes do banco que ele sempre via pela janelinha do caixa. Mas ao vê-los na rua, não tinha como ter certeza. Parecia extraordinário descobrir que essas pessoas, que para ele não passavam de rostos com braços conectados que estendiam cheques e recebiam dinheiro, pudessem andar por aí, com pernas e um ritmo todo próprio.

Ele foi até o meio-fio e ficou olhando para a cornija de uma das lojas, crispando os lábios como alguém que estivesse vistoriando um prédio. E continuou seguindo de canto de olho o homem que se aproximava. O homem inclinou a cabeça ao passar por ele e o saudou:

— Olá, senhor caixa!

Jasper fingiu levar um susto e respondeu com o "Oh! Ah, como vai?" de quem reconhece alguém subitamente. E depois murmurou:

— Estou vendo umas propriedades para o banco.

O homem passou por ele e se foi.

Jasper entrou no carro e dirigiu até a rua que o levaria ao subúrbio de Rosebank. Ao sair da avenida Fandall ele olhou para o relógio. Cinco para as sete.

Às 19h15, ele passou pela rua principal de Rosebank e entrou em uma rua que tinha mudado pouco desde que era apenas uma estrada do interior. Alguns conjuntos habitacionais improvisados e mal pintados se esparramavam por ali, mas na maior parte a estrada corria entre charcos repletos de bosques de salgueiros onde o chão mole era coberto por folhas secas e cascas. Saindo dessa estrada, havia uma trilha particular, meio escondida sob a grama, que desaparecia em meio a um dos bosques de salgueiros.

Jasper manobrou agilmente o carro passando por entre os mourões de um portão caindo aos pedaços e entrou na via particular. Fez uma curva acentuada e se aproximou de um barracão sem pintura. Disparou naquela direção e, sem diminuir a velocidade, quase bateu com o para-choque na parede dos fundos do barracão ao entrar. Então desligou o motor, saiu rapidamente do carro e correu de volta até o portão. Da proteção da fileira de arbustos de amieiros ele observou. Duas mulheres vinham tagarelando pela estrada pública. Elas olharam para o portão e desaceleraram o passo.

— É ali que o ermitão vive — disse uma delas.

— Aquele que está escrevendo um livro de religião e só sai à noite? Tipo um pastor?

— Sim, ele mesmo. Acho que é o nome dele é John Holt. Acho que ele é meio louco. Ele vive na velha casa Beaudette. Mas não dá pra ver daqui, só na próxima rua, do outro lado do quarteirão.

— Ouvi dizer que ele é louco. Mas acabei de ver um carro entrando lá.

— Ah, é o primo dele. Ou irmão ou alguma coisa assim... ele vive na cidade. Dizem que é rico e que é um bom sujeito.

As duas mulheres continuaram, e seu tagarelar foi sumindo na distância. Atrás dos amieiros, Jasper esfregou com os dedos a palma da outra mão. Estava seca pelo nervosismo. Mas ele sorriu.

Então retornou ao barracão e entrou em um caminho pavimentado de tijolos com quase um quarteirão de extensão, protegido e escondido dos dois lados por salgueiros-chorões. Outrora havia sido um caminho agradável com bancos de madeira entalhada espalhados por sua extensão, que dava para um espaço amplo com um jardim de rochas ornamentais, uma fonte e um banco de pedra. O jardim de rochas se decompusera em uma massa de erva daninha espalhando-se sobre as pedras afiadas; a tinta da fonte se descascara, deixando os cupidos e náiades de ferro carcomidos de ferrugem. Os tijolos da parede estavam manchados de limo e líquen, e sujos com fileiras de folhas e terra seca grudadas.

O caminho estava desnivelado e irregular, pois muitos tijolos estavam quebrados. Dos salgueiros e da terra revolvida subia uma umidade fria. Mas Jasper não pareceu notar a umidade. Ele seguiu apressado pelo caminho até a casa — uma estrutura imponente de pedra, antiga naquela área relativamente recente do meio-oeste. Tinha sido construída por um comerciante de peles francês em 1839. Os índios Chippewa tinham escalpelado um homem diante das suas portas.

A pesada porta dos fundos era protegida por um cadeado moderno bastante caro. Jasper o abriu com uma chave achatada, entrou e fechou a porta, que travou com uma mola. Ele se viu em uma cozinha rústica com as cortinas fechadas. Passou pela cozinha e pela sala de jantar até chegar à sala de estar. Desviando-se de cadeiras e mesas no escuro com a facilidade de quem está habituado ao lugar, ele foi até cada uma das três janelas da sala e se certificou de que as cortinas estavam bem fechadas antes de acender uma lâmpada de leitura sobre a mesa de jogo. Quando seu brilho iluminou as paredes esquálidas, Jasper balançou a cabeça, satisfeito.

Nada fora tocado desde sua última visita.

A sala estava cheia de mofo e tinha o cheiro de estofamento velho de repes e livros de couro. Já não era espanada havia meses. A poeira recobria as duras cadeiras estofadas de veludo vermelho, um divã pouco confortável, a fria lareira de mármore branco e um imenso armário de livros com portas de vidro que ocupava um dos lados da sala.

A atmosfera não era adequada àquele competente homem de negócios, o sr. Jasper Holt. Mas Jasper não parecia incomodado. Ele desembrulhou com agilidade os livros genuínos e as imitações em caixas de bombom. Esticou um dos papéis de embrulho em cima da mesa e o alisou. Sobre o papel ele colocou os bombons das duas caixas. O outro papel ele jogou na lareira junto com as fitas, que queimaram imediatamente. Indo até o armário de livros, ele destrancou uma seção da parte de baixo, onde havia uma fileira de romances de aparência barata, dos quais pelo menos seis eram, na verdade, caixas de bombom como as que ele comprara aquela noite.

Apenas uma prateleira do armário abrigava algo tão frívolo quanto romances. As outras estavam repletas de livros austeros, de capa preta, páginas manchadas — livros de história, teologia, biografias — o tipo de livro respeitável e em más condições que se encontra na mesa de promoções de um sebo. Jasper passou algum tempo analisando os livros como se memorizasse seus títulos.

Ele pegou um intitulado *A Vida do Rev. Jeremiah Bodfish* e leu em voz alta: "Nas palestras íntimas com sua família, após as orações noturnas, uma vez eu ouvi o irmão Bodfish declarar que Fílon de Alexandria — cuja carreira acadêmica sempre me faz pensar nas especulações de Melâncton sobre a essência do racionalismo — era um mero sofista..."

Jasper fechou o livro com força, observando, contente:

— Vai servir. Fílon de Alexandria, um bom nome para usar.

Ele trancou novamente o armário de livros e subiu as escadas. Em um pequeno quarto à direita do salão superior, uma lâmpada elétrica estava acesa. Era de se esperar que a casa estivesse vazia até a entrada de Jasper, mas um observador espreitando no jardim poderia ter achado, por aquela luz continuamente acesa, que alguém estava em casa. O quarto era espartano — uma cama de ferro, uma cadeira reta, um criado-mudo, um pesado armário de mogno. Jasper se esforçou e conseguiu abrir com dificuldade a gaveta inferior do armário e tirou dali alguns itens: um terno negro amarrotado e brilhante, um par de sapatos pretos, uma pequena gravata-borboleta, um colarinho ao estilo Gladstone, uma camisa social branca com peito engomado, um chapéu de feltro marrom com algumas manchas e uma peruca — uma peruca cara de alta qualidade com fios de um tom castanho esmaecido desalinhados com maestria.

Ele despiu seu terno de flanela elegante, colarinho, gravata azul, camisa de seda de alfaiate e sapatos de couro cordovan, e rapidamente vestiu a peruca e as roupas de aparência desmazelada. Enquanto se vestia, os cantos de sua boca arriaram. Deixando a luz acesa e suas roupas sobre a cama, ele desceu as escadas. Já não era o mesmo Jasper, e mostrava-se menos saudável, menos pragmático, menos agradável, e decididamente mais ciente das mágoas e dos pensamentos complexos dos idealistas. De fato, ele já não era Jasper Holt, mas seu irmão gêmeo, John Holt, ermitão e fanático religioso.

II

John Holt, irmão gêmeo do caixa de banco Jasper Holt, esfregou os olhos como se tivesse estudado por muitas horas, e avançou lentamente pela sala de estar, passando pelo pequeno saguão até a porta da frente. Ele a abriu, pegou algumas correspondências de mala-direta que o carteiro enfiara no nicho de cartas da porta e então saiu e trancou a porta atrás de si. Estava de frente para um pequeno jardim dianteiro, mais bem conservado que o caminho dos salgueiros, em uma rua suburbana mais povoada que a estrada malcuidada nos fundos.

Um poste iluminava o jardim, mostrando que havia um cartão preso à porta. John tocou o cartão e deu um peteleco para se certificar de que estava bem preso. Àquela luz não era possível ler, mas Holt sabia que o bilhete exibia a seguinte frase, escrita em uma letra apertada e meticulosa: "Vendedores, favor não perturbar, a campainha não será atendida, o morador está ocupado com trabalho literário."

John ficou parado no batente até identificar o vizinho da direita — um trabalhador grande e forte que caminhava em frente à sua casa fumando um charuto pós-jantar. John foi até a cerca e cheirou um buquê de lilases, até que o vizinho falou:

— Noite bonita.

— Sim, está bem agradável.

A voz de John era como a de Jasper, mas mais gutural, e sua fala parecia menos segura de si.

— Como vai a história?

— É... é bem difícil. Muito difícil compreender os significados ocultos das profecias. Bom, tenho que ir até o Salão da Esperança das Almas. Espero vê-lo lá alguma quarta-feira ou domingo à noite. Boa noite, senhor.

John cambaleou rua abaixo até a farmácia, onde comprou um pote de tinta. Em uma mercearia que ficava aberta à noite ele comprou um quilo de fubá, outro de farinha, meio quilo de bacon, trezentos gramas de manteiga, seis ovos e uma lata de leite condensado.

— É pra entregar? — perguntou o balconista.

John olhou para ele com atenção. Ele viu que era um novo funcionário, que não conhecia seus hábitos. Ele disse, como quem repreende:

— Não, sempre levo minhas compras. Estou escrevendo um livro, não posso ser perturbado! Nunca.

Ele pagou pelos mantimentos com um vale postal de 35 dólares e recebeu o troco. O caixa da loja já estava acostumado a sacar esses vales, que sempre eram enviados para John de South Vernon, por um certo R. J. Smith. John pegou o pacote de compras e saiu da loja.

— Aquele ali é meio maluco, não é não? — perguntou o novo balconista.

O caixa explicou:

— Sim. Nunca leva leite fresco, usa leite condensado pra tudo! Muito esquisito! E dizem que ele queima o lixo — nunca tem nada na lixeira, só cinzas. Um camarada me disse que ele nunca atende quando batem à porta. Passa o tempo todo escrevendo esse livro dele. Acho que é um desses malucos religiosos. Mas ele tem um dinheirinho... parece que o pessoal dele era bem de vida. Ele sai às vezes à noite e dá uma volta pela cidade. No começo a gente ria dele, mas agora a gente meio que já se acostumou. Deve ter mais ou menos um ano que ele está por aqui.

John caminhava serenamente pela rua principal de Rosebank. Na parte mais empobrecida ele entrou em um grande salão com uma placa iluminada que anunciava em letra rústica de pintor de paredes: "Salão Fraternal Esperança das Almas. Conte Sua Experiência. Todos São Bem-Vindos."

Eram oito da noite. Os membros do grupo Esperança das Almas tinham se reunido no salão, que ficava em cima de uma padaria. Tratava-se de uma seita pequena com uma visão de mundo bastante estreita. Alegavam que apenas eles seguiam os ensinamentos da Escritura; que apenas eles seriam salvos com certeza, que todas as outras denominações estavam condenadas pelo luxo não apostólico, que era iníquo dispor de órgãos e pastores e locais de encontros que não fossem simples salões desadornados. Os próprios membros conduziam as reuniões, um após o outro erguendo-se para dar sua interpretação das escrituras ou para se regozijar com a presença dos outros fiéis, que por sua vez respondiam com "Aleluia!" e "Amém, irmão, amém!" Vestiam-se de forma simples, não comiam demais, eram em sua maioria já mais idosos e no geral eram uma congregação feliz. O mais prestigiado entre eles era John Holt.

John chegara a Rosebank havia apenas 11 meses. Ele comprara a casa Beaudette com a biblioteca do seu ocupante mais recente, um clérigo aposentado, e pagara por ela em notas de cem dólares novas. Ele já conquistara muito crédito com o culto da Esperança das Almas. Pelo que sabiam, ele passava a maior parte do tempo em casa, rezando, lendo e escrevendo um livro. Tinham implorado para que ele lesse um pouco desse livro para eles. Até agora ele lera algumas poucas páginas, que continham apenas algumas citações de antigos tratados sobre as profecias. Quase todos os domingos e quartas-feiras à noite ele aparecia na reunião e, de forma erudita e hesitante, palestrava sobre o mundo e a carne.

Naquela noite ele falou extensamente sobre o fato de que Fílon de Alexandria era um mero sofista. A seita não sabia quem era Fílon de Alexandria ou o que era um sofista, mas todos acenavam de cabeça concordando e murmurando: "Você tá certo, irmão! Aleluia!"

John passou a fazer um discurso triste e franco sobre Jasper, seu irmão mundano, e informou a todos sobre os problemas que tinha com a cobiça de Jasper por dinheiro. Atendendo a seu pedido, a fraternidade rezou por Jasper.

A reunião terminou às nove. John apertou a mão de todos os anciãos da congregação, suspirando:

— Foi uma boa reunião hoje, não foi? O Espírito Santo se derramou verdadeiramente!

Ele deu as boas-vindas a um novo membro, uma criada recém-chegada de Seattle. E, carregando as compras e o pote de tinta, ele desceu as escadas às 21h07.

Às 21h16, John estava tirando a peruca castanha e as roupas de velório em seu quarto. Às 21h28, John Holt transformara-se novamente em Jasper Holt, o competente caixa do Lumber National Bank.

Jasper Holt deixou a luz acesa no quarto do irmão. Desceu as escadas correndo, experimentou forçar a tranca da porta da frente, passou o cadeado, certificou-se de que todas as janelas estavam bem fechadas, pegou o pacote de compras e a pilha de bombons que removera das caixas em formato de livro, apagou a luz da sala de estar e correu pelo caminho de salgueiros até seu carro. Ele jogou as compras e os bombons dentro do carro, deu marcha à ré com a destreza de quem estava habituado a manobrar no quintal repleto de galhos e começou a dirigir pela estrada solitária dos fundos.

Ao passar pelo pântano ele estendeu a mão para pegar o pacote de bombons e, dirigindo só com uma das mãos, desembrulhou cada um com a outra e os atirou para fora do carro. Eles caíram por entre o mato que ladeava a estrada. O papel que embrulhara os doces, no qual estava impresso o nome da Doceria Parthenon, Jasper enfiou no bolso. Então pegou as compras, uma a uma, da sacola com emblema, colocando-as no banco ao lado, e enfiou a sacola no bolso também.

Saindo de Rosebank a caminho do centro de Vernon, Jasper saiu da avenida principal mais uma vez e parou diante de um barracão abarrotado de bodes, ocupado por um norueguês aleijado. Ele tocou a buzina, e o neto do norueguês apareceu correndo.

— Aqui tem mais coisas pra vocês — gritou Jasper.

— Deus o abençoe, senhor. Se não fosse o senhor eu nem sei como a gente ia fazer! — gritou o velho norueguês, da porta.

Mas Jasper não esperou pelas demonstrações de gratidão e gritou, apenas:

— Em alguns dias trago mais! — e se afastou veloz.

Às 22h15, ele chegou ao prédio que abrigava o mais recente interesse da sociedade de Vernon: o Teatro Comunitário. O Grupo do Boulevard ("a elite da sociedade de Vernon") fazia parte da Associação do Teatro Comunitário, e tinha como líder a filha do administrador da ferrovia. Solteiro refinado, Jasper Holt era bem-vindo entre eles, apesar de ninguém saber nada a seu respeito, exceto que ele era um bom caixa e tinha nascido na Inglaterra. Mas, como ator, ele não era apenas bem-vindo: ele era o melhor ator amador de Vernon. Seu rosto sereno podia se estreitar com emoção trágica ou se inflar numa comédia, e seus modos plácidos ocultavam um dínamo de emoções. Ao contrário da maioria dos atores amadores, ele não tentava interpretar — ele se tornava o próprio personagem. Ele esquecia Jasper Holt e transformava-se em um mendigo ou um juiz, um pensamento de Bernard Shaw, um símbolo de Lord Dunsany, um homem mundano de Noel Coward.

As outras peças de um ato da próxima temporada do Teatro Comunitário já tinham sido ensaiadas. O elenco da peça em que Jasper seria protagonista estava esperando por ele, assim como as mulheres responsáveis pelo palco. Elas queriam sua opinião sobre a cortina azul usada na janela do palco, sobre o holofote quebrado, sobre o estilo de interpretação do papel do pajem na peça — um papel que consistia de apenas duas falas, mas que seria interpretado por uma das moças mais populares do grupo mais jovem. Depois das discussões e de um bate-boca violento entre dois membros do comitê de leitura da peça, chegou a hora do ensaio. Jasper Holt ainda usava seu terno de flanela e um cravo já murchando; mas ele não era Jasper. Era o duque de San Saba, um velho cínico, gracioso, elegante, com gestos delicados e voz tranquila, mas repleto de desejos malignos.

— Se eu tivesse mais atores como você! — disse o diretor.

O ensaio terminou às 23h30. Jasper levou seu carro até a garagem pública e foi caminhando para casa. Lá, rasgou e queimou o papel de embrulho com o nome da Doceria Parthenon e a sacola com logomarca onde acondicionara as compras.

As peças do Teatro Comunitário foram encenadas na quarta-feira seguinte. Jasper Holt foi bastante aplaudido e, na festa do Country Club Lakeside, após a peça, ele dançou com as moças mais bonitas da cidade. Não tinha muito a dizer a elas, mas dançou com entusiasmo, e uma aura de sucesso artístico o cercava.

Aquela noite, seu irmão John não apareceu na reunião da Fraternidade Esperança das Almas em Rosebank.

Na segunda, cinco dias depois, durante uma reunião com o presidente e outro caixa do Banco Nacional Lumber, Jasper reclamou de dor de cabeça. No dia seguinte ele telefonou ao presidente dizendo que não iria trabalhar — ficaria em casa descansando os olhos e dormindo para ver se a dor de cabeça persistente o deixava. O que foi uma pena, pois no mesmo dia seu irmão gêmeo John fez uma de suas frequentes visitas a Vernon e foi até o banco.

O presidente só tinha visto John uma vez, e por coincidência, Jasper também estava ausente na ocasião — fora da cidade. O presidente convidou John a entrar em seu escritório.

— Seu irmão está em casa; o pobre homem está sofrendo com uma forte dor de cabeça. Espero que ele fique bom logo. Nós aqui o temos em alta conta. Você deveria se orgulhar dele. Aceita um cigarro?

Enquanto falava, o presidente observava John. Uma ou duas vezes enquanto Jasper e o presidente almoçavam juntos, Jasper falara da semelhança notável entre ele e o irmão gêmeo. Mas o presidente lhe dissera que não via muita semelhança entre eles. Os traços dos dois eram idênticos, mas a expressão de John, de indigestão espiritual crônica, seus modos ríspidos, seu cabelo — desalinhado e de um castanho sem vida, contrastando com o de Jasper, que era negro e liso, penteado com esmero ao redor de um ponto calvo brilhante —, tudo contribuía para que o presidente desgostasse de John tanto quanto gostava de Jasper.

E agora John lhe respondia:

— Não, não fumo. Não entendo como um homem pode sujar seu templo com drogas. Era para eu ficar feliz de ver você louvando o pobre Jasper, mas estou mais preocupado com a falta de respeito que ele demonstra para com as coisas do espírito. Às vezes ele vem me visitar em Rosebank, e acabo discutindo com ele, mas nunca consigo fazê-lo ver seus erros. E o jeito dele, tão impertinente...!

— Não o consideramos impertinente aqui. Nós o consideramos um funcionário confiável e competente.

— Mas ele anda interpretando no teatro! E lendo histórias de romances! Olhe, tento me lembrar da injunção: "Não julgueis, para não serdes julgados." Mas me dói ver meu próprio irmão desdenhando das promessas imortais por uns prazeres passageiros. Bom, vou lá visitá-lo. Espero vê-lo um dia no Salão Esperança das Almas, em Rosebank. Bom dia, senhor.

Voltando ao trabalho, o presidente murmurou:

— Vou dizer ao Jasper que o melhor elogio que posso fazer a ele é que ele não é como o irmão.

E no dia seguinte, outra quarta-feira, quando Jasper reapareceu no banco, o presidente fez o gracejo, e Jasper respondeu com um suspiro:

— Ah, John é uma pessoa muito boa, mas ele se perde nessa metafísica dele e misticismo oriental e Deus sabe o que mais, quando vai ver ele está lá perdido com a cabeça nas nuvens. Mas ele é melhor do que eu. Quando eu assassinar minha senhoria, ou no dia que eu assaltar o banco, chefe, pode ir buscar o John, e aposto um almoço no melhor restaurante da cidade que ele vai fazer o que puder para me apresentar diante da justiça. Ele é reto até o fim!

— Reto, sim... reto e chato! Bom, quando você nos assaltar, Jasper, pode deixar que eu procuro John. Mas tente evitar nos assaltar, se puder, está bem? Eu odiaria ter que me juntar a um detetive religioso vestido em roupas amarrotadas!

Os dois riram, e Jasper retornou ao seu guichê. Ele dissera ao presidente que sua cabeça ainda doía, e este lhe dissera para tirar a semana de folga. Mas ele disse que não queria. Em virtude das novas indústrias de munições (por causa da guerra na Europa), houve um grande aumento no fluxo de contracheques, e Jasper era o responsável por eles.

— É melhor descansar uma semana do que ficar doente de verdade — argumentou o presidente no final da tarde.

Jasper se permitiu ser persuadido a se afastar por pelo menos um fim de semana. Ele iria para o norte, até o Lago Wakamin, na sexta-feira seguinte, e retornaria na segunda ou terça-feira. Antes de ir embora, ele prepararia os contracheques para os pagamentos de sábado e os deixaria com o outro caixa. O presidente agradeceu por sua fidelidade e, como costumava fazer, convidou Jasper para jantar em sua casa no dia seguinte — quinta-feira.

Na noite daquela quarta-feira, o irmão de Jasper, John, esteve na reunião da Esperança das Almas em Rosebank. Ao retornar para casa e magicamente se transformar em Jasper novamente, ele não guardou a peruca e as peças de roupa de John na cômoda, mas as colocou em uma mala e a levou para o seu quarto de pensão, em Vernom, trancando-a em seu guarda-roupa.

Jasper mostrou-se cordial durante o jantar na casa do presidente na quinta, mas também silencioso, e como sua cabeça ainda latejava, ele saiu dali cedo — às 21h30. Carregando suas luvas de seda cinzentas numa das mãos e balançando pomposamente a bengala com a outra, ele se afastou da casa do presidente, no prestigiado boulevard, em direção ao centro de Vernon. Jasper entrou na garagem pública onde guardava o carro. Ele comentou com o atendente noturno:

— Dor de cabeça. Acho que vou pegar o "possante" e tomar um ar fresco.

Assim, ele se afastou a não mais de 25 quilômetros por hora, indo para o sul. Ao chegar nos limites da cidade ele acelerou para quarenta quilômetros por hora e se manteve nessa velocidade. Ele ficou no assento com a rigidez de postura imóvel do motorista de longas distâncias; seu corpo permaneceu quieto exceto pelos movimentos sutis do pé no acelerador, da mão no volante — mão direita no topo, cotovelo esquerdo repousando na beirada almofadada do assento, com a mão esquerda tocando o volante bem de leve.

Ele continuou dirigindo rumo ao sul por 24 quilômetros — quase chegando à cidade de Wanagoochie. Então, entrando em uma estrada secundária em mau estado, ele virou abruptamente para noroeste, e perfazendo um grande círculo ao redor da cidade dirigiu na direção do município de St. Clair. O subúrbio de Rosebank, em que seu irmão John vivia, também ficava ao norte de Vernon. Essas direções tinham alguma importância para ele; Wanagoochie ficava 28 quilômetros ao sul da cidade polo de Vernon; Rosebank, por sua vez, ficava 12 quilômetros ao norte de Vernon, e St. Clair, 32 quilômetros ao norte — quase tão ao norte de Vernon quanto Wanagoochie ficava ao sul.

No caminho até St. Clair, em um ponto que ficava a apenas três quilômetros de Rosebank, Jasper tirou o carro da estada principal e entrou em um bosque de carvalhos e bordos, parando em uma estrada havia muito desativada, tomada por árvores. Ele saiu do carro, rígido, e caminhou por entre as árvores subindo um aclive até um penhasco acima de um lago pantanoso. O ponto mais alto do rochedo coberto por areia e cascalho erguia-se perpendicularmente à margem da água. Na luz pálida irradiada pelas estrelas ele divisou o lago recoberto de juncos. Era tão lamacento, tão emaranhado de ramos de junça, que jamais era usado para natação, e como seus habitantes eram apenas cabozes pegajosos, poucas pessoas tentavam pescar ali. Jasper parou e refletiu. Lembrou-se da história sobre os empregados do fazendeiro que tinham fugido, se arremessado penhasco abaixo e desaparecido das vistas para sempre no leito lodoso do lago.

Balançando a bengala, ele delineou uma estrada imaginária do topo do penhasco de volta ao local protegido onde seu carro estava. Um pouco antes ele limpara com um grande canivete uma massa de arbustos de aveleira emaranhados que bloqueavam aquele trajeto projetado. E ao traçar a estrada até onde estava seu carro ele sorriu. Caminhou até o limite do bosque e olhou de um lado para o outro na estrada principal. Um carro se aproximava. Ele esperou o veículo passar e então correu até seu carro, deu marcha à ré na estrada e seguiu rumo ao norte na direção de St. Clair, dirigindo a cerca de cinquenta quilômetros por hora.

Nos limites de St. Clair ele parou, pegou seu estojo de ferramentas, desparafusou uma vela da ignição e, batendo com ela no bloco do motor, quebrou o isolador de cerâmica. Depois, aparafusou a vela novamente e ligou o carro, que engasgou e resfolegou, com um cilindro afogado pelo curto-circuito da vela.

— Acho que tem alguma coisa errada com a ignição — disse ele, alegremente.

Ele conseguiu conduzir o carro até uma oficina em St. Clair. Não havia ninguém no local exceto um velho negro, o lavador do turno da noite, que limpava uma limusine com esponja e mangueira.

— Tem algum mecânico agora? — perguntou Jasper.

— Não senhor. O senhor vai ter que deixar aí até de manhã.

— Mas que praga! Tem algo errado com o carburador ou a ignição. Bom, o jeito é deixar o carro, então. Diga ao mecânico... ei, você vai estar aqui pela manhã quando ele chegar?

— Sim, senhor.

— Bom, diga a ele que preciso do carro para amanhã ao meio-dia. Não, melhor, amanhã às nove. Não se esqueça, está bem? Isso aqui é pra ajudar sua memória.

Ele deu 25 centavos ao negro, que sorriu e disse:

— Sim, senhor! Vai ajudar muito! — E ao prender a etiqueta de armazenamento no carro ele perguntou: — Nome?

— Ahn... meu nome? Ah, Hanson. Lembre-se, preciso do carro às nove da manhã.

Jasper foi caminhando até a estação de trem. Era 1h10. Ele não perguntou ao operador noturno sobre o próximo trem para Vernon. Pelo jeito ele já sabia que um trem parava ali em St. Clair à 1h37. Ele não ficou sentado na sala de espera, mas nas trevas do lado de fora, sentado em um trole de trem perto da sala de bagagem. Quando o trem chegou ele entrou discretamente no último vagão, e colocando o chapéu macio sobre os olhos, dormiu ou fingiu dormir. Quando chegou a Vernon, desceu e foi até a garagem onde normalmente guardava o carro e entrou. O atendente noturno estava cochilando em uma grande cadeira de madeira recostada contra a parede na passagem estreita da entrada da garagem.

Jasper falou com ele, cheio de energia:

— É, tive má sorte esta noite mesmo. Problemas com o carro, a ignição quebrou; bom, pelo menos acho que foi a ignição. Tive que deixar o carro em Wanagoochie.

— É, aí é encrenca mesmo — concordou o atendente.

— Se é. Então deixei ele em Wanagoochie — enfatizou Jasper, ao passar.

Era uma afirmação inexata. Ele não deixara o carro em Wanagoochie, ao sul, mas em St. Clair, ao norte.

Ele retornou à pensão, dormiu tranquilamente e cantarolou no chuveiro pela manhã. Mas durante o café da manhã ele reclamou da dor de cabeça que não passava, e anunciou que estava indo até Wakamin, ao norte, para pescar e descansar a vista. Sua senhoria insistiu para que ele o fizesse.

— Tem algo em que eu possa ajudá-lo? — perguntou ela.

— Não, obrigado. Só vou levar duas maletas com algumas roupas velhas e material de pesca. Até já preparei tudo. Devo pegar o trem de meio-dia para o norte se conseguir uma folga do banco. Agora anda muito ocupado com os contracheques das fábricas que têm contrato com os Aliados. Como é que estava falando no jornal hoje de manhã?

Jasper chegou ao banco carregando as duas maletas e um belo guarda-chuva fechado, com seu nome gravado na ponta de prata. O porteiro, que também era o segurança, o ajudou a carregar as maletas para dentro.

— Cuidado com essa maleta. Meu material de pesca está nela — disse Jasper, referindo-se a uma das maletas que, pelo peso, não parecia estar totalmente cheia. — Acho que vou até Wakamin hoje pescar uns robalos.

— Bem que eu queria ir junto, senhor. E a cabeça, como vai? Ainda dói? — perguntou o porteiro.

— Um pouco, mas meus olhos ainda estão meio assim. Acho que ando abusando deles. Escute, Connors: vou tentar pegar o trem em direção norte às 11h07. Chame um táxi pra mim às 11h, está bem? Ou não, melhor: eu aviso a você um pouco antes das 11h. Vou tentar pegar o trem em direção norte, para Wakamin, às 11h07.

— Está bem, senhor.

O presidente, o caixa, o chefe do contábil — todos perguntaram a Jasper como ele se sentia; e para todos ele repetiu que vinha abusando dos olhos, e que iria pescar alguns robalos em Wakamin.

O outro caixa, do guichê ao lado de Jasper, falou bem alto atrás do aramado de aço:

— Tem gente aí que está com a vida ganha! Espera só! Nesse verão eu vou pegar febre do feno e vou sair pra pescar por um mês!

Jasper colocou as duas maletas e o guarda-chuva dentro do seu guichê, e deixando o outro caixa ocupado com os saques ele preparou os contracheques do dia seguinte — sábado. Ele entrou casualmente no cofre — uma cela estreita, sem ventilação e nada notável, com piso de linóleo, uma lâmpada e uma parede nos fundos composta inteiramente de portas de cofres de aço pintadas de um azul fraco, nada chamativas, mas que guardavam vários milhões de dólares em cédulas e títulos. As portas superiores, presas a grandes vigas de aço, cada uma com uma tranca giratória, só podiam ser abertas por dois funcionários do banco (cada um sabia apenas uma das duas combinações). Abaixo dessas, havia portas menores, uma das quais Jasper podia abrir, como caixa. Era a porta de um compartimento de aço insignificante, que continha 117 mil dólares em cédulas e quatro mil dólares em ouro e prata.

Jasper passou de um lado para o outro carregando pacotes de dinheiro. Em seu guichê ele ficava a menos de um metro do outro caixa, separado dele apenas pelas tiras do aramado de aço.

Enquanto trabalhava ele trocou algumas palavras com o outro caixa. Em certo momento, ao contar 19 mil dólares, ele comentou:

— Pagamento grande pra Carrocerias Henschel essa semana. Eles estão fabricando chassis de canhão e carrocerias de caminhão para os Aliados, parece.

— Ah — disse o outro caixa, sem qualquer interesse.

Seguindo mecânica e discretamente sua rotina usual de trabalho, Jasper contou as cédulas em parcelas que batiam com os valores estipulados em uma tabela de pagamentos. Seus olhos pareciam não se erguer da contagem e da tabela datilografada que tinha diante de si. Ele reunia os montes de cédulas em pacotes e os prendia com fitas de papel. E cada pacote era jogado — ou assim parecia — em um saco de couro preto ao seu lado. Mas ele não jogava o dinheiro nesses sacos, na verdade.

As duas maletas a seus pés deviam estar fechadas e trancadas, mas uma não estava. E, embora fosse pesada, não continha nada além de um pedaço de ferro-gusa. De vez em quando a mão de Jasper pendia ao seu lado, segurando um pacote de cédulas. Com um rápido movimento do pé ele abria a maleta e as cédulas escorregavam de sua mão lá para dentro.

A parte de baixo do seu guichê era feita de uma sólida chapa de metal, e alguém postado à sua frente não tinha como ver aquele movimento suspeito. O outro caixa poderia ter visto, mas Jasper só jogava os pacotes na maleta quando este estava ocupado conversando com um cliente ou quando lhe dava as costas. Para se demorar aguardando o momento propício, ele frequentemente contava os pacotes duas vezes, esfregando os olhos como se doessem.

Após escamotear cada pacote de cédulas, Jasper colocava os rolos de moedas nos sacos de pagamento chamando bastante atenção para si. Era quando colocava os cilindros metálicos embalados em papel azul no saco que ele aproveitava para conversar com o outro caixa. Então ele fechava os sacos e os colocava de lado, bastante sério.

Jasper demorou tanto para preparar os pagamentos que já eram 11h05 quando ele terminou. Então chamou o porteiro até o guichê e sugeriu:

— Melhor chamar meu táxi agora.

Ele ainda tinha um saco para encher. Podia ser visto claramente jogando os pacotes de dinheiro no saco enquanto instruía o caixa assistente:

— Vou colocar todos os sacos no meu cofre e você pode transferi-los para o seu. Lembre-se de trancar meu cofre. Nossa, é melhor eu me apressar ou vou perder o trem! Eu volto mais tardar na quinta de manhã. Adeus, cuide-se.

Ele se apressou e empilhou os sacos do pagamento no seu cofre, que ficou quase cheio com os sacos. E, exceto pelo último, nenhum dos sacos continha nada além de alguns rolos de moedas. Embora tivesse dito ao outro caixa para trancar seu cofre, ele mesmo inseriu a combinação no cadeado — o que teria sido um descuido seu, pois agora o caixa assistente teria que esperar e chamar o presidente para destrancá-lo.

Ele pegou o guarda-chuva e as duas maletas, curvando-se sobre uma delas por não mais de dez segundos. Dando adeus ao caixa na mesa da frente e andando tão rápido que nem deu chance ao porteiro de ajudá-lo a carregar as maletas, ele atravessou o banco, passou pela porta, entrou no táxi que o aguardava e disse, alto o bastante para que o porteiro ouvisse:

— Estação M. & D.

Na estação M. & D. R. R., recusando a ajuda dos funcionários para carregar suas maletas, ele comprou um bilhete para Wakamin, uma cidade com um resort à beira de um lago, 225 quilômetros a noroeste de Vernon, ou seja, a 193 quilômetros depois de St. Clair. Ele entrou no trem bem a tempo. Não ficou em um vagão-dormitório, mas em um vagão comum perto da porta traseira. Jasper desatarraxou a ponta prateada do guarda--chuva, onde seu nome estava gravado, e a guardou no bolso.

Quando o trem chegou a St. Clair, Jasper saiu para o vestíbulo carregando as maletas, mas deixando o guarda-chuva, sem a ponta prateada, para trás. Seu rosto não tinha expressão e parecia distante. Quando o trem começou a se mover ele pulou para a plataforma da estação e se afastou, sério. Por um segundo uma expressão aventureira adejou seu rosto e desapareceu.

Na garagem onde ele deixara o carro na noite anterior ele perguntou ao funcionário:

— Você consertou meu carro, um Mercury, com a ignição defeituosa?

— Não! Tinha dois trabalhos na frente. Ainda não tive tempo de mexer nele. Agora no começo da tarde devo começar.

Jasper passou a língua nos lábios em sinal de irritação surpresa. Ele largou as maletas no chão da oficina e ficou pensando, com o indicador pressionado contra o lábio inferior.

E então:

— Bom, acho que consigo dirigir assim mesmo... sinto muito, tenho que ir até a próxima cidade — grunhiu ele.

— Tem um monte de vendedores como o senhor viajando de carro agora, sr. Hanson — disse o atendente, cordial, olhando para o bilhete de armazenamento no carro de Jasper.

— Sim, dá pra cobrir mais terreno do que de trem.

Ele pagou pela estadia do carro sem reclamar, embora o veículo não tivesse sido consertado, o que tornava a cobrança injusta. De fato, ele se mostrou discreto e reservado. Colocou as maletas no carro e partiu, mesmo com o motor resfolegando. Em outra oficina ele comprou uma vela de ignição e a atarraxou. E, ao retomar a viagem, o motor parou de apresentar problemas.

Ele saiu de St. Clair, indo de volta na direção de Vernon — e de Rosebank, onde morava seu irmão. Ele meteu o carro por entre o espesso bosque de carvalhos e bordos a apenas três quilômetros de Rosebank, onde tinha projetado mentalmente um caminho até o penhasco sobre o lago abarrotado de juncos. Estacionou o carro em uma área gramada perto da estrada desativada, repleta de árvores, e jogou um robe sobre as maletas. De baixo do banco do carro ele pegou uma lata de frango em conserva, uma caixa de biscoitos, outra de chá, um kit de culinária compacto e um lampião a álcool. Então espalhou tudo sobre a grama — um almoço de piquenique.

Ele ficou sentado ao lado do lanche de 13h07 até escurecer. De vez em quando fingia comer. Pegou água do regato, fez chá, abriu a caixa de biscoitos e a lata de frango. Mas na maior parte do tempo ele ficou sentado quieto, fumando um cigarro atrás do outro.

Em certo momento, um sueco passou por ali, tomando um atalho por aquela estrada até sua fazenda, e resmungou:

— Piquenique, né.

— É, tirei o dia de folga — disse Jasper, sem emoção na voz.

O homem se afastou sem olhar para trás.

Ao entardecer Jasper terminou de fumar um cigarro até o fim, então o esmagou e observou, enigmático:

— Acho que esse foi o último cigarro de Jasper Holt. Você não fuma, não é, John? Seu cretino!

Ele escondeu as duas maletas nos arbustos, empilhou os restos do almoço no carro, removeu o teto do veículo e foi lentamente em direção à estrada principal. Não havia ninguém à vista. Ele retornou, pegou o martelo e o cinzel do estojo de ferramentas, e com alguns golpes selvagens ele destruiu o número do carro gravado no bloco do motor, de forma que não pudesse ser identificado. Depois, removeu as placas dianteira e traseira e as colocou perto das maletas. E então, quando os arbustos pareciam apenas massas indefinidas à luz que diminuía, ele ligou o carro, dirigiu pelo bosque subindo o aclive até o topo do penhasco e parou, deixando o motor ligado.

Entre o carro e a beirada do precipício sobre o lago havia um espaço de cerca de quarenta metros, relativamente plano e coberto de trevos vermelhos. Jasper mediu a distância com passadas, voltou ao carro, sentou-se um tanto nervoso e hesitante, e passou a marcha, da segunda para a terceira. O carro começou a se mover em direção ao despenhadeiro. No mesmo instante ele se ergueu do banco e ficou em pé no estribo. E ali, guiando com a mão esquerda enquanto se aproximava da beirada do penhasco, ele subiu a marcha com a mão direita, acelerando até o fim. E então saltou do estribo para o chão.

O carro continuou sozinho, rugindo ao avançar. E passou da beirada do precipício, avançando uns seis metros ainda, como um avião sem asas. E então caiu vertiginosamente, girando em direção ao lago. A água subiu com o impacto estrondoso em um grande círculo, e então fez-se o silêncio. No crepúsculo, a superfície do lago brilhava. Não havia sinal do carro na superfície, e aos poucos os círculos concêntricos foram sumindo. O lago mostrava-se novamente sinistro, parado e cheio de segredos.

— Meu Deus! — gritou Jasper, parado na beirada; e então: — Bom, ninguém vai encontrá-lo por alguns anos.

Ele voltou para buscar as maletas. Agachando-se, ele pegou de uma delas a peruca e as roupas escuras de John Holt. Ele se despiu, depois vestiu as roupas de John e colocou as de Jasper na maleta. E levando as maletas e as placas do carro ele caminhou até Rosebank, passando por dentro dos vários bosques de bordos e salgueiros até chegar a uns oitocentos metros da cidade. Ele se aproximou da casa de pedra no final do caminho dos salgueiros e se esgueirou para dentro dela. Então, queimou as roupas de Jasper Holt na lareira, derreteu as placas do carro no forno e esmagou o caro relógio e a caneta-tinteiro entre duas pedras, transformando-os em uma massa de sucata, que ele jogou na cisterna que captava a água da chuva. A ponta prateada do guarda-chuva ele raspou com o cinzel até que o nome gravado ficou indistinguível.

Ele destrancou uma parte do armário de livros e, pegando os pacotes de cédulas organizadas por valor em grupos de um, cinco, dez e vinte dólares de uma das maletas, ele os acondicionou nas caixas de bombom com aparência de livros. Ao guardar os pacotes, ele contou as cédulas. O total chegou a 97.535 dólares.

As duas maletas eram novas. Não havia marcas de uso nelas. E, levando-as para a cozinha, ele as chutou, esfregou-as para que ficassem sujas, bateu nas bordas e fez cortes nos lados até ficarem com a aparência de terem sido muito maltratadas em muito tempo de viagem. Ele as levou para o andar de cima e as jogou dentro do sótão rebaixado.

No quarto, se despiu calmamente. Em certo momento ele riu:

— Eu desprezo esses idiotas pretensiosos... bancários e policiais. Estou acima da lei estúpida deles. Ninguém pode me pegar... só eu poderia me entregar!

Ele se deitou. Com um grito irritado de "Praga!", ele pensou: "Acho que John rezaria antes de dormir, não importa quão frio estivesse o chão."

Ele saiu da cama e pediu perdão ao insondável Senhor do Universo — não para Jasper Holt, mas para as denominações que não compartilhavam da fé verdadeira da Fraternidade Esperança das Almas.

Então voltou para a cama e, com a cabeça apoiada nos braços e um sorriso no rosto, dormiu até a metade da manhã seguinte.

Assim Jasper Holt deixou de existir sem passar pela agonia misteriosa da morte, e assim John Holt veio a existir, não como uma aparição ocasional vista nas noites de domingo e quarta-feira, mas como um ser que vivia 24 horas por dia, sete dias por semana.

III

Os habitantes de Rosebank estavam familiarizados com as aparições ocasionais de John Holt, o excêntrico recluso, e limitaram-se a fazer pouco dele quando na noite de sábado que se seguiu à sexta-feira aqui narrada ele foi visto saindo de casa e se dirigindo a uma banca de jornais e papelaria na rua principal.

Ele comprou o jornal da tarde e disse ao balconista:

— Por favor, quero receber o *Morning Herald* em casa toda manhã. O endereço é Avenida Humbert, nº 27.

— Ah, sei onde é. Mas achei que o senhor antipatizava com jornal — disse o balconista, impertinente.

— Ah, é mesmo? O *Herald*, toda manhã, por favor. Vou pagar um mês adiantado — foi tudo o que John Holt respondeu, mas olhando diretamente para o balconista, que desviou o olhar, incomodado.

John compareceu à reunião da Fraternidade Esperança das Almas na noite seguinte — no domingo —, mas não foi visto nas ruas novamente durante dois dias e meio.

Não houve notícia do desaparecimento de Jasper Holt até a quarta-feira seguinte, quando tudo veio à tona em uma reportagem violenta de primeira página de jornal de cidade pequena, com a manchete:

CAIXA DE BANCO FAVORITO DA SOCIEDADE FOGE!

O jornal dizia que Jasper Holt estava desaparecido havia quatro dias, e que os funcionários do banco, após negarem que havia algo de errado com as contas dele, finalmente admitiram que cem mil dólares estavam faltando — um outro relatório dizia que eram duzentos mil dólares. Ele tinha comprado uma passagem para Wakamin, no mesmo estado, na sexta, e um funcionário da ferrovia, cliente do banco, o vira no trem, mas ele nunca chegara a Wakamin, ao que parece.

Uma mulher dissera que na tarde de sexta-feira ela vira Holt dirigindo um automóvel entre Vernon e St. Clair. No entanto, essa aparição perto de St. Clair estava sendo considerada um simples ardil. Pois de fato, o competente chefe de polícia tinha provas de que Holt não estava seguindo para o norte, na direção de St. Clair, mas para o sul, além de Wanagoochie — provavelmente indo para Des Moines ou St. Louis. Sabia-se com certeza que no dia anterior Holt deixara o carro em Wanagoochie, e com a costumeira presteza e atenção aos detalhes, a polícia já estava vasculhando Wanagoochie. O chefe já se comunicara com a polícia nas cidades ao sul, e a captura do sujeito se daria a qualquer momento. Enquanto o chefe de polícia designado pelo admirável prefeito estivesse no poder, aqueles que chegassem a pensar em fazer o mal não teriam uma vida fácil.

Ao dar sua opinião quanto à teoria de que o pretenso fugitivo teria seguido para o norte, o chefe declarou que sem dúvida Holt tinha partido naquela direção na vã esperança de despistar seus perseguidores, mas teria imediatamente virado para o sul para pegar seu carro. Embora não declarasse isso abertamente, o chefe de polícia insinuou que estava prestes a pôr as mãos no sujeito que escondera o carro de Holt em Wanagoochie.

Ao ser perguntado se ele achava que Holt era louco, ele riu e respondeu:

— Acho que ele não roubou esses duzentos mil dólares para rasgar. Não estou dizendo isso para criticar nossa oposição, mas tem gente ali que ficaria bem mais louca por bem menos dinheiro!

O presidente do banco, no entanto, mostrava-se bastante angustiado, e declarou com fervor sua crença de que Holt, que era uma visita querida nas residências mais luxuosas do Boulevard, além de ser bastante conhecido dos círculos dramáticos locais, que tinha a melhor reputação no banco, por um momento certamente tinha perdido a cabeça, como indicava a enxaqueca persistente que o vinha perturbando. Enquanto isso, a companhia de seguros, que tinha os funcionários do banco cobertos em uma apólice conjunta de duzentos mil dólares, estava com seus próprios detetives ajudando a polícia no caso.

Assim que terminou de ler o jornal, John pegou o bonde para Vernon e foi falar com o presidente do banco. O rosto de John mostrava o desânimo de quem recebe a notícia de uma desgraça. O presidente o recebeu. John cambaleou para o escritório, gemendo:

— Acabei de ler no jornal essa notícia terrível sobre meu irmão. Vim para...

— Esperamos que seja apenas um caso de insanidade temporária. Temos certeza de que tudo vai acabar bem pra ele — insistiu o presidente.

— Bem que eu queria acreditar. Mas como eu disse, Jasper não é um homem bom. Ele bebe e fuma e participa de peças de teatro e idolatra a moda, e...

— Por Deus, também não há motivo para concluir que ele é um fraudador!

— Rezo para que você esteja certo. Mas enquanto isso, quero lhe dar toda a ajuda que puder. Agora meu dever sagrado será levar meu irmão à justiça, caso ele seja provado culpado.

— Muito bom da sua parte — murmurou o presidente.

Apesar daquele exemplo de honra inflexível, ele não conseguia se forçar a gostar de John, que estava ao seu lado, com o rosto imbecil muito próximo ao seu.

O presidente empurrou sua cadeira para trás, afastando-se, e disse, um tanto irritado:

— Na verdade, estávamos pensando em vasculhar sua casa. Se bem me lembro, você vive em Rosebank?

— Sim. E, claro, terei prazer em permitir que vocês vasculhem cada centímetro lá. Ou em ajudar de qualquer outro modo. Sinto que de alguma forma compartilho com meu irmão esse pecado inominável. Vou entregar a chave de minha casa a você imediatamente. E também tem um barracão onde Jasper mantinha o carro quando ele vinha me visitar. — Ele apresentou uma grande e antiquada chave já enferrujada e a estendeu, acrescentando: — O endereço é avenida Humbert nº 27, Rosebank.

— Ah, acho que não será necessário — disse o presidente, um tanto envergonhado, gesticulando irritado que não queria a chave.

— Mas quero ajudar de alguma forma! O que eu posso fazer? Quem é o... como é que dizem no jornal? Quem é o detetive cuidando do caso? Vou ajudá-lo como puder...

— Faça o seguinte: vá falar com o sr. Scandling, da Companhia Mercantil de Seguros, e conte a ele tudo o que você sabe.

— Vou fazer isso. Vou carregar o crime do meu irmão nos ombros. Do contrário, estaria cometendo o mesmo pecado de Caim. Você está me dando a chance de tentar expiar nosso pecado conjunto, e como o irmão Jeremiah Bodfish costumava dizer, é uma bênção ter uma oportunidade de expiar um pecado, não importa quão dolorosa possa ser a punição para um mero ser de natureza física. Como acho que já falei, sou membro ativo da Fraternidade Esperança das Almas, e embora sejamos livres de palavreado vazio e dogmas, é nossa firme crença que...

E então, por dez tediosos minutos, John Holt fez um sermão; citou livros esquecidos e anciãos antiquados e severos; entreteceu orgulho amargo e misticismo desajeitado em uma teia de fanatismo. O presidente costumava ir à igreja, era um ardente apoiador das doações para missionários, por quarenta anos frequentara o banco da Igreja de St. Simeon, mas ficou alternadamente entediado e enfurecido com aquele santarrão fanático.

Depois de se livrar rispidamente de John Holt, ele reclamou consigo mesmo:

— Mas que praga, eu não devia dizer isso, mas prefiro Jasper, o pecador, a John, o santo. Uff! Que cheiro de mofo que esse sujeito tem! Deve passar o dia inteiro colhendo batatas. Ah! Minha nossa, eu me lembro agora que Jasper teve a cara de pau de me dizer que se um dia ele roubasse um banco eu deveria chamar John. Agora sei por quê! John é o tipo de idiota egoísta que atrapalharia qualquer busca sistemática. Bom, Jasper, desculpe, mas não quero mais ver esse John na minha frente, se eu puder evitar!

John fora à Companhia Mercantil de Seguros, onde se apresentara ao sr. Scandling, e agora o cansava com um relato detalhado e inútil dos anos de juventude e dos vícios recentes de Jasper. Ele foi direcionado para o detetive empregado pela companhia de seguros para encontrar Jasper. O detetive era um sujeito durão e barulhento, que achou John ainda mais entediante. John insistiu para que ele fosse examinar a casa em Rosebank, e o detetive o fez — mas rapidamente, pensando em se safar dali. John passou uns cinco minutos mostrando a ele o barracão onde Jasper guardava o carro às vezes.

Ele também tentou interessar o detetive em seus livros preciosos, mas manchados. Ele destrancou uma seção do armário, pegou um livro de sermões em quatro volumes e começou a ler em voz alta.

O detetive o interrompeu:

— Ah, muito bem, mas acho que não vamos encontrar o seu irmão escondido atrás desses livros!

O detetive foi embora assim que possível, depois de explicar insistentemente a John que, se precisassem de sua ajuda, eles o avisariam.

— Se eu puder expiar...

— Sim, claro, tudo bem! — gritou o detetive, quase correndo até o portão.

John fez mais uma visita a Vernon naquele dia. Ele foi visitar o chefe de polícia da cidade, e informou a ele que permitira ao investigador da companhia de seguros vasculhar sua casa. Será que a polícia não se interessaria em ir lá também?

Ele começou a dizer que queria expiar — e o chefe de polícia bateu de leve nas costas de John, aconselhou que ele não se sentisse responsável pela culpa do irmão e implorou:

— Pode ir agora. Estamos muito ocupados aqui.

Quando John se dirigiu à reunião da Esperança das Almas aquela noite, dezenas de pessoas murmuraram que seu irmão roubara o Banco Nacional Lumber. Sua cabeça pendia de vergonha. Na reunião, ele tomou o pecado de Jasper para si, e rezou para que Jasper fosse preso e recebesse a cura abençoada da punição. Os outros imploraram para que John não se sentisse culpado — afinal, ele não fazia parte dos irmãos da Esperança das Almas, que, únicos naquela geração perversa e iníqua, tinham a certeza da salvação?

Na quinta-feira, na manhã de sábado, na terça e na sexta, John foi até a cidade visitar o presidente do banco e o detetive. Duas vezes o presidente o recebeu, e ficou infinitamente entediado com seus sermões. Na terceira vez, mandou avisar que não estava. Na quarta vez ele recebeu John, mas explicou rispidamente que, se John realmente queria ajudá-los, a melhor coisa a fazer era manter-se afastado.

O detetive tinha saído e não pôde vê-lo nas quatro oportunidades.

John sorriu humildemente e parou de tentar ajudá-los. A poeira começou a se acumular em certas caixas de doce na prateleira inferior do armário de livros, exceto por uma, que ele retirava de vez em quando. Sempre que ele o fazia, um homem com cabelos castanhos baços, metido em um terno negro amarrotado, que assinava o nome de R. J. Smith, enviava uma quantia respeitável por vale postal da agência dos correios em South Vernon para John Holt, em Rosebank — como já vinha fazendo pelos últimos seis meses. Eram vales postais que não passavam de 25 dólares por semana, mas que eram bem mais do que o ascético John Holt necessitava. Durante o dia, John às vezes descontava os vales nos correios de Rosebank, mas geralmente, como tinha se acostumado a fazer, ele os descontava em sua mercearia favorita quando saía à noite.

Nas conversas com o vizinho, que todas as noites passeava no quintal da frente e fumava um charuto após o jantar, John era franco sobre toda aquela história lamentável do desfalque aplicado pelo irmão. Ele se perguntava se não tinha se isolado demais nos estudos e negligenciado o irmão. O vizinho aconselhou, sério, que John saísse mais de casa. John se deixou ser persuadido, pelo menos na medida em que passou a dar um passeio curto toda tarde, e permitiu que sua solidão literária fosse perturbada por entregas de leite, carne e víveres. Ele também passou a visitar a biblioteca municipal, e na sala de referência começou a ver livros sobre as Américas do Sul e Central — como se planejasse visitar o Sul algum dia.

Mas ele continuou com seus estudos religiosos. Não se pode ter certeza se antes do desfalque John já trabalhara de forma consistente em seu livro sobre o livro das Revelações. Tudo o que o mundo vira tinha sido uma mixórdia de citações de autoridades teológicas. Pelo jeito, o crime do irmão causara uma forte impressão, fazendo com que ele se concentrasse no estudo e em escrever mais demoradamente. Pois durante o ano seguinte ao desaparecimento do irmão — um ano em que a companhia de seguros foi aos poucos desistindo da busca e deu como certo que Jasper tinha morrido — John ficou fanaticamente absorvido em um trabalho um tanto nebuloso.

Os dias e as noites se passavam indistintos em meio à meditação em que ele perdia a realidade de vista, parecendo divisar entre a névoa da carne os clarões das altas torres do espírito.

Já foi relatado como Jasper Holt realmente vivia os papéis que representava. Ninguém jamais saberá do grande ator que se perdeu no caixa de banco esnobe. Os triunfos do prestígio lhe foram negados, mas ele não ficou sem uma recompensa material. Pois ao interpretar seu papel mais sutil, ele recebeu 97 mil dólares. Talvez ele os tenha merecido. Certamente era um pagamento condizente com o risco envolvido. Jasper se envolvera nos mistérios da personalidade, e arriscava perder todo o propósito consistente, tornar-se um itinerante do espírito, um corpo errante esvaído de vida.

IV

As folhas de pontas afiadas dos salgueiros tinham se retorcido e caído após as monótonas chuvas de outubro. Os troncos dos salgueiros tinham se descascado, deixando à mostra rasgos de madeira úmida de um tom amarelado e doentio. Entre as árvores peladas assomavam as pedras da sólida casa de John Holt. Os trechos de terra mostravam-se escorregadios entre os emaranhados de grama escurecida. Os tijolos do caminho agora estavam sempre úmidos. Todo o mundo parecia se encolher na friagem.

Tão melancólico quanto a terra adoecida parecia o homem que andava pelo caminho dos salgueiros no crepúsculo cinzento. Seu passo era lento, seus lábios se moviam com a intensidade de seus pensamentos. Sobre o terno negro amarrotado e a camisa escura ele usava um casaco puído, com o colarinho de veludo esverdeado pelo tempo. Ele estava ponderando:

"Há alguma coisa nessa história. Estou começando a enxergar... mas não sei o que é que estou enxergando! Mas há luzes... um mundo sobrenatural que faz a alimentação e o sono parecerem necessidades ridículas. Eu estou... eu realmente estou acima da lei! Eu faço minha própria lei! Por que eu não poderia ultrapassar as leis da visão e descortinar os segredos da vida? Mas pequei, e preciso me arrepender... algum dia. Não preciso devolver o dinheiro. Ele me foi dado para que eu pudesse levar essa vida contemplativa. Mas a ingratidão com o presidente, com as pessoas que confiaram em mim! Será que sou o mais miserável dos pecadores, sou como um ludibriador?

As vozes... ouço vozes contraditórias... algumas me louvam por minha coragem, outras me repreendem..."

Ele se ajoelhou na superfície úmida de um banco de madeira enegrecido sob os salgueiros e rezou envolto na penumbra do crepúsculo. Parecia que ele rezava não usando palavras, mas em sonhos vastos e confusos — palavras de um idioma mais vasto que os idiomas humanos. Quando se cansou, ele lentamente voltou e entrou em casa, trancando a porta. Ele não sentia nenhum medo definido, mas nunca ficava confortável com a porta destrancada.

À luz de velas ele preparou seu jantar austero — torrada seca, um ovo, chá verde barato com leite desnatado. Como sempre — como acontecera nos últimos 18 meses após cada refeição — ele desejou um cigarro, mas não fumou. Ele andou pela sala de estar e nas longas horas da noite leu um livro antigo, repleto de notas de rodapé e referências cruzadas sobre a Numerologia dos Livros Proféticos e o Número da Besta. Ele tentou escrever notas para o seu próprio livro sobre o Apocalipse — a escassa pilha de folhas cobertas com garatujas em uma grafia pequena e detalhada. Ele escrevera milhares de outras folhas, durante noites inteiras; mas ele sempre sentia como se sua caneta lerda estivesse correndo atrás de pensamentos que ele nunca conseguia alcançar, e a maior parte do que escrevera ele tinha queimado selvagemente.

Mas algum dia ele escreveria uma obra-prima! Ele tateava em direção à maior descoberta que um homem mortal já fizera. Ele determinara que tudo era um símbolo — não apenas um e outro sinal sagrado, mas todas as manifestações físicas. Com exultação amedrontada ele experimentou seu novo poder de adivinhação. A lâmpada dependurada do teto balançava levemente, e ele arriscou:

— Se o arco de luz tocar a beirada do armário de livros, então é um sinal para que eu vá para a América do Sul gastar meu dinheiro, usando um novo disfarce.

Ele estremeceu vendo a lâmpada balançar de forma insuportavelmente lenta. A luz, ao se mover, quase tocou a beirada do armário. Ele arquejou. Então a luz recuou.

Era um aviso, e ele tremeu novamente. Será que jamais abandonaria aquele lugar de remorso e medo, que ele achou ser um refúgio tão astuto? E de repente ele viu tudo.

— Eu fugi e me escondi em uma prisão! O homem não é capturado pela justiça — mas por si mesmo!

Ele tentou novamente. Especulou se o número de lápis na mesa era maior ou menor que cinco. Se maior, ele tinha pecado; se menor, ele estava verdadeiramente acima da lei. Ele começou a erguer livros e papéis, procurando lápis. E suava frio com o suspense da situação.

Súbito, ele gritou:

— Estou enlouquecendo?

Ele fugiu para seu quarto prosaico. Não conseguia dormir. Seu cérebro fumegava com impressões vagas de números místicos e avisos ocultos.

Acordou de um sono leve mais assombrado por visões do que qualquer pensamento desperto e gritou:

— Eu tenho que voltar e confessar! Mas não posso! Não posso, porque eu fui mais inteligente que eles! Não posso voltar e deixar que me vençam. Não vou deixar que aqueles idiotas fiquem lá parados e ainda assim me peguem!

Um ano e meio se passara desde que Jasper desaparecera. Às vezes parecia um mês e meio; às vezes, séculos inteiros muito infelizes. A força de vontade de John fora envolvida em estudos hesitantes e curiosos; em sessões longas e intensas com a tábua ouija no colo e em horas da madrugada quando ele imaginava ouvir batidas na mesa e vozes falando nas brasas do carvão.

Agora que o segundo outono de sua reclusão se aproximava do inverno, ele tinha consciência de que não possuía força de vontade suficiente para fugir para a América do Sul. No verão anterior ele se gabara para si mesmo, dizendo que sairia da reclusão e partiria para o sul, deixando um rastro convoluto como só ele sabia fazer. Mas... ah, era trabalhoso demais. Ele não sentia mais o prazer de representar que alimentara seu irmão Jasper na preparação da fuga.

Ele matara Jasper Holt e por uma pilha miserável de dinheiro se tornara um recluso fedendo a mofo!

Ele odiava sua solidão, mas odiava ainda mais seus únicos companheiros, os membros da Fraternidade Esperança das Almas — a costureira carola de voz aguda, o carpinteiro mal-humorado, a dona de casa que não dava um pio, o velho que gritava e que tinha uma bigodeira repelente. Nenhum deles tinha imaginação. As reuniões eram sempre iguais: as mesmas pessoas se levantavam na mesma ordem e faziam as mesmas confissões íntimas para a Divindade, reiterando que apenas eles eram os Seus eleitos.

De início fora um triunfo divertido ter sido aceito como o mais eloquente entre eles, mas aquilo se tornara trivial, e ele se ressentia do fato de eles ousarem falar com ele em termos familiares, já que ele sentia que era o único homem que realmente vivia além das ilusões do mundo e via a estranha beatitude das almas mais elevadas. Foi no final de novembro, durante uma reunião em uma quarta-feira, quando um homem de rosto avermelhado por meia hora ficou afirmando que pecar era para ele uma impossibilidade, que o tédio acumulado irrompeu do cérebro de John Holt. Ele se ergueu e rugiu:

— Vocês me enojam, vocês todos me enojam! Vocês têm tanta certeza da própria santidade que acham impossível cometer erros. Eu também já pensei assim! Agora eu sei que todos nós somos pecadores miseráveis, de verdade! Vocês dizem que são, mas não acreditam nisso de verdade. Eu afirmo que você aí, matraqueando já há meia hora, e você, irmão Judkins, com esse nariz enorme e tremelicante, e eu... eu... eu, o mais infeliz dos homens, todos nós temos que nos arrepender, confessar, expiar nossos pecados! E... eu vou confessar os meus agora mesmo. Eu... r-roubei...

E ele saiu correndo do salão, disparando pela rua principal de Rosebank sem chapéu nem casaco, e não parou até chegar em casa e se trancar. Ele estava assustado porque quase revelara seu segredo, e no entanto, se torturava pensando que não tinha ido até o fim e confessado realmente, ganhando assim a única paz que ele poderia ter agora: a paz da punição.

Ele nunca mais voltou ao Salão da Esperança das Almas. De fato, por uma semana ele não saiu de casa exceto para perambular pelo caminho dos salgueiros à meia-noite. Subitamente ele se viu desesperando com o silêncio. Saiu então às pressas da casa, sem parar para trancar, ou mesmo fechar a porta da frente. Seguiu correndo até a cidade, sem casaco cobrindo suas roupas velhas, apenas um velho chapéu de jardineiro sobre os grossos cabelos castanhos. As pessoas o encaravam, mas ele suportava os olhares com fúria resignada.

Então entrou em um restaurante, esperando poder sentar-se discretamente e ouvir as pessoas conversando normalmente à sua volta. O balconista ficou olhando para ele. John ouviu um murmúrio do guichê do caixa:

— Olha ali o ermitão maluco!

A meia dúzia de rapazes que matavam tempo por ali ficaram olhando para ele. Ele se sentia tão desconfortável que nem conseguiu comer o sanduíche com leite que pedira. Empurrou a comida e fugiu dali, fracassando em sua primeira tentativa de comer fora em 18 meses; um fracasso lamentável em tentar reviver o Jasper Holt que ele tinha matado friamente.

Em seguida entrou em uma tabacaria e comprou uma caixa de cigarros. Sentiu alegria em descartar seu ascetismo. Mas, na rua, ao acender o cigarro, ele se sentiu tão tonto que achou que fosse cair. Teve que se sentar no meio-fio. Pessoas se juntaram ao seu redor, e ele se ergueu com dificuldade e cambaleou em direção a um beco próximo.

Por horas ele caminhou, fazendo e descartando os planos mais contraditórios — ir ao banco e confessar; gastar o dinheiro com extravagâncias e nunca confessar.

Era meia-noite quando ele retornou à casa.

Diante dela, ele arquejou. A porta da frente estava aberta. Ele deu uma risadinha de alívio ao lembrar que não a tinha fechado. Ele entrou, apressado. E atravessava a porta para a sala de estar, seguindo direto para o quarto, quando seu pé bateu em um objeto do tamanho de um livro, mas que soou oco com o impacto. Ele ergueu o objeto. Era uma das caixas de bombom parecidas com um livro. E estava vazia. Assustado, ele ficou escutando. Não havia som nenhum. Ele foi devagar até a sala de estar e acendeu a lâmpada.

As portas do armário de livros tinham sido arrombadas e abertas. Todos os livros tinham sido esparramados no chão. Todas as caixas de bombom, que até aquela noite continham quase 96 mil dólares, estavam em uma pilha, e todas estavam vazias. Ele vasculhou por dez minutos, mas o único dinheiro que encontrou foi uma cédula de cinco dólares, que caíra sob a mesa. Em seu bolso ele tinha um dólar e 16 centavos. John Holt tinha seis dólares e 16 centavos, não tinha emprego, nem amigos... nem identidade.

V

Quando o presidente do Banco Nacional Lumber foi informado de que John Holt estava esperando por ele, fez uma careta.

— Deus, tinha esquecido aquela peste! Já deve fazer um ano desde a última vez em que ele apareceu aqui. Ah, pode deixar ele... não, que se dane, não vou recebê-lo! Diga que estou muito ocupado. A não ser que ele tenha alguma notícia sobre Jasper. Pergunte a ele, descubra e depois me diga.

A secretária do presidente disse a John, suavemente:

— Eu sinto muito, mas o presidente está numa conferência agora. Qual era o assunto que você tinha pra falar com ele? É alguma notícia sobre o... ah, sobre o seu irmão?

— Não, senhorita. Estou aqui para falar com o presidente sobre um assunto de Deus.

— Ah! Se isso é tudo, infelizmente não vou poder interrompê-lo.

— Eu espero.

E ele esperou, a manhã inteira e o almoço — quando o presidente passou por ele apressado — e depois a tarde inteira, até que se tornou impossível para o presidente trabalhar com a presença daquele espantalho lá fora, e mandou chamá-lo.

— Muito bem, muito bem! O que foi dessa vez, John? Eu estou muito ocupado. Você não teve notícias de Jasper, teve?

— Notícia nenhuma, senhor, mas... tenho aqui o próprio Jasper! Eu sou Jasper Holt! O pecado dele é o meu pecado.

— Sim, sim, eu já sei. Irmãos gêmeos, almas gêmeas, compartilhando a responsabilidade...

— Você não entende. Não existe nenhum irmão gêmeo. Não existe nenhum John Holt. Eu sou Jasper. Inventei um irmão imaginário, e me disfarcei. Você não reconhece minha voz?

John se debruçou sobre a mesa, apoiando-se nela com as duas mãos e sorrindo, ávido, mas o presidente sacudiu a cabeça e disse, tentando tranquilizá-lo:

— Infelizmente, não. Parece a voz do velho John religioso pra mim! Jasper era um patife bem-humorado, eficiente. Ora, a risada dele...

— Mas eu posso rir!

E o crocitar áspero e horrendo que John emitiu foi como o grito de um pássaro agourento dos pântanos. O presidente estremeceu. Sob a borda inferior da mesa seus dedos moveram-se na direção da campainha que ele usava para chamar sua secretária.

Mas seus dedos pararam quando John disse:

— Olhe... essa peruca! Isso aqui é uma peruca! Veja, eu sou Jasper!

Ele arrancou o ninho de ratos castanho da cabeça. E ficou parado, ansioso e um pouco amedrontado.

O presidente se assustou, mas sacudiu a cabeça e suspirou.

— Pobre coitado! Sim, é uma peruca. Mas esse cabelo aí não parece nem um pouco com o de Jasper!

Ele fez um gesto para o espelho no canto da sala. John foi até o espelho, hesitante. E de fato, viu que seu cabelo tinha mudado: do negrume brilhante e liso de Jasper para um emaranhado de cachos cinzentos e mofados recobrindo um crânio amarelado.

Ele implorou de forma lamentável:

— Oh, não está vendo que sou Jasper? Roubei 97 mil dólares do banco e quero ser castigado! Que quero fazer o que for preciso para provar... Eu estive na sua casa. O nome da sua esposa é Evelyn. O meu salário aqui era de...

— Meu caro, você não acha que Jasper pode ter lhe falado todas essas coisas interessantes? Infelizmente eu acho que toda a sua preocupação acabou... perdoe-me falar tão francamente, mas acho que mexeu com a sua cabeça um pouco, John.

— Não existe John nenhum! Não existe! Não existe!

— Eu acreditaria nisso mais facilmente se não tivesse conhecido você antes de Jasper desaparecer.

— Dê-me um pedaço de papel. Você conhece minha letra...

Com garras retorcidas John pegou uma folha de papel com o timbre do banco e tentou escrever na letra arredondada de Jasper. Por todo o ano que se passara ele enchera milhares de páginas com a letra pequena e detalhada de John. E agora, embora tentasse impedir, depois de traçar três palavras em letras grandes, mas trêmulas, sua letra foi ficando menor, mas apertada e menos legível.

Enquanto John escrevia, o presidente olhava para a folha. Então ele disse:

— Pode parar, John. Não é nem a mão de Jasper. Olhe, eu quero que você se afaste de Rosebank por algum tempo... vá para alguma fazenda... trabalhe ao ar livre... pare de ficar se remoendo e se preocupando... ponha um pouco de ar fresco nos pulmões. — O presidente se ergueu e falou, suavemente: — Agora, infelizmente tenho que continuar trabalhando.

Ele fez uma pausa, esperando que John se retirasse.

John amarrotou com força o papel e o arremessou para longe. Lágrimas assomaram em seus olhos cansados.

Ele se lamuriou:

— Não há nada que eu possa fazer para provar que sou Jasper?

— Ora, com certeza! Basta trazer aqui o que restou dos 97 mil dólares!

John pegou do bolso do casaco puído uma nota de cinco e algumas moedas.

— Isso aqui é tudo que restou. 96 mil foram roubados da minha casa ontem à noite.

Embora lamentasse que John tivesse enlouquecido, o presidente teve que rir. Então tentou parecer solidário, e o confortou:

— É, realmente é muito azar, meu velho. Ahm, vejamos. Você pode apresentar seus pais, ou algum parente, alguém que prove que Jasper nunca teve um irmão gêmeo.

— Meus pais morreram, e eu perdi o contato com minha família. Nasci na Inglaterra, meu pai veio para cá quando eu tinha seis anos. Pode haver algum primo, algum antigo vizinho, mas eu não sei. Provavelmente seria impossível encontrar alguém, especialmente agora durante a guerra, a não ser indo até lá.

— Bom, acho que vamos ter que esquecer isso, meu velho. — O presidente apertou a campainha, chamando a secretária. Ele disse a ela:

— Leve o sr. Holt até a porta, por favor.

Da porta, John ainda tentou dizer:

— O meu carro está afundado no...

A porta se fechou atrás dele. O presidente não ouviu.

O presidente deu ordens para que nunca mais, por motivo nenhum, John Holt fosse levado ao seu escritório. Ele telefonou para a companhia de seguros dizendo que John Holt tinha enlouquecido e que eles se poupariam um incômodo se se recusassem a recebê-lo.

John não tentou ir vê-los. Ele foi até a delegacia. Entrou no escritório do vigia e disse, baixinho:

— Eu roubei muito dinheiro, mas não tenho como provar. Por favor, me prenda!

O vigia gritou:

— Vai dando o fora! Mendigo sempre vem com essa quando quer arranjar um lugar quente pra se abrigar do inverno! Vai procurar emprego na construção civil! Lá tão pagando 2,75 por dia!

— Sim, senhor — disse John, amedrontado. — Onde é que fica isso?

REABILITAÇÃO RECUPERADA
O. HENRY

Dezenas de peças, filmes e programas de rádio e televisão foram baseados em contos escritos por O. Henry, pseudônimo de William Sydney Porter (1862-1910), mas nenhuma de suas histórias mostrou-se tão fecunda para inspirar obras dramáticas quanto "Reabilitação recuperada".

Sete anos depois da publicação deste conto em 1903, uma peça baseada nela começou uma temporada de sucesso na Broadway, com o título que permanece familiar mais de um século depois: *Alias Jimmy Valentine*. A história foi adaptada por Paul Armstrong, e H.B. Warner atuou como o maior arrombador de cofres do mundo, agora aposentado por ter se apaixonado por uma mulher. A peça e os filmes que se seguiram acompanham de perto o dilema torturante pelo qual Jimmy passa. Uma montagem em 1921, também bem-sucedida, tinha Otto Kruger no papel principal.

A primeira versão para o cinema foi estrelada por Robert Warwick em um filme mudo, em 1915. Outro filme mudo porém com orçamento maior foi lançado em 1920 estrelado por Bert Lydell. Em 15 de novembro de 1928 foi lançado um *remake* desses filmes com William Haines no papel de Jimmy e Lionel Barrymore como o detetive em seu rastro. Foi o primeiro título parcialmente sonoro da Metro-Goldwyn-Mayer. O filme foi concluído como um filme mudo, mas Irving Thalberg mandou que Barrymore e Haines repetissem seu desempenho nas últimas duas cenas, desta vez com som. A primeira versão dramática com um título diferente de *Alias Jimmy Valentine* foi *The Return of Jimmy Valentine* (no Brasil: *A volta de Jimmy Valentine*), de 1936, com Roger Pryor, em que um repórter escreve uma série de artigos especulando se o lendário arrombador de cofres ainda está vivo. Ele acredita ter rastreado o velho criminoso, que agora é um respeitado gerente de banco em uma cidade pequena. O último filme (embora tenha havido várias adaptações para o rádio e a televisão) foi *Affairs of Jimmy Valentine* (1942), estrelado por Dennis O'Keefe, no qual a agência de publicidade de um programa de rádio oferece dez mil dólares para quem conseguir encontrar o verdadeiro Valentine, agora um editor de jornal de meia-idade interpretado por Roman Bohnen.

"Reabilitação recuperada" surgiu originalmente na edição de abril de 1903 da *Cosmopolitan*, com o título "A Retrieved Reform" e foi incluído em coletânea no livro *Roads of Destiny*, de O. Henry (Nova York, Doubleday, Page, 1909).

REABILITAÇÃO RECUPERADA

O. HENRY

Na sapataria da prisão, Jimmy Valentine estava bastante ocupado fabricando calçados. Um oficial veio até a sapataria e levou Jimmy ao escritório da direção. Ali Jimmy recebeu um papel importante que dizia que ele estava livre.

Jimmy pegou o papel sem demonstrar prazer ou interesse. Ele tinha sido mandado para a cadeia para cumprir uma pena de quatro anos. Já estava lá havia dez meses. Mas tinha achado que não ficaria mais do que três lá dentro. Jimmy Valentine tinha muitos amigos fora da prisão, e um homem com muitos amigos não acredita que passará muito tempo atrás das grades.

— Valentine — disse o oficial-chefe —, você sai amanhã. Essa é sua chance. Mude de vida, vire um homem de verdade. Você não tem um mau coração. Pare com essa história de arrombar cofres e comece uma vida decente.

— Eu? — disse Jimmy, surpreso. — Nunca arrombei um cofre na vida.

— Ah, não — riu o oficial-chefe da prisão. — Nunca. Vamos ver aqui. Como é que você foi parar na cadeia por arrombar o cofre em Springfield? Foi porque você não quis dizer onde estava realmente? Talvez porque estivesse com alguma mulher e não quisesse revelar o nome dela? Ou foi porque o juiz não gostou de você? Vocês sempre têm alguma justificativa dessas. Nunca é porque estavam arrombando um cofre.

— Eu? — repetiu Jimmy. Seu rosto ainda expressava surpresa. — Nunca estive em Springfield na vida.

— Leve-o embora daqui — disse o oficial-chefe. — Dê a ele roupas para sair. Traga-o aqui novamente amanhã às sete da manhã. Pense no que eu disse, Valentine.

Às 7h15 da manhã seguinte, Jimmy se apresentou novamente no escritório da direção. Ele usava roupas novas que não lhe serviam direito e um par de sapatos que machucava seus pés. Essas são as roupas normais dadas aos prisioneiros que deixam a cadeia.

Em seguida, deram-lhe dinheiro para pagar sua viagem de trem até a cidade mais próxima dali — com cinco dólares a mais. Os cinco dólares eram para ajudá-lo a se tornar um homem decente.

Então o oficial-chefe da prisão estendeu a mão para que Jimmy a apertasse. Aquele foi o fim de Valentine, Prisioneiro 9762. E o sr. James Valentine saiu para o dia ensolarado que o aguardava.

Ele não escutou o chilrear dos pássaros, não olhou para as árvores verdes nem sentiu o cheiro das flores. Foi direto a um restaurante. Ali provou as primeiras delícias da vida em liberdade: refestelou-se com um bom jantar. Depois seguiu até a estação de trem.

Ele deu algumas moedas a um cego que estava sentado lá pedindo dinheiro e então entrou no trem.

Três horas depois, desembarcou do trem em uma cidade pequena. E dali partiu para o restaurante de Mike Dolan.

Mike Dolan estava sozinho. Depois de um aperto de mãos, ele disse:

— Desculpe não termos podido fazer isso antes, querido Jimmy. Mas havia a questão do cofre em Springfield também. Não foi fácil. Está se sentindo bem?

— Sim, bem — respondeu Jimmy. — Meu quarto está pronto?

Ele subiu e abriu a porta de um quarto nos fundos da casa. Tudo estava como ele tinha deixado. Foi ali que encontraram Jimmy quando o levaram para a prisão. No chão, havia um pequeno pedaço de tecido. Tinha sido rasgado do uniforme de um dos policiais quando Jimmy lutava para escapar.

Havia uma cama encostada à parede. Jimmy puxou a cama na direção do centro do quarto. A parede atrás parecia comum, mas Jimmy foi até ela, encontrou uma portinhola ali embutida e a abriu. De lá ele tirou um saco coberto de poeira.

Ele abriu o saco e olhou com carinho para as ferramentas que usava para arrombar cofres. Não havia ferramentas melhores em lugar nenhum. Estavam todas ali; tudo de que ele precisava estava ali. Eram feitas de um material especial, nos formatos e tamanhos necessários. O próprio Jimmy as tinha projetado, e tinha muito orgulho delas.

Ele havia desembolsado novecentos dólares para que as ferramentas fossem feitas no local especial em que tais instrumentos eram fabricados para arrombadores de cofre.

Meia hora depois, Jimmy desceu as escadas até o restaurante. Agora estava usando boas roupas que lhe caíam bem. Carregava o saco, agora limpo da poeira.

— Você tem algo planejado? — perguntou Mike Dolan.

— Eu? — perguntou Jimmy, como se estivesse surpreso. — Não compreendo. Trabalho para a Padaria e Confeitaria Bolos Famosos de Nova York. E vendo os melhores pães e bolos do país.

Mike gostou tanto dessa resposta que fez Jimmy tomar uma bebida com ele. Jimmy tomou um pouco de leite. Ele nunca bebia nada mais forte que isso.

Uma semana depois de Valentine, Prisioneiro 9762, sair da prisão, um cofre foi arrombado em Richmond, Indiana. Ninguém descobriu o culpado. Oitocentos dólares foram roubados.

Duas semanas depois, um cofre em Logansport foi arrombado. Era um novo tipo de cofre; era tão robusto, segundo consta, que ninguém poderia arrombá-lo. Mas alguém o arrombou e levou 1.500 dólares.

Então um cofre em Jefferson City foi arrombado. Cinco mil dólares roubados, uma grande perda. Ben Price era um policial que trabalhava em casos grandes assim, e foi designado para trabalhar nesse.

Ele foi até Richmond, Indiana, e até Logansport, para ver como o arrombamento se dera nesses locais. E o ouviram dizer:

— Pelo jeito Jimmy Valentine andou por aqui. Ele está de volta aos negócios. Olha só o jeito como ele abriu esse aqui. Tudo bem fácil, bem limpo. Ele é a única pessoa com as ferramentas para fazer isso. E ele é a única pessoa que sabe usar esse tipo de ferramenta. Sim, quero botar as mãos no sr. Valentine. Da próxima vez que ele for pro xadrez, vai ficar lá até a pena se cumprir.

Ben Price sabia como Jimmy trabalhava. Jimmy ia de uma cidade para outra, bem longe. Ele sempre trabalhava sozinho e sempre partia rapidamente quando terminava. Ele gostava de estar em boa companhia. Por todas essas razões, não era fácil capturar o sr. Valentine.

As pessoas que tinham cofres cheios de dinheiro ficaram felizes em saber que Ben Price estava no caso, tentando capturar o sr. Valentine.

Certa tarde, Jimmy Valentine e seu saco de ferramentas chegaram a uma pequena cidade chamada Elmore. Jimmy, com a aparência jovem como a de um universitário, seguiu pela rua até o hotel.

Uma jovem estava atravessando a rua e passou por ele em uma esquina, entrando por uma porta. Na porta havia uma placa: "Banco de Elmore." Jimmy Valentine a olhou bem nos olhos, esquecendo imediatamente o que ele era e se tornando outro homem. Ela olhou para o outro lado e seu rosto ganhou um tom rubro mais forte. Jovens como Jimmy eram raros em Elmore.

Jimmy viu um garoto perto da porta do banco e começou a fazer perguntas sobre a cidade. Depois de algum tempo, a jovem saiu e seguiu caminho. Ela pareceu não notar Jimmy ao passar por ele.

— Aquela não é a jovem Polly Simpson? — perguntou Jimmy.

— Não — respondeu o garoto. — Ela se chama Annabel Adams. O pai dela é o dono desse banco.

Jimmy foi até o hotel, onde informou que seu nome era Ralph D. Spencer e pediu um quarto. Ele disse ao funcionário do hotel que viera para Elmore a negócios. Como estava o negócio de sapatos ali? Elmore contava com uma boa sapataria?

O homem achou que as roupas e os modos de Jimmy eram decentes. Ficou feliz em falar com ele.

Sim, Elmore precisava de uma boa sapataria. Não havia uma loja especializada em sapatos ali. Os sapatos eram vendidos nas lojas grandes, que vendiam de tudo um pouco. Os negócios andavam de vento em popa, e ele esperava que o sr. Spencer decidisse se estabelecer em Elmore. Era uma cidade agradável de se viver, e as pessoas eram amistosas.

O sr. Spencer disse que ficaria alguns dias na cidade e que aprenderia mais sobre o lugar. "Não", disse ele, "eu mesmo levo minha mala para o quarto". Ele não queria que um carregador a levasse, pois estava muito pesada.

O sr. Ralph Spencer permaneceu em Elmore. Abriu uma sapataria, e os negócios iam bem.

Ele também fez muitos novos amigos. E conseguiu obter o que seu coração desejava. Ele conheceu Annabel Adams. E a cada dia gostava mais dela.

Ao final de um ano, todos em Elmore gostavam do sr. Ralph Spencer. Sua sapataria estava prosperando a olhos vistos. E ele e Annabel iriam se casar em duas semanas. O sr. Adams, o dono do banco, gostava de Spencer. Annabel tinha muito orgulho dele, e Spencer já parecia fazer parte da família Adams.

Um dia, Jimmy se sentou em seu quarto e escreveu uma carta, que enviou para um de seus velhos amigos:

Meu Velho Amigo:

Quero que você me encontre na casa de Sullivan na semana que vem, dia 10, à noite. Quero dar a você minhas ferramentas. Sei que você ficará feliz em tê-las. Elas custam mais de mil dólares. Eu abandonei minha profissão antiga — já faz um ano. Hoje tenho uma boa loja. Estou vivendo uma vida decente, e vou me casar com a melhor moça do mundo daqui a duas semanas. É a única vida que quero — e jamais vou chegar perto do dinheiro de outra pessoa novamente. Depois de me casar, vou seguir mais para oeste, onde não encontrarei mais ninguém que me conheceu na minha vida pregressa. Pode acreditar, minha noiva é uma moça maravilhosa. Ela confia em mim.

Do seu velho amigo,

Jimmy.

Na noite de segunda-feira após Jimmy ter enviado a carta, Ben Price chegou discretamente a Elmore. Ele andou pela cidade lentamente, do seu modo reservado, e descobriu tudo o que precisava saber. De dentro de uma loja ele viu Ralph D. Spencer passando.

— Você vai se casar com a filha do banqueiro, não vai, Jimmy? — disse Ben para si mesmo. — Eu não sei não, hein!

Na manhã seguinte, Jimmy estava na casa dos Adams. Naquele dia, viajaria até uma cidade próxima para comprar roupas novas para o casamento, e também compraria um presente para Annabel. Seria sua primeira viagem para fora de Elmore. Já fazia mais de um ano desde a última vez que arrombara um cofre.

Vários membros da família Adams foram juntos ao banco naquela manhã: o sr. Adams, Annabel, Jimmy e a irmã casada de Annabel com as duas filhas, de cinco e nove anos. Eles passaram pelo hotel de Jimmy, que correu até seu quarto rapidamente e trouxe de lá sua sacola. Então seguiram para o banco.

Todos entraram — Jimmy também, pois era da família. Todos no banco ficaram felizes em ver o jovem de boa aparência que se casaria com Annabel. Jimmy deixou sua sacola no chão.

Annabel, rindo, pôs o chapéu de Jimmy em sua cabeça e ergueu a sacola.

— Como estou? — perguntou ela. — Ralph, que sacola pesada! Parece que está cheia de ouro.

— Está cheia de coisas de que não preciso na loja — disse Jimmy. — Estou levando tudo para a cidade, para o lugar de onde vieram. Assim economizo o dinheiro de despachá-las. Vou ser um homem casado em breve, preciso aprender a economizar dinheiro.

O banco de Elmore tinha um cofre novo. O sr. Adams tinha muito orgulho dele, e queria que todos o vissem. Era grande feito um quarto pequeno e tinha uma porta bem especial. Era controlada por um relógio. Usando o relógio, o banqueiro programava o horário em que a porta se abriria. Em outros horários, ninguém mais, nem mesmo o próprio banqueiro, podia abri-lo. Ele explicou tudo isso ao sr. Spencer, que pareceu interessado, mas aparentou não ter entendido direito. As duas crianças, May e Agatha, gostaram de ver a porta pesada e brilhante com todas as peças especiais.

Enquanto se ocupavam com isso, Ben Price entrou no banco e olhou em volta. Ele disse a um jovem que trabalhava ali que não tinha vindo a negócios: estava esperando alguém.

De repente, as mulheres da família Adams gritaram. Não tinham ficado de olho nas crianças, e May, a menina de nove anos, brincando, tinha trancado a porta do cofre, e Agatha estava lá dentro.

O velho banqueiro tentou abrir a porta. Ele a puxou por um momento, e então gritou:

— Não dá para abrir! E eu ainda não tinha programado o relógio!

A mãe de Agatha gritou novamente.

— Silêncio! — disse o sr. Adams, e ergueu a mão trêmula. — Fiquem todos quietos um instante. Agatha! — gritou ele, o mais alto que pôde. — Escute.

Eles podiam ouvir a voz da criança, bem abafada, vindo do cofre. Nas trevas lá dentro, ela se agitava e chorava de medo.

— Meu amor! — gritou a mãe. — Ela vai morrer de medo! Abra a porta! Arrombe! Vocês, homens, não vão fazer nada?

— Não existe ninguém na cidade que consiga abrir esta porta — disse o sr. Adams, com voz trêmula. — Meu Deus! Spencer, o que vamos fazer? A menina não vai sobreviver muito tempo lá dentro. Não tem ar. Ela vai morrer de medo.

A mãe de Agatha, agora também enlouquecida de medo, batia na porta com as mãos. Annabel virou-se para Jimmy com os olhos grandes cheios de dor, mas com alguma esperança também. As mulheres acham que seus amados sempre podem fazer alguma coisa.

— Não tem nada que você possa fazer, Ralph? Por favor, tente alguma coisa!

Ele olhou para ela com um sorriso estranho e suave, nos lábios e nos olhos.

— Annabel — disse ele —, pode me dar essa flor do seu vestido?

Ela não acreditou no que tinha escutado. Mas ainda assim, tirou a flor do vestido e deu para ele. Jimmy a recebeu e a guardou onde não a perderia. Então tirou o casaco. Com esse gesto, Ralph D. Spencer morreu e Jimmy Valentine tomou o seu lugar.

— Afastem-se da porta, vocês todos — ordenou ele.

Ele pôs a sacola em cima da mesa e a abriu. Dali em diante, foi como se não percebesse mais a presença de ninguém ali perto. Rapidamente ele dispôs as estranhas ferramentas sobre a mesa enquanto os outros observavam como se tivessem perdido a capacidade de movimento.

No minuto seguinte, Jimmy começou a trabalhar na porta. E em dez minutos — o tempo mais rápido em sua carreira de arrombador — ele conseguiu abri-la.

Agatha arremessou-se nos braços da mãe.

Jimmy Valentine vestiu o casaco, pegou a flor e foi andando em direção à porta da frente. Enquanto caminhava, ouviu uma voz de mulher que gritava: "Ralph!" Ele não parou.

Na porta, um homem grande barrava seu caminho.

— Olá, Ben! — disse Jimmy, ainda com o estranho sorriso. — Você finalmente apareceu, não é? Vamos embora. Não me importo mais.

E então Ben Price agiu de forma bem estranha.

— Acho que o senhor se enganou, sr. Spencer — disse ele. — Acho que não conheço o senhor, não é verdade?

E Ben Price se virou e se afastou, caminhando lentamente rua abaixo.

Direção editorial
Daniele Cajueiro

Editor responsável
Hugo Langone

Produção editorial
Adriana Torres
Pedro Staite

Revisão
André Marinho
Carolina Rodrigues
Carolina Vaz
Marcela Ramos

Revisão de tradução
Luisa Suassuna
Roberto Jannarelli
Thais Entriel

Capa
Rafael Nobre

Diagramação
Futura

Este livro foi impresso em 2018
para a Nova Fronteira.

BOURBON
ALC. 47°